BREVIARIOS

del

FONDO DE CULTURA ECONÓMICA

89

HISTORIA DE LA LITERATURA HISPANOAMERICANA

LA COLONIA
CIEN AÑOS DE REPÚBLICA

Historia de la literatura hispanoamericana

I
LA COLONIA
CIEN AÑOS DE REPÚBLICA

por ENRIQUE ANDERSON IMBERT

FONDO DE CULTURA ECONÓMICA
MÉXICO – BUENOS AIRES

Primera edición, 1954
Segunda edición, 1957
Tercera edición (complementada con el
Breviario 156), 1961

PRÓLOGO
A LA PRIMERA EDICIÓN

De los muchos peligros que corre un historiador de la literatura, dos son gravísimos: el de especializarse en el estudio de obras maestras aisladas entre sí, o el de especializarse en el estudio de las circunstancias en que esas obras se escribieron. Si hace lo primero nos dará una colección de ensayos críticos discontinuos, es decir, una historia de la literatura con poca historia. Si hace lo segundo nos dará referencias exteriores al proceso de la civilización, es decir, una historia de la literatura con poca literatura. ¿Es posible una Historia-historia de la Literatura-literatura? Por lo menos, es posible intentarla. Sería una historia que diera sentido a los momentos expresivos de ciertos hombres que se pusieron a escribir, a lo largo de siglos. En vez de abstraer por un lado las obras producidas y, por otro, las circunstancias en que se produjeron, tal historia las integraría dentro de la existencia concreta de los escritores. Cada escritor afirma valores estéticos que se le han formado mientras contemplaba su horizonte histórico; y son estos valores los que deberían constituir el verdadero sujeto de una Historia de la Literatura.

Sí, todo esto está muy bien, como teoría. Pero ¿a qué delgada línea se reduciría nuestra historia, esta que ahora ofrecemos, si sólo tuviéramos en cuenta la expresión estética? Nuestras contribuciones efectivas a la literatura internacional son mínimas. Bastante hemos hecho si se tienen en cuenta los mil obstáculos con que ha tropezado, y todavía tropieza, la creación literaria. El Inca Garcilaso, Sor Juana Inés de la Cruz, Andrés Bello, Domingo Sarmiento, Juan Montalvo, Ricardo Palma, José Martí, Rubén Darío, José Enrique Rodó y diez más son figuras que honrarían cualquier literatura. Pero, en general, nos aflige la improvisación, el desorden, el fragmentarismo, la impureza. Forzosamente

7

tendremos que dar acogida a mucho escritor malogrado.

No podemos evitar que el fárrago se nos meta en esta historia. Eso sí, sólo nos interesa aquí la realidad que se ha transmutado, bien o mal, en literatura. Los hechos de la filología, la etnología, la sociología, la economía política entrarán en nuestra historia en la medida en que antes hayan entrado en la conciencia creadora de hombres que están contándonos sus experiencias. Ni siquiera nos ocuparemos de los fenómenos culturales próximos a la literatura: folklore, oratoria, periodismo, filosofía, crítica... Cuando no podamos menos de detenernos en un escritor sin propósitos literarios buscaremos su lado más íntimo y personal. Literatura, sólo literatura.

Y ia literatura que vamos a estudiar es la que, en América, se escribió en español. No ignoramos la importancia de las masas de indios. Pero, en una historia de los usos expresivos de la lengua española en América, corresponde escuchar solamente a quienes se expresaron en español. Por la misma razón no nos referiremos a los escritores que nacieron en Hispanoamérica pero escribieron en latín (como Rafael Landívar), en francés (como Jules Supervielle) o en inglés (como W. H. Hudson). Tampoco a los que escribieron, sí, en español, pero sin experiencia americana (como Ventura de la Vega). En cambio incorporaremos a nuestra historia a los extranjeros que vivieron entre nosotros y emplearon nuestra lengua (como Paul Groussac).

Ya se sabe que la historia es un todo continuo. Aquí mostraremos a los escritores, unos tras otros, en el orden en que vinieron al mundo e ingresaron en la vida literaria. Pero aunque la historia es un indiviso fluir de sucesos no podríamos representárnosla sin ciertas convenciones a las que llamamos períodos. Para que sea útil, la periodización debe ajustarse a los hechos, respetar la complejidad de cada época. Ahora bien: un sistema de períodos tiene que ser consecuente con el principio que adopte, pero no necesita ser regular. Al contrario, la excesiva regularidad indicaría que el historiador, por el prurito de embellecer su visión, se está dejando arrastrar por simetrías y metáforas. Hay períodos de larga estabilidad. Hay períodos cortos y rápidos. Por miedo a falsear el desarrollo literario con figuras subjetivas hemos elegido un criterio inofensivo: la clasificación histórico-política en tres partes: "La Colonia", "Cien Años de República" y "Época Contemporánea". Pero dentro de estas amplias divisiones hemos matizado ciertas generaciones, procurando hacer coincidir los cuadros externos de la historia política con las tendencias estéticas. Las fechas titulares de cada capítulo indican los años de "gestación" y de "gestión" en esas generaciones. Para que el esquema sea más útil indicamos, aproximadamente, también las fechas de nacimiento de los escritores. Pero, cuando el sentido histórico lo demande, alteraremos ese esquema y situaremos a un escritor fronterizo en el lado que más convenga.

Que ordenemos los materiales de nuestra historia en períodos no quiere decir que desatendamos otros criterios ordenadores: los de nacionalidad, géneros, escuelas, temas... Lo que hemos hecho es subordinar estos criterios a la cronología. En otras palabras, que nuestro método es sistemático cuando agrupa cronológicamente los fenómenos literarios fundamentales; y asistemático en todo lo demás. Es más difícil, pero falsifica menos la historia.

Agrupar a los escritores por países hubiera roto la unidad cultural de Hispanoamérica en diecinueve ilusorias literaturas nacionales. Recurrir a las categorías retóricas de los géneros nos hubiera obligado a romper a pedazos la obra de un escritor que ha cultivado varios tipos de literatura y a distribuir los pedazos en capítulos separados sobre la "poesía", la "narración", el "teatro", el "ensayo", sin contar la dificultad de clasificar los subgéneros. Insistir en las escuelas y en los "ismos" nos habría hecho caer en el vicio de sustantivar meros conceptos ideales y, por lo tanto, de observar más los estilos colectivos que los estilos individuales. Hacer girar nuestra historia alrededor de ciertos temas hubiera sido superficial: lo que cuenta, ya se sabe, es el tratamiento de los temas, no los temas mismos.

Confiamos en que el lector que lea esta obra de cabo a rabo aprecie nuestro método rigurosamente cronológico. Confiamos en que el lector que no la lea, sino que la consulte a saltos, no se desoriente al echar de menos la usual clasificación por países, géneros, escuelas o temas: para él se han confeccionado índices especiales y cabeceras de página que, bien manejados, le permitirán abstraer los materiales que busca. Confiamos en que tanto el que lee como el que consulta tengan en cuenta que están frente a un Breviario.

El deseo de economía nos ha inducido a presentar un texto uniforme, corrido, apretado. Hubiera sido más fácil seguir el procedimiento corriente en otros manuales: remitir al lector a una nota o a un apéndice cada vez que el historiador no logra absorber un material en su texto. Hemos preferido el esfuerzo de una historia lineal, ininterrumpida, aun a costa de la gracia del estilo. Al reducirnos así ni siquiera nos ha quedado sitio para citar a los especialistas de más autoridad. Declaramos aquí nuestra deuda a sus investigaciones. Nos hemos limitado a dar sólo la nacionalidad y las fechas de nacimiento y muerte de cada autor, más el título de obras principales. Quienes busquen más datos pueden consultar los numerosos repertorios biobibliográficos, accesibles en cualquier biblioteca. El espacio que hemos ganado con este renunciamiento al aparato erudito lo hemos dedicado enteramente a la síntesis histórica y al juicio crítico. El carácter de compendio de nuestra historia explica que hayamos tenido que omitir muchos nombres. Sobre todo los de escritores recientes. Después de todo es una historia y sólo tenemos obligaciones con el pasado; nuestro rápido vistazo al presente es un acto gratuito y no sería justo juzgar el libro por la crónica de los últimos años. Por otra parte, muchos nombres, significativos desde una perspectiva nacional, pierden su significación desde una perspectiva continental.

Agosto, 1953

PRÓLOGO
A LA SEGUNDA EDICIÓN

La buena acogida que tanto el público como la crítica han dado a este libro nos obliga, no sólo a la gratitud, sino también a mejorar nuestro esfuerzo. Ayudados por valiosas indicaciones que nos llegaron por carta o en reseñas, hemos corregido defectos de información. Además, siguiendo nuestro propio juicio, hemos introducido modificaciones estructurales; hemos afinado la perspectiva para estimar ciertos fenómenos literarios; hemos escindido los períodos con más eficacia; hemos procurado, en fin, ponernos al día. En cambio, no hemos alterado los principios de crítica y de historia que expusimos en el prólogo a la primera edición. Es decir, que si bien presenciamos, con toda paciencia, con todo respeto, un largo desfile de escritores, y tratamos de comprender por qué están allí, lo cierto es que con la vista buscamos ansiosamente a los pocos que han expresado valores estéticos. Nuestro objeto es la Literatura, o sea, esos escritos que se pueden adscribir en la categoría de la belleza.

Claro está que, en los primeros capítulos, hemos tenido que admitir a muchos hombres de acción o de pensamiento que escribieron crónicas y tratados sin intenciones artísticas (sin embargo, aun en esos casos, la cuota literaria de sus escritos es lo que apreciamos). Pero a medida que nos acercamos a nuestro tiempo debemos ser más exigentes en el deslinde entre lo que es y lo que no es literatura. Cuando llegamos a nuestro tiempo, sólo nos interesan los escritores que cultivan la poesía, el poema en prosa, el cuento, la novela, el teatro... A los ensayistas sólo los consideramos en tanto hombres de letras. Si en vez de una apretada historia de la literatura hubiéramos escrito una amplia historia de la cultura, aparecerían también los críticos, los filósofos, los historiadores, los animadores; y aun daríamos una sociología literaria, con noticias sobre revistas, tertulias, premios, y así. Pero este libro no aspira a decirlo todo. Sabemos que, en Hispanoamérica, es frecuente que, dentro de la vida literaria, haya personalidades extraordinarias que estudian o promueven la literatura, pero no la producen. Más: a veces los hombres que más influyen en los grupos literarios son, precisamente, los que no escriben poesía, novela o drama. Es de lamentar, pero forzosamente debemos excluirlos de una historia de la poesía, de la novela y del drama.

Al lector que abra el libro aquí y allá, no para leerlo, sino para consultarlo, quisiéramos recordarle que lo que tiene frente a los ojos es una historia, no un inventario. En otras palabras, que lo que vale es la interpretación total de un proceso continuo; y una serie de nombres, y aun una serie de frases, sólo cobran sentido si se llega a ellas desde muchas páginas atrás. Por confiar en la fluidez con que los temas van desenvolviéndose y transformándose es que nos hemos atrevido a poner en el texto esas nóminas que otros historiadores, prudentemente, esconden en notas aparte. Leer nada más que la nómina es quedarse sin saber a qué categoría estética pertenece. Se dirá: ¿por qué no suprimir esos feos pedazos de censo? Ah, es que no son pedazos de censo, sino nubes, constelaciones, bosques, serranías y quebradas en un paisaje histórico. La abundancia de nombres llama la atención sobre el hecho de que los países hispanoamericanos están tan incomunicados entre sí que los valores se cotizan en mercados locales: renunciar a ellos ofendería los orgullos nacionales. Y ya que tocamos este puntillo de honra, recuerde el lector que, en una historia como ésta, pensada unitariamente, el recuento de las páginas consagradas a un escritor no siempre mide su importancia. Hay escritores de veras grandes que se prestan a la miniatura crítica. Otros, por el contrario, menos valiosos, si ilustran un movimiento, un género, un tema o una realidad cultural, requieren un tratamiento más extenso.

Una última advertencia: hay escritores precoces, hay escritores tardíos, pero al situarlos en un período no tenemos en cuenta la cronología de sus libros, sino sus años de formación, la atmósfera histórica que respiraron en su mocedad.

Enero, 1957

PRÓLOGO
A LA TERCERA EDICIÓN

Un historiador de la literatura no puede leer todos los libros —no alcanzaría una vida para hacerlo— pero tampoco puede limitarse a comentar sólo los libros que ha leído —si lo hiciera no mostraría un proceso histórico objetivo sino su autobiografía de lector—. Para ofrecer un panorama completo de lo que se ha escrito durante cuatrocientos años en un continente ahora dividido en diecinueve repúblicas hispánicas, por fuerza ha de echar mano de datos y juicios ajenos. Hay varias maneras de llevar adelante esta tremenda empresa informativa. Una, la más seria desde el punto de vista científico, pero la menos eficaz, desde el punto de vista de un manual, es interrumpir a cada paso la exposición con referencias bibliográficas, notas al pie de página, citas dentro del texto, apéndices y cuidadosos reconocimiento a los centenares de colegas cuya labor se aprovecha y se refunde. Otra manera, la que arriesgadamente he seguido, es erigirse en una especie de secretario de redacción de una fantasmal sociedad anónima de hispanoamericanistas y volcar en un fluido relato todo lo que sabemos entre todos. En este caso el historiador compone un aparato óptico, con lentes y espejos, desde el que se asoma al transcurso de las letras; y configura en un libro con "forma" —con forma unitaria, continua, lisa y redonda— sus propias observaciones y también observaciones forasteras. Arte compositivo. Así, páginas que se basan en un conocimiento directo de los textos van mezcladas —y a veces integradas— con otras que, indirectamente, resumen estudios desparramados. La bibliografía que doy al final es una mera guía para el lector, no una declaración de las fuentes que he usado. Estas fuentes son innumerables. He leído constantemente, y cada vez que encontré algo que encajaba en el plan que me propuse lo incorporé sin vacilación y sin disimulo: hay, pues, un manejo de historias de conjunto, de monografías parciales, de artículos de circunstancia, de reseñas periodísticas. Más: a veces consulté por carta a críticos de diferentes partes, y sus respuestas entraron en la construcción sistemática de esta gran síntesis. Al viajar por nuestros países me acerqué a los grupos literarios y, lápiz en mano, tomé apuntes que luego utilicé. De aquí que, en algunos casos, por el lado de la conversación, esta *Historia* pueda dar la primicia de indagaciones en marcha, todavía inéditas. Es decir, que concebí mi *Historia* como un cuerpo desnudo, vivo y voraz: ¡el peligro está en haber creado un Frankestein! Mi voluntad ha sido rendir un servicio público: juntar lo disperso, clasificar el fárrago, iluminar con una única luz los rincones oscuros de una América rota por dentro y, por tanto, desconocida, poner en manos del lector una Suma. La *Historia*, aunque levantada con aportes de muchos, avanza en una sola línea, ininterrumpida. Es una obra colectiva, pero uniforme. Esto es lo que quise decir cuando, en el prólogo a la primera edición, lamenté no poder citar a los especialistas que me habían ayudado: "Declaramos aquí nuestra deuda a sus investigaciones". He trabajado, pues, un poco

como arquitecto y un poco como albañil. No hay ni
una sola cita, aunque siga de cerca a otros críticos. Tampoco cito mis propias contribuciones, de más aparato
erudito y académico, que he publicado por separado:
en esas contribuciones analizo con rigor el estilo de los
textos; acá, en la *Historia*, refundo a veces lo que no
he analizado directamente. Con todo, no exagerar. Esta
Historia es personal en su concepción, en su ordena-
miento y en gran parte de sus comentarios. Edición
tras edición voy corrigiéndola: si la prisa me obligó a
llenar un hueco con un retazo extraño, en cuando puedo
lo sustituyo con un examen propio, más reposado y
sólido. Mi *Historia* es provisional: alguna vez será definitiva. A medida que tomo posesión directa de la materia, la *Historia* se va haciendo más y más personal.
Escrita con una perspectiva abierta, crece junto con
mi conocimiento. En esta tercera edición he reajustado
los materiales y ampliado considerablemente los juicios.
Todo esto ha exigido una división en dos volúmenes,
que esperamos sean acogidos con el mismo favor de
antes.

E. A. I.

Department of Romance Languages
The University of Michigan
Ann Arbor, Michigan
Diciembre, 1960

Primera parte

LA COLONIA

CAPÍTULO I

1492-1556

[Nacidos de 1451 a 1530]

Marco histórico: Descubrimiento, exploración, conquista y colonización bajo los Reyes Católicos y Carlos V.

Tendencias culturales: El primer Renacimiento. De los géneros arcaizantes, de apariencia medieval (crónicas, teatro misionero), a la importación de ideas (erasmismo) y formas (poesía italianizante).

A la literatura española de estos años suele considerársela como un primer Renacimiento y se la caracteriza por sus importaciones de formas e ideas, especialmente desde Italia. Conquistadores y misioneros trajeron esa literatura al nuevo mundo. La trajeron en sus barcos y en sus cabezas. Hasta vinieron escritores. Al ponerse a escribir en América, pues, los españoles siguieron las líneas culturales dominantes en España. Hubo casos aislados de erasmistas. Pero en general lo que se produjo en esta primera etapa de la colonización ofrece, a primera vista, un aspecto medieval. Ilusión óptica, parecida a la del receso del sol en el Ecuador. Los libros que circulaban y se imprimían eran en su mayoría eclesiásticos y educacionales, es cierto. Pero, apartando lo que se hizo en lengua indígena y en latín —aquí sólo nos concierne la literatura de lengua española—, dos géneros, aunque de apariencia medieval, son los que, al contacto con la nueva realidad americana, adquieren fuerza creadora: la crónica y el teatro.

LAS CRÓNICAS

Repetimos: los hombres que llegaron al nuevo mundo estaban impulsados por las fuerzas espirituales del Renacimiento, pero sus cabezas tenían todavía marco medieval. Venían de España, donde el Renacimiento no

19

abandonó el legado medieval; venían del pueblo, lento en sus cambios, y aunque vinieran de las clases cultas, no eran contemplativos y creadores de belleza, sino hombres de acción. Lo último que debieron de ver de su patria fueron catedrales góticas. Y, en efecto, al leer sus crónicas nos parece estar leyendo más a contemporáneos del Gótico que a contemporáneos del Renacimiento. Sus crónicas penetran la realidad sin definirla, sin encerrarla, como las iglesias góticas agujerean el espacio con estructuras aéreas en las que triunfa la escultura y el vitral. Crónicas sin arquitectura, fluidas, sueltas, complejas, libres, desproporcionadas, donde las anécdotas realistas andan por un lado y los símbolos cristianos por otro, como en una conversación humana. No tienen esas crónicas la composición, la unidad, la congruencia, el orgullo artístico e intelectual de las creaciones del Renacimiento. A pesar de su aparente medievalismo, sin embargo, los cronistas dieron a sus páginas una nueva clase de vitalidad, de emoción anticonvencional, sea porque espontáneamente y casi sin educación escribían lo que habían vivido o porque, por cultos que fueran, dejaron que las maravillas del mundo los exaltaran.

El primer cronista fue, naturalmente, CRISTÓBAL COLÓN (1451-1506). La carta que cuenta su primer viaje se imprimió en 1493. Con una prosa española aprendida en Portugal, el genovés Colón se puso a describir desgarbadamente lo que veía. Pero apenas vio América: creía estar navegando frente a Asia; además, la codicia del oro lo enceguecía. Debió de sentirse desencantado ante su propio descubrimiento: islas pobres, pobladas de hombres desnudos. Y aunque hizo esfuerzos para mostrarse entusiasmado —así convenía a sus necesidades de propaganda— no supo apreciar ni el paisaje ni al hombre de América. Al leer el relato de Colón los europeos confirmaron viejos sueños utópicos y pudieron dar sustancia a dos de los grandes temas renacentistas: el hombre natural, feliz y virtuoso, y la naturaleza, pródiga como un paraíso. Sin embargo, en el fondo de los pasajes más vívidos de Colón no había una visión directa de América, sino el reflejo, como de nubes en un lago quieto, de figuras literarias tradicionales. Colón se movía con los impulsos descubridores de un hombre del Renacimiento, pero su mente era de temple medieval. Aunque no fuera letrado, toda una literatura de viajes reales o imaginarios, de mitos, romances y cuentos populares se le había deslizado al alma y desde allí coloreaba y transfiguraba la realidad americana: la naturaleza se hacía paisaje de jardín; el pájaro de las Antillas, ruiseñor provenzal; y aun el hombre se le poetizaba en estampas ennoblecedoras o en monstruos de maravilla. El horizonte temblaba siempre con la promesa del Paraíso terrenal o del reino de las Amazonas. También la constante comparación con Europa nubló su percepción de las singularidades de América; y la lengua se puso a clasificar los objetos nuevos en categorías europeas. No describía por afán de describir, según harán algunos de los conquistadores que vengan. Inventariaba: inventario de riquezas (más futuras que presentes). Pero Colón observaba pormenores: y aun hoy, al leerlo, sentimos de tanto en tanto el placer estético que siempre nos comunican los testigos de algo remoto y asombroso. Colaboramos imaginativamente con él y acaban por parecernos rasgos de estilo esas escuetas notas sobre la bella desnudez de los indios, la mansedumbre de sus gestos y de su risa, el aire tibio de la islas verdes y la vida minúscula del grillo o de la yerba. Sus impresiones de la apariencia y costumbres de los indios son más numerosas, atentas y agudas que las del escenario natural. Este interés en lo humano más que en lo panorámico era típico de toda una tradición de crónicas de viajes, desde los reales de Marco Polo hasta los fantásticos del *Amadís*. Colón, sintiéndose más un aventurero que un hombre de ciencia —hombres de ciencia habían rechazado sus cálculos, después de todo—, escribió para satisfacer la curiosidad por las aventuras entre gente desconocida, no para informar a cosmógrafos, matemáticos, especialistas en problemas náuticos y estudiosos de la naturaleza. Sólo en el tercer viaje anotó la posición de las estrellas, pero aun en eso su ánimo fue más poético que científico: "tomé grande admiración" de la estrella del Norte, dice; y agrega que las diferencias de medidas en el cielo recién descubierto le convencen de que la tierra no es esférica, como creía, sino con forma de teta de mujer, con el pezón en alto, cerca del cielo, y por eso "los navíos van alzándose hacia el cielo suavemente, y entonces se goza de más suave temperancia". En ese dulce pezón de una tierra con curvas de mujer situaba Colón el Paraíso, fuente de "cosas preciosas" y coronado por una mayor "diversidad en las estrellas".

Los hombres de Colón

Acompañantes de Colón dejaron también sus relaciones. El médico sevillano DIEGO ÁLVAREZ CHANCA describió, el primero, la flora del nuevo mundo, aunque, como todos, prefería hablar de lo maravilloso humano antes que de lo maravilloso natural. FRAY ROMÁN PANE (o Pan) fue el primer europeo de quien se sepa que hablara una lengua de América; fue el primer maestro de indios. Inició la etnografía americana. Sus noticias sobre la cultura religiosa y artística de los indios de la isla La Española son de primera fuente: oyó las canciones con que los indios transmitían su cosmogonía y su historia —"por las cuales se rigen, como los moros por la escritura"—, canciones acompañadas con instrumentos musicales que también describe. HERNANDO COLÓN (1488-1539), que acompañó a su padre en el cuarto viaje, fue uno de esos renacentistas librescos, pegados a las cosas de Europa. Acuciado por la necesidad de defender los privilegios de la familia escribió su *Vida del Almirante Don Cristóbal Colón*, de la que hay versión al español.

Como se ve, en todo este primer grupo de viajeros lo notable era la atención a los habitantes, más que a las tierras. (Excepcional es la *Suma de geografía* —1519— del explorador MARTÍN FERNÁNDEZ DE ENCISO, una de las primeras sistematizaciones científicas que comprendían al nuevo mundo.) Lo mismo podría decirse de las cartas de Amerigo Vespucci; por no estar en español escapan a esta historia, aunque por ellas fue que unos cartógrafos de Lorena bautizaron al nuevo mundo como mundo de Amerigo: América.

La controversia sobre el indio

Dijimos que, gracias a los primeros relatos del Descubrimiento, se afianzaron los sueños utópicos de una naturaleza paradisiaca y de un noble salvaje. Pero también, muy tempranamente, algunos pocos cronistas denigraron en ocasiones la naturaleza del nuevo mundo y declararon la inferioridad de sus habitantes, hombres sin almas: en el siglo XVIII De Pauw se apoyará en tales testimonios para fundamentar su teoría de una América degenerada. Hubo, pues, detractores y panegiristas del indio. La controversia pasó de las palabras a los hechos. Si, como el mismo Colón dice, los indios creyeron que esos hombres blancos habían llegado del cielo, muy pronto debieron de desengañarse. Los españoles se volcaron con tanta violencia y franqueza que en seguida la conquista adquirió una calidad humana, demasiado humana. Empezó el trasplante de la cultura europea, la servidumbre del indio, el mestizaje y la plasmación de una sociedad original. La conquista fue una empresa militar y al mismo tiempo un asombroso esfuerzo para hacer prevalecer los preceptos cristianos. El hecho de que la Iglesia hubiera donado a la Corona de España el poder de dirigir en América tanto los asuntos eclesiásticos como los estaduales hizo que el pensamiento teológico inspirara el pensamiento político; gracias a esto, las ideas más abstractas influyeron en vidas remotísimas.

Teólogos y juristas habían asesorado a los Reyes Católicos para que declararan la libertad de los nativos; pero también para que autorizaran los repartimientos de indios, en que se les hacía trabajar por la fuerza. Los frailes dominicos que habían llegado en 1510 a la Isla Española (hoy Santo Domingo y Haití) protestaron contra tales repartimientos. Así, a los pocos años, en la primera colonia fundada en América, surgió una de las lecciones morales más profundas en la historia: hombres de la nación conquistadora discutieron los derechos de la propia conquista. Si no literatura, fue el uso artístico de la lengua, en la oratoria sagrada de Fray Antonio Montesinos y otros, lo que cambió la apreciación de la vida indiana. Los dominicos negaron la absolución a los españoles que disfrutaban de repartimientos de indios. Hubo quejas, amenazas. Al fin el rey Fernando reunió en 1512 una junta de personas de ciencia y conciencia; no se abolieron los repartimientos, pero se los reglamentó de suerte que coexistieron la teoría de la libertad con la práctica del trabajo forzoso. Estos pareceres teológicos y jurídicos se apoyaban en la filosofía medieval sobre la naturaleza del poder de la monarquía, los límites entre lo espiritual y lo temporal y la relación entre la cristiandad y los infieles. Aplicada a América, esa filosofía venía a ser la siguiente. Los indios son criaturas racionales y libres. Cuando se defienden sin conocer el propósito evangelizador de los españoles, están en su derecho y no se les puede ni arrebatar sus bienes ni esclavizar, aunque, eso sí, no les corresponde el poder político de ningún modo. Pero si después de enseñarles la verdad del Estado-Iglesia de España (es decir, que el poder del mundo reside en el Papa y éste donó las tierras de los indios al rey español) los indios insisten en resistirse a los predicadores de la fe cristiana, la guerra será justa y por lo tanto deben ser invadidos, despojados y subyugados. Los indios eran libres con tal que acataran la Iglesia. Si no, los españoles pasarían a convertirse de "pacificadores" en "conquistadores". Este imperialismo cristiano repercutió en las prácticas de la ocupación del nuevo mundo: desde 1513 se impuso la costumbre de los "requerimientos". Cada capitán debía exponer brevemente a los indios la concepción cristiana del mundo, a fin de que supieran a qué atenerse; después, debía requerirles que deliberaran y reconocieran el señorío de la Iglesia y, por donación papal de las tierras de España, el señorío del Rey. Si lo hacen, se les recibirá con amor: si no, se les hará guerra. Los capitanes cumplieron con estas fórmulas, asentadas en prosa oficial, pero, naturalmente, los indios no entendían ni jota. No era una farsa ni una bobería, sino un curioso ejemplo de la voluntad de juntar ideas abstractas con hechos; ideas abstractas agitadas por la controversia sobre la libertad del indio que encendieron los religiosos dominicos de La Española: FRAY PEDRO DE CÓRDOBA (1482-1521), que escribió su manual *Doctrina cristiana para instrucción de los indios* (México, 1544), FRAY ANTONIO MONTESINOS y otros.

El Padre Las Casas

Esos religiosos defendieron al indio de la rapacidad militar y ganaron a la cruzada al más indómito cronista de América: BARTOLOMÉ DE LAS CASAS (1474-1565). En su larga y agitada vida este andaluz desaforado defendió el principio de que sólo era legítimo evangelizar pacíficamente a los indios. Quienes los habían despojado y sometido debían devolverles sus bienes si querían salvar sus propias almas. Los españoles, o se volvían y dejaban las cosas como las encontraron, o debían conquistar a fuerza de agua bendita y escapularios, pidiendo permiso a los indios. Mientras defendía este principio fue escribiendo una galería de escenas y retratos que figuran entre los más curiosos de la época. No era escritor: era un paladín que escribía. Y aunque su prosa corría como un ancho, lento e interminable río, abierto en mil digresiones y fatigoso por tanta piedra, de vez en cuando el lector ve deslizarse por su superficie la gracia de una frase evocadora. El ardor de la cólera cuando cuenta las iniquidades de los españoles, la finura intelectual de su ironía cuando quita a la codicia su hipócrita máscara cristiana, la acometida polémica contra otros cronistas u otros doctrinarios y la sagacidad con que asocia lo físico y lo psicológico en sus retratos revelan un Las Casas escritor. Era moralmente superior a los compatriotas en América, pero no tan excelso que fuera incapaz de ponerse a su nivel y de gustar de sus chismes. Él estaba allí, viendo y oyendo a esa humanidad sacudida por las pasiones de la ambición, la fe, el poder, la rebeldía, la aventura, la gloria y el saber. Y los comprendió muy bien aun en lo que tenían de menos espiritual. Hurgaba en sus conciencias (de aquí la calidad psicológica de muchas de sus páginas), y hay cierta malicia burlona en el modo con que les descubría el egoísmo. Al retratar suele disminuirles la estatura heroica: a Cortés, por ejemplo, lo muestra encogido, "bajo y humilde" ante los criados de Velázquez, y más tarde riéndose cínicamente al recordar sus depredaciones "de gentil corsario". O, si los pinta heroicos, destaca lo feroz, como en la admirable pintura del pequeño, rápido y temerario Alonso de Ojeda, el que nunca había visto su propia sangre hasta que en una ocasión, herido de flecha por primera vez, ordena que le quemen el muslo con planchas de hierro blanqueadas al fuego, amenaza con la horca al cirujano que vacila, se envuelve en sábanas empapadas de vinagre y sin una queja se pone a esperar la salud para seguir después corriendo a los indios a cuchilladas: era tan chico de cuerpo, dice, que le bastaba arrodillarse para que la rodela lo escudara por completo. Para mostrar el efecto terrible que producían estos españoles, aun heridos, refiere la escena en que Pedro de Ledesma, casi moribundo, con los sesos al aire y todo descoyuntado y abierto en sangre, ahuyentaba desde el suelo a los indios diciéndoles: *"pues si me levanto*, y con sólo aquello botaban a huir como asombrados, y no era maravilla, porque era un hombre fiero y de cuerpo muy grande, y la voz gruesa". Fue también sensible a la belleza física de esos hombres, como en la escena en que evoca al mancebo Grijalva, armado con hojas de oro por un cacique: "cosa digna de ver la hermosura que entonces Grijalva tenía", dice. Gran retratista, Las Casas: anota la voz, la talla, la castidad, lo bien que se toca la vihuela o los dolores de cabeza que impiden el estudio, el modo de hacer caracolear el caballo, la risa, la mirada, lo empinado de la cabeza, etc. La indignación le dictaba sermones: no es lo mejor que escribió. Pero le dictaba también episodios de novela de aventuras en los que los españoles cumplían papel de villanos y los indios el de "gentes de la Edad Dorada, que tanto por los poetas e historiadores fue alabada"; y aquí sí que podemos disfrutar su literatura. Su *Historia de las Indias* comenzó a escribirse en 1527 y duró hasta poco antes de su muerte. Su *Brevísima relación de la destrucción de las Indias* se publicó en 1552. Tienen más rigor histórico de lo que sus impugnadores han dicho. En esto fue superior a Oviedo, a Pedro Mártir, a Gómara, a Herrera. Pero Las Casas vale no porque fuera el primero en enunciar las ideas que lo apasionaban, sino porque las defendió con valentía y las encendió de amor, planteando los problemas en una realidad nueva y vasta. En la historia, regida por la Providencia, se consideraba un predestinado. Los indios, sus protegidos, eran descendientes de las tribus perdidas de Israel. Ese pueblo era el que acogería la Iglesia si —como profetizaba Las Casas— la destrucción de los indios fuera castigada un día con la destrucción de España.

Conquista y conocimiento: Oviedo

Aunque Las Casas se movía de un lado a otro, Santo Domingo fue su centro, porque era también el centro cultural del nuevo mundo. Allí se habían establecido los primeros conventos y escuelas, allí se escribieron los primeros libros didácticos y allí se inició la expansión colonizadora. Sin duda eran de extraordinario temple viril esos muchachos salidos del montón que se abrieron paso por montañas, ríos, selvas, desiertos y mares desconocidos y en todas partes levantaron los pilares para que se apoyara el Imperio de España. Exploraron las Antillas, descubrieron el Océano Pacífico y el Río de la Plata, se apoderaron de México y del Perú, marcharon de Florida al Mississippi, pelearon con los araucanos de Chile, fundaron ciudades en Nueva Granada, colonizaron la Argentina y el Paraguay, navegaron el Amazonas... De esas expediciones surgieron los cronistas: soldados y misioneros, conscientes de la importancia de sus hazañas, escribían lo que veían y el placer de contar solía mejorarles la prosa inculta. Han dejado no sólo los documentos para el conocimiento histórico del siglo XVI, sino las confidencias para el conocimiento literario de sus almas. A la mayoría se les despertó en América la vocación de escribir; y lo hicieron con una lengua bastante unificada, pero repentista, turbia y gruesa.

Mientras en Europa otros redescubrían el valor de las culturas antiguas GONZALO FERNÁNDEZ DE OVIEDO (1478-1557) descubre en América el valor de experiencias nuevas en una naturaleza original. Antepone a la historiografía humanista de su tiempo una historiografía fundada en la observación directa: "no escribo de autoridad de algún historiador o poeta, sino como testigo de vista". El nuevo mundo se le aparece como "una de las cosas más dignas de ser sabidas". "No mire —le dice a Carlos V— sino en la novedad de lo que quiero decir." Esa "novedad" no es mera geografía americana, sino también el sentido filosófico que Oviedo, por primera vez, da al descubrimiento. En su *Sumario de la natural historia de las Indias* (1526) describe lo no-euopeo, lo peculiar "de los secretos y cosas que la natura produce" en las tierras recién exploradas.

Renacentista, pero del Renacimiento español, católico y conservador de las tradiciones medievales, Oviedo nos da una visión tranquila del orden universal: Dios, Naturaleza, Hombre son partes de un sistema inteligible. Conocemos a Dios estudiando la naturaleza; la naturaleza nos invita, pues, a una vida espiritual superior, para la que Dios nos ha dotado suficientemente. Y como la naturaleza del nuevo mundo era desconocida, contemplarla es completar nuestro conocimiento de Dios. El *Sumario* se amplía en la *Historia general y natural de las Indias* (1526-1549) con una interpretación que, partiendo de la naturaleza americana, llega a la justificación de la política imperial de Carlos V. Dios ha elegido a los españoles para implantar una monarquía universal católica. Oviedo ve, sí, la rapacidad de los conquistadores, pero le parece accidental. En cambio, los defectos que ve en los indios le parecen esenciales. Son los defectos del salvajismo, que al privarlos del conocimiento de la religión verdadera les afeaba las almas. Porque Oviedo admitía que los indios tenían almas: lo que les faltaba era la plenitud racional. Y la fealdad de las almas se convertía en fealdad de los cuerpos. Es decir, que la inferioridad espiritual, de origen histórico, se convertía en inferioridad material, de origen étnico. El cristianismo, con sus perfecciones morales, ha de dar luz al espíritu y, consecuentemente, el espíritu dará luz al rostro. Entretanto, los indios deben pagar por su idolatría. En sus momentos de más impaciencia Oviedo creía que los indios eran tinieblas de Satanás que había que exterminar. Son hombres, no bestias; pero tan viciosos, viles, cobardes, degenerados, supersticiosos, ingratos, falsos, perezosos y estúpidos que hay que tratarlos como a bestias. Ellos son los culpables de su propia destrucción por no ser capaces de formar parte del imperio católico de Carlos V. Cuando Las Casas acusó a Oviedo de hablar de lo que no había visto, se refirió más bien al desprecio por el indio. Es que al indio no se lo veía en el siglo XVI: era la abs-

tracción del hombre bueno o del hombre malo. Y para
Oviedo fue el hombre malo: Dios lo castigaba con el
brazo del conquistador. No se entusiasmó, pues, con lo
que veía; sin embargo, al describir el "areyto" o danza
con recitado que vio en 1515, en La Española, recordó
que esa manera indígena de comentar los hechos históricos y de conservar sus tradiciones era parecida a la de
los viejos romances españoles de los que él, que tenía la
mollera llena de ellos, menciona algunos. En el fondo
Oviedo no comprendió las costumbres indígenas. Miraba como europeo y, además, con voluntad de despres-
tigiar a los indios. En la bella Anacaona, la primera
poetisa americana de que sepamos algo —aunque se
han perdido las letras que sus indios entonaban en los
mencionados "areytos"—, Oviedo veía belleza, sí, pero
disolución moral. Tenía gusto por la literatura, como
que, según parece, el primer libro que editó —como
traductor más que como autor— fue Claribalte (1519),
novela de caballerías y aventuras. Más tarde, acaso por
influencia del erasmismo, se avergonzó de esas vanas
ficciones y condenó con duras palabras todo el género
novelesco. Su vida se había orientado para entonces con
un imperioso sentido ético, y lo que más valoraba era
la verdad de la historia, no la belleza de la fantasía.
La Historia, pues, fue el riñón de su gran cuerpo de escritos. Era un autodidacto que procuraba complacer a
quienes lo empleaban —de ahí su tesis de que las Indias habían pertenecido a los primitivos reyes de España, antes de Colón—, pero hizo todo lo que le fue
posible para reunir materiales y, en este sentido, fue un
historiador concienzudo. Sin embargo, su antigua afición por las novelas de caballería y por las maravillas
de la imaginación se desliza, sin que él parezca adver-
tirlo, en su labor de historiador. Monstruos portentosos
de la tradición literaria reaparecen en la naturaleza
americana; caballeros andantes reaparecen enmascarados
de conquistadores. ¿Y no hay algo de literatura caba-
lleresca en su gusto por los linajes y escudos, en sus

tratados de nobleza, aunque él dice que sus modelos
fueron las *Generaciones y semblanzas* de Fernán Pérez
de Guzmán y los *Claros varones* de Fernando del Pul-
gar?: nos referimos a *Quincuagenas de la nobleza de
España* y *Quincuagenas de varones ilustres o Batallas y
quincuagenas,* estas últimas en forma de diálogo entre
Sereno que pregunta y el Alcalde —o sea Oviedo, alcalde de Santo Domingo, en la Española— que le responde.

Conquistadores en México

No todos los cronistas tuvieron algo propio que
decir. Desde el punto de vista de una historia literaria sólo unos pocos testimonios nos asombran. Ante
todo, el de dos hombres de veras originales, asociados
en la misma empresa: Hernán Cortés y Bernal Díaz del
Castillo.

HERNÁN CORTÉS (1485-1547) despachó, entre 1519
y 1526, cinco cartas a Carlos V. La primera se ha
perdido, y se la reemplaza con otra dirigida también
a Carlos V, en 1519, por el ayuntamiento de Vera-
cruz. En sus *Cartas* Cortés relata con frialdad, y se
le adivina la súbita animación del rostro cuando habla, no tanto de lo que él hace, sino de lo que él ve
en sus paseos por la ciudad y el mercado. Fue el primer soldado que descubrió la grandeza de una civilización indígena. Era soldado, y su fin, la conquista;
pero mientras iba dominando por la persuasión, la
intriga, la habilidad política, la mentira y la brutali-
dad, supo apreciar el valor de la organización social de
los aztecas. No es por pereza literaria por lo que Cortés
se confiesa incapaz de comunicar al rey las maravillas
que ve: es, de veras, el sentimiento de que la realidad
de México es mayor que los cuadros mentales que él
había traído de España. La misma lengua que habla
le parece una red de malla demasiado ancha: no puede levantar con ella todas las nuevas cosas que ve y

—dice— "por no saber poner los nombres no las expreso". Y al describir un templo agrega: "no hay lengua humana que sepa explicar la grandeza y particularidades de ella". Cortés vio las formas ideales de una cultura indígena. Sólo que, después de contemplarlas, las destruyó. Tenía —como todos sus compañeros— un alma ordenada por las nociones jerárquicas de la Iglesia y del Imperio. La obediencia a la Iglesia y al Imperio dio a su alma una dureza de espada, y con su filo cortó los lazos que antes su admiración había anudado. A la primera señal de desacato hubo un "nosotros los españoles" contra "ellos los indios" que disminuyó el resplandor moral de sus cartas, aunque no el valor de su prosa evocadora. Es un audaz que reclama el vasallaje de todos los indios y su conversión inmediata al catolicismo. Ordena y amenaza. Si se le someten habrá paz; si no, torturará, asesinará, incendiará, masacrará. Cortés avanza impávido, amable con quien se le somete; tremendo con el rebelde. Y al contar no entorpece la visión de los indios con el bulto de su propia persona. Al contrario. Si simpatizamos con los indios a lo largo de la crónica es en parte porque Cortés nos los muestra con simpatía. Los vemos asustados, sin saber qué hacer, recurriendo a la diplomacia o a la conspiración, a veces escandalizados, a veces despectivos, decididos de todos modos a librarse de esos españoles que, con su caballo, su pólvora y su coraza, no retroceden ante nada. Y cuando al final se alzan en armas, Cortés pone en sus bocas las frases que justifican la guerra india. Cortés no era sincero en los propósitos de sus *Cartas* al Emperador, y si algo falta en ellas es candor; pero si no nos dice cuál era el verdadero estado de ánimo de los indios no es por insinceridad, sino porque no podía imaginárselo. Arrasada la cultura indígena, Cortés se pone a levantar la Colonia. En su cuarta carta señalará los defectos de la colonización española: el encomendero rapaz y el fraile indigno. La sobriedad de sus *Cartas* no fue un rasgo de su temperamento, sino de su habilidad. Fue un caudillo irascible al que se le hinchaban las venas de la sien —nos dice Bernal— en sus frecuentes discusiones. Pero, como los caudillos, sabía dominarse y dominar con frías palabras. Y en sus *Cartas* se nos muestra así, frío, con la frialdad de quien compone la propia figura para causar impresión. Era un César, más parecido a César Borgia que a Julio César. "Era algo poeta", conocía bien el latín y platicaba con muy buena retórica, dice de él Bernal.

BERNAL DÍAZ DEL CASTILLO (1495 ó 96-1584), que fue uno de sus soldados, reconoció el valor, la eficacia y la dignidad de Cortés, pero agregó a la noción de héroe la noción de masa. No disminuye a Cortés: lo rodea de su gente, lo humaniza, lo hace mover y hablar con los gestos del común, y así surge otra historia de la conquista de Nueva España, no la verdadera, pero la más colorida. La *Verdadera historia de la conquista de la Nueva España* es una de las crónicas más apasionantes que se hayan escrito en español, y acaso la más apasionadamente discutida. Dígase lo que se quiera, a Bernal se le lee con gusto. El lector se sorprende ante el contraste entre el valor extraordinario de la narración y la pobreza de materiales con que está hecha. Bernal no estaba educado para escribir, y tampoco fue soldado con hazañas heroicas que contar. Era hombre oscuro, que nunca se distinguió en nada, pero tan ambicioso que gracias a esos dos defectos —no ser escritor, no ser héroe— logró una obra genial. Bernal, hombre del vulgo, democratiza la historiografía y durante su larga vejez escribe sobre lo que nadie mejor que él puede saber. "Y digo otra vez que yo, yo y yo, dígolo tantas veces, que yo soy el más antiguo [conquistador], y lo he servido como muy buen soldado a Su Majestad." Y la fuerza con que ese "yo" golpea a lo largo de la *Verdadera historia* produce un sonido nuevo al que debemos acostumbrar el oído para saber gustarlo; porque no es el yo heroico, sino el yo descontentadizo, resentido, codicioso, vano y maldiciente de un plebeyo inteligente que lo dice todo en una catarata de recuerdos menudos. Bernal no selecciona, no adorna, no organiza, no disimula. Y porque le faltaba el sentido de la forma literaria nos dio la más informe y completa de las crónicas de México. La forma literaria que sí maneja, y bien, es la del relato: revive el pasado minuto por minuto, y lo describe confundiendo lo esencial con lo accidental, como en una vivaz conversación. De un tirón nos arranca de la silla y nos mete en el siglo XVI: y vemos qué fue el pueblo español en sus **primeras** jornadas de América. Hasta los finos fenómenos de la fonética americana ha de registrar. Porque Bernal era castellano y, sin embargo, en su crónica hay evidencias de que confundía, como los andaluces, las consonantes "c" y "s". Es que el primer sedimento lingüístico en América fue andaluz (67 por ciento de andaluces hacia 1509; 70 por ciento hacia 1519), y Bernal aprendió a sesear en América. Escribe con el aliento de todo un grupo. Cronista de muchedumbres. El "yo" se le hace "nosotros". Bernal recuerda las gestas heroicas de la literatura y sabe que sería más fácil simplificar el relato con acciones individuales adornadas retóricamente al modo de las epopeyas; pero lo que él quiere contar es el esfuerzo de la masa, y elige ese difícil camino sospechando que no ha de ser capaz de decirlo con brillo. Era consciente de la fuerza de su crónica, y hasta coqueteaba llamándose "idiota sin letras". En el capítulo final refiere su diálogo con dos licenciados que le reprochan lo mucho que él, Bernal, habla de sí. ¿Y quién iba a decirlo, sino él?: "¿Habíanlo de parlar los pájaros en el tiempo que estábamos en las batallas, que iban volando, o las nubes que pasaban por alto, sino solamente los capitanes y soldados que en ellas nos hallamos?" "No es mucho que me alabe de ello, pues que es la mera verdad: y éstos no son cuentos viejos ni de muchos años pasados, de historias romanas ni ficciones de poetas..." Las Casas es el cronista que defiende al indio de la rapacidad del español; y Bernal es el cronista de la propia rapacidad. Y justamente por eso se ve cuán exagerado fue Las Casas en sus acusaciones y cuán injustos los que, aprovechándose de su *Brevísima relación de la destrucción de las Indias*, fundaron la leyenda negra de España; porque en Bernal no todo es codicia: había también impulsos ideales de gloria, cristianismo, lealtad al rey, teoría del Imperio... Algo caballeresco, en fin. Y, en efecto, es el único cronista que se atreve a citar novelas de caballería, que, como se sabe, constituían la lectura favorita desde fines del siglo xv y principios del xvi. Esos relatos de caballeros andantes en tierras encantadas exaltaron la imaginación de los conquistadores en una época en que todo libro impreso tenía el prestigio de la verdad, y movieron sus ánimos a empresas heroicas, con la esperanza de encontrar tesoros, maravillas, aventuras gloriosas. La influencia de esas novelas se refleja sutilmente, pero los cronistas no las citaban. En parte porque los moralistas y humanistas del siglo xvi protestaban contra esas historias mentidas (llegaron a prohibirlas), y no hubiera convenido, en "relaciones de servicios", apoyar la propia crónica en bases tan despreciadas. Bernal Díaz, en cambio, al describir su primera impresión de la capital azteca no puede menos de sacar a relucir su *Amadís*: "Todos nos quedamos asombrados y dijimos que esas torres, templos, lagos, se parecían a los encantamientos de que habla el *Amadís*." Esos hombres leían, sí, el *Amadís*. Del segundo ramo de los *Amadises* salió la toponimia de California —nombre de la isla de las amazonas negras de las *Sergas de Esplandián*—. Leían también el *Palmerín*. Y del segundo ramo de los *Palmerines* salió la toponimia de Patagonia —Patagón era el nombre que, en el *Primaleón*, se dio a un monstruo con planta de hombre pero con rostro perruno.

Retoños de estas primeras crónicas de México serán las de Hernando Alvarado Tezozómoc (*c.* 1520-*c.* 1600) y Diego Muñoz Camargo (*c.* 1526-*c.* 1600).

Misioneros en México

La conquista y colonización de América es dema-
sido compleja para juzgarla: ni leyenda negra de monstruos ni leyenda blanca de santos. Fue un violento
choque de civilizaciones; y si el español no pudo respetar la de los indios, por lo menos hizo un esfuerzo
para comprenderla. Ningún otro pueblo lo hizo. España, sobre todo por obra de sus frailes, mostró un
género nuevo de curiosidad intelectual. Los frailes querían cristianizar a los indios; es decir, querían que de-
jaran de ser indios. Pero para conseguir este cambio
profundo en la personalidad de los pueblos del nuevo
mundo tenían que entrar en ella. Por eso, antes de
cristianizar, los frailes se indianizan a sí mismos. Comenzaron por aprender los idiomas indígenas para catequizar mejor. Formaron gramáticas y vocabularios;
escribieron en lengua nativa. La Corona exigía la
enseñanza del castellano. En 1550 se les había repe-
tido que era necesario que "esas gentes sean enseñadas
en nuestra lengua castellana y que tomen nuestra policía
y buenas costumbres". Pero los frailes se dedicaban a
veces con más tesón al aprendizaje de lenguas indígenas que a la enseñanza del castellano. ¿Por qué? ¿Te-
mían que al enseñar el castellano pasaran al indio, por
esa vía, las blasfemias, herejías, desviaciones, hechice-
rías, nuevas ideas que agitaban la conciencia religiosa
de la España del siglo XVI? ¿Creían que la ignorancia
del castellano podía ser un dique de contención que les
diera tiempo para catequizar con pureza sobre las mentes no corrompidas? ¿Querían hacerse indispensables?:
si ellos, sólo ellos, podían entenderse con los indios ¿no
conservarían una ventaja sobre el resto de los españoles?
¿Aprendían lenguas indígenas para mejor inculcarles la
española? Lo cierto es que, por deslizarse al interior de
las almas indígenas, los frailes, antes de edificar allí el
cristianismo, admiraron el paisaje de culturas no europeas. El pasado indígena —costumbres, tradiciones—

apareció a la vista de Europa gracias a que estos frailes habían viajado no tanto al nuevo mundo sino a las almas de los pobladores del nuevo mundo. Fray Andrés de Olmos (1500-1571), por ejemplo, vertió al castellano las "Pláticas de los ancianos" que recordaban los indios mexicanos más viejos. Son disertaciones con que los indios educaban a los más jóvenes. Discípulo suyo fue Fray Bernardino de Sahagún (1500-1590): defiende la existencia del arte de la palabra de los indios y transcribe sus discursos (comparándolos con los de la cultura clásica europea) y sus himnos a los dioses. Como cristiano celoso de su fe, Sahagún creyó que en los cantos religiosos mexicanos se escondía Satanás para mejor urdir sus maldades; pero hizo el esfuerzo de reeducarse en náhuatl para mejor comprender al indio, y educar a los indios para que ellos mismos, con letras castellanas, pudieran escribir sus tradiciones. En su *Historia general de las cosas de Nueva España* (escrita en lengua mexicana y luego traducida por él mismo al castellano) este misionero franciscano recogió noticias de etnografía y folklore con actitud objetiva, es decir, respetuosa de los objetos estudiados. Este amor a los indios hace que Fray Toribio de Benavente (m. 1569) se cambie el nombre por Motolinía, "el pobre". Actitud simbólica: "Éste es el primer vocablo que sé de esta lengua y, porque no se me olvide, éste será de aquí en adelante mi nombre", dijo. Su *Historia de los indios de Nueva España* se opuso a Las Casas: no disculpa a los conquistadores, pero relativiza su crueldad comparándola con la de los españoles en España. Otros religiosos cronistas: Jerónimo de Mendieta (1525-1604), Fray Martín Ignacio de Loyola (cuyo *Itinerario del Nuevo Mundo* fue revisado por Fray Juan González de Mendoza, 1545-1618), Alonso de Fuenmayor (murió en 1554), Fray Domingo de Betanzos (m. en 1538), Fray Pedro de Aguado (m. después de 1589).

El español desamparado: Cabeza de Vaca

Del contacto de europeos con indios sólo conservamos las impresiones de los europeos; sin embargo, los indios descubrían al blanco al mismo tiempo que eran descubiertos por él. ¿Cómo lo veían? No lo sabemos. Generalmente el blanco se les aparecía desfigurado por un complicado aparato de civilización. Pero en el caso de ÁLVAR NÚÑEZ CABEZA DE VACA (1490?-1559?) vemos ya al hombre de Europa y al hombre de América frente a frente, desnudos. Y podemos imaginarnos cómo los indios veían, de igual a igual, a ese prójimo español, exhausto y desamparado. La "relación" de su peregrinación nos ha llegado en tres versiones. En ediciones modernas se la conoce con el título de *Naufragios*. Los *Naufragios* apenas tienen interés para el historiador (aunque mucho para el etnógrafo, por sus curiosas noticias sobre las costumbres de los indios); pero aquí está su mérito. Su interés no depende —como el de otras crónicas— ni de las hazañas heroicas ni de las conquistas referidas ni del fondo de opulentas civilizaciones indígenas, sino pura y exclusivamente de su calidad narrativa. Cabeza de Vaca salió de España en 1527. Naufragó una y otra vez hasta que las barcas se dispersaron con un "sálvese quien pueda". Llegó a tierra, con un puñado de españoles. Hambre, luchas con indios, penurias, enfermedades... Poco a poco se van muriendo. Al final quedan cuatro: él, Dorantes, Castillo y el negro Estebanico. Cautivo de los indios, maltratado por unos, idolatrado por otros, Cabeza de Vaca recorrió a pie una tremenda masa continental (desde el golfo de México hasta el golfo de California). Nueve años de cautiverio lo convirtieron —de aspecto al menos— en otro indio. Ya no conserva sino un orgullo: ser hombre. Anda desnudo como nació, comiendo lo que los indios comen, viviendo y hablando como ellos; y diferente sólo en su fe cristiana. Cuando en 1536 tropezó con unos españoles a caballo cuenta

que "recibieron gran alteración de verme tan extrañamente vestido y en compañía de indios. Estuviéronme
mirando mucho espacio de tiempo, tan atónitos que
ni me hablaban ni acertaban a preguntarme nada". Cabeza de Vaca sabe contar. Centra su relato en el "yo",
y sin perder de vista al lector (es uno de los cronistas
que escriben para el lector) va evocando sus aventuras en un estilo rápido, rico en detalles reveladores,
emocionante, fluido como una conversación y, sin embargo, de dignidad literaria. Es una de las crónicas
que se releen con gusto. Al leer, uno ve constantemente: tal es la fuerza de la descripción. No hay página
que sea opaca. Parece una novela de aventuras, con el
encanto de un desenlace feliz.

Crónicas de la conquista del Perú

La conquista del imperio azteca y de los territorios
vecinos ya se había cumplido; y los conquistadores bus-
caron otro México. El Paraíso, el Dorado, la Ciudad
de los Césares, el reino de las Amazonas, todo, en fin, lo
que no encontraron en las campañas del norte, ahora,
febrilmente, se buscaba al sur. Exploraciones marítimas
habían tocado ya sus bordes (Vespucci, Magallanes,
Solís, Caboto); pero fue después de 1530 cuando exploraciones terrestres abrieron el interior misterioso de la
América del Sur a la visión geográfica de la época.
Francisco Pizarro descubrió en Perú —como Cortés en
México— una estupenda civilización: la de los Incas.
Y aparecieron nuevas riquezas de la tierra conquistada y
nuevas crónicas de los conquistadores. Es posible que
España no hubiera comprendido hasta entonces el valor
de su propia empresa imperial. Pero las grandes riquezas que produjo la conquista del Perú y las crónicas que
iban informando sobre la creciente extensión de las
posesiones territoriales debieron de abrir los ojos de
Carlos V: quizá empezara a sospechar que América era
algo más que un obstáculo al viaje hacia Oriente. ¿No

acababa Francisco López de Gómara de decirle a Carlos V, al dedicarle su *Historia general de las Indias,* que "la mayor cosa después de la creación del mundo, sacando la encarnación y muerte del que lo creó, es el descubrimiento de las Indias; y así, las llaman Mundo-Nuevo"? Mencionaremos algunos cronistas advirtiendo desde ahora que los que más contribuyeron a formar una imagen de la historia del Incario fueron Cieza de León, Agustín de Zárate y Sarmiento de Gamboa.

PEDRO CIEZA DE LEÓN (n. entre 1520 y 1522 - m. en 1554) dejó una de las más extensas y objetivas crónicas sobre la conquista del Perú, las peleas intestinas de los españoles, la civilización incásica y su escenario geográfico. "Muchas veces —dice Cieza— cuando los otros soldados descansaban, cansaba yo escribiendo." Pero este soldado que escribe sus propios recuerdos lo hace siguiendo un plan, el de una vasta historia. La *Parte primera de la Crónica del Perú* se publicó en 1553. La segunda parte o *Del señorío de los Incas* se publicó sólo en 1880. La tercera parte ha empezado a publicarse en 1946, y la cuarta parece perdida. Cieza mira a los indios desde arriba: salvajes capaces de crueldad y del "pecado nefando de la sodomía". Desde un punto de vista literario uno de los mejores cronistas fue AGUSTÍN DE ZÁRATE (m. después de 1560). Fue testigo de la rebelión de Gonzalo Pizarro. Su *Historia del descubrimiento y conquista del Perú* es valiosa por los comentarios, en "palabras groseras y mal ordenadas" según su autor, pero en realidad riquísimos en movimiento, método y aun estilo. Su tono es condenatorio al juzgar a los soberanos del Cuzco. Elabora materiales ajenos, pero en cambio por su claridad y galanura nos dejó un bello monumento histórico. PEDRO SARMIENTO DE GAMBOA (1530-1592), que consideró a los Incas como tiranos usurpadores, era favorito del virrey Toledo, el extirpador del linaje incaico: su *Historia de los Incas* nos pinta en grandes lienzos cuadros de terror e infamias indígenas. FRANCISCO LÓPEZ DE JEREZ (1504-

1539), secretario de Francisco Pizarro, escribió a su encargo la Verdadera relación de la conquista del Perú y provincia del Cuzco (1534). Pondera, con esmerado orden, las hazañas de los conquistadores hasta la muerte de Atahualpa. El mismo Francisco Pizarro compuso, en "arte mayor", uno de los primeros poemas narrativos en América, con asuntos de la conquista del Perú. Otros cronistas: Juan Polo de Ondegardo (m. 1575); Juan de Betanzos (1510-1576); los dos clérigos del mismo nombre, Cristóbal de Molina ("el chileno" de 1494 a ¿1580?, "el cuzqueño" m. en 1585); Pedro de Valdivia (1500-1553), cuyas Cartas describen bellamente, por ejemplo, la fundación de la Serena en Chile. Entre los primeros cronistas del Perú es también notable Alonso Henríquez de Guzmán (1500 - m. después de 1544), si no por su valor literario —aunque versificaba y conocía la poesía y el teatro de su tiempo—, por su originalidad. En su autobiografía se han visto trazas de literatura picaresca. Sin embargo, su inescrupuloso empuje de aventuras no es el de un pícaro: él, a diferencia del pícaro, cree en un orden social respetable; lo que pasa es que no ocupa, en ese orden, la posición que quisiera. Algo apicarado era, sin embargo, sobre todo en la primera parte de Vida o Libro de la vida y costumbres de don Alonso Henríquez de Guzmán, caballero noble desbaratado.

Cronistas de Nueva Granada

Junto con los conquistadores-pícaros estaban los conquistadores-caballeros andantes. Ya se sabe que las novelas de caballería fueron perdiendo poco a poco su fascinación, y que Cervantes, en un espléndido ejercicio de crítica literaria —Don Quijote—, las reduciría al ridículo. Algunos de los conquistadores tenían algo de Quijote con su aturdida oscilación entre realidad y fantasía, capaces de crueldad y abnegación porque, en esos espejos de realidad y fantasía, la luz moral se refractaba absurdamente. Y uno de los conquistadores, en efecto, nos parece el verdadero Don Quijote: GONZALO JIMÉ-NEZ DE QUESADA (1499-1579). Era un humanista con sus latines bien puestos, pero se ha perdido casi todo lo que escribió. Rodríguez Freile le reprochará que, "siendo letrado no escribiese las cosas de su tiempo". Sus contemporáneos solían citarlo y aprovecharse de sus escritos y de su oratoria. Su esfera de acción y de observación fue el "nuevo reino de Granada". Tangente a esa realidad es *El Antijovio*, refutación del historiador italiano Paulo Jovio. Tenía gusto por la poesía y hasta la escribía. Fue protagonista de la polémica —viva todavía en América cuando ya había caducado en España— entre el verso castizo y el verso italianizante. Los metros breves de los romances y canciones viejas llegaban sin interrupción; y, para la poesía grave, la estrofa prestigiada por Juan de Mena. El más antiguo poema, anónimo, sobre la conquista del Perú, fue escrito hacia 1548 en coplas de arte mayor. Gonzalo Jiménez de Quesada y otros poetas soldados tenían el oído educado en el octosílabo. Cuando oyeron por primera vez los endecasílabos italianizantes no los supieron gustar: "dejaban tan mal son en sus oídos / que juzgaban ser prosa que tenía / al beneplácito las consonancias", dirá Juan de Castellanos de Lorenzo Martín, el capitán que animaba a sus soldados desfallecidos de hambre con sus "donaires y torrentes de coplas redondillas repentinas". Y agregará, refiriéndose a Jiménez de Quesada: "Y él porfió conmigo muchas veces / ser los metros antiguos castellanos / los propios y adaptados a su lengua, / por ser hijos nacidos de su vientre, / y éstos advenedizos, adoptivos / de diferente madre y extranjera."

La inquietud descubridora era tal que de pronto, en el valle donde hoy se levanta Bogotá, tropezaron tres expediciones salidas de puntos opuestos: las de Jiménez de Quesada, Belalcázar y Federmann. A esta región colombiana la leyenda del Dorado atribuía fantásticas riquezas: un cacique —se decía— acostumbraba bañarse con el cuerpo desnudo cubierto con polvos de oro; le rodeaban tesoros mayores a los de México y Perú. Había muchas otras leyendas: la fuente de la juventud eterna, la sierra de plata, la del país de la canela... Esta última atrajo a Orellana en su exploración del Amazonas.

Las amazonas

Cuando se desilusionaron de la canela, se ilusionaron con la leyenda de ciertas mujeres que vivían apartadas de los hombres: las amazonas. El cronista del viaje de Orellana fue FRAY GASPAR DE CARVAJAL (1504-1584). Su *Relación del nuevo descubrimiento del famoso río Grande de las Amazonas* cuenta sin adornos, sin énfasis, sus impresiones de 1541-1542. La estimación por esos escritos dependía de la experiencia vivida, real, directa, fiel, no de su estilo. Y, como observó Gonzalo de Oviedo, el fraile Carvajal "debe ser creído en virtud de aquellos dos flechazos, de los cuales el uno le quitó o quebró el ojo". Títulos honoríficos de esa literatura, pues, son el hecho de que los ojos estén allí, mirando la realidad que se describe, flechados por la realidad que se describe. Carvajal quisiera verlo todo. Nos dejó observaciones sobre el carácter de los indios, en la paz y en la guerra, con sus instrumentos musicales y bailes y también con sus armas y piraguas. A pesar de las penurias, a pesar de su ojo herido, aprecia la alegría de las islas que los bergantines van dejando atrás. Es un observador realista, pero el mito de las amazonas era tan obsesionante que Carvajal cree que son amazonas esas mujeres que pelean junto con sus hombres, y las describe como capitanes de "la buena tierra y señorío de las Amazonas". Otros rasgos de fantasía poetizan la crónica, como el de ese raro pájaro que, desde la orilla, asentado en un roble, "comenzó a decir a muy gran prisa *huid*..." Sin contar lo maravilloso cristiano —intervenciones de Dios, para salvarlo— que también da pinceladas de luz a las aventuras de este fraile tuerto, animoso y pío, en el gran laberinto de agua, hasta que salen al Atlántico "por las bocas del dragón".

En el Río de la Plata

Don Pedro de Mendoza fundó en 1536 la ciudad de Buenos Aires, a orillas del Río de la Plata: el fraile LUIS DE MIRANDA (1500?) que lo acompañó describió más tarde (entre los años 1541 y 1545), en un *Romance* de ciento cincuenta octosílabos de pie quebrado, el asedio indígena, el hambre y la destrucción de la ciudad. Ante ese cuadro de horror, Luis de Miranda, sin inspiración poética pero con ingenio, alegoriza la tierra argentina en una mujer traidora que mata, uno tras otro, a sus maridos españoles; sólo Dios —dice— podría darle a semejante viuda un buen marido, "sabio, fuerte y atrevido". Este marido será, en 1580, Juan de Garay. Pero entretanto la primera colonia permanente en el sur fue Asunción del Paraguay. Allí fue Luis de Miranda; allí llegó Cabeza de Vaca en 1540, con su secretario Pero Hernández; y los tres fueron víctimas de los mismos disturbios políticos. PERO HERNÁNDEZ (c. 1513?) escribió los *Comentarios* (1554), que narran la desventurada aventura de Álvar Núñez Cabeza de Vaca en Asunción, de 1540 a 1545. Es el primer libro español sobre la conquista rioplatense. Quien se acerque con simpatía histórica a esas luchas entre españoles, en Asunción del siglo XVI, podrá andar por las páginas de los *Comentarios* con facilidad, pues sus defectos no estorban demasiado. Son una defensa de Cabeza de Vaca, una impugnación a Irala. Y la pasión banderiza, mientras denuncia las violentas costumbres españolas, muestra al fondo, con cierta piedad, la indiada maltratada. Es lo dramático de las acusaciones. Como esa literatura está hecha de ademanes ("él hizo aquello", y "yo hice esto"), la prosa, que de otro modo discurriría desganada, se convulsiona en vivos movimientos de la voluntad. Cabeza de Vaca lo ayudó a redactar los primeros capítulos. En uno de ellos, donde se refiere a su segunda travesía de España al nuevo mundo, aparece el hermoso episodio del grillo: un soldado, al partir de Cádiz, metió en el navío un grillo, para oírlo cantar durante el viaje; el grillo no canta, con gran enojo de su dueño; de pronto, comienza a cantar, y es que ha sentido la proximidad de la tierra; desde entonces "siempre todas las noches el grillo nos daba su música". Pero Hernández es ameno: colorea sus descripciones y sabe narrar. En Asunción del Paraguay encontraremos también a una española —doña Isabel de Guevara— que había llegado al Río de la Plata en la expedición de Pedro de Mendoza. Su carta de 1556, dirigida a la princesa gobernadora doña Juana, es el primer documento literario en que se protesta por el injusto olvido en que se mantiene a las mujeres. Ella había sido una de las cofundadoras de Buenos Aires, y veinte años después describe las hambres, calamidades, pesadas faenas y aun esfuerzos bélicos que las mujeres sufrieron junto a sus hombres: "Vinieron los hombres en tanta flaqueza que todos los trabajos cargaban las pobres mujeres, así en lavarles las ropas, como en curarles, hacerles de comer lo poco que tenían, limpiarles, hacer centinela, rondar los fuegos, armar las ballestas cuando algunas veces los indios les venían a dar guerra, hasta cometer poner fuego en los barcos, y a levantar los soldados, los que estaban para ello, dar armas por el campo a voces, sargenteando y poniendo en orden los soldados; porque en ese tiempo, como las mujeres nos sustentamos con poca comida, no habíamos caído en tanta flaqueza como los hombres."

Cerramos aquí nuestra revista de crónicas. Son tantas —sólo hemos mencionado unas pocas— que ya en estos años se hizo el intento de catalogarlas: ALONSO DE ZORITA (1512-1566?), *Catálogo de los autores que han escrito historias de Indias.*

EL TEATRO

Dijimos que dos géneros de actividad artística son los que, al primer contacto con la nueva realidad americana, adquirieron fuerza creadora, si bien reteniendo una apariencia arcaizante, medieval: la crónica y el teatro. Ya examinamos la crónica. Sobre el teatro sólo hay referencias indirectas. Los conquistadores celebraban las fiestas a su modo: autos sacramentales, loas, entremeses, mojigangas, etc. Consta que en estos años compusieron autos y coloquios sacramentales Fray Andrés de Olmos, Fray Juan de Torquemada y otros. Visitó Santo Domingo, en 1534, MICAEL DE CARVAJAL (1490?): es posible que entonces estuviese escribiendo la *Tragedia josefina* (1535), notabilísima pieza sagrada en el teatro anterior a Lope de Vega. En su *Auto de las Cortes de la Muerte* (1557) —cuyo final es de Luis Hurtado de Toledo— presentó unos indios que se quejan de los abusos españoles. Muchas piezas eran de procedencia peninsular. Pero el teatro misionero para catequizar espectacularmente a los indios debió de haber sido originalísimo. Con el propósito de propagar la fe cristiana los misioneros adaptaron, a las formas teatrales de la Edad Media, el incipiente arte dramático de los indios: fiestas florales o "mitotes", ceremonias rituales, cantos, danzas, pantomimas, improvisaciones cómicas que imitaban movimientos de animales o de humanos contrahechos, etc. La Iglesia daba sentido teológico a esos espectáculos a veces preparados en lenguas indígenas. Los cronistas españoles abundan en noticias sobre ese teatro, desde 1535 en adelante; entre ellos Motolinía nos ha dejado una graciosa descripción del auto de la caída de Adán y Eva, representado por los indios en su propia lengua (Tlaxcala, 1538). La combinación de naturaleza y escenografía es impresionante. A veces es tanta la gente, que se desploma el tablado. El espectáculo suele terminar con el bautizo de grandes masas de indios. Las necesidades de este tipo de representación influyen en la arquitectura mexicana de las "capillas abiertas", especie de teatro al aire libre con capacidad para el inmenso público. El espectáculo era tan populoso que desbordaba del atrio de la iglesia y salía por las calles. Eran escenas de historia sacra o de alegorías sacras, con incidentes cómicos y aun con desfiles militares. En el área incásica también hubo fiestas así. En Lima desde 1546, en Potosí desde 1555 se representaban piezas teatrales, unas en quechua, otras en castellano. El Inca Garcilaso describe algunas. En 1550, bajo la dirección de corregidores y militares, se hicieron en Guayaquil representaciones teatrales como ensayos para las batallas contra indios y piratas; y se aprovechaban escenas del *Cid*, del *Amadís* y de las *Sergas de Esplandián*.

La mezcla de lo indio con lo español produjo, pues, un original tipo dramático: nos parecerá un retroceso hacia las representaciones medievales sólo si fijamos la atención en los progresos del teatro renacentista en España, pero si en cambio miramos la realidad americana comprenderemos que ese tipo dramático fue novedoso y abierto a muchas posibilidades. La participación de las masas en escenas al aire libre, por ejemplo, pudo haber evolucionado hacia formas independientes de la Iglesia. El público no era mero público: participaba del espectáculo con danzas y simulacros. Desgraciadamente el teatro misionero languideció y desapareció en la segunda mitad del siglo XVI. La Iglesia misma lo ahogó, al depurarlo de su profanidad inicial. (Un ejemplo de depuración es el impuesto por el Tercer Concilio Mexicano, de 1585.)

LITERATURA RENACENTISTA

Si en las crónicas y en el teatro misionero hemos notado rasgos medievales, hubo otras actividades que acentuaron lo renacentista. Actividades no siempre literarias, pero inspiradas en libros, como la Utopía que intenta Vasco de Quiroga (1470-1565) en México, reflejo de la *Utopía* de Thomas More. Utópico fue, en cierta medida, el erasmismo, que tocó unas pocas cabezas en el nuevo mundo. El P. Carlos de Aragón, que llegó a América en 1512, pronunciaba sermones que, según Las Casas, mostraban "tener en poco la doctrina de Santo Tomás". Más antiescolástico fue FRAY JUAN DE ZUMÁRRAGA (España; llegó a América en 1527; m. en 1548), primer obispo y primer arzobispo de la Nueva España, que hizo imprimir en México una *Doctrina breve* (1544) —con pasajes de Erasmo, apenas retocados— y una *Doctrina cristiana* (1545 ó 1546) con ecos de Juan de Valdés. Erasmista fue también LÁZARO BEJARANO (España; n. a principios del siglo XVI; vivió por lo menos hasta 1574). En Sevilla había escrito versos, entre 1531 y 1534. Perteneció al círculo de poetas amigos de Gutierre de Cetina. Hacia 1541 vivió en la ciudad de Santo Domingo en La Española: escribió sátiras contra sacerdotes, autoridades y particulares. En 1558 se le acusó ante la Inquisición de burlarse de la teología escolástica y de exaltar a Erasmo. Se ha perdido su *Diálogo apologético* en que, no como sacerdote (de quien se espera caridad) sino como gobernante y dueño de indios, defendió la dignidad de las poblaciones aborígenes de América. Juan Méndez Nieto (1531-c. 1617), médico con afición por las letras, cuenta que, por culpa de una sátira anónima de Lázaro Bejarano, "prendieron todos los poetas" para coger al autor. Es que había muchos poetas. Las pocas letras que se tuvieran ya bastaban para escribir. Era casi un impulso colectivo. Conservamos nombres de escritores, si bien se ha perdido casi todo lo que escribieron. Lázaro Bejarano, que, según dijimos, había escrito versos en el círculo de Gutierre de Cetina, debió de ser de los primeros en traer a América, en 1535, los versos al itálico modo. Antes se componían versos octosílabos, hexasílabos y de arte mayor. Juan de Castellanos, de quien hablaremos en seguida, achacaba a la blandura de las musas el que no hubiera fuerzas para aplastar la rebelión de Enriquillo (1519-1533) en Santo Domingo. Y generosamente dijo que muchos de los poetas de Santo Domingo —como por ejemplo Francisco de Liendo (1527-1584)— podían "bien limar esto que limo / y estarse de mis versos sonriendo; / quisiera yo tenerlos por arrimo / en esto que trabajo componiendo". Juan de Castellanos (1522-1607) llegó a América todavía adolescente, y en América se hizo humanista y escritor. Estaba ya compenetrado con el espíritu del Renacimiento, y en sus discusiones con Jiménez de Quesada sobre la versificación castellana tomó partido por los nuevos metros de la escuela itálica. Sus nada elegiacas *Elegías de varones ilustres de Indias* (1589) constituyen uno de los poemas más largos que se hayan escrito en el mundo; y, desde luego, el mayor en la lengua castellana. Arrancó desde Colón (así, fueron los suyos los primeros versos dedicados a Colón). La experiencia de Castellanos fue riquísima: escribió en la ancianidad, y con segura memoria, acerca de todo lo vivido desde Puerto Rico hasta Colombia en los diferentes tonos vitales de monaguillo, pescador de perlas, soldado, aventurero, gozador de indias y párroco. Si el lector es capaz de oír esos versos como quien oye llover, puede ocurrirle que, desatendida toda la armazón retórica, se le aparezca, animada y hasta colorida, una masa narrativa de innumerables episodios. Y en lo que Castellanos cuenta quizá advierta un amor a la tierra americana, una actitud criolla y realista que merecen nuestra simpatía. Entre los primeros cronistas que usaron palabras indígenas, él fue de los que más placer tuvieron en hacerlo; *bohíos, macanas, jagüeyes* están estampados con todo su color y fuerza descriptiva en los pasajes de evocación. Su sintaxis es desmañada; su tono, el de la confidencia familiar, en voz natural y fluida; clara su visión de la conquista, tanto en lo heroico como en lo cotidiano. Era sincero, irónico... Un buen ejemplo de ironía (hasta con algo de estilización cómico-heroica y de parodia de égloga) es el pasaje en que se refiere a los campesinos españoles que Las Casas trajo para colonizar la costa de Cumaná, campesinos armados caballeros, cruces rojas en los pechos, acompañados de sus pastoras (se trata de "poblar"...), ineptos para la lucha y, en efecto, destruidos por los indios. (Castellanos respetaba a Las Casas, pero repitió la leyenda de los "caballeros pardos" caricaturizada por Oviedo.) Sabía Castellanos que su lengua era desaliñada: "sencillo lenguaje de verdad y certidumbre", decía; pero confiaba en que las cosas de América son tan notables que "ellas mismas encumbran el estilo". Borda las *Elegías* con hilos de color tomados de la literatura, la historia y la mitología clásicas. Había leído a Virgilio, Ovidio, Horacio, Séneca, Terencio... Y, en una época en que la curiosidad por cosas exclusivamente griegas era excepcional, revela lecturas directas de Jenofonte y otros. No recreaba los clásicos, como Garcilaso, sino que, sin asimilarlos, entretejía los textos en la trama de su crónica o los incrustaba sin modificarlos. Entre las fuentes de la parte histórica de su poema están las crónicas de Oviedo y de López de Gómara. Quería atenerse a la verdad de los hechos; pero como creía en lo sobrenatural a veces entraba en sus cuadros una luz imaginativa y novelera. Porque su actitud es realista usa despectivamente la palabra "novela": le pareció, por ejemplo, que todo eso que se decía de unas indias amazonas era "novela liviana". Pero al rechazar las supercherías se reservaba el derecho a embellecer sus cuentos con comparaciones tomadas de la tradición literaria: indias como ninfas y náyades "cuales se suelen dar en los poemas", tan hermosas que "Júpiter quisiera ser su esposo"; las indias, a su vez, ven a los españoles como "faunos lascivos y lozanos"; hay monstruos con formas de gigantes hermafroditas o de criaturas mínimas, de un codo de estatura o bicéfalos; hay encantamientos de novela de caballería; hay, en una palabra, un flujo y reflujo de vida real y vida literaria. Mientras unos españoles (Núñez Cabeza de Vaca, por ejemplo) andaban desnudos como indios, otros llevaban una vida de refinada cultura. México tenía ya Universidad; y uno de sus catedráticos fue FRANCISCO CERVANTES DE SALAZAR (n. antes de 1515; m. después de 1575). Llegó a México en 1551 con una cultura humanística ya probada en obras latinas y siguió escribiendo en latín: en varios Diálogos a la manera de Vives describió la Universidad, las calles, edificios y alrededores de México, con rápidas comparaciones con las mismas cosas en España, con rápidas reflexiones filosóficas, con noticias sobre la educación de los mestizos y con cierto relativismo en la comprensión de la cultura indígena. Ya había mestizos que sabían latín; y hasta que lo enseñaban. En español está su *Crónica de Nueva España*, para la que aprovechó las *Cartas* de Cortés (a quien conoció personalmente) y muchas otras fuentes escritas (Motolinía, Herrera, etc.). Pero era hombre vital —"liviano y mudable", "poco honesto y casto", "ambicioso" sensible a la lisonja, le llamaron— y supo ver con sus propios ojos a los conquistadores, las cosas americanas y la grandeza de la ciudad de México. A México llegaron otros escritores españoles, como Gutierre de Cetina. Sus contribuciones a América son insignificantes: apenas aludió dos veces a las nuevas tierras. Si, como se dice, escribió en México una obra teatral, se ha perdido, y si dejó rastro fue el de la importación del endecasílabo italianizante. Acaso fue Gutierre de Cetina, huésped de México, quien acuñó al mexicano FRANCISCO DE TERRAZAS (1525?-1600?) con las melodías italianas. Escribió Terrazas buenos sonetos "al itálico modo", una epístola amatoria en tercetos y un inconcluso poema sobre el *Nuevo Mundo y conquista*, demasiado blando para su tema épico. Poema épico que abre el ciclo cortesiano de la conquista de México.

LA FANTASÍA Y EL NUEVO MUNDO

Fantasías nacidas y desarrolladas durante siglos se transplantaron al nuevo mundo: el paraíso, la fuente de la juventud, las siete ciudades encantadas, las once mil vírgenes, gigantes, pigmeos, dragones, niños de pelo cano, hombres con cola, mujeres barbadas, monstruos sin cabeza, con los ojos en el estómago o en los pechos, monos que andan tocando la corneta. Es natural que estas combinaciones de hombre, bestia y mito aguzaran la preocupación por el problema de cómo se había poblado el nuevo mundo, quiénes eran, de dónde habían venido y qué capacidad tenían esas gentes que los españoles encontraron en sus exploraciones, envueltas en la luz de cosmogonías y zoologías fantásticas. De aquí nació la especulación por el hombre americano y, al lado de la mente medieval, trabajó también una mentalidad renacentista, de actitud que hoy llamaríamos científica. Desligados de las tradiciones que pesaban sobre ellos cuando vivían en España, algunos españoles sintieron que se les despertaba la curiosidad intelectual por la extraña realidad que los rodeaba. El conflicto entre lo teológico y lo científico se acentuará con el tiempo, según veremos en los próximos capítulos.

CAPÍTULO II

1556 – 1598

[Nacidos de 1530 a 1570]

Marco histórico: Colonización bajo Felipe II. Se quiebra el poder imperial español y el empuje de la conquista empieza a perder su vitalidad. Se consolidan, entretanto, las instituciones.

Tendencias culturales: Segundo Renacimiento y Contrarreforma. La crónica se orienta también hacia el verso. Poesía tradicional e italianizante. Teatro de molde europeo. Primeros escritores nacidos en América.

España se cierra sobre sí misma, se incorpora las formas poéticas antes importadas y busca fórmulas nacionales: es el período del segundo Renacimiento y de la Contrarreforma. En las colonias se vive de prestado. Es natural. Y el préstamo es grande. Mucho mayor del que se ha creído porque, a pesar de las manifiestas prohibiciones de reyes e inquisidores, los libros de imaginación circularon por América con asombrosa abundancia: poetas latinos, italianos, españoles; novelas caballerescas, pastoriles, picarescas, sentimentales; comedias; escritos erasmistas; historias, leyendas, alegorías, amenidades didácticas... No se espere que esta literatura metropolitana engendre una literatura colonial del mismo vigor. Las circunstancias eran muy diferentes. En España la literatura estaba en función de un pueblo numeroso, unificado, denso en tradiciones, dado al diálogo de largo y sostenido aliento, seguro de sí, vital y pujante: en las colonias la literatura era ejercicio de reducidos núcleos cultos, apretados en torno de minúsculas instituciones, islas humanas en medio de masas iletradas, en encogida actitud imitativa, aficionados incapacitados para un esfuerzo perseverante en el aprendizaje artístico, desprovistos del aparato legal, comercial y técnico de la industria del libro, desanimados por las dificultades materiales.

Las colonias acompañaron, pues, a la metrópoli, pero siempre un pasito atrás.

En el capítulo anterior los escritores que estudiamos fueron casi todos españoles. Unos vinieron educados literariamente, a otros les nació la vocación en América, pero todos tenían un alma española, plegada a las formas culturales europeas. En este segundo capítulo veremos cómo los hijos de españoles se ponen a escribir. Son "mancebos de la tierra", criollos como Terrazas o mestizos como el Inca Garcilaso, que han de transformar la sociedad colonial. Las almas de los mestizos —enriquecidas por la visión de dos mundos históricos— empiezan a revelarnos experiencias de una sociedad nueva que Europa no conocía: la sociedad de marco occidental pero con vivas tradiciones indígenas. Algunos escriben en lenguas indígenas y escapan a esta historia. Entre los que lo hacen en español hay acentos de protesta o de amor a las propias tradiciones. Sin embargo, la afición literaria de mestizos e indios nacía del ejemplo de los europeos, pues las rudimentarias manifestaciones artísticas de los pueblos indígenas no tuvieron ascendiente formal.

CRONISTAS

Si en el período anterior España se mostró remisa en apreciar el valor de la conquista de América, y los cronistas escribieron por cuenta propia, ahora el rey ha de favorecer la historia de los asuntos americanos (en 1596 Felipe II nombra "cronista mayor de las Indias" a Antonio de Herrera y Tordesillas, quien cumplió publicando en 1601 la primera parte de las *Décadas*, y en 1615 la segunda).

Un nuevo grupo de conquistadores y misioneros produjo un nuevo grupo de crónicas. Algunas crónicas repitieron cosas ya escritas o, a lo más, añadieron noticias recientes a lo ya conocido; otras observaron por primera vez regiones últimamente conquistadas. Algunas crónicas son de pobre estilo, útiles sólo para el historiador; otras, de alto vuelo. En general, hubo más conciencia artística, es decir, literatura; y, en efecto, algunas crónicas se incorporan a la mejor literatura de la época, sea en prosa, como la del Inca Garcilaso, sea en verso, como la de Alonso de Ercilla.

Puesto que esas crónicas surgieron a lo largo de las rutas de América, vamos a examinarlas siguiendo las mismas rutas: México, Perú, Río de la Plata, Chile... Pero antes apartemos aquí, porque ni por su carácter ni por su geografía puede clasificarse con los demás cronistas, al padre JOSÉ DE ACOSTA (1539-1616). "Dejarme he de ir por el hilo de la razón, aunque sea delgado —decía—, hasta que del todo se me desaparezca de los ojos." Place, en un jesuita de la Contrarreforma, encontrar tanta curiosidad por las causas de la creación; y, sobre todo, tanta independencia de juicio ante las autoridades. Se sonrió de Aristóteles; y aun la autoridad de la Biblia está dispuesto a discutir, y la discute, al querer explicarse los problemas de la naturaleza americana. En 1590, al cumplirse el siglo del descubrimiento, se publicó su *Historia natural y moral de las Indias*. Como el título indica, la historia es "natural" (los primeros cuatro libros) y "moral" (los libros restantes). En la primera parte se estudian los objetos de lo que hoy llamaríamos ciencias fisiconaturales. En la segunda parte se estudian los problemas de la cultura: religión, historia, política, educación, etc. Estas dos perspectivas —natural, moral— completan su visión del mundo, que para Acosta —católico y aristotélico— estaba organizado unitaria y jerárquicamente. No es lo histórico lo que en su *Historia* vale más. Acosta manejó fuentes; y quienes buscan materiales históricos podrán recogerlos en esas fuentes. No. Lo interesante de la *Historia* de Acosta es su actitud antihistórica. A fuerza de pensar en lo que ha visto, Acosta llega a no asombrarse de la diversidad del hombre en América. El indio no era tan distinto al europeo: se le ve la luz espiritual del hombre universal, hasta las costumbres conservadas de una cuna común. Por otra parte —agrega— "es notorio que aun en España y en Italia se hallan manadas de hombres, que si no es el gesto y figura, no tienen otra cosa de hombres". Al año siguiente de la *Historia natural* de Acosta apareció en México otra descripción de la naturaleza: la de JUAN DE CÁRDENAS en *Problemas y secretos maravillosos de las Indias* (1591). Es interesante que Cárdenas, andaluz, vea ya diferencias entre el español nacido en las Indias y el español de España, pareciéndole el primero más delicado, discreto y pulido.

En este período no se escriben en México grandes crónicas originales. La de FRAY JUAN DE TORQUEMADA (*c.* 1563-1624) —*Monarquía indiana*, 1615— es de segunda mano, pesada y sólo interesante por los documentos incluidos: copió la *Historia eclesiástica indiana* de Fray Jerónimo de Mendieta, entonces inédita. Sabrosa, por el contrario, es la de FRAY DIEGO DURÁN (n. antes de 1538-1588): *Historia de las Indias de Nueva España*, escrita a base de documentos en náhuatl y de datos directos. De los cronistas mexicanos nacidos en estos años el más notable es JUAN SUÁREZ DE PERALTA (n. entre 1537 y 1545; m. después de 1590). Se advierte en él la molicie del señorito que disfruta de ventajas heredadas. Este criollo —que decía de sí mismo no tener sino "una poca de gramática, aunque mucha afición de leer historias y tratar con personas doctas"— fue uno de los primeros en escribir en México: su *Tratado de la caballería de la jineta y brida* (1580) fue el primer libro publicado por un autor americano sobre tema profano. Le siguió un *Libro de alveitería*, todavía inédito. Hacia 1589 escribió el *Tratado del descubrimiento de las Indias*, que es uno de los mejores cuadros de la vida criolla en la Nueva España del siglo XVI. De los cuarenta y cuatro capítulos, los primeros diecisiete se refieren al "origen y principio de las Indias e indios" y a la conquista de México. Su idea del pasado indígena

—no original, puesto que sigue a Sahagún, Durán, Motolinía y otros— interesa como una muestra de qué es lo que los primeros criollos creían tener detrás de sí, en la historia de su tierra. Los restantes veintisiete capítulos tratan de los años en que su familia se estableció en México. Su padre había sido un conquistador, cuñado de Hernán Cortés. Se conoce lo que Suárez vio y vivió porque, al contarlo, su estilo se hace visual y vivaz. La serie de episodios que remata en el ajusticiamiento de los Ávila, por ejemplo, no carece de vigor novelesco. Al venir Martín Cortés, hijo de Hernán, los caballeros despilfarraron sus haciendas en fiestas, juegos, lujos, corridas de toros, cacerías, banquetes, desfiles de máscaras, etc. Felipe II decidió despojarlos de sus privilegios económicos —las encomiendas— para poner coto a tanto regocijo. El regocijo de esos años del virreinato novohispano es lo que evoca con nostalgia Suárez de Peralta. Gustaba de las anécdotas y las condimentaba con ironía. Ya se advierte cómo el espíritu del hijo del conquistador es diferente al del conquistador; más: cómo el espíritu del criollo es diferente al del español. Hay uno que otro destello de simpatía por los "corsarios luteranos" de Inglaterra. Con lástima, y aun con afecto, nos habla de unos soldados que, bebidos, dijeron en broma que había que matar a las autoridades españolas y "alzarse con la tierra": fueron ahorcados —dice— "sin culpa". Suárez de Peralta está orgulloso de que no ha habido ni podrá haber hasta el día del juicio final "otro México y su tierra". Puesto que ésa es su patria, la quisiera en permanente gala.

El cronista de Colombia y Venezuela fue FRAY PEDRO DE AGUADO (m. después de 1589), cuya *Historia de Santa Marta y Nuevo Reino de Granada* —descolorida de literatura— cuenta "las cosas que he visto y tocado con las manos".

En Perú podríamos agregar nuevos nombres a la lista que dimos en el capítulo anterior. Los hubo españoles y criollos. Nos interesa la *Historia del Perú* de DIEGO FERNÁNDEZ, el Palentino, soldado rudo que llegó a Perú después de la conquista: frasea bien los pormenores que observa, esto en la segunda parte, pues en la primera copió relaciones anteriores. PEDRO GUTIÉRREZ DE SANTA CLARA, aunque nacido en México (a. de 1570), escribió una *Historia de las guerras civiles del Perú* y de otros sucesos de las Indias. FRAY REGINALDO DE LIZÁRRAGA (*c.* 1539-1609), en *Descripción y población de las Indias*, cuenta lo que vio en sus viajes por Perú, Tucumán, Río de la Plata y Chile. Es una especie de guía para viajeros, llena de consejos y de informaciones prácticas, pero escrita con agudeza, detallismo, sencillez y variedad. Su punto de vista es el del español: al hablar de los criollos, de los mestizos y de los indios va graduando su desprecio. Pero Lizárraga, hijo de conquistador, siente la diferencia entre los "conquistadores viejos", que fundaron una nueva nobleza a fuerza de sacrificios, y los "pobladores venidos después de llana la tierra", que se benefician del esfuerzo ajeno y se apoderan de lo que no les corresponde. Se queja de que los descendientes de los antiguos conquistadores sean desdeñados y desplazados por advenedizos que no se saben "ni limpiar las narices ni en su vida echado mano a la espada". Su libro presenta la sociedad inmediata a la conquista, con las heridas de la guerra civil todavía no cicatrizadas. Los cronistas indios y mestizos, por su parte, nos dieron otra apreciación de las cosas. El Padre BLAS VALERA (Perú; *c.* 1538-1598), FELIPE GUAMÁN POMA DE AYALA (Perú; ¿1526?-m. después de 1613). Este último, en *El primer nueva corónica y buen gobierno*, relató las grandezas del pasado incaico y los sufrimientos del indio durante la colonia. Está bien informado. Mira por dentro a conquistadores y conquistados. No disimula su resentimiento con la Iglesia. Transcribió poemas quechuas que se cantaban o recitaban en aquella época. Cumple, en este sentido, una función que ni Valera ni el Inca Garcilaso alcanzaron.

El Inca Garcilaso de la Vega

El más genial de los mestizos escritores es el INCA GARCILASO DE LA VEGA (Perú; 1539-1616). Descendía de la nobleza incaica y castellana; pero, además, por parte de padre, de una familia ilustre también en la historia de las letras. La fusión en su conciencia de esos diversos mundos raciales y culturales fue el punto de partida de su vida de escritor. A los veintiún años de edad fue a España: no volvería más al Perú. En 1590 publicó una nueva traducción de los *Dialoghi di Amore* del neoplatónico León Hebreo, emprendida con el deleite de sentirse penetrado por el espíritu de orden y armonía del Renacimiento. Amigo de uno de los veteranos que acompañaron a Hernando de Soto en su expedición a la Florida (1539-1542) decidió poner en letras lo que le oyó: es *La Florida del Inca* (1605). Sus propios gustos literarios intervinieron en el relato de su amigo, como no podía menos de ser, y se advierten influencias de todo lo que leía. Había leído a historiadores grecolatinos y renacentistas, y siguiendo esos modelos se propuso salvar del olvido las obras heroicas, enseñar la verdad, entusiasmar a los lectores con recursos artísticos y convertir, en fin, la historia en "maestra de la vida", magisterio con un programa concreto de conquista y cristianización. El Inca —lector de las "scmblanzas" de su pariente Pérez de Guzmán— imagina los rasgos psicológicos de los personajes. La acción se ornamenta, al modo clásico, con arengas imaginarias. Y mucha imaginación, en efecto, entra en su historia. Desde Aristóteles se venía repitiendo que la Poesía aventajaba a la Historia en que contaba cómo deberían haber sucedido las cosas, no sólo cómo habían sucedido. El Inca cree también en la dignidad de la fantasía. Eso sí: las ficciones deben acercarse a la verdad y apartarse de la mentira. Y como los humanistas del Renacimiento consideraban las novelas de caballería como mentiras, el Inca también dirá que es enemigo de ellas. Lo legítimo era creer sólo en novelas con base histórica o en historias que se incorporaban elementos novelescos. Sin embargo, en *La Florida* aparecen episodios parecidos a los de las novelas bizantina, italiana y también de caballería, más la influencia de los poemas épicos de Ariosto, Boiardo, Ercilla; y así sus páginas cobran un brillo de aventura imaginada, con naufragios, pérdidas, encuentros, singulares combates, hazañas de un héroe contra todo un ejército, indios cortados en dos mitades de un solo golpe de espada, imitaciones de la antigüedad clásica, ciudades extrañas, paisajes exóticos, fiestas galantes, tormentas y desventuras, descripciones de tesoros, reinas, palacios, arsenales y escenas que, en un falso marco feudal, presentan a los indios como "nobles salvajes", elocuentes en sus sentimientos de honor. La fuente oral del amigo que participó en la expedición y las fuentes escritas —crónicas, historias, poemas— le daban hechos, y él los hermoseaba. "Escribí la crónica de Florida, de verdad florida, no con mi seco estilo mas con la flor de España", decía. Mientras "ponía en limpio" *La Florida* escribía los *Comentarios reales*, su más insigne obra: la primera parte se publicó en 1609; la segunda, terminada cuatro años más tarde, se publicaría después de su muerte con el título de *Historia general del Perú* (1617). Ya hemos dicho que lo que nos interesa en los cronistas de Indias es el valor de su perspectiva personal, no el valor objetivo de su reconstrucción histórica. Pero tratándose de un cronista de la importancia del Inca Garcilaso debemos hacernos cargo del problema de su veracidad histórica, siquiera para despacharlo en seguida y, con el ánimo ya libre, estudiar su imaginación y su estilo. El Inca ha sido blanco de tres punterías diferentes, aunque en el aire se juntan los disparos y todos van a golpearlo cn su centro. Quienes descreen de la posibilidad de una gran civilización no europea declaran que los *Comentarios reales* son "cuentos de hada", "novela utópica", no texto histórico. Otros historiógrafos de heurística y hermenéutica hipercríticas deshacen la masa de hechos de la obra del Inca en una actitud más analítica que comprensiva. Un tercer grupo, en defensa de la conquista y la colonización españolas, decide desacreditar lo que ellos consideran, errónea-mente, visión india del Inca. También se equivocan quienes, con simpatía para el Inca Garcilaso, lo suponen encarnación telúrica, inmune a lo hispánico, angustiado por el desvanecimiento de la tradición quechua, enemigo de la conquista española, nacionalista en su defensa de la patria peruana y mestizo tan inclinado a sus sombras indias que vivió resentido y escribió amargado. La ver-dad es que el Inca decía escribir para indios y españoles "porque de ambas naciones tengo prendas"; "decir que escribo encarecidamente por loar la nación, porque soy indio, cierto es engaño". La parte historiográfica del Inca es verosímil. Investigaciones recientes suelen con-firmar a Garcilaso en su orden de las conquistas incai-cas y en la exactitud geográfica e histórica. Muchos de los elementos legendarios que usa el Inca fueron crí-ticamente sopesados por él mismo: "y aunque algunas cosas de las dichas y otras que se dirán parezcan fabu-losas, me pareció no dejar de escribirlas, por no quitar los fundamentos sobre los que los indios se fundan para las cosas mayores y mejores que de su imperio cuentan". Comoquiera que sea no hay que olvidar que Garcilaso era lector de obras de contenido histórico y se familiarizó en una especie de renacentista historio-grafía novelada. Era Garcilaso un humanista que, por conocer la cultura incaica, proyectaba sobre ella el an-helo, tan renacentista, de encontrar la edad dorada. Cede a las aspiraciones utópicas de su época sin que por eso desmerezca su directo conocimiento de la realidad peruana. Algunas de sus idealizaciones del régimen incaico eran comunes al pensamiento de los humanistas españoles: comunidad de bienes, adoctrinamiento de bárbaros, patriarcalismo benévolo de príncipes filóso-fos... Y los ejes teóricos de su obra —los temas de la guerra justa y los de la evangelización— atraviesan de lado a lado toda la máquina literaria de esos años. La conquista y la colonización son para Garcilaso provechosas: criticó el punto de vista de Las Casas. Su concepto de la vida es el del cristianismo: la dignidad moral del hombre en armonía con Dios y el Mundo. En su serenidad hay algo de los estoicos, a quienes también leía. Necesitaba de estoicismo, sin duda, para sobreponerse a su tristeza. Había sufrido a causa de las guerras civiles en Perú; había conocido el camino de la opulencia a la penuria, de la estima al desdén; tal vez sentía cierto fatalismo de indígena... Pero su tristeza —que va subiendo como una marea, hasta inundar páginas de la segunda parte de los *Comentarios*— tenía mucho que ver con su concepción de la historia. Algo trágico veía en la historia. Pero su desilusión no era negativa: sabía encontrar el encanto de los destinos adversos. Insistía en su condición de mestizo: "por ser nombre impuesto por nuestros padres y por su significación, me lo llamo a boca llena, y me honro con él". Pero no piensa en que esa condición lo limita racialmente. En esos años, y escribiendo desde España, los rasgos físicos diferenciales entre mestizos y españoles no añadían ni quitaban valor a la persona. Gozaba de privilegios de hijo de encomendero, se vinculó íntimamente a la vida española y vivió sin ocuparse de trabajos manuales. El tono de humildad en las introducciones a sus obras era el acostumbrado en los escritores contemporáneos, y él lo sabía: "en los proemios... he notado que... se disculpan sus autores", dice. Sus desengaños no son los de un mestizo resentido sino los de cualquier español que solicitaba recompensa en vano o sentía frustradas sus aspiraciones de gloria militar. En el capítulo xv del Libro I de la primera parte cuenta cómo en su niñez oyó a su madre, tíos y ancianos la cosmogonía incásica: pasaje famoso por su emocionada evocación y por la vivacidad de la prosa, en la que no sólo se oye el diálogo, sino que se ven los movimientos de quienes hablan. El Inca cuenta con placer. No sintetiza rápidamente, sino que se demora en la presentación sucesiva de los accidentes del relato. El equilibrio de la sintaxis corresponde al equilibrio de un pensamiento que claramente procede con simetrías y construcciones ordenadas. En el vaivén pendular entre lengua sencilla y lengua complicada, el estilo del Inca se dirige hacia la sencillez. Además, seguía el ejemplo de llaneza de los cronistas que leía: Cieza de León, Acosta, Gómara, Zárate y Blas Valera. Pero, natural y todo, el Inca construye su sintaxis sin dejar miembros sueltos o mal articulados. "Mi lengua materna, que es la del Inca; ...la ajena, que es la castellana", dice. El castellano fue su lengua, tanto o más (creemos que más) que la de su madre india. ¡Qué admirable prosa! ¡Qué orden, qué cuidado por la lógica y clara presentación de sus memorias! Había en él una contemplación de su propia obra como objeto artístico. Y el placer de sentirse en un punto de mira valioso y original por su condición de hombre que domina un rico paisaje cultural, asomado desde lo alto de su condición de mestizo a las dos vertientes históricas: la india, la europea. La importancia artística de sus *Comentarios* se beneficia de ese interés personal por llamar la atención sobre su perspectiva privilegiada. Quiere actuar artísticamente sobre el lector: para que un capítulo "no sea tan corto", dice, agrega el cuento de Serrano (capítulo VIII), tan parecido al de Robinson Crusoe. Su visión del público español al que se dirige, y su necesidad de hacer inteligible el mundo nuevo, explican su constante traslado de categorías indias a categorías europeas.

Tierras de prosperidad y de pobreza

La prosperidad no era un bien igualmente repartido en todas las colonias. En México, en el Perú, hubo un rápido florecimiento, y a principios del siglo XVII ofrecen, como se ha visto, un cuadro cultural bastante rico. En otras partes hay declinación —como en Santo

Domingo—; en otras —como en el Paraguay y el Río de la Plata— se vive duramente. De esta última región ha de surgir un cronista que, si bien tardío, muestra en su vida algo de la rudeza de los primeros tiempos: el mestizo Ruiz Díaz de Guzmán (Paraguay; 1554?-1629). Desgraciadamente no nos ha dejado la crónica de sus propias jornadas de conquistador. Su obra, conocida como *La Argentina manuscrita*, terminada para 1612, nos ha llegado incompleta en varios manuscritos —ninguno de los cuales es el original— con variantes textuales. Arranca de los hechos del descubrimiento y conquista de las provincias rioplatenses y se interrumpe justamente en los años en que él se entremezcla con los hombres cuya historia ha escrito. Recoge leyendas porque cree en ellas; y, por creer, suele imprimir un aire fabuloso aun a episodios reales: ¿leyenda contada como real o realidad contada como leyenda, la del episodio de la Maldonada y la leona, por ejemplo? Tema reminiscente del de Androcles y el león, cuya primera versión en castellano viene de *El libro de los ejemplos* de Sánchez de Vercial, a principios del siglo xv. Otro episodio, el de Lucía Miranda, la cautiva, va a tener gran fortuna en la literatura rioplatense. El español le quitaba al indio sus mujeres. El indio hizo lo mismo con algunas españolas hasta muy avanzado el siglo xix, y estos escándalos entraron en la poesía, el teatro y la novela (Lavardén, Echeverría, Ascasubi, Hernández, Mansilla, Zorrilla de San Martín, etc.). Ruiz Díaz de Guzmán nos habla de pigmeos, amazonas, milagrosas intervenciones de santos y cuentos, como el ya citado de Lucía Miranda: sus fuentes son orales, y al escribir sigue también los modos de la conversación. Aunque mestizo, su punto de vista es siempre el del lado europeo de su familia.

LITERATURA ÉPICA: ERCILLA

Algunas crónicas hicieron literatura. También hubo literatura que hizo crónica. Por ejemplo: la de Alonso

DE ERCILLA Y ZÚÑIGA (1534-1594). Los episodios más cruentos en el Perú no fueron entre españoles e indios, sino entre españoles. Un grupo de hombres que bajaron del Perú a Chile chocaron allí con las tribus aguerridas de los araucanos; y surgió así el primer poema épico de América: *La Araucana* de Ercilla. Cortesano de Felipe II, Ercilla ya tenía una buena educación literaria cuando, a los veintiún años, llegó a América: "climas pasé, mudé constelaciones", dice. Y lo que vio e imaginó en Chile se exaltó en las octavas reales de su poema épico *La Araucana*. Sin duda es una crónica, pero muy diferente a todas las mencionadas hasta aquí, pues lo que más vale en ella es su visión estética. Lope de Vega, en *Laurel de Apolo*, situó bien a Ercilla: "Don Alonso de Ercilla / tan ricas Indias en su ingenio tiene, / que desde Chile viene / a enriquecer la musa de Castilla." Es decir, que el valor está en que las Indias pertenecen al ingenio de Ercilla, no Ercilla a la realidad de las Indias. Las Indias son un fenómeno mental, ideal, del escritor. Las Indias nacen en Ercilla, no Ercilla en las Indias. *La Araucana* surgió en la evolución del género épico como un ejemplar de rara pluma. Fue la primera obra en que el poeta aparece como actor de la epopeya que describe; por lo tanto, fue la primera obra que confirió dignidad épica a acontecimientos todavía en curso; fue la primera obra que inmortalizó con una epopeya la fundación de un país moderno; fue la primera obra de real calidad poética que versó sobre América; también fue la primera obra en que el autor, cogido en medio de un conflicto entre ideales de verdad e ideales de poesía, se lamenta de la pobreza del tema indio y de la monotonía del tema guerrero y nos revela el íntimo proceso de su creación artística. Puede que *La Araucana* no se remonte junto con el *Orlando furioso*, la *Gerusalemme*, los *Lusiadas*; pero también volaba, alto, con sus propias alas. El revoloteo épico en el cielo hispánico —la *Jerusalén conquistada* de Lope de Vega, el *Bernardo* de Balbuena, la

Cristiada de Hojeda— fue ciertamente magnífico en *La Araucana*. Ercilla llegó de España con una mente ya formada por la literatura renacentista, por la teología y por las discusiones jurídicas sobre la conquista del nuevo mundo. Mientras peleaba, escribía. Pero los hechos no eran los que dictaban la poesía. La prueba está en que los veintidós cantos que relatan lo que vivió no son mejores a los quince que se refieren a acontecimientos anteriores a su llegada. La poesía manaba de su alma de español del Renacimiento, lector de Virgilio y de Ariosto, soldado del reino católico de Felipe II, enemigo del indio, no por codicia, sino porque el indio era enemigo de su fe. América fue poetizada, sin embargo, con una precisión descriptiva extraordinaria: narración de episodios épicos, semblanza de caracteres, metáforas sorprendentes en percepciones nuevas. Más memorables que los combates de la *Jerusalén* de Lope o el *Bernardo* de Balbuena son los de Lautaro, Tucapel y Rengo. Narra con claro y sostenido aliento. Caracteriza aun a los indios (el generoso Lautaro, los salvajes Tucapel y Rengo, el heroico Galvarino, el animoso Caupolicán). Así como Homero estima a Héctor, Tasso a Solimán y Boiardo a Agricane, también Ercilla estima a sus enemigos. Rasgo literario, rasgo español: los chilenos son dueños, sin embargo, de sentir *La Araucana* como poema nacional. Cuando se fatigaba de América, Ercilla solía escaparse con escenas de amor, profecías, apariciones sobrenaturales, sueños líricos, mitologías embellecedoras, viajes imaginarios. Se afloja así la unidad de construcción épica, pero en cambio *La Araucana* se convierte en uno de los poemas más complejos de la literatura de la edad de oro. Siguiendo el antiguo ejemplo de Lucano, dio Ercilla proporciones épicas a los acontecimientos más inmediatos; y las escenas de magias y prodigios no quiebran esa línea de veracidad histórica porque, después de todo, formaban parte del folklore y de la literatura del siglo xvi. "Historia verdadera", pues; sólo que Ercilla es poeta, lector de todo lo que los españoles de su tiempo leían, lector no solamente de los autores que ya mencionamos, sino de veinte más (los italianos de Dante a Sannazzaro, los españoles de Juan de Mena a Garcilaso de la Vega) y su poesía tiene las gracias del Renacimiento. Las tres partes de *La Araucana* aparecieron, sucesivamente, en 1569, 1578 y 1589; y por primera vez España sintió que América tenía ya literatura.

Secuela de "La Araucana"

Hubo continuaciones, imitaciones y emulaciones; y el poema se incorporó a la gran literatura de todos los tiempos. En América, sobre todo, la influencia de *La Araucana* fue profunda y larga, y no se confinó a la poesía épica. Pero en la dirección del poema épico de tema americano surgieron *El arauco domado* (1596) del chileno PEDRO DE OÑA; *Purén indómito* de HERNANDO ÁLVAREZ DE TOLEDO; *Argentina* (1602) de MARTÍN DEL BARCO CENTENERA; *Elegías de varones ilustres de Indias* de JUAN DE CASTELLANOS; *Armas antárticas* (epopeya inconclusa escrita entre 1608 y 1615) de JUAN DE MIRAMONTES Y ZUÁZOLA, soldado que tomó parte en la lucha contra el pirata Cavendish y cantó asuntos americanos con el brío y la imaginación de un poeta bien entrenado en los procedimientos más felices de la épica del siglo de oro; *Guerras de Chile* (1610), atribuida a JUAN DE MENDOZA MONTEAGUDO; y las que se inspiran en la conquista de la Nueva España: *Nuevo Mundo y conquista* (c. 1580) de FRANCISCO DE TERRAZAS; *Cortés valeroso* (1588) y *Mexicana* (1594) de GABRIEL LOBO LASSO DE LA VEGA; *Historia de la Nueva México* (1610) de GASPAR GUZMÁN (n. antes de 1570). Si pensamos en *La Araucana* todos los demás poemas nos parecerán mediocres (con excepción del de Oña). En un peldaño muy abajo, en esa escala que desciende de LA ARAUCANA, está la *Argentina* de MARTÍN DEL BARCO CENTENERA (1544-1605?). Más que seguir a Ercilla

sigue modelos de la poesía didáctica medieval, de ahí
el aire arcaico de *Argentina* (1602) aun en su versificación, que es irregular. Versifica, sin aliento poético,
sus recuerdos de las adversidades y fracasos padecidos
en el Río de la Plata. Es realista en algunos episodios,
pero su actitud no es crítica. Prefiere la exageración
truculenta, la violencia enfática. De su mediocre poema
lo que quedó vivo fue el nombre, *Argentina*, imitación
de los nombres *Araucana, Eneida, Ilíada*. No lo había
creado; pero su insistencia en el adjetivo poético "argentino" y en su sustantivación "el argentino" como
nombre del río y el país fue origen del gentilicio y
el nombre moderno de nuestra república. Estos poemas
tan pronto se someten a la "historia verdadera" como,
siguiendo la manera de Boiardo y Ariosto, se escapan
hacia lo novelesco, fantástico y aun alegórico.

ESTADO DE LA LITERATURA

Los que promovían la literatura en América sabían
muy bien que la voz se perdía en estas chaturas sin eco.
Algunos españoles que nunca vinieron aquí elogiaron
generosamente la vida intelectual de las Indias. Era una
especie de cortesía, de crédito para el futuro, de voluntad de mejorar las cosas. Francisco Sánchez, en *Quod
nihil scitur* (1581), decía: "En las Indias ¿cuánta ignorancia no reinó hasta hoy? Ya, ahora, hácense poco a
poco más religiosos, más agudos, más doctos que nosotros mismos." Y años después Cervantes en *Viaje del
Parnaso* (1614) y Lope en *Laurel de Apolo* (1630)
se referirán también generosamente a los escritores americanos. Pero ¿podían imaginarse los españoles lo que
estaba pasando en los colegas de Indias, podían estimar
la voluntad con que los de Indias debían vencer tanto
desánimo? La soledad, la timidez en tomar la iniciativa, la falta de estímulo, los obstáculos materiales en
la circulación o impresión de libros, les hacían mirar
humildemente la gran creación literaria de España.

Cuando Nebrija escribió su *Gramática* creyó que la lengua castellana ya había llegado a su plenitud. Eran los años de la *Celestina* y del descubrimiento de América. Pero los españoles que vinieron a América, sus hijos, criollos o mestizos, comprendieron que allá en España la literatura seguía evolucionando. En 1492 el habla de los judíos expulsados de España quedó aislada, con su fisonomía preclásica; pero el habla de los españoles que ese mismo año vinieron a América continuó su vida histórica. América no permaneció como una provincia lingüística preclásica porque la conquista y colonización fueron obra de la época de Garcilaso y Fray Luis, de Cervantes, Lope y Quevedo. De 1520 a 1600 se constituye la sociedad americana: y la constante afluencia de población española —que seguirá en los siglos XVII y XVIII— ponía a la vista el horizonte de glorias literarias de España misma. Había sin duda un resquemor criollo contra el español. Un soneto satírico de la segunda mitad del siglo XVI (recogido por Baltasar Dorantes de Carranza en *Sumaria relación de las cosas de la Nueva España*, 1604) protestaba contra el peninsular que "viene de España por el mar salobre / a nuestro mexicano domicilio / un hombre tosco, sin algún auxilio, / de salud falto y de dinero pobre"; "y abomina después el lugar donde / adquirió estimación, gusto y haberes".

Pero, a pesar de este resquemor, España seducía con su literatura. Por eso, al lado de los romances y coplas y villancicos populares surgió una literatura pretensiosa: diálogos, versiones y versos latinos (como los de Francisco Cervantes de Salazar), sonetos italianizantes, petrarquescos, al modo de Garcilaso y Gutierre de Cetina (como los de Francisco de Terrazas, ya famoso en 1577), poemas épicos (como los de toda la descendencia literaria de Ercilla) y versos muy siglo XV al modo de Jorge Manrique (como los de Pedro de Trejo, quien se ensayó en todos los géneros y maneras y aun innovó metros y estrofas). Había tantos certámenes de poesía que González de Eslava dice en uno de sus *Coloquios:* "hay más poetas que estiércol". Del estiércol de esa pobre versificación ningún Virgilio hubiera podido extraer oro —"de estercore Ennii"—: el oro estaba en España, y prosistas y versificadores miraban deslumbrados esos distantes brillos sintiéndose pobres. Un anónimo latinista, al dedicar la versión de *Meditatiunculæ* a la segunda esposa de Hernán Cortés, le decía: "De buena gana hice lo que pude en la traducción de este libro; si no va mi romance tan pulido como lo hilan algunos retóricos castellanos, no es de maravillar; porque al cabo de tanto tiempo como ha que peregrino por estas tierras y naciones bárbaras, donde se trata más la lengua de los indios que la española, y donde se tiene por bárbaro al que no es bárbaro entre los bárbaros, no es mucho que esté olvidado de la elegancia de la lengua castellana." Cuando podían, se iban a España, y allí escribían y publicaban sus obras. De 1577 es el códice *Flores de varia poesía*, compilado en México. Es anónimo, pero se ha supuesto que Juan de la Cueva fue uno de sus compiladores o que fue quien lo llevó consigo a España. Allí se mezclan versos de españoles de España con los de españoles que vivieron en América y aun con los de los criollos. (Terrazas, Carlos de Sámano, Martín Cortés, Juan de la Cueva, Gutierre de Cetina, Juan Luis de Ribera, González de Eslava, etc.) Escritores, pues, hubo a montones, si bien insignificantes. En su "soneto a Lima" Rosas de Oquendo satiriza a los "poetas mil de escaso entendimiento". Ya dijimos que escribir era un irresistible prurito colectivo. No sólo se escribía, sino que se escribía sobre quienes escribían. Juan de Castellanos, de quien hemos hablado, dejó una galería de "claros varones" de la pluma. Una lista —muy incompleta— de escritores peruanos parece encontrarse en *El Marañón* (1578) de Diego de Aguilar y Córdoba y en el anónimo *Discurso en loor de la poesía*. Eugenio de Salazar y Alarcón (1530?-1602), poeta madrileño que describió en verso paisajes mexicanos, recogió en su *Silva de poesía* datos sobre la vida intelectual de Santo Domingo: gracias a él conservamos cinco sonetos y versos blancos de la más antigua de las poetisas del nuevo mundo. O sea, la religiosa doña LEONOR DE OVANDO (m. después de 1609), dueña de esta intensa visión del "divino Esposo de mi alma": "que sólo padeció por darme vida; / y sé que por mí sola padeciera / y a mí sola me hubiera redimido / si sola en este mundo me criara". En una historia de la oratoria sagrada habría que destacar a FRAY ALONSO DE CABRERA (*c.* 1549-1606). Por el poder artístico de su palabra pertenece también a la historia literaria. Original en su actitud de predicador, la prosa de sus sermones le sale original. En vez de encadenar sus frases, como se acostumbraba en sus años, las escribía breves, sencillas, arquitecturándolas con claridad y enriqueciéndolas con anécdotas costumbristas.

LA SÁTIRA

Estos tiempos llamaban a la sátira. Acudió en muchas bocas. Sobre todo en la de MATEO ROSAS DE OQUENDO (¿Sevilla; 1559?; probablemente vino a América en 1585; en 1621 todavía vivía en Lima). Viajero incansable, de la Argentina a México, y despreciador de cuanto veía. En su larga "Sátira a las cosas que pasan en el Perú, año de 1598" describió un corto segmento de la sociedad colonial: sus más violentos versos iban contra las mujeres de dudosa moralidad y los impostores. Le disgustaban los pobres que, al llegar a América, se daban aire de nobleza, y eran hijos de gañanes. El participar de los vicios que ridiculiza da a sus pasajes autobiográficos un tono de literatura picaresca, al que no le falta el sobretono del "naturalismo barroco". También escribió sátiras en su período mexicano: su "Sátira que hizo un galán a una dama criolla que le alababa mucho a México" desahogó su resentimiento español contra la vida criolla qué crecía cada vez más. Sin embargo se advierte que, de tanto vivir en colonias, su primera animosidad contra el criollo, su primera arrogancia de europeo, fueron disminuyendo. En México llegó a expresar cierto entusiasmo. Con los años parece que se encariñó con el nuevo mundo.

EL TEATRO

A medida que conquistaban o fundaban ciudades, los españoles trasplantaban la organización cultural europea. A todas las tierras conquistadas llevaron sus instituciones, y en todas partes surgieron cronistas y aun escritores. Pero las capitales de los dos primeros virreinatos, México y Lima, fueron los centros de una civilización viva, más completa y continua. Hasta tuvieron teatro. Como observó Agustín de Rojas —*Viaje entretenido*, 1603— Juan del Encina había empezado a escribir la comedia "en los días que Colón / descubrió la gran riqueza / de Indias y Nuevo Mundo". En realidad Juan del Encina no fue el "padre de la comedia española" sino su secularizador, a partir de la representación de la doble égloga en la navidad de 1492. Y a América pasó el teatro. Ya dijimos que el primer teatro misionero fue desapareciendo en la segunda mitad del siglo xvi. La depuración que la Iglesia hizo de sus elementos profanos, el cambio en las costumbres, el crecimiento de las ciudades, los gustos humanistas y universitarios abrieron el camino a un teatro de molde europeo. La tradición latinista de los colegios fue traída a México y Lima por los jesuitas: diálogos alegóricos sobre temas sagrados, tragedias en cinco actos en latín o parte en latín representadas por los colegiales ante un claustro muy reducido. Poco ha quedado de este teatro escolar: por ejemplo, la mala tragedia en cinco actos, *Triunfo de los santos* (México, 1578), atribuida a los padres Sánchez Baquero y Vincencio Lanucci. El tema de la persecución de Diocleciano a la Iglesia y el triunfo bajo Constantino está versificado a la manera renacentista, italianizante, pero sin valor. Además del teatro misionero y del escolar había otro para españoles y criollos. Asistían éstos a solemnidades eclesiásticas, procesiones, festejos, recepciones de virreyes o fastos notables, bailes y piezas litúrgicas —pasos, entremeses, loas, autos y aun comedias y tragedias con tema bíblico o alegórico— que se presentaban en tablados cada vez más profanos. Este teatro sufrió por la competencia del teatro renacentista de la metrópoli. Competencia por el repertorio y aun por la presencia de compañías de actores que venían de España. Casas editoriales de España empezaron en 1565 a publicar colecciones de comedias que se enviaban en seguida a América: es posible que de uno de estos volúmenes se tomara la comedia española que se representó en 1568 en Guayaquil. En 1599 se representa en Lima la primera comedia de Lope de Vega. También se escribieron comedias locales. De este teatro criollo poco se ha salvado: v. gr., un entremés en prosa de CRISTÓBAL DE LLERENA (Santo Domingo; 1540-m. ya en 1627) representado en Santo Domingo en 1588. Esta sátira contra la administración pública le costó a Llerena que los oidores lo expulsaran de la isla. Conocemos mejor las actividades en México de HERNÁN GONZÁLEZ DE ESLAVA (1534-1601), autor de dieciséis coloquios, ocho loas, cuatro entremeses y poesías sueltas. Es una lástima que se hayan perdido sus piezas mundanas porque el *Entremés entre dos rufianes* que conservamos —más cuentecillo que teatro, en forma de dos soliloquios sucesivos ligados entre sí con unos pocos gestos— revela cierta gracia. Era un buen versificador, excelente a veces, ingenioso, fácil, pero ahogado por los muchos compromisos con las autoridades virreinales y eclesiásticas. No era culpa exclusivamente suya. Todos los que escribían para las fiestas de Corpus Christi y para las fiestas cortesanas tenían que someterse a las leyes de un juego teológico y político sin sorpresas. Además la Inquisición leía las obras antes

de representarse. Pero González de Eslava jugaba fría-
mente y por eso sus coloquios se mueven en el vacío.
Movimiento de telar en que no se teje nada. Tendía
al realismo (por eso es de lamentar que se hayan perdido sus piezas no eclesiásticas), pero traducía su visión
de la realidad en alegorías sin fuerza dramática. Era
una especie de periodismo en que se comentaban los
hechos notables de la vida colonial con un lenguaje
hueco y pretensioso. ¿El virrey había ordenado la construcción de siete fuertes en defensa contra ataques de
indios chichimecas? González de Eslava escribe un
coloquio convirtiendo las fortalezas en los siete sacra-
mentos, y el viaje de los mercaderes de México a Zaca-
tecas en el viaje de la tierra al cielo. ¿Se establece una
fábrica de tejidos de lana?: la Penitencia será la que
trabaje la lana del cordero divino en el obraje de la
Iglesia. A veces la alegorización es insincera, sin arte
ni austeridad, como en el *Coloquio del Conde de la
Coruña*, compuesto en ocasión de la llegada a México
del Virrey, en 1580. La entrada del Conde en México simboliza la entrada de Dios en el Alma. Dios igual
a Rey; y aun Conde Coruña igual a Cristo porque
—¡véase a qué plano desciende este teatro palaciego y
seudorreligioso!— Conde significa compañero, que es
lo que es Cristo, y Coruña viene de "Cor", corazón, y
preciosa "uña" que nos saca del pecado... Este teatro
es más interesante para los filólogos que para los gusta-
dores, por el medio lingüístico americano que presenta
y por sus observaciones costumbristas e históricas; pero
sus versos claros y hasta bien construidos no nos dicen
mucho. En el *Coloquio de los cuatro doctores de la
Iglesia*, por ejemplo, se dan lecciones de teología a dos
pastores: la eucaristía, la virginidad de María, la redención de los hombres por Cristo y el porqué de la irre-
dención de los ángeles caídos, con la consabida amenaza
inquisitorial de quemar, atormentar, acuchillar y perseguir a quienes no crean al pie de la letra en las lecciones de los cuatro doctores. Desde el punto de vista

teatral, es un puro juego conceptista. Versos que juegan en el vacío sin tener nada nuevo que decir o sin poder decir nada nuevo. González de Eslava fue mexicano de adopción. Mexicano de nacimiento —el primero en la historia dramática— fue JUAN PÉREZ RAMÍREZ (1545?), autor de la comedia alegórica en verso *Desposorio espiritual entre el Pastor Pedro y la Iglesia mexicana* (1574). Se ha dicho que de este Ramírez aprendió algo el español Juan de la Cueva, quien vivió en México (1574-77) antes de volver a España para abrir el camino escénico que llevará a Lope de Vega. De Juan de la Cueva no hay que ocuparse aquí: apenas dejó fruto americano, en un paisaje de México ofrecido en los tercetos de sus epístolas.

CAPÍTULO III

1598 - 1701

[Nacidos de 1570 a 1675]

Marco histórico: Las colonias bajo la decadencia de los últimos Austrias: Felipe III, Felipe IV y Carlos II. Pérdida de posesiones en América.

Tendencias culturales: Del Renacimiento al Barroco. Plenitud literaria.

A pesar de la decadencia política y económica nuevos bríos enriquecieron extraordinariamente la literatura española. En los primeros años del siglo XVII —con la obra genial de Cervantes y de Lope de Vega— se recorta el período de apogeo renacentista. Ambos comienzan a vivir en una época de esplendor y viven sus últimos años en la decadencia española. La crisis nacional se revela en un estilo, si no nuevo por lo menos ahora concentrado y dominante, al que se llama Barroco.

EL BARROCO ESPAÑOL

Nacidos durante el Concilio de Trento, o poco después, estos autores barrocos se encontraron en el tope de una gran literatura y, al mismo tiempo, asomados al vacío, pues España había dado espaldas a la cultura bullente, vital, del resto de Europa. Amargura, angustia, resentimiento, desengaño, miedo, pesimismo y al mismo tiempo orgullo patriótico; resignación a no vivir ni pensar al compás del mundo y, sin embargo, ganas de asombrar al mundo con un lenguaje de suma afectación... Se rompe así el equilibrio del alma, y la obra literaria, cuando no cultiva grotescamente lo feo de las cosas (como Mateo Alemán), se lanza hacia formas oscuras para los no iniciados, difíciles aun para los cultos. Góngora repele la claridad clásica, aunque aprovecha la erudición clásica, y quiere complicar la lengua para que, como el latín, sea "digno de personas capaces de entenderle", arte cultista o culterano para minorías aristocráticas que tengan el placer del esfuerzo ingenioso, especulativo y adivinatorio ante intrincadas dificultades. Quevedo, si bien en otra dirección, emprendió con el mismo gasto de ingenio un estilo —conceptista, se ha llamado— en que la lógica juega complaciéndose más en la propia agilidad que en la marcha hacia un pensamiento final. En Gracián la filosofía es también actividad en una zona de la lengua fuera del alcance del vulgo, donde lo sutil vale primero por ser sutil, después por ser verdadero. Al lado de los grandes prosistas —a los que habría que agregar a Saavedra Fajardo— el siglo XVII da el gran teatro poético. Hemos mencionado ya a Lope. Agreguemos a Tirso, Mira de Amescua, Alarcón y, finalmente, a Calderón de la Barca, la última gran figura de la "edad de oro". Después de la muerte de Calderón, en 1680, sólo quedan encendidos unos pocos carbones esparcidos, más ceniza que fuego.

El Barroco pasa a América

En este período las colonias, como siempre, recibieron lo que España les daba. Apenas publicados, el *Quijote* y el *Guzmán de Alfarache* se embarcaron para América. Inmediatamente también vinieron las comedias de Lope de Vega. Y a veces vinieron los mismos escritores como Mateo Alemán a México (1608) y Tirso de Molina a Santo Domingo (1616). Alemán escribió unos "Sucesos de Fray García Guerra, Arzobispo de México" (1613) y un tratado de ortografía al que, según parece, daba más importancia que a su *Guzmán de Alfarache*... Catálogos, bibliotecas y librerías revelan una sorprendente cantidad de poesía, ficción, teatro, historia. En una sola biblioteca privada de un oscuro mexicano había, en 1620, latinos (Virgilio, Cicerón), italianos (Boccaccio, Aretino, Boza Candioto, Sannazzaro, Ariosto, Tasso), portugueses (Camoens) y, naturalmente, españoles (Ercilla, la *Celestina*, López de Enciso, Antonio de Guevara, Lorenzo Palmireno y antologías poéticas como *Vergel de flores divinas*, 1582, de López de Úbeda, y *Flores de poetas ilustres de España*, 1605, de Pedro Espinosa). Otro mexicano a quien un proceso inquisitorial sacó de la oscuridad, Pérez de Soto, nacido en 1608, tenía en su biblioteca 1663 volúmenes en varias lenguas, un quinto de los cuales eran de bellas letras: dos docenas de novelas pastoriles, picarescas y de caballería, colecciones de cuentos —por ejemplo, los del *Conde Lucanor*—, escritos de Erasmo, la *Celestina*, poesía épica y lírica de griegos, romanos, renacentistas y barrocos (Góngora, naturalmente). La lista de libros que vendía una tienda de México, en 1683, es igualmente instructiva: entre los 276 títulos se hallan Góngora, Lope, Calderón, Rojas Zorrilla, Cervantes, Quevedo, Pero Mexía, Pérez de Montalbán, el *Lazarillo*, Gonzalo de Céspedes, etc. La literatura entraba a formar parte también de las alegres fiestas al aire libre. En un "juego de sortijas" celebrado en 1607, en Perú (a la manera de los que Luis Gálvez de Montalvo había descrito en *El pastor de Fílida*), desfilaron unos jinetes disfrazados de Don Quijote y otros caballeros andantes. En México, en 1621, en una "mascarada", o sea una procesión por las calles, a pie y a caballo, de personas que con sus disfraces simbolizaban figuras de la mitología, la historia o la teología, desfilaron también caballeros andantes famosos en las novelas, como Amadís, Palmerín, Don Quijote, Sancho, Dulcinea y otros personajes. En general, las colonias eran aún más conservadoras que la metrópoli. Europa se había dividido, con la Reforma y la Contrarreforma, y España fue el centro de la ortodoxia. Grandes cambios estaban ocurriendo, sobre todo en los países del norte: y en pocas décadas genios no hispánicos revolucionarán la imagen del mundo con una filosofía basada en el libre ejercicio de la razón y el estudio experimental de la naturaleza. Entretanto, España, abrazada a la escolástica, con los ojos clavados en la revelación y la autoridad, se ilusionará con el sueño de un mundo estable; y para que las colonias tampoco se muevan, España reforzará ahí su intransigencia. A pesar de que las colonias estaban tan lejos de Europa, y de que perdidos en inmensas tierras o rodeados de masas de indios sólo un puñado de españoles y criollos leían y escribían, hubo quienes rompieron el cerco y se familiarizaron con las ideas contemporáneas de Descartes y otros. Pero estos criollos inquietos por la ciencia nueva, como Sigüenza y Góngora y Sor Juana, eran excepciones al verbalismo escolástico que dominaba seminarios y universidades. La sociedad feudal en que vivían obligaba a los criollos a disimular su resentimiento y adular a los españoles de la clase dirigente con ceremonias, versos, arcos triunfales, profusos artificios y certámenes de ingenio conceptista y culterano. Movimientos de avance y retroceso, conflictos entre creencias de la Edad Media y hechos nuevos, inseguridad, miedo, atrevimiento y timidez, ilusión y desengaño, impulsos de acción y recogimiento en el alma, vitalidad y obsesión por la muerte, sequedad y pasmosa floración de ornamentos, todo esto está yendo y viniendo en tierras de América: estilos de vida que hoy el historiador, para orientarse, coloca como mojones a los dos extremos de este período: Renacimiento, Barroco...

PLAN

Es significativo que este siglo esté tan limpiamente cortado por dos genios literarios, ambos nacidos en América: el renacentista Inca Garcilaso de la Vega y la barroca Sor Juana Inés de la Cruz. Al primero, por su edad, lo estudiamos en el capítulo anterior, aunque, por la fecha en que escribió sus obras, cabría aquí. A Sor Juana la estudiaremos al final.

¿Cómo organizar los materiales para este capítulo? ¿Por estilos, del Renacimiento al Barroco? ¿Por las fechas del nacimiento de los autores? ¿Por naciones, de México a la Argentina? ¿Por eminencias, bajando de Alarcón y Sor Juana? ¿Por las formas del verso y de la prosa? Ninguno de estos criterios conseguiría disipar el desorden de tanta actividad literaria, dispersa y desigual. Aun la agrupación por géneros, que es la que vamos a intentar, será insatisfactoria, pues habrá quienes cultiven varios o habrá géneros híbridos.

CRÓNICAS, TRATADOS Y LIBROS DIDÁCTICOS

Las primeras crónicas de la conquista eran como un hueco-relieve del que sacábamos un vaciado del nuevo mundo recién descubierto. No eran literatura, pero las podíamos leer con actitud de lectores de literatura. En el siglo XVII todavía hay luchas, conquistas, fundación de ciudades; y de allí siguen saliendo crónicas. Sólo que no son ya las crónicas asombradas ante lo nuevo, como las de los primeros conquistadores, sino más bien las de los hijos y aun nietos de los primeros conquistadores, o las de los que vienen a poner sus plantas sobre terreno ya desbrozado. Sin embargo, en el siglo XVII aparece un nuevo tema narrativo: el de las luchas con los corsarios holandeses e ingleses. ¿Son en general menos interesantes las crónicas del siglo XVII que las de los dos períodos anteriores? Quizá, si perdemos interés, es porque las vemos recortadas, no contra la naturaleza y la etnografía, sino contra el brillo de la literatura, que ahora se cultiva como lujo. La comparación entre crónicas y obras puramente literarias de los mismos años desluce a las crónicas, en las que apenas puede verse el gran movimiento del Renacimiento al Barroco.

Como las crónicas se dan junto con tratados religiosos y libros didácticos (a veces es un mismo autor quien practica todas esas actividades; a veces todas esas actividades desembocan en un solo volumen) no nos importará el mezclar aquí los subgéneros. Los escritos de religiosos, de juristas, de viajeros suelen franquear, encrespados de barroco, el umbral de la literatura. Por haberla escrito en náhuatl no cabe aquí la crónica de FERNANDO DE ALVA IXTLILXÓCHITL (México; 1568-1648), obra valiosa, sin embargo, no sólo por sus datos históricos —basados en pictogramas e informaciones directamente obtenidas de indios viejos— sino sobre todo por sus materiales literarios: leyendas, cantares y elegiacos poemas. Comencemos por destacar cuatro cronistas de real mérito. El obispo GASPAR DE VILLARROEL (Ecuador; 1587?-1665) es ameno cronista. Inició sus estudios en Quito, tomó los hábitos en Lima, fue a España (durante poco menos de diez años viajó entre Lisboa, Madrid y Sevilla), volvió a América, de obispo a Santiago de Chile primero, después a Arequipa. "Escribir ha sido en mí una tentación continua desde mi tierna edad", dijo. Y agregó, con su sonrisa candorosa: "compuse unos librillos juzgando que cada uno había de ser un escalón para subir". Subió también literariamente, por la vena anecdótica y chismosa de su prosa. Su actitud era la del conversador, y a pesar de que maneja materiales de la literatura sagrada (y también de la profana) siempre encuentra ocasión para contarnos algo, si no vivido, por lo menos vivaz: ejemplos, sucedidos, recuerdos. Cuando narra episodios librescos, los anima con gracia y los aplica a una situación presente. De su fecunda obra mencionemos *Comentarios y discursos sobre la cuaresma, Historias sagradas y eclesiásticas morales* y, sobre todo, *Gobierno eclesiástico-pacífico o Unión de los dos cuchillos pontificio y regio* (1656-1657). Este último título se refiere a los dos derechos, el canónico y el pontificio. En las Indias las autoridades eclesiásticas están frente a las autoridades civiles y militares, armadas con cuchillos: Villarroel quiere conciliar ambas potestades, empleando su conocimiento de las vanidades humanas, su don de gentes y su amable y a veces irónica inteligencia. Admiraba a España, pero defendió a los criollos contra la incomprensión, ignorancia, impertinencia e injusticia de los españoles de la corte, y hasta reclamó que el gobierno de las colonias estuviera en manos de los allí nacidos. El jesuita ALONSO DE OVALLE (Chile; 1601-1651) escribió una *Histórica relación del reino de Chile* (1646?) con una prosa superior por su sensibilidad para el paisaje. Esto es, que hubo muchos descriptores de la naturaleza, pero Ovalle fue el artista. Su mérito mayor es la descripción morosa de los escenarios naturales. Su inventario de bellezas tiene algo de propaganda turística: quería atraer misioneros de Europa, y les dice que todo se parece a Europa, sólo que en Chile no hay chinches... Sus páginas, pues, fueron escritas para europeos y, en su elogio de Chile, siguió modelos europeos, como el elogio de España que hizo Isidoro de Sevilla. Pero instala a Chile, y los Andes, en la literatura. Describe paisajes donde las piedras adquieren colores maravillosos, los ríos reflejos insospechados y el mar se pierde en el infinito. Su prosa no es barroca: al contrario, es sencilla, grave, suave, mesurada, casi familiar. Pero con tinte poético y brío imaginativo cuando se entusiasma. Es un naturalista con imaginación. En el capítulo sobre la cordillera, por ejemplo, el autor se extasía y su fantasía agrega efectos de luz. Se imagina que está en lo alto de un pico de los Andes. Desde allí, nos dice, mientras su cabeza está en el aire azul y sereno, ve que de las nubes que están a sus pies cae la lluvia sobre los hombres. O nos dice que "el arco iris que se ve desde la tierra atravesar el cielo, le vemos desde estas cumbres tendido por el suelo, escabel de nuestros pies, cuando los que están en él le contemplan sobre sus cabezas..." La primera parte, descriptiva e histórica, es superior a la segunda, que se refiere a la Compañía de Jesús. El obispo LUCAS FERNÁNDEZ DE PIEDRAHITA (Colombia; 1624-1688) llevaba, como el Inca Garcilaso y Alva Ixtlilxóchitl, sangre de reyes indígenas en las venas. Ni tan novelesco como el peruano ni tan objetivo como el mexicano, Piedrahita es, sin embargo, uno de los cronistas importantes de América y, como ellos, ensalzó las culturas prehispánicas, especialmente la de los chibchas. Se documentó lo mejor que pudo consultando archivos en España, poniéndose en relación con otros historiadores y leyendo cuidadosamente crónicas ajenas. Prosificó a Juan de Castellanos y aprovechó manuscritos —después perdidos— de Jiménez de Quesada; y no sólo nos dio descripciones de las costumbres indígenas y noticias históricas, sino que las interpretó con ideas morales y filosóficas. Su mérito, decía él mismo, consistía "en haber puesto en lenguaje menos antiguo" lo que otros habían escrito sobre la conquista. Modestia. Su *Historia general de las conquistas del Nuevo Reino de Granada* (1688), aunque desigual, está bien escrita y cuando no desmaya consigue ser elegante. Por su actitud de predicador tendía hacia períodos sentenciosos y oratorios. Ya metido en el siglo XVIII encontramos a JOSÉ DE OVIEDO Y BAÑOS (Colombia-Venezuela; 1671-1738). Residió en Caracas casi toda su vida, y escribió una amena y por momentos hermosa *Historia de la conquista y población de la provincia de Venezuela* (1723), desde el Descubrimiento hasta fines del siglo XVI. Trabajó mucho en componerla, aprovechando a otros cronistas y desenterrando de los archivos materiales olvidados. Narraba lo heroico y singular con arte y elocuencia. Quería ser veraz, pero lo era con el estilo de la literatura: prosa pictórica, aun musical, agitada por el barroco. Barroco fue, además de cierto fraseo ocasional, su sentido para el espectáculo violento, como el del tirano Lope de Aguirre asesinando a su hija. Estos cuatro cronistas están espaciados a todo lo largo del período que estamos estudiando. Hubo otros que debemos también mencionar. FRAY PEDRO SIMÓN (España; 1574-c. 1630) llegó a América en 1604 y dejó unas *Noticias historiales* sobre el Reino de Nueva Granada tan acogedoras de cosas imaginarias que impresionaron la imaginación de sus lectores. Fray Simón nos habla de indios que arrastran las orejas por el suelo, duermen bajo el agua y se alimentan oliendo frutas pues no tienen "vía ordinaria para expeler los excrementos del cuerpo". Fue, sin embargo, escritor lento, difuso, pesado. Fray Bernabé Cobo (España; 1582-1657) recorrió las Antillas, Venezuela, Perú, México, y en su *Historia del Nuevo Mundo* (1636) más que la historia describió la geografía natural, sobre todo la botánica. Para contrarrestar las falsas y exageradas nociones que se propagaban por Europa, se ajustó a los fenómenos que veía. Fray Antonio de la Calancha (Bolivia; 1584-1654) fue cronista de órdenes religiosas: en su *Crónica moralizada* (1638) describió los cielos y las tierras de Perú y Bolivia, con abundancia de noticias sobre la vida colonial. Diego de León Pinelo (*c.* 1590), autor de *El paraíso en el nuevo mundo*. Pero Mexía de Ovando, autor de *La Ovandina* (1621). Diego de Rosales (1603-1677), más realista que Ovalle en su *Historia general del reino del Chile*. Fray Agustín de Vetancourt (México; 1620-1700?). El Padre Manuel Rodríguez (Colombia; 1628-1684) escribió *El Marañón y Amazonas* con prosa de relativo mérito literario, prosa clara pero capaz de efectos dramáticos y de rebuscamientos retóricos, como la descripción de la erupción del Pichincha. Fray Diego de Córdova Salinas, después de su *Vida de San Francisco Solano* (Lima, 1630), publicó una bien escrita *Crónica franciscana de las Provincias del Perú* (1651), llena de noticias sobre casi medio siglo de vida religiosa en Perú y otras partes, con descripciones de la Lima virreinal —sacudida a la sazón por terremotos y asaltos de piratas— y observaciones de geografía y etnografía. El Padre Alonso de Zamora (Colombia; 1635-1717) —otro mestizo— fue cronista de su orden religiosa. Inferior a Piedrahita en estilo, fue sin embargo buen observador de la naturaleza: le faltó, eso sí, imaginación de paisajista. José de Buendía (1644-1727), autor de *La es-*

trella de Lima convertida en sol sobre sus tres coronas (1680). El Padre FRANCISCO DE FIGUEROA (Colombia; fl. a mediados del siglo XVII), autor de una *Relación de las misiones de la compañía de Jesús en el país de los Maynas,* con noticias sobre indios y costumbres. FRAY FRANCISCO VÁZQUEZ (Guatemala; 1647-1713). FRAY PEDRO TOBAR Y BUENDÍA (Colombia; 1648-1713), cronista de los milagros de la Virgen local. JOSÉ ORTIZ Y MORALES (Colombia; 1658) ha mostrado la sociedad colonial en sus *Observaciones curiosas y doctrinales* (1713). Padre FRANCISCO XIMÉNEZ (España-Guatemala; 1666-1729), historiador. Padre JUAN ANTONIO OVIEDO (Colombia-México; 1670-1757), uno de los precursores de los grandes jesuitas humanistas. FRANCISCO ANTONIO FUENTES Y GUZMÁN (Guatemala; fl. 1689), autor de *Preceptos historiales.* JUAN BAUTISTA DE TORO (Colombia; m. en 1734), autor de *El secular religioso* (1721), donde se advierte el espíritu criollo contra la arrogancia española.

BOSQUEJOS NOVELÍSTICOS

Los decretos reales que desde 1531 prohibieron la circulación de novelas no se cumplieron sino a medias: Las pocas y pobres imprentas del nuevo mundo, demasiado vigiladas por las autoridades, tuvieron, sí, que acatar la ley; y, en efecto, en las colonias no se imprimieron novelas (o, como entonces se las llamaba, "historias fingidas", "libros de romances que tratan de materias profanas y fabulosas"). La impresión en México de *Los sirgueros de la Virgen,* de Bramón, se explica por su índole religiosa, según veremos en seguida. Pero, en cambio, aquellos decretos no se cumplieron en lo que se refiere a la circulación de novelas impresas en España. Circularon, evidentemente. Una vez en las colonias hubo intentos de destruirlas, pero tampoco sabemos si se llegaron a cumplir los mandatos de la Iglesia para que se quemaran "los libros vanos... que se intitulan

Dianas, de cualquier autor que sea, y... la *Celestina,* y los libros de caballerías" (Primer Sínodo en Santiago, Argentina, en 1597). Como escribir una novela es una empresa larga, proyectada con vista a un público, hay que imaginarse también lo que debió de pasar por las mentes de los escritores americanos. Además de los legales, otros impedimentos físicos y psicológicos debieron de desanimar a los posibles novelistas coloniales. Había que enviar el manuscrito a las autoridades de España, a fin de conseguir licencia para imprimir, con el peligro de que se perdiera; sin contar los años de espera. Aunque se concediera la licencia, el monopolio español de impresores era otra barrera. En América las prensas estaban dedicadas al clero. El precio de impresión era, por otra parte, prohibitivo. Tampoco se contaba en América con un mercado lector. Tal vez hubo pereza para construir obras orgánicas. Comoquiera que fuera, lo cierto es que no se escribieron novelas en el nuevo mundo. Pero ¿por qué asombrarse, si aun en el viejo mundo la novela no tenía buena fama? La novela adquirirá reputación sólo en el siglo XIX, con los regímenes políticos de la burguesía. Desde el punto de vista moderno del "gran público" parece lamentable la insignificancia de la novela en el siglo XVII; pero es natural que nadie se sintiera entonces tan "obligado" a escribir novelas como a escribir poesía, teatro, prosa didáctica, elocuencia sagrada. Cervantes fue quien creó, con *Don Quijote,* la novela moderna, pero ese tipo de novela fue mejor comprendido fuera de España. Las exigencias morales que falsean la realidad y el cultivo de una prosa rebuscada, poco propicia a la narración y el diálogo, fueron culpables de que España no aprovechara la lección de Cervantes y de las novelas picarescas. La novela declina rápidamente. Desde mediados del siglo XVII apenas si encontramos alguna que sea de veras novela. Las novelas caballerescas y pastoriles —tan populares en el período anterior— se extinguen en el siglo XVII. (Bernardo de Balbuena publicó en 1608 su

novela pastoril *El Siglo de Oro en las selvas de Erífile*,
pero la había escrito unos veinte años antes.) Ahora,
el gusto por la fantasía buscará satisfacciones, no en la
novela, sino en el teatro. No hubo, pues, novela en
las colonias. Sólo podemos hablar de virtudes novelís-
ticas en las crónicas e historias coloniales. JUAN RO-
DRÍGUEZ FREILE (Colombia; 1566-1640?), criollo de
Bogotá, hijo de conquistador, compuso la crónica de la
"conquista y descubrimiento del Nuevo Reino de Granada" hasta el año mismo de 1636, en que escribía.
El libro se conoce con el título *El carnero*, no se sabe
bien por qué: ¿"Carnero" es el nombre que se daba a
los cuadernos manuscritos? En el ejemplo 19 del *Libro
de los gatos* (1400-1420) un lobo se mete monje pero
en vez de decir "Pater Noster" dice "carnero": así,
muchos monjes, en vez de aprender la regla de su orden,
se ocupan del "carnero", o sea, de las comidas, vino,
vicios mundanos. ¿Es éste el sentido que se dio al
título de la crónica que estudiamos? ¿O metafórica-
mente, en vista de las muchas vidas y honras enterradas
allí, se refiere a la fosa común de hospitales e iglesias,
llamadas "carneros", en las que se sepultaban los muertos? *El carnero* es, en efecto, una fosa de noticias de
guerra, cambios de gobierno, costumbres, semblanzas
psicológicas, aventuras, escándalos, crímenes, datos históricos, leyendas. Rodríguez Freile se proponía ser veraz;
y describía el mal para moralizar. Pero, afortunadamente, era imaginativo. "Si es verdad que pintores y
poetas tienen igual potestad, con ellos se han de entender los cronistas", decía. Lo que escriba no será
fingido, como hacen "los que escriben libros de caballerías". Pero a su propia obra —"doncella huérfana"—
la adornará con "ropas y joyas prestadas", con "las más
graciosas flores". Estos adornos en la composición de
El carnero son lo más ameno: anécdotas, chismes, digresiones, reflexiones, reminiscencias de la literatura, sermones, cuentos llenos de picardías, aventuras, amores
y adulterios, crímenes y venganzas, intrigas, emboscadas,

brujerías. Y así, en esta crónica escandalosa, pasa colorida y bulliciosa, como en un escenario, la vida bogotana. Al contar usa los trucos del drama y de la novela de la literatura de su tiempo. Su estilo tosco pero sabroso se encrespa a veces gracias a procedimientos barrocos, con gran consumo de puertas secretas, cartas interceptadas, pañuelos mensajeros, disfraces, fugas y duelos. Tenía sentido humorístico, dinamismo narrativo, diálogos vivos. Ha leído literatura picaresca. También ha leído —y se conoce— a los clásicos grecolatinos y a Fray Luis de Granada. Escribía a los setenta años de edad, y todavía está como obsesionado por la belleza de las mujeres que describe hasta el cansancio, aunque nos dice que esa belleza es una tentación del demonio: "¡Oh hermosura, causadora de tantos males! ¡Oh mujeres! No quiero decir mal de ellas, ni tampoco de los hombres; pero estoy por decir que hombres y mujeres son las dos más malas sabandijas que Dios crió." Libro originalísimo, El carnero nos da, en prosa impávida y sin afeites, pasajes que tienen valor de novela. A pesar de su declarada misoginia y de sus propósitos moralizantes, Rodríguez Freile se divierte con escabrosidades y malicias, siguiendo así toda una corriente de arte narrativo. La tradición narrativa que continúa es la de novelas y crónicas. Aprovecha autores como Pero Mexía, Antonio de Guevara y, especialmente, a Fernando de Rojas, cuya Celestina cita de memoria. A su vez, El carnero se convirtió en fuente de la literatura costumbrista e histórica del siglo XIX. DIEGO DÁVALOS Y FIGUEROA es autor de Miscelánea austral (Lima, 1602), curiosa obra en la que se mezclan hechos e imaginerías, hazañas y evocaciones. El pulcro lenguaje está lavado con numerosas citas y traducciones de autores renacentistas. La trama consiste en que el autor, huyendo de un desventurado amor en su ciudad nativa, vino a dar en tierra de América, donde lo maravilloso de tal mundo le anonada y deslumbra. Con elementos de novela pastoril se escribieron en México algunas obras. El género había sido iniciado en España por la *Diana* (1559?) de Jorge Montemayor. En poco tiempo apareció toda una familia de novelas parecidas, que pasaron inmediatamente a las colonias hispanoamericanas y fueron imitadas. Estudiaremos el *Siglo de Oro* de Balbuena más adelante. Ahora quisiéramos detenernos en una novela pastoril "a lo divino": *Los sirgueros de la Virgen sin original pecado* (1620) de FRANCISCO BRAMÓN (México; m. después de 1654). Dentro del género Bramón labra su camino, angosto y corto, pero propio. Las semejanzas con sus modelos son externas: trenza de prosa y verso, estilización de la naturaleza mediante una aristocrática selección de objetos primorosos, metáforas embellecedoras, alusiones a los mitos de la antigüedad, efusión sentimental, imaginación lírica, diálogos entre pastores de humanidad tan adelgazada que parecen ideas platónicas con una pelliz encima. Pero con estos paramentos de la novela pastoril Bramón ha de construir otra clase de relato. Su propósito es religioso: defender la pureza de la Virgen María. Toda la acción —pláticas, paseos, procesiones, danzas, canciones, misas, juegos, incisión de símbolos marianos en la corteza de los árboles, discursos teológicos, arquitectura de arcos, orquestación de música, corrida de toros y representación teatral— es una apología del misterio de la Inmaculada Concepción de María. (Los "sirgueros" son jilgueros, y se refieren a los pájaros cantores y, por extensión, a los pastores que cantan a la Virgen.) El hilo narrativo central anuda realidades inmediatas. Ante todo, el espacio y el tiempo. La geografía, la naturaleza y la etnografía están claramente situadas: "en estos mexicanos jardines", la "Catedral de México", un "mancebo que representa al Reino Mexicano rodeado de indios", plantas americanas, instrumentos indígenas, danzas aztecas. La historia también ha sido precisada: se alude al rey Felipe III y a hechos contemporáneos. Las alusiones a una realidad no pastoril —actividades religiosas, universitarias, artísticas en la ciudad— da a *Los sirgueros* un aire de novela autobiográfica. Curiosa metamorfosis de un género: la novela pastoril se hace sacro-pastoril y pastoril-académica. *Los sirgueros* es la historia de cómo el poeta Francisco Bramón —que con el nombre de Anfriso se ha metido pastor sólo para descansar de una oposición que acaba de hacer en la Universidad de México— concibe, escribe y representa el "Auto del triunfo de la Virgen y gozo mexicano" para volverse en seguida a la Universidad donde él también triunfa a su modo académico, "con el verde laurel de la Facultad de Cánones". Dos líneas ondulantes —ficción, realidad— se entrecruzan acá y allá, y tan pronto la ficción se reduce a realidad como la realidad se eleva al nivel de la ficción. El personaje es real e irreal, el "Auto" que escribe también es real e irreal; y así la obra en que aparecen es al mismo tiempo vida y arte. Géneros dentro de géneros, autor-real dentro de autor-personaje. El lector se siente espectador de un taller de literatura. Como en el barroco cuadro *Las Meninas* de Velázquez, el deseo de inmortalidad lleva a Bramón a retratarse dentro del cuadro en el acto mismo de pintar. Ahora, que a pesar de esta interesante forma del desdoblamiento interior de la novela —un autor real que se traslada dentro de la ficción y allí lo vemos en el acto de escribir una pieza teatral—, *Los sirgueros de la Virgen* es obra pesadísima, en una prosa de un manerismo inflado, pomposo e insoportable. Catalina de Erauso (España; 1592?-1650?) escribió al parecer sus viajes y aventuras por Perú y otras partes, siempre disfrazada de hombre y viviendo a lo hombre. Se conservan copias de "relaciones" de 1625 y de 1646, cuyos originales se le atribuyen: breves, elementales, redactadas en tercera persona, estas relaciones se parecen a las que conquistadores y soldados presentaban al rey, para obtener reconocimiento por sus servicios. El escabroso tema de la mujer-varón invitaba a toda clase de fantasías, y surgió así la leyenda de la Monja Alférez, tratada ya en el siglo XVII por comediógrafos (v. gr.: Pérez de Montalbán). En 1829 Joaquín María de Ferrer publicó una picaresca *Historia de la Monja Alférez* que, según él, era una auténtica autobiografía: si lo fuera (que no lo creemos) la colonia tendría su novelita. El Obispo JUAN DE PALAFOX Y MENDOZA (España-México; 1600-1659) escribió versos, obras religiosas, hasta un tratado de ortografía. Aquí, por su interés narrativo, hablaremos sólo de dos de sus obras. En *De la naturaleza del indio*, para elogiar las virtudes y méritos de aquellos "utilísimos y fidelísimos vasallos de las Indias", recurrió a anécdotas que no sólo valen por ser amenas como cuentos, sino porque también hacen oír las inteligentes y cultas reflexiones de algunos indios. *El pastor de Nochebuena* (escrita en 1644), más al gusto barroco, es la alegoría de un devoto pastor que, acompañado de ángeles, narra sus viajes y aventuras por las regiones del mal y del bien, pobladas por vicios y virtudes personificadas. Centenares de figuras, de la fantasía y de la teología, se mueven con pesados arreos artísticos: descripciones, diálogos, sutilezas, lenguaje místico... El fondo, las ideas, son tradicionales. Símbolos y parábolas surgen de la literatura sagrada, aunque también se advierte la influencia de la literatura profana. FRANCISCO NÚÑEZ DE PINEDA Y BASCUÑÁN (Chile; 1607-1682) nos cuenta en el *Cautiverio feliz o Razón de las guerras dilatadas de Chile* sus propias experiencias como prisionero de los araucanos, durante siete meses. Entre esas experiencias de 1629 y el acto de contarlas, allá por 1650, se interpone el deseo de hacer literatura, de presentar a su padre don Álvaro como gran conquistador, de hacer méritos insistiendo en sus propias virtudes de capitán y de buen cristiano, de servir a la Iglesia, de denunciar las tropelías de los malos cristianos españoles en Indias, de describir extrañas costumbres. Sus memorias son casi novelescas. Por lo pronto es la primera crónica en que aparece un elemento esencialmente novelesco: el despertar el interés del lector en la acción contada, el crearle una expectativa. El cacique Maulicán recogió a Pineda del campo de batalla, herido. Gran honor, tener cautivo nada menos que al hijo del temido don Álvaro. Convence a otros caciques para que no lo maten, y él promete a Pineda darle la libertad. ¿Conseguirá Maulicán salvarlo del acecho sangriento de los indios? ¿Cumplirá su palabra de libertarlo? Los indios han concedido a Maulicán la custodia del ilustre cautivo. Además ¿no tendrá Maulicán que devolver el cautivo? Si lo hace, Pineda será ejecutado. Maulicán, protector de Pineda, lo lleva consigo en su viaje a Repocura. Intrigas. Escaramuzas. En cada población, fiestas con danzas, borracheras, aventuras. Llegan a Repocura; y ahora Maulicán se niega a entregar su cautivo a los otros caciques. Lo esconde, lo lleva de un lado a otro. Al final, Pineda vuelve a los brazos de su padre: ¡Maulicán ha cumplido su palabra! También valen, novelescamente, sus observaciones psicológicas. Y aun la intención doctrinaria —la verdad del cristianismo, la bondad de los indios cuando los cristianos saben evangelizarlos, los daños causados por los malos españoles, etc.— aparece, novelescamente, en forma de diálogos, en que los indios, con discursos elocuentes, denuncian la crueldad de españoles y españolas como "la razón de las guerras dilatadas de Chile". Pineda ha leído letras humanas y divinas. Ha leído también novelas: picarescas, caballerescas, pastoriles. Y no siempre puede distinguirse entre el embellecimiento literario de escenas vividas y la pura invención de episodios. La literatura, pues, borda sobre el relato. En todo caso, el relato suele avanzar, no a impulsos de recuerdos reales, sino de motivos calculados especialmente por sus efectos librescos. Pineda, tan puntilloso en señalar el bien y el mal, lo justo y lo injusto, la virtud y el pecado, ilustra su tabla de valores con episodios de novela. Por ejemplo: sus sorprendentes escrúpulos ante la mujer. Desde el primer momento el español se abalanzó sobre la mujer desnuda o semidesnuda de América. Colón, en su primer viaje, nos cuenta ya cómo tuvo que interponerse. Y las crónicas nos revelan, más o menos desenfadadamente, ese frenesí sexual del español. Núñez Pineda será el español que rehuya la mujer. Varias indias lo acosan. Quieren entregársele. Aun la bella y núbil hija de Maulicán lo provoca. Y los mismos caciques quieren que él dé gusto a las indias enamoradas. Pero Pineda se esconde, se escabulle, reza para librarse de la tentación de la carne. No es que sea insensible a la belleza. "Contemplemos un rato la tentación tan fuerte que en semejante lance el espíritu maligno me puso por delante: a una mujer desnuda, blanca y limpia, con unos ojos negros y espaciosos, las pestañas largas, cejas en arco, que del Cupido dios tiraban flechas, el cabello tan largo y tan tupido que le pudo servir de cobertera, tendido por delante hasta las piernas y otras particulares circunstancias, que fueron suficiente por entonces a arrastrarme los sentidos y el espíritu." Suele ahogar la narración con reflexiones religiosas, morales y políticas; pero, afortunadamente para el lector hedonista, la narración recobra al fin su fuego y nos da la alta y rápida llama de descripciones que están entre las mejores de las crónicas hispanoamericanas. Recuérdese, por ejemplo, la vuelta del cautivo, sano y salvo, a los brazos de su padre anciano. Interesantes son sus descripciones etnográficas. En sus paisajes —nos da el paisaje de la tempestad, de las nubes tormentosas de viento y torrentosas de agua— aparece el signo aristocrático del esfuerzo en busca de una expresión ornamental: "llegamos al abrochar la noche sus cortinas"; "los resplandores de la aurora dieron principio a ausentar las confusas nieblas de la noche"; "había amanecido con señales ciertas de volver a descargar sobre las preñadas nubes sus helados partos". Barroco, sí, aunque no mucho. Conocía muy bien el estilo oscuro o difícil de conceptistas y culteranos; y hasta nos dice que también lo practicaban los indios: "porque también entre bárbaros hay predicadores cultos que se precian de no ser entendidos ni entenderse". En general Pineda fue llano: a los versos que intercaló en la prosa —traducidos y parafraseados de los clásicos y también inventados por él— prefirió el romance sosegado, sencillo, de voz sobria pero sincera. FRAY JUAN DE BARRENECHEA Y ALBIS (Chile; m. 1707) escribió *Restauración de la Imperial y conversión de almas infieles* (1693), historia con embrión novelesco. A los novelescos *Infortunios de Alonso Ramírez* de Sigüenza y Góngora nos referiremos más adelante.

ESCRITORES ESPAÑOLES EN AMÉRICA Y AMERICANOS EN ESPAÑA

A veces grandes talentos de España visitaban las colonias. A Cervantes no se le permitió venir, pero vinieron, entre los más famosos, Gutierre de Cetina, Juan de la Cueva, Mateo Alemán, Tirso de Molina. (Luis Belmonte Bermúdez escribirá sus veinticinco comedias sólo después de su regreso a España; Francisco de Lugo y Dávila, gobernador de Chiapas, en el virreinato de Nueva España, publica en Madrid su *Teatro popular* (1622), "novelas morales" de la escuela cervantina.) Fueron sólo visitas e influyeron muy vagamente. Hubo visitantes que escribieron sobre América, pero su puesto está en la historia literaria de España. En cambio, un escritor americano hizo una larga visita a España y, sin decir una sola palabra de América, como si se hubiera olvidado de América, se entregó a España y dejó allí el sello de su genio: Juan Ruiz de Alarcón.

Juan Ruiz de Alarcón

JUAN RUIZ DE ALARCÓN (México; 1580-1639) tenía treinta y tres años cuando se estableció definitivamente en España. A los veinte años partió de México —1600—; volvió a los veintisiete años —1608— y vivió seis años más en México. No se vive en vano toda una juventud en la propia patria. El ser se templa con las resonancias locales. Y aunque luego el artista mude de sitio y aspire a una expresión más universal, siempre se reconocerá en su obra, de un modo sutilísimo, la vibración de aquel ser templado por las primeras experiencias patrias. Ya los españoles contemporáneos advirtieron cierta extrañeza en las comedias de Alarcón; y los críticos han analizado después sus rasgos no típicos, no españoles de España. Tienen carácter colonial mexicano. A pesar de estar construidas a la manera de Lope de Vega, reflejan la originalidad de una sociedad nueva, menos vivaz y extrovertida que la metropolitana. Los personajes de Alarcón permanecen más en sus casas en que la calle; los duelos son evitables; hay un tono prudente, reservado, cortés (el indio dio un matiz de sobriedad a la sociedad colonial); los graciosos no son tan chocarreros, acaso porque los criados indios de México no se permitían las familiaridades de los criados de España... Esta busca de exterioridades mexicanas en el teatro de Alarcón es difícil y aun estéril. La más patente es un comentario a los desagües de la ciudad de México, en *El semejante de sí mismo*. ¿Y si el rasgo mexicano más aparente fuera el no querer hablar de México? No se viven tantos años en América como los que vivió Alarcón sin ser americano; pero a fines del siglo xvi y a principios del xvii Alarcón, decidido a triunfar en el teatro español, no debió de tener ninguna conciencia patriótica. Alarcón había visto teatro en México antes de ir a España. Desde 1597 tenía México "casa de comedias", o sea teatro público permanente, con edificio, compañías de actores y auditorios. Probablemente en ese período Alarcón ya había esbozado *La cueva de Salamanca*. Pero una vez en España quiso ser autor español. El Inca Garcilaso, por la naturaleza de su tema —la civilización incásica—, había insistido en su condición de mestizo. Alarcón, para su actividad teatral en el círculo de Lope, no necesitaba hablar de su condición de mexicano. Además, es posible que en la agresiva vida social de la España de aquel tiempo introducir temas mexicanos en las comedias hubiera sido un riesgo: los españoles se habrían burlado de esa deformidad estética con la misma crueldad con que se burlaron de la deformidad de su joroba. Porque Alarcón era corcovado; y se ha dicho que la amargura por este defecto —terrible sobre todo en su época, en que se sobrestimaba la belleza física— le creó un resentimiento que en sus comedias se reviste de formas morales. Hay, en efecto, una actitud ética en Alarcón. Reflexiona sobre los valores que orientan o deben orientar la conducta. Esta preocupación moralizadora estaba sin duda tensa en el alma de Alarcón; pero también era una de las cuerdas resonantes de todo el teatro español de su época. Había que moralizar en el teatro. Y todos moralizan: Tirso, después Calderón... Si Alarcón, al moralizar, partía de sus propios impulsos, y no de las incitaciones de su ambiente, la verdad es que no fue muy lejos. Su moral es la tradicional: honor, lealtad, gratitud, amor al prójimo. Y aun el valor de sus caracteres morales, de signo negativo o positivo, depende más de la capacidad de Alarcón para moverlos dramáticamente que de la profundidad de las ideas presentadas. El mentiroso, el difamador, el ingrato, etc., valen como caracteres artísticos. Son más complejos de lo que conviene a una simple lección moral. La acción arrastra a todos los personajes de la comedia española; los de Alarcón, sin embargo, consiguen detenerse por lo menos un ratito y hacernos oír sus razones. Hablan directamente al entendimiento. No son líricos. Cuando se hacen los líricos es con moderación. Alarcón construye sus comedias con cuidado. Lope, Tirso, escriben comedias por centenares; él, sólo dos docenas. Comedias de enredo, comedias heroicas... Lo mejor, comedias de caracteres, como *Las paredes oyen*, *Ganar amigos*, *La verdad sospechosa* (Corneille la adaptó en *Le Menteur*), que le dan un aire más inteligente y moderno. Estas comedias de caracteres a veces ocurren en situaciones maravillosas, como *La prueba de las promesas*; a veces se desnudan en una dialéctica chispeante, como en *No hay mal que por bien no venga* (*Don Domingo de Don Blas*) (1623?). Con esta comedia cerró su carrera dramática. El carácter —no tipo— de Don Blas es de los pocos que, de toda la comedia del siglo de oro, hablan directamente a la inteligencia de un lector de hoy. Don Blas es tan anticonvencional que la agudeza de su dialéctica convierte a esta comedia en la menos convencional de su época. El buen sentido del comodón Don Blas nos sorprende y divierte —por lo menos en los dos primeros actos— porque no es parte de una lección moral, sino de una pintura psicológica.

TEATRO

Más espacio deberíamos darle a Alarcón, pero después de todo su teatro pertenece a España. En realidad, España es el centro de toda la actividad teatral. Es el siglo de Lope de Vega, de Tirso, de Calderón. Sus comedias llegan a las colonias. Compañías de actores españoles traen los últimos éxitos. Los representan en los palacios o en corrales populares. El público aplaude. Y lee las colecciones de comedias que, desde la primera de Lope, de 1605, se importan de España. Las comedias, primero de la escuela de Lope, después de la escuela de Calderón, influyen en las costumbres, en los modos de vestir y de hablar. Pocas veces un criollo escribe para el teatro, y cuando lo hace se limita a entremeses para llenar el tiempo entre dos actos de una comedia española. ¿Qué escritor colonial se va a atrever a competir con los maestros de España? El conformismo de la vida cortesana y religiosa, la falta de estímulos y, naturalmente, de talentos, empobrecen el teatro. Comoquiera que sea, las producciones, en España y en América, van a destiempo. Durante casi todo el siglo XVII (por lo menos hasta la muerte de Calderón)

España está en su apogeo teatral y las colonias en cambio apenas producen obrillas de ocasión; desde 1681 en adelante, decae el teatro español y en cambio las colonias empiezan a levantar su teatro con piezas ambiciosas. En México, antes de Alarcón, tuvimos a González de Eslava, ya estudiado en el capítulo anterior, y, después de Alarcón, a Sor Juana Inés de la Cruz, a quien estudiaremos en otra sección de este mismo capítulo. Pero, si no produjo figuras eminentes, el teatro mexicano produjo una eminente cantidad de piezas. Pocas veces un autor escribía varias. Lo normal era que alguien escribiera una obrita para celebrar un acontecimiento o para agasajar a una persona, y luego se retirara de la escena. Ya no reincidía. En realidad no se cultivaba ni el drama ni la comedia, sino pequeños ejercicios de zalamería a los que se llamaba loas, bailes, decurias, entremeses, fines de fiesta, autos, sainetes, etc. El género más fértil era el de las loas: cuatro o seis personajes representaban simbólicamente sea seres mitológicos o cualidades o lugares. Si representaban hombres reales solía llamárseles "indios" si eran de América; "caballeros" si eran de España. Estas loas, por lo general, festejaban la proclamación de un nuevo rey o el recibimiento de un virrey o arzobispo. Las compusieron en México: Francisco Robledo, Miguel Pérez de Gálvez, Jerónimo Becerra, Alfonso Ramírez de Vargas, Medina Solís y otros. De 1619 parece ser un mal *Coloquio de la nueva conversión y bautismo de los cuatro últimos reyes de Tlaxcala en la Nueva España*, atribuido a Cristóbal Gutiérrez de Luna. De 1684 es la inocua escenificación de la vida de San Francisco de Asís, *El pregonero de Dios y patriarca de los pobres*, de Francisco de Acevedo. Ya vimos que Bramón dio en *Los sirgueros de la Virgen* un auto bien estructurado, bien versificado, con notable uso de escenografía y coreografía indígenas. MATÍAS DE BOCANEGRA (México; 1512-1668) —el poeta de la famosa "Canción a la vista de un desengaño"— compuso en 1640 los tres actos de su *Comedia de San*

Francisco de Borja. Tiene unas décimas que recuerdan el primer soliloquio de Segismundo, en *La vida es sueño* de Calderón, publicado cuatro años antes. Por otro lado, introduce canciones y danzas indígenas. (Agustín de Salazar y Torres, 1642-1675, regresó a España cuando tenía dieciocho años y allá escribió sus comedias: como Alarcón, pertenece a la literatura dramática española.)

Perú seguía a México en el mismo tipo de teatro. En 1599 se constituyó la primera compañía de comediantes en Lima, y en los primeros años del siglo xvii se estableció la Casa de Comedias. Se regocijaban por igual el pueblo y los sectores aristocráticos y eclesiásticos. (Fray Gaspar de Villarroel ha contado su afición juvenil por las comedias.) Aunque en general las obras representadas venían de España también las hubo de comediógrafos criollos y hasta con temas locales: Núñez de Pineda Bascuñán, en el *Cautiverio feliz*, contó con especial cuidado el episodio de sus relaciones con la hija de Maulicán para aclarar las cosas, puesto que en Perú —dice— se había escrito y escenificado una comedia "muy a la contra del hecho, representándose estos amores muy a lo poético". Las figuras mayores, en este período, fueron Peralta Barnuevo —a quien, por la fecha de sus piezas, trataremos en el capítulo que viene— y Lorenzo de las Llamosas (1665?-m. después de 1705). Éste compuso dos comedias-zarzuelas: *También se vengan los dioses* (1689), de gran aparato escénico poblado de dioses, ninfas y pastores, y *Destinos vencen finezas* (1698), sobre los amores de Dido y Eneas. Diego Mexía de Fernangil, sevillano, autor del *Parnaso antártico*, escribió también *El dios Pan* (entre 1608 y 1620), especie de égloga pastoril a lo divino, en un acto y en verso. Espinosa Medrano y Valle Caviedes, como se verá en su oportunidad, escribieron teatro.

Al teatro colombiano pertenece Fernando Fernández de Valenzuela (1616-último cuarto del siglo xvii), cuyo entremés *Laurea crítica* caricaturiza varios tipos

psicológicos y sociales. La caricatura del literato que
habla con la lengua de Góngora es graciosa y además
vale como documento en la historia polémica de ese
estilo. Más importante, en el teatro colombiano, es
JUAN DE CUETO Y MENA (España; 1602?-m. después
de 1669). Aprovechó en sus escritos a Lope de Vega,
Góngora, Quevedo y Calderón. Sería novedad que re-
sultara cierta la conjetura de que Cueto, al versificar
para el teatro su "coloquio" *La competencia en los
nobles y discordia concordada* (1662), tuvo en cuenta
los autos sacramentales de Calderón, pero que éste, a su
vez, al escribir su auto *La vida es sueño* (1673) tuvo
en cuenta el coloquio de Cueto. De impresionar a
Calderón debió de ser sólo en la idea de convertir los
cuatro elementos —fuego, aire, agua y tierra— en personajes principales de una alegoría que toma nociones
de filosofía griega y las interpreta a la luz de la filosofía
escolástica. El universo de Cueto era el de Tolomeo;
su literatura, la del barroco. Con estilo barroco desdi-
bujó un paisaje colombiano en su "Canción describiendo el cerro de la Popa". Hizo representar su coloquio
Paraphrasis Panegirica. En el lenguaje cortés, rebuscado y adulón de la época un amigo celebró así los
versos de su coloquio: "ya no serás Juan de Cueto / porque serás Juan de Mena". No: fue y será Juan de Cueto
y Mena, uno de los tantos oscuros poetas que al arri-
marse al barroco conseguían a duras penas que se les
encendiera una que otra imagen feliz.

POESÍA

Algunos de los cronistas estudiados solían interca-
lar versos en sus crónicas o los pergeñaban al margen.
Escarceos de poesía en un mar de prosa. También el
teatro que reseñamos era poesía, puesto que se escribía
en verso. No considerar como rígido, pues, el rubro de
poesía que abrimos aquí. Sin embargo, de ahora en
adelante veremos a los grandes poetas de esta etapa.

Sólo que, a fin de darles ambiente, tendremos que mencionar a mucho versificador sin suco poético. Y, siendo esos poetas también prosistas, ¿cómo evitar volver a hablar de la prosa? El historiador de la literatura quiere apartar las aguas, pero se vuelven a juntar.

Bernardo de Balbuena

BERNARDO DE BALBUENA (España-México; 1561 o 1562-1627) vivió exactamente en los mismos años de Góngora; y, como Góngora, sintió la necesidad de inventar una expresión afectada, ornamental y aristocrática. Pero, aunque gongorizó a ratos ("¿en qué parte del mundo se han conocido poetas tan dignos de veneración —decía en 1604, como— el agudísimo don Luis de Góngora?"), el barroco de Balbuena fue independiente; por lo menos corrió suelto, inclinándose ya hacia aquí, ya hacia allá, por la ancha pista estilística que a fines del siglo xvi y principios del xvii se abre en las letras españolas para lucimiento de virtuosos. Virtuosos de la lengua. Porque éste es el descubrimiento de los barrocos: la lengua es un cuerpo soberano, que puede contorsionarse, saltar, inmovilizarse en un gesto enigmático, abrir de pronto los brazos para derramar metáforas y otra vez replegarse en un oscuro juego de conceptos, siempre adornado, siempre orgulloso de no ser lengua vulgar. La octava inicial con que Balbuena ofreció a una señora describirle la ciudad de México fueron ocho semillas de las que crecieron los capítulos de la *Grandeza mexicana* (1604). Cada verso del "argumento" servirá de epígrafe a un capítulo. Surgió así la *Grandeza mexicana* como un vivero: pero no con los grandes árboles de un bosque, sino más bien con las delicadas plantas de un jardín. Balbuena desea agradar. A la señora a quien dedica el poema, en primer lugar; pero también a la gente poderosa de México. Ha vivido como humilde cura de pueblo algunos años: en este momento de su vida, quizá descontento de su propia oscuridad, se pondrá a halagar la ciudad en que quisiera ocupar posiciones mejores. Había ya descripciones de México, en la prosa corriente de los cronistas, en los versos incidentales de poetas menores y en los diálogos latinos de Cervantes de Salazar. Ahora Balbuena nos dará una descripción al modo barroco, "cifrada" como él dice, esto es, construida inteligentemente en una pequeña unidad poética. Tenía el don épico —como lo prueba el *Bernardo* (1624), variación barroca a un tema de Ariosto—, pero en *Grandeza mexicana* eludirá la epopeya de la conquista. Jardín más que bosque. Sólo que jardín de altas plantas o, mejor, jardín de invernadero que nos parece grande porque lo vemos a través de los cristales de aumento de un estilo barroco. No nos da la poesía de lo minúsculo, de lo humilde, de lo sencillo, sino la visión del lujo cortesano, de la "grandeza mexicana", que era sólo el aspecto exterior de la realidad mexicana. La estructura de esa "grandeza" es clara: no hay tantos juegos de concepto o de imagen como los que encontramos en Góngora o en Quevedo, pero aunque su imaginación no tuerce los ejes de la realidad, los cubre de adornos. La invención se da en estos adornos: y a veces es tan enérgica que el adorno adquiere una belleza plena y autónoma y deja de ser adorno en función de una línea subyacente para convertirse en pura poesía en sí. La claridad de construcción —es un rasgo renacentista: Balbuena escribe su epístola en tercetos endecasílabos con cuartetas al final de cada parte, siguiendo la tradición italiana de los poemas caballerescos— hace más visible el valor de esos momentos aislados de su invención artística. En sus ideales estéticos seguía más a los italianos que a los españoles. Cuando escribió una novela pastoril —*Siglo de Oro en las selvas de Erífile*, 1608— saltó por encima de las Dianas y Galateas españolas y fue a zambullirse regocijadamente en la fuente italiana: la Arcadia de Sannazzaro. A los ojos de Balbuena el mundo pastoril está ya vacío. Sus mitos, sus símbolos han perdido contenido y fuerza intelectual. En cambio, quedan como formas de arte. Imitó a Sannazzaro precisamente porque lo veía a gran distancia, con perspectiva estética. Como en Sannazzaro, lo descriptivo prevalece sobre lo narrativo. Los pastores, después de cantar sus gozos y quejas, con la imaginación puesta en las ausentes pastoras, se retiran a un costado. Mientras la acción se aquieta, los paisajes entran vestidos con todos los lujos de una fantasía barrocamente coloreada. La tradición literaria clásica es lo que mueve a Balbuena, pero su vitalidad está en la filigrana. Le atrae lo irreal, lo inventado, lo artificioso. Describió la ciudad de México, pero dentro de un sueño, y conducido mágicamente por una ninfa. Praderas, colinas, bosques, cuevas y ríos pertenecen a una geografía ideal. Es una fuga en que el verso persigue la prosa y lo sobrenatural la naturaleza. El lenguaje de metáforas, mitologías, alegorías, ensueños e increíbles diálogos acaba por evadirse de la realidad, dejando apenas una estela de arte.

Epopeyas heroicas y religiosas

Siendo obispo de Puerto Rico, Bernardo de Balbuena tuvo que huir, en 1625, ante la incursión de piratas holandeses. Otro obispo —Fray Juan de las Cabezas Altamirano— padeció más: fue secuestrado en 1604 por el corsario francés Gilberto Girón. Y este episodio es el tema del primer poema cubano: *Espejo de paciencia* (1608) de SILVESTRE DE BALBOA (n. entre 1564 y 1574; m. entre 1634 y 1644). Sorprende que, en medio de la pobreza cultural de Cuba, surgiera súbitamente este poema épico en dos cantos con ciento cuarenta y cinco octavas reales que fluyen claras, sencillas y narrativas. Es una crónica rimada —quizá Balboa escribía bajo la sombra de las ramas que brotaron de Ercilla—, pero aquí no se cuenta la lucha del español contra el indio, ni la del español con el español, sino la del español con piratas "luteranos", como los llama Balboa. En su prólogo al lector Balboa confiesa imitaciones a Horacio; y en el poema se reconocen reminiscencias de Ariosto y de Tasso, aunque quizá no directamente sino a través de poetas españoles italianizantes, como Luis Barahona de Soto, que en *Las lágrimas de Angélica* había imitado a su vez el *Orlando furioso*. La influencia que no se advierte ahí es la de Góngora. No hay barroco en *Espejo de paciencia*. Al contrario: el pasmo ante la herejía de los franceses, la admiración por la paciencia con que el obispo lo sufre todo y la heroica venganza final se comunican en endecasílabos llanos, sentenciosos pero sin conceptismos, con adornos de la mitología pero sin cultismos, prosaicos casi siempre, aunque con uno que otro brillo poético sobre todo en la narración. Tanto equilibrio —aunque con los ejes lógicos demasiado a la vista— hace de Balboa un poeta menor fuera del cuadro literario que dominaba en sus años. Como fue el novelista y poeta José Antonio Echeverría quien nos dejó de su puño y letra las dos versiones de *Espejo de paciencia* que conocemos (con variantes insignificantes), alguna vez se creyó que todo el poema, y aun la existencia del mismo Balboa, pudo haber sido una mistificación. Es posible que Echeverría, al copiar, modificara y modernizara el original desaparecido. Lo cierto es que *Espejo de paciencia* es obra aparte, singular hasta por la emoción criolla, cubana, nacional. "¡Dichosa la isla de Cuba!", se dice. Es un "negrito criollo" el que va a engañar al pirata para que baje a tierra; es un indio la única víctima de los franceses en la batalla final; es un negro —"¡Oh, Salvador criollo, negro honrado!"— el que mete la lanza en el pecho de Gilberto Girón y lo mata. Y cuando el obispo vuelve, libre, a Cuba, los dioses mitológicos salen a saludarlo, cargados con flores y frutas de la naturaleza americana: palabras indígenas entran así en el fraseo literario horaciano. El tema religioso se entrelaza con el heroico. En el primer canto, los sufrimientos del obispo; en el segundo, la venganza contra el hereje. Pero el color de sangre de esta segunda parte es el que domina. Este entrelazamiento de los temas de la humildad del cristianismo y del furor bélico es muy significativo. Balboa está entre dos tradiciones. La poesía épica había alcanzado tanto prestigio en España, que surgieron poetas decididos a cantar no sólo las hazañas de conquistadores sino las de santos. Más aún: al lado de las epopeyas del príncipe, las epopeyas de Cristo. Desde el siglo xv ya empiezan a aparecer poemas sobre la pasión y muerte del héroe religioso. Pero es después del Concilio de Trento cuando el género épico religioso se llena con el viento de borrasca de la Contrarreforma. Además, Tasso ha cambiado el sentido del verso heroico. Balboa se limitó a comparar el obispo con Cristo. Otro poeta, en esos mismos años, escribió en un convento de Lima un vasto poema sobre Cristo mismo: DIEGO DE HOJEDA (1571-1615). En La Christiada de Hojeda hay un solo tema: "Canto al Hijo de Dios, humano y muerto". Sus fuentes doctrinales fueron los Evangelios, trabajos de la Patrística, sermones castellanos, tratados religiosos, vidas de santos, ideas de San Agustín, Santo Tomás y aun de Suárez; pero la literatura vino a ayudar a su pluma: Homero, Virgilio, Dante, Girolamo Vida, Tasso, Du Bartas, Hernández Blasco, Ariosto, Boiardo y también poetas españoles de fines del siglo xvi y los barrocos de principios del xvii. A pesar de las digresiones barrocas, la obra —dividida en doce libros— sigue un plan mucho más riguroso que el de otras epopeyas. Sin embargo, no es ese plan ni la elocuencia de los sermones ni mucho menos los arrebatos teocráticos lo que salva La Christiada para un lector de hoy. Por supuesto que en un poema de esa extensión, y con un tema tan universal y dedicado a públicos tan diferentes, encontraremos muchas maneras, muchos estilos, muchas reminiscencias de diversas fuentes culturales. Es como un museo: cada quien puede admirar lo que le gusta, la frase bíblica, la oratoria sagrada, la dulzura renacentista... Pero hay también, acá y allá, muestras de un estilo adornado, colorido, metafórico, con el gusto por contrastes, enumeraciones y detalles preciosos; y acaso es esta dinámica barroca lo que más hiere nuestra fantasía. Hojeda amplifica pasajes de los Evangelios cargándolos de ornamentos. Toma episodios de la época clásica y los modifica usándolos alegóricamente: así, el escudo de Aquiles y de Eneas se convierte en las complicadas vestiduras de Cristo. La teología misma queda poetizada con el lenguaje posrenacentista, como en esa hermosa Oración personificada en el Libro II. Y aun su amor a Cristo era personal, concreto, rico en imaginación y en experiencias sensoriales. Este amor vivo dio a muchas de sus octavas un brillo lírico y lujoso. En la escena en que Cristo lava los pies a sus discípulos la belleza de sus manos se comunica a la luz, al agua, a las flores, en un temblor gozoso. Y cuando describe la hermosura de su cuerpo desnudo, y cómo lo azotan y escarnecen, el amor de Hojeda inspira uno de los trances más poéticos en toda la literatura de este ciclo. Su amigo en Lima, Diego Mexía de Fernangil, dedicó a la vida de Cristo unos 200 sonetos. Y corresponde citar, de la literatura mexicana, los *Desagravios de Cristo*, de Corchero y Carreño, el anónimo *Poema de la Pasión* y la *Octava maravilla* de Francisco de Castro.

Que la epopeya sonaba cada vez menos a hierro es patente en el *Arauco domado* de PEDRO DE OÑA (Chile; 1570-1643?). Este criollo, nacido en medio del paisaje y de los indios que Ercilla había tomado como tema de su poema, se decidió a imitar también a Ercilla; pero se alejó aún más que su modelo de esa realidad. Oña nació casi el mismo año en que apareció la primera parte de *La Araucana*, tenía ocho años cuando apareció la segunda parte y diecinueve cuando la tercera. Al publicar el *Arauco domado* en 1596 —el primer libro en verso de autor americano— mucha literatura había corrido bajo los puentes de *La Araucana*; y Oña, aunque inspirándose en Ercilla, no se propuso competir con él: "¿Quién a cantar de Arauco se atreviera / después de la riquísima *Araucana?*" Oña fue a la epopeya pero con el ánimo encogido por la convicción de que ese arte estaba "tan adelgazado y en su punto", que —después de Ercilla— continuar más allá "no sería perfección sino corrupción". Volvió a contar, pues, la misma materia heroica (sobre todo la que Ercilla había ya dado desde el Canto XIII de la Segunda Parte), pero esforzando su estilo en los aspectos menos heroicos. Lo ercillano del *Arauco domado* no vale tanto como los pasajes voluptuosos, blandos y pictóricos que Oña estimaba como verdadera poesía. Sus batallas, sus retratos de soldados españoles o indios guerreros, su crónica, sus trucos retóricos para hacer entrar en el poema episodios posteriores (las "profecías" de Oña siguen aquí las que Ercilla puso en boca de Belona y Fitón), lo muestran siempre inferior. En cambio, Oña trajo a la epopeya araucana un nuevo espíritu, laxo en la voluntad, barroco en la lengua. También en Ercilla había adornos e idealizaciones; pero el procedimiento se densifica en Oña (después de todo el ejemplo más alto de barroco poético, Góngora, es eso: una densificación de artificios conocidos). Hasta la octava se modifica en su canto —ABBAABCC en vez de ABABABCC—, más graciosa y leve, "de más suavidad", como dijo el mismo poeta. Y el tono de su voz es lírico, por lo menos más personal. La percepción de las cosas —sobre todo del color de cada cosa —indica además que los ojos de Oña están atentos a las miniaturas que se forman en su conciencia. Actitud reflexiva, tanto en la busca de la imagen como en el concepto, que lo condujo a un tipo de descripción muy intelectual y colorida a la vez: "De blancos huesos, blanca parecía / la verde superficie de la tierra, / y las corrientes claras de la sierra / la derramada sangre enrojecía." Una ventaja poética sobre Ercilla tuvo Oña: y fue que, al pensar, no lo hacía tanto en las grandes abstracciones de la teología, sino ilustrando su pensamiento con observaciones menudas de la vida ordinaria, con lo cual alcanzó esa fuerza de expresión que da siempre el descubrimiento de nuevos objetos. Oña es más rico en metáforas que Ercilla no sólo porque las usa más sino porque a veces son más nuevas y sorprendentes. Además de las visiones clásicas —con animales, plantas y minerales—, Oña inventa metáforas en las que una de las significaciones apunta a cosas más bien vulgares. Tanto repara en los objetos, que éstos se animan aunque sean inanimados, se mueven aunque sean inmóviles, en una reventazón de impulsos: los gallardetes que flamean al viento quieren soltarse de sus asientos e irse por el aire; la luz pelea con las ramas de los árboles; el agua se adelanta gozosa a recibir el cuerpo desnudo de Fresia... No eran siempre objetos americanos, y es lo que se le ha reprochado más. Pero, después de todo, un poeta no tiene ninguna obligación de documentar la realidad de su país con descripciones típicas. Oña se evadió de la crónica veraz porque ése era el impulso de la imaginación barroca: mitología, tesoros de nombres exóticos, idilios librescos, gestos aristocráticos. La epopeya de Oña, como el cuerpo de un gimnasta, relaja ciertos músculos e hincha otros: los que hincha son los ya dibujados por un arte bonito, el arte eglógico de Ovidio. Musculatura en movimiento, sin embargo, porque hay contrastes violentos. Al final de su vida Oña apretó la lengua barroca que estaba repartida a lo largo de *Arauco domado* y nos dio otro poema histórico —*El vasauro*, 1635—, éste sí entretejido, casi estrofa por estrofa, con todos los hilos conceptistas y culteranos de la época, notablemente con Góngora. En *El vasauro* cuenta, sin unidad, las hazañas de los Reyes Católicos y de los antepasados del virrey del Perú, de 1465 a 1492: el "vasauro" es el áureo vaso con que los reyes obsequiaron a Andrés de Cabrera. Todavía Ercilla influye en Oña; y todo el Renacimiento italiano y español. Pero, repetimos, Góngora está dominando aun a los poetas que le resisten, y Oña, que habló mal de Góngora, gongorizó en metáfora, sintaxis, cultismos, tanto en *El vasauro* como en *Ignacio de Cantabria* (1639), su última producción.

Otros poetas barrocos en la América del Sur

Sin espacio para más, sólo nos detendremos en otros pocos poetas barrocos. JACINTO DE EVIA (Ecuador; n. 1620) publicó en España un *Ramillete de varias flores poéticas recogidas y cultivadas en los primeros abriles de sus años* (1675), en el que se juntaban composiciones de su propia cosecha y otras de sus contemporáneos, el ecuatoriano Padre Antonio Bastidas y el colombiano Hernando Domínguez Camargo. Había toda clase de versos: líricos, sagrados, heroicos, panegíricos, epigramáticos... Evia a veces se zambullía en la oscuridad barroca y a veces asomaba la cabeza a la superficie clara. HERNANDO DOMÍNGUEZ DE CAMARGO (Colombia; n. a principios del siglo XVII; m. en 1656 ó 59) es uno de los de calidad. No malbarató los materiales preciosos que le dejó Góngora. Están a la vista, sin menoscabo. Pero no sólo heredó a Góngora, sino que fundió en crisol esos materiales, los volcó en nuevos moldes y les estampó su cuño. Las poesías que aparecen en el *Ramillete* de Jacinto de Evia son más claras, más fáciles y de veras antológicas; pero su obra de más aliento fue el inconcluso *Poema heroico de San Ignacio de Loyola* (1666), donde la sintaxis, el vocabulario, las metáforas y las referencias cultas del estilo barroco se apretujan alrededor de la biografía del santo de su devoción. (Domínguez de Camargo fue jesuita, pero después abandonó la orden y fue sacerdote secular.) El tema de la santidad no está tratado ascéticamente. Al contrario: el poeta se escapa al suntuoso y vivaz mundo de las formas y allí se pone a decorar. El barroco trataba estéticamente los símbolos religiosos. Las versificaciones de la vida de San Ignacio de Loyola responden primero al programa de defensa del catolicismo español contra las herejías que se difundían por el resto del mundo. Ya se dijo que, a la épica militar, sucedió una épica religiosa; y las biografías de San Ignacio (por Rivadeneyra, por Nieremberg) inspiraron poemas heroicos. El jesuitismo, para mejor excitar la piedad de las masas, recurrió a anécdotas, ornamentos, hipérboles, imágenes encrespadas, símbolos pomposos. Con esta retórica barroca fue con que aparecieron en América los poemas hagiográficos. El primero, del andaluz LUIS DE BELMONTE Y BERMÚDEZ (n. antes de 1587-m. en 1630?), se publicó en México en 1609. Después, los ya mencionados *Ignacio de Cantabria* de Pedro de Oña y *Poema heroico de San Ignacio de Loyola* de Domínguez de Camargo; y cuando el tema ignaciano ha perdido su vigor inicial, encontraremos todavía en el siglo XVIII otro *Poema heroico a San Ignacio de Loyola*, el del Padre Aguirre. Sigamos con la lista de poetas barrocos. FRANCISCO ÁLVAREZ DE VELASCO Y ZORRILLA (Colombia; 1647-m. después de 1703) admiraba a Quevedo (así como Domínguez de Camargo a Góngora), pero se propuso cuidar "más de la llaneza que de la elegancia": poeta en sus "Elegías a la Virgen", al comienzo de *Rítmica sacra, moral y laudatoria* (1703?). LUIS DE TEJEDA (Argentina; 1604-1680) dejó borradores manuscritos; también copias tardías, de fidelidad dudosa. De todo eso algunos versos fueron felices. No bastan para darle bulto pero fue el primer poeta estimable que apareció en lo que hoy es Argentina. Casi todo lo que conservamos pertenece al último período de su vida, cuando se recoge en el claustro dominicano y, arrepentido de su conducta tormentosa, entreteje versos autobiográficos —"Romance sobre su vida"—, versos sagrados y, de menos importancia, prosas explicativas. Tejeda concibió, sin completarlo, un plan de *Coronas líricas* —así es el título de una edición moderna— con forma de rosario: los rezos se distribuyen en tres coronas, y en cada corona aparecen lo autobiográfico y lo sagrado. Dispuso, en esa estructura, sus composiciones, en casi todos los géneros que entonces se cultivaban. Su estilo es generalmente barroco, en vocabulario, sintaxis y juegos de conceptos. En libros españoles había aprendido a ser afectado. Góngora fue una de sus muchas lecturas, y gongorizó ocasionalmente, en la superficie de la lengua. El introductor del estilo barroco en Perú parece haber sido FRAY JUAN DE AYLLÓN (Perú; 1604), autor de un alambicado y soporífero *Poema a la canonización de los veintitrés mártires*. Góngora, Quevedo, Calderón están presentes en LUIS ANTONIO DE OVIEDO HERRERA, Conde de La Granja (1636-1717), español de nacimiento, peruano por su labor, autor de la composición poética *Vida de Santa Rosa de Lima* (1711) y del *Poema sacro de la pasión de Cristo*, además de romances, sonetos y comedias. Otra voz de la literatura religiosa es JUAN DE PERALTA (Perú; 1663-1747), cuyas *Tres jornadas del cielo* se inspiran también en la Biblia, más en el tema de los Salmos que en el del Cantar de los Cantares. Pero en quien hay que detenerse en Perú es en JUAN DE ESPINOSA MEDRANO (1632-1688). "El Lunarejo" lo llamaban por los lunares de su cara mestiza. Escribió en quechua por lo menos el *Auto sacramental del Hijo Pródigo*. Se le han atribuido otras piezas quechuas; hasta se ha supuesto (sin fundamento) que fue él quien escribió *Ollantay*, el drama de estructura española y lengua quechua, de origen discutido. En español compuso el drama bíblico *Amar su propia muerte*, con enredos a lo Lope y versos a lo Calderón. Sus sermones fueron notables. Es el que más sabía lo que hacía, al escribir prosa culterana. Había estudiado en la Universidad de Cuzco, y sus discursos, recogidos en *La novena maravilla* (1695), prueban un saber terso y elegante. Fue un entusiasta de Góngora; y en su *Apologético en favor de don Luis de Góngora* (1662) descansa su mayor gloria. Cuando "El Lunarejo" nació, Góngora no sólo había muerto más de diez años atrás, sino que ya se habían librado en España importantes batallas críticas entre gongoristas y no gongoristas. Pero la vida literaria no era tan intensa en las colonias; y el movimiento de los gustos, mucho más lento. Góngora no necesitaba defensores en América: quienes reprobaron su lenguaje poético lo imitaban, como Oña. Por eso el *Apologético* tiene el valor de una respuesta americana a las negaciones de Góngora en España. Llegó a manos de Espinosa Medrano un ejemplar de los comentarios contra Góngora del portugués Manuel de Faria y Souza. "Tarde parece que salgo a esta empresa —dice Espinosa Medrano—; pero vivimos muy lejos los criollos; además que cuando Manuel de Faria pronunció su censura Góngora era muerto, y yo no había nacido." No hay, pues, ninguna contribución nueva al debate. En cambio, en esta tardía poética barroca hay una comprensión de los valores estilísticos de Góngora mucho más sutil, ágil, digna, mesurada y brillante que las apologías españolas anteriores. "De don Luis de Góngora nadie dijo mal, sino o quien le envidia o no le entiende; si esto último es culpa, pendencia tienen que reñir con el sol muchos ciegos." Lo que Espinosa Medrano tasa en Góngora es su invención verbal, su energía para dar a los viejos procedimientos de la literatura un sorprendente sesgo de belleza nueva, su ensanchamiento del español para hacer caber las tendencias vivas del latín... Es el resplandor lírico, la lucidez lógica, el porte aristocrático, lo que le hace exclamar: "Viva, pues, el culto y floridísimo Góngora, viva a pesar de las envidias."

La sátira

La red de una historia literaria, por fina que sea, no puede pescar el cardumen de coplas y poesías populares, festivas, satíricas, repentistas, burlescas, que por ser tan pequeñas se escapan por los agujeros de la malla. Baste mencionar al más importante de los satíricos de esta época: Juan del Valle Caviedes (1652?-1697?). Andaluz, llegó de niño a las sierras del Perú, se trasladó después a Lima, disipó su vida entre el juego y las mujeres, cayó en manos de médicos y contra sus médicos escribió redondillas, décimas y romances, en que no sólo cada epigrama, pero aun cada adjetivo, tiene un terrible poder agresivo. Los atacaba por su ignorancia, vicios y falsos prestigios. Sus versos de *Diente del Parnaso* (alusión a su estilo mordaz: "mordiscos de mi diente", decía) no se publicaron ni en vida ni en los años inmediatos a su muerte mas se conocían bien. Escribió ensayos dramáticos de construcción alegórica: el *Entremés del Amor Alcalde*, el *Baile del Amor Médico* y el *Baile del Amor Tahur*. Esta vena cómica —con agudezas quevedescas— continuó por algún tiempo; pero se advierte que, en los últimos años, adquirió una actitud madura, reflexiva, y escribió sonetos y otras composiciones con emoción religiosa y tono de arrepentimiento y melancolía. No fue un vano imitador de los barrocos de España. Los conocía, y conocía los autores que los barrocos aprovechaban; pero tenía independencia intelectual, inspiración propia y un estilo conciso y chacotón. En su *Carta* a Sor Juana se enorgullecía de que su única universidad había sido su espíritu y de que había estudiado más en los hombres que en los libros. Su buen sentido, disconforme de las supersticiones de su época, es impresionante. Su poesía —satírica, pero también religiosa y lírica— es de lo más fresco del Perú colonial.

El gongorismo en México

La influencia de Góngora fue en México anterior, mayor y mejor que en ninguna otra parte americana. Es posible que circularan en México copias manuscritas del *Polifemo* y de las *Soledades* antes que se publicaran en España. Comoquiera que sea Góngora entró en México alrededor del 1600, en los embarques de *Romanceros* y *Flores de poetas ilustres*. Ya vimos cómo en Balbuena hubo muestras de gongorismo, si bien tenues, pues su cultismo era personal e independien-

te. A lo largo del siglo XVII se multiplican los gongoristas mexicanos: Miguel de Guevara, Salazar y Torres,
Arias de Villalobos, Francisco de Castro, Ramírez de
Vargas, De la Llana y quinientos más. Ya mencionamos la antológica e imitadísima "Canción a la vista de
un desengaño", de Matías de Bocanegra. De la obra
de LUIS DE SANDOVAL Y ZAPATA (fl. 1645) nos quedan
ruinas, pero de entre esos fragmentos suelen aparecer
espléndidas flores poéticas, como su soneto "Alada eter-
nidad del viento": en él, más que en nadie, se combinaba, en formas ingeniosas, una bella fantasía y una
rigurosa geometría. La reciente revalidación de Góngora ha cambiado el juicio que antes se tenía sobre los
numerosos gongoristas hispanoamericanos. Es induda-
ble que casi todos se entretenían en edificar complicaciones formales, sin que al fondo de sus laberintos les
esperara (como en Góngora) una bella sorpresa. Los
poetas querían ostentar ingenio en el concepto y cultura en la imagen. Tenían horror al vacío, y trataban
de llenar el vacío de esos tiempos, en que las energías
estaban en tensión pero reprimidas, con engaños barrocos. Una vez que las mentes se excitaban en el juego
de puras formas ya no podían parar y a veces ni siquiera intentaban la poesía, sino jeroglíficos, acertijos,
rompecabezas, hazañas combinatorias de letras. Poesías
retrógradas para leer de arriba abajo y de abajo arriba;
las mismas letras que se arreglaban en diferentes palabras; letras sueltas que, por su sonido, adquirían significación de palabras; despliegue sistemático de todas las
letras del alfabeto; juegos de palabras y paranomasias;
composiciones en que todas las palabras comenzaban
con la misma letra; centones que articulaban fragmentos ajenos; ecos y dobles ecos; una composición que, sin
perder ni el sentido ni la rima, podía leerse de tres
maneras, en su totalidad, y, además, partida en dos
series independientes; cuartetos glosados, verso por verso, en cuatro sucesivas décimas; acrósticos que, además, se complicaban con la técnica de la glosa, etc. Pero,

en esta literatura de esfuerzo desencaminado, también hay versos pulidos en los que se refleja el paisaje humano, social, histórico de México; versos que, en sí, son un paisaje literario contra el que se recortarán figuras mayores, como la de Sor Juana. Además no es Góngora el único "príncipe de los líricos" al que se venera. Se lee a Garcilaso, los Argensolas, Lope de Vega, Fray Luis de León, San Juan de la Cruz, Herrera, Calderón, Quevedo... En realidad Góngora fue el que cantaba más alto en una multitud de poetas. Y la poesía era la que alzaba la voz en el barroco. Hubo casos de sorprendente variedad e innovación métrica y estrófica, como el del mexicano Juan de la Anunciación. Los hispanoamericanos imitaban o hacían centones en los numerosos certámenes poéticos que se celebraban en fiestas religiosas o civiles. Algunos certámenes solían exigir la emulación a Góngora. En general, los certámenes documentan que hay grupos de poetas que se leen unos a otros: escriben para sí, ellos son su propio público. Es actividad de humanistas y eruditos que tienen el orgullo de pertenecer a una aristocracia en la que sólo se puede ingresar con ciertas contraseñas intrincadas. El género es lo de menos: puede ser un villancico o un poema épico de largo aliento. Lo que importa es que los signos sean extremados. Curioso: en esta poesía de corte culto irrumpen indigenismos y aun vocablos afroespañoles. Pero en el barroco lo popular no es espontáneo, sino artificioso: los negros serán "azabaches con alma". Los certámenes poéticos eran, en la vida literaria del nuevo mundo, el acontecimiento más ruidoso, colorido y excitante. Participaban de él centenares de poetas, todos ansiosos de reconocimiento público. (Bernardo de Balbuena recordaba con orgullo el haber triunfado en 1585 sobre trescientos rivales.) La ciudad se vestía con toda solemnidad, y había suntuosas procesiones a lo largo de calles decoradas especialmente. Todas las artes colaboraban en la fiesta. Y los poetas premiados, además de la satisfacción de ganar el aplauso al leer sus composiciones en voz alta, tenían la esperanza de ganarse también el aplauso de la posteridad, pues era costumbre publicar después, en un volumen lujoso, la crónica del certamen, incluyendo las mejores poesías.

Descripción y colección de certámenes de 1682 y 1683 es el *Triunfo parténico* de CARLOS DE SIGÜENZA Y GÓNGORA (México; 1645-1700). Sigüenza y Góngora se destacaría más en una lista de personalidades ilustres en la colonia que en una historia de la literatura. Personalidad ilustre porque, a pesar de ser un obediente católico, su curiosidad intelectual lo apartó del escolasticismo y le abrió los ojos a las ventajas de la razón y el experimento. En este sentido su *Libra astronómica y filosófica* es importante en la historia de las ideas en México: implica la voluntad de investigar verdades nuevas, en vez de apoyarse en la erudición de verdades autorizadas. Escribió, pues, sobre temas aliterarios: arqueología e historia, matemáticas y ciencias aplicadas, astronomía, geografía, etnografía. Y cuando escribió versos nos dio la escoria del barroco. Era pariente de Luis de Góngora y Argote; y quizá por este parentesco lejano algunos críticos han querido estudiar si el Góngora mexicano se alejaba del gongorismo. No hay cuestión. De lo que se alejaba era de la poesía; y leyéndolo nos sentimos tan deprimidos que cuando en medio de la palabrería surgen unas pocas palabras con transparencia poética parece que por fin vamos a asistir al milagro de un oasis. Es un espejismo del desierto, sin embargo. En ese fragmentarismo —la lengua triturada por la máquina conceptista y culterana— podemos encontrar un verso bueno, a veces una palabra reveladora: rara vez una estrofa, nunca un poema que valga de veras. En la *Primavera indiana* (1662), su primer libro, hay más aciertos que en los que siguieron (si aciertos hemos de llamar a esos de las estrofas xxx, xxxi, xxxiv, xlvi, lvii, lviii, lx, lxiv, lxvi y lxxviii). Como historiador escribió páginas más perdurables; y acaso, en una historia de la literatura, su puesto sea el de cronista de hechos menores. La prosa de estas crónicas era ya la de la conversación, no la vacía y retorcida con que mechaba sus obritas poéticas; y el arte de contar se hace a veces tan eficaz (en la "Carta al Almirante don Andrés de Pez", por ejemplo), que el lector lee con placer. Esas páginas sobre el motín de los indios en junio de 1692 son interesantísimas. Todo se ve, se oye, se huele, tal es la fuerza del detalle. Sus virtudes narrativas se advierten mejor en los *Infortunios que Alonso Ramírez padeció en poder de ingleses piratas* (1690), que tienen un movimiento vivaz de novela. La ficción de describir en primera persona aventuras ajenas dio al autor libertad para dramatizar escenas elegidas objetivamente. Alonso Ramírez es uno de esos criollos vitales, sufridos, viriles, que continuaron el impulso de los conquistadores españoles. Pero ya vive en otra época. Ramírez ha nacido en Puerto Rico, en 1662; y, sin darse cuenta clara de ello, vive hundido en la decadencia política de España. Justamente un siglo después de la derrota de la Armada es capturado por ingleses, "herejes piratas"; padece terribles humillaciones: la menor de todas, oír que los ingleses llaman a los españoles "cobardes y gallinas". Cuando consigue la libertad, Ramírez y sus hombres navegan aterrorizados porque todo el mar les parece lleno de ingleses. España ya ha perdido el vigor de la acometida, y en América el criollo sufre ese menoscabo de la honra política. Sigüenza y Góngora habla de las herejías de Francia y de Inglaterra: alejándose cada vez más de los centros creadores de Europa, España funda ahora su orgullo en ser católica. A causa de esta declinación cultural de los pueblos que hablan español es tan sorprendente la fuerza ascensional de Sor Juana. Entre los muchos escritos de Sigüenza y Góngora que se han perdido hay un "Elogio fúnebre de la célebre poetisa mexicana Sor Juana Inés de la Cruz". Habían sido amigos, y en uno de sus sonetos la monjita lo llamaba "dulce, canoro cisne mexicano". Parece im-

posible que Sor Juana pueda haber admirado de veras
la poesía de don Carlos: ella andaba muy por encima.

Sor Juana Inés de la Cruz

La voz más viva, graciosa y entonada del período
barroco hispanoamericano fue la de SOR JUANA INÉS DE
LA CRUZ (México; 1648-1695). Es difícil estimarla. En
parte porque el barroco es un estilo de difícil estimación; pero, principalmente, porque la fascinante vida
de la monjita mexicana nos predispone a juzgar con
simpatía cualquier cosa que escribiera. Toda la corte
de México tuvo la seguridad de su genio; y también la
Iglesia, que llegó a sobresaltarse por su fama. En 1650
el jesuita portugués Antonio de Vieyra había pronun-
ciado un sermón impugnando a San Agustín y Santo
Tomás en el tema de cuál era la mayor de las finezas
de amor de Cristo en el fin de su vida. Cuarenta años
después Sor Juana lo comentó en una carta ("Crisis de
un sermón") que el obispo de Puebla decidió publicar
con el título de *Carta athenagórica* (1690), o sea "carta digna de la sabiduría de Atenea". El obispo la precedió con una misiva a Sor Juana que llevaba el seudónimo de "Filotea de la Cruz". Allí el obispo aconsejaba
a Sor Juana que eligiera mejor sus asuntos, leyendo más
los Evangelios y empleando su ingenio en materias religiosas. Sor Juana escribió su *Respuesta a Sor Filotea
de la Cruz* (1691), uno de los más admirables ensayos
autobiográficos en lengua española. Cuenta allí su temprana vocación por el estudio, su incoercible curiosidad
intelectual, las desventajas de su condición de mujer,
sus esfuerzos para librarse de las impertinencias, prejuicios, incomprensiones y boberías con que las gentes
traban a los mejores. La prosa es espléndida: fina, flexible, filosa. Y, sobre todo, de una extraordinaria eficacia
en la defensa de su vocación espiritual. Su pensamiento
es ortodoxo. No hay duda. Pero tiene un vigor casi
racionalista y muchas de sus protestas de humildad

llevan escondido, y a veces sin esconder, un tonillo irónico. Después de preguntarse: "¿Por ventura soy más que una pobre monja, la más mínima criatura del mundo, y la más indigna de ocupar vuestra atención?", agrega que el reconocerlo así "no es afectada modestia". Sí lo es. Sor Juana sabe que tiene razón, y expone su caso con hábil dialéctica. Se la amonesta para que se aplique a los Libros Sagrados, no a los profanos. Pero —replica Sor Juana— "el no haber escrito mucho de asuntos sagrados no ha sido desafición, ni de aplicación la falta, sino sobra de temor y reverencia debida a aquellas Sagradas Letras, para cuya inteligencia yo me conozco tan incapaz y para cuyo manejo soy tan indigna. . ." Prefiere los versos, las comedias, "pues una herejía contra el arte no la castiga el Santo Oficio, sino los discretos con risa y los críticos con censura". ¿Qué títulos tiene ella para los asuntos sagrados? "Dejen eso para quien lo entienda, que yo no quiero ruido con el Santo Oficio. . . Lo que sí es verdad, que no negaré (lo uno porque es notorio a todos; y lo otro porque, aunque sea contra mí, me ha hecho Dios la merced de darme grandísimo amor a la verdad), que desde que me rayó la primera luz de la razón fue tan vehemente y poderosa la inclinación a las letras que ni ajenas represiones (que he tenido muchas) ni propias reflexas (que he hecho no pocas) han bastado a que deje de seguir este natural impulso, que Dios puso en mí: Su Majestad sabe por qué y para qué." Hay quienes creen —dice— que el saber sobra y aun daña en una mujer. Por "la total negación que tenía al matrimonio" no le quedó sino hacerse religiosa: eso era "lo más decente que podía elegir en materia de la seguridad que deseaba de mi salvación". Por lo tanto "cedieron y sujetaron la cerviz todas las impertinencillas de mi genio, que eran de querer vivir sola, de no querer tener ocupación obligatoria que embarazase la libertad de mi estudio, ni rumor de comunidad que impidiese el sosegado silencio de mis libros". Quiso huir de sí misma: "pero ¡mi-

serable de mí! trájeme [al convento] a mí conmigo y
traje mi mayor enemigo en esta inclinación, que no sé
determinar si por prenda o castigo me dio el Cielo, pues
de apagarse o embarazarse con tanto ejercicio que la
Religión tiene, reventaba como pólvora... Volví (mal
dije, pues nunca cesé), proseguí, digo, a la estudiosa
tarea... de leer y más leer, de estudiar y más estudiar,
sin más maestro que los mismos libros". Se queja del
"sumo trabajo no sólo en carecer de maestro sino de
condiscípulos con quienes conferir y ejercitar lo estudiado, teniendo sólo por maestro un libro mudo, por
condiscípulo un tintero insensible, y en vez de explicación y ejercicio, muchos estorbos no sólo de mis religiosas obligaciones... sino de aquellas cosas accesorias de
una comunidad..." "No puedo decir lo que con envidia oigo a otros: que no les ha costado afán el saber.
¡Dichosos ellos! A mí no el saber (que aún no sé), sólo
el desear saber me le ha costado tan grande"... "Contra la corriente han navegado (o por mejor decir, han
naufragado) mis pobres estudios." Ha sufrido persecuciones, malevolencia, odio de quienes creen que la ignorancia es santa y aborrecen las eminencias del espíritu.
¡Cómo!: ¿no es el ángel más que el hombre porque
entiende más?, ¿no es en el entender en lo que el
hombre es mejor que el bruto? "Han llegado a solicitar
que se me prohiba el estudio. Una vez lo consiguieron
con una prelada muy santa y muy cándida, que creyó
que el estudio era cosa de Inquisición, y me mandó que
no estudiase: yo la obedecí (unos tres meses, que duró
el poder ella mandar), en cuanto a no tomar libro, que
en cuanto a no estudiar absolutamente, como no cae debajo de mi potestad, no lo pude hacer, porque aunque
no estudiaba en los libros, estudiaba en todas las cosas
que Dios crió, sirviéndome ellas de letras y de libro
toda esta máquina universal." ¿Acaso debe una mujer
avergonzarse por estas inclinaciones? Allí están, como
buenos ejemplos, las mujeres ilustres que se citan tanto
en las letras humanas como en las divinas. Sor Juana

las menciona en larga lista, y se sonríe irónicamente ante el hecho de que a las mujeres se tiene por ineptas y, en cambio, los hombres, "con sólo serlo, piensan que son sabios". Propone una educación para mujeres impartida por mujeres. En cuanto a sus críticas al padre Vieyra —en la *Carta athenagórica*— ¿no tiene ella tanta libertad como él? "Como yo fui libre para disentir de Vieyra lo será cualquiera para disentir de mi dictamen."

La *Carta athenagórica* y la *Respuesta a Sor Filotea* son las dos grandes obras en prosa de Sor Juana, a las que siguen en importancia los *Ejercicios de la Encarnación* y los *Ofrecimientos del Rosario*. Para apreciar la libertad intelectual de Sor Juana hay que referirla al medio eclesiástico de su época. Dentro de la sociedad católica hay una copia de la total sociedad humana, con sus sumisos y rebelados. La rebelión de Sor Juana no es la del mundo: ya dijimos que era católica ortodoxa, temerosa de herejías y escándalos. Pero, en el seno de la Iglesia, su impulso fue de libertad, quizá estimulado por las inquietudes esparcidas por el siglo XVII; inquietudes de las que el *Discurso del método* de Descartes había sido una de las fuentes. (Además de estas inquietudes intelectuales, la reconcomía un desasosiego íntimo que no podemos explicar y, sin embargo, está manifiesto en su obra: no encontró nunca paz interior, y su final ascetismo cuando renuncia definitivamente a la cultura para dedicarse a ejercicios piadosos fue acaso menos religioso de lo que se piensa.) Su huida del mundo y de su condición de mujer, su narcisismo intelectual, el modo de tratar los temas amorosos parecen tener cierta marca de neurosis. Es como si Sor Juana, allá en los posos de su subconsciencia, sintiera un conflicto entre una naturaleza femenina y un deseo de autoridad masculina. La autobiografía de su sed de saber que Sor Juana nos ofrece en su *Respuesta* ya tenía un correlato poético en el *Primero sueño*, silva de extremado estilo barroco, al modo de las *Soledades* de Góngora, donde Sor Juana cuenta el vuelo de su alma hacia el conocimiento. La *Respuesta* y el *Sueño* se prestan luces. Por la *Respuesta* nos enteramos de algunos aspectos de la génesis del *Sueño*. "Que yo nunca he escrito cosa alguna [en verso] por mi voluntad —dice—, sino por ruegos y preceptos ajenos; de tal manera que no me acuerdo haber escrito por mi gusto sino es un papelillo que llaman *El sueño*." Y antes dice: "Ni aun el sueño se libró de este continuo movimiento de mi imaginativa; antes suele obrar en él más libre y desembarazada, confiriendo con mayor claridad y sosiego las especies que ha conservado del día; arguyendo, haciendo versos, de que os pudiera hacer un catálogo muy grande y de algunas razones y delgadeza que he alcanzado dormida mejor que despierta." El *Sueño* —silva de casi un millar de versos— está construido con un pensamiento sistemático: el alma, gracias al sueño nocturno, se encumbra para alcanzar en un solo rapto la visión de todo lo creado y, fracasada, regresa para ahora, con más humildad, emprender el conocimiento conceptual, metódico, de lo simple o lo complejo, no sin dudas, contradicciones, escrúpulos y miedos, hasta que ella despierta y abre los ojos al mundo iluminado por el sol del nuevo día. La sinceridad con que Sor Juana vive su tema carga de energía sus versos. Gongoriza; latinismos, neologismos, dislocaciones sintácticas, tropos y metáforas, alusiones mitológicas y cultismos de toda la literatura, ornamentos cromáticos, efectos musicales, charadas difíciles y deliberadas oscuridades... Pero en ese estilo de época destellan, con originalidad, bellezas parciales. Más aún: en cierto sentido *Primero Sueño* es el poema que mejor representa, no sólo a Sor Juana, sino a toda su época. Poemas barrocos hubo muchos; pero en *Primero Sueño* nos encontramos con una sincera identificación entre una vida personal y un estilo colectivo. Las engañosas estratagemas del barroco le sirvieron a Sor Juana para esconderse. Sintiendo el amor como una ausencia renunció al mundo —"engaño colorido"— y, en la soledad, se recogió en lo más íntimo de su ser. Allí, en su intimidad, la inteligencia fue su consuelo y su gozo. Pero había que acallar su inteligencia, que hubiera parecido impertinente y aun herética en una mujer. El hermetismo del barroco vino a ayudarla. El *Sueño*, por su tema y por su estilo culterano, fue una autobiografía con clave secreta. El mundo es irreal: lo real es la vida interior. Por el sueño se ausenta del mundo, y despierta contemplando la verdad, que es su actividad intelectual de solitaria. El resto de su poesía fue circunstancial. Si apartamos el fárrago de mera versificación —alegorías, conmemoraciones y chismes cortesanos—, nos queda un núcleo de gran poesía en las formas breves del soneto, el romance, la décima y la redondilla. En algunos de sus villancicos captó con travesura y agilidad el alma popular de México. Se refleja, en esa poesía, su vida en el campo, en la ciudad y en el convento. No obstante no se pueden distinguir sus experiencias personales de las literarias. A veces habla, no de lo que ha vivido, sino de lo que ha comprendido en la vida ajena. No tomar, pues, sus temas como propios. Son las suyas poesías ricas en inteligencia: inteligencia de la vida, pero siempre inteligencia. Si amó, si fue amada, no lo sabemos: pero en sus excelentes poesías líricas encantan las amatorias. Más: su lírica, sobre todo la amorosa, es lo que de veras la ha hecho famosa. Con maestría —y feminidad— Sor Juana da vueltas al tema del amor: separación, celos, olvido, rencor, abandono, muerte... Claro que el lector debe estar sobreaviso y no confundir el amor con la mera retórica. Las redondillas dirigidas a la Virreina de México (Amarilis, Filis y Lisi en los versos) son protestas de afecto muy comunes en la poesía cortesana. De la Provenza medieval a la Italia renacentista y de aquí a la España barroca continuaba el modo ditirámbico de cantar al noble y al poderoso. Con hipérboles se celebraba los méritos del elogiado y el rendido amor del poeta. Las teorías platónicas venían a reforzar estas convenciones que hacen que las redondillas de Sor Juana, mujer, a otra mujer de la corte, no signifiquen más que los sonetos de Shakespeare, hombre, a otro hombre de la corte. Fue maestra no sólo en esa cuerda sino en todas las que hizo sonar: religiosas y mundanas, herméticas y populares, conceptistas, sentimentales o costumbristas. Su escuela ha sido la gran poesía española, desde Garcilaso, pero emuló más a los barrocos seiscentistas. Dio luces inesperadas a un estilo que en España se recogía crepuscularmente. La avidez de saber intelectual agudizó su mente; y en ese estado de agudeza mental, gozoso, entusiasmado, la monjita renovó la vitalidad del discreteo poético. En ella fue lozanía lo que en otros era marchitez. Jugar con la inteligencia era una aventura emocionante. El sentirse inteligente era ya una inquietud. El movimiento de los conceptos —en correlaciones muy variadas— era como un batir de alas de pájaro que se escapa de la jaula. En cuanto un hecho de su vida se ofrecía al verso era inmediatamente amplificado por un complicado razonar. Tan vital era ese razonar como el hecho razonado, así que los juegos barrocos no estorban la ascensión lírica. (Recuérdense por ejemplo los sonetos "Rosa divina que en gentil cultura", "Detente, sombra de mi bien esquivo".) Barroco fue lo mejor que escribió (a lo mencionado arriba agreguemos los sonetos "Este que ves, engaño colorido", "Diuturna enfermedad de la esperanza", "Verde embeleso de la vida humana", "Inés, cuando te riñen por bellaca", "Esta tarde, mi bien, cuando te hablaba", "Que no me quiera Fabio, al verse amado", "Al que ingrato me deja, busco amante", "Silvio, yo te aborrezco y aun condeno", "Amor empieza por desasosiego"; las redondillas "Hombres necios que acusáis", "Este amoroso tormento"; los romances "Finjamos que soy feliz", "Si daros los buenos años", "Allá va, aunque no debiera", "Cuando, Númenes divinas", "Lámina sirva el cielo al retrato"; el ovillejo "El pintar de Lisarda la belleza", etc.). Barroco, en la órbita de Calderón, fue su teatro, sacro y profano. Además de dieciocho loas, dos sainetes y un sarao o fin de fiesta escribió tres autos sacramentales: el más admirable, *El divino Narciso* (1689), y después *El mártir del sacramento* y *El cetro de José*. Por su valor espectacular, sus líricas canciones, el rigor de la construcción intelectual, el entrelazamiento de temas bíblicos y grecolatinos, la originalidad en el manejo de ideas e intuiciones poéticas y el brioso paralelismo de los ritos indígenas con los ritos cristianos *El divino Narciso* es uno de los buenos autos en toda la literatura castellana. Sor Juana conocía, y aprovechó, la comedia de Calderón *Eco y Narciso*, pero la sobrepujó con una alegoría que, ambiciosamente, se proponía, no educar a los indios —a pesar de los personajes indios de la Loa, inseparable del Auto—, sino gustar aun a los españoles cultos de Madrid. Apoyándose en las noticias de los cronistas —especialmente en las de Juan de Torquemada— presentó en la Loa el rito azteca en que Huitzilopochtli, el Dios de las Semillas, es comido en una especie de hostia amasada con harina y sangre, como una argucia del Demonio para engañar remedando la comunión cristiana. A fin de demostrar a "Occidente" y "América" —dos personajes que simbolizan la cultura indígena precortesiana— que el Dios de los católicos y la Eucaristía son verdaderos, la "Religión" les ofrece la representación de un misterio, el auto del Divino Narciso. Reelaborando el mito de Narciso tal como lo cuenta Ovidio, Sor Juana pone en escena a Cristo-Narciso, que se contempla en una fuente y allí ve reflejada a la Naturaleza Humana. Como ésta fue creada a imagen y semejanza de Dios, Cristo, "viendo en el hombre Su imagen, / se enamoró de Sí mismo", muere por amor y deja como recuerdo y como aviso la hostia, cándida flor de la eucaristía. De sus dos comedias —*Los empeños de una casa*, 1683, de capa y espada, y *Amor es más laberinto*, 1689, mitológico-galante, cuyo segundo acto es de Juan de Guevara—, la primera es la mejor. La comedia *Los empeños de una casa* (Calderón había escrito una con el título *Los empeños de un acaso*) es divertidísima. Se desenvuelve de engaño en engaño, de equívoco en equívoco, con escenas a oscuras o a media luz, escondites, embozos y disfraces. La acción, de pocas horas, transcurre en Toledo, y son tan vertiginosas sus vueltas que levanta vuelo y se aleja de la tierra. Hasta los personajes están mareados. No saben si sueñan o si están despiertos; no comprenden lo que pasa a su alrededor o son conscientes de que los han arrojado en una tramoya de teatro. Uno invoca así al pícaro mexicano, Martín Garatuza: "inspírame alguna traza / que de Calderón parezca". Calderón, en efecto, es el maestro que le ha enseñado a Sor Juana a enredar los destinos humanos. Sin embargo, como en un caleidoscopio, este barroco juego de espejos e ilusiones tiene su geometría. Se adivina la sonrisa burlona de Sor Juana ante la necedad de hombres y mujeres que creen que es posible forzar el amor. Don Pedro ama a Doña Leonor, pero Doña Leonor ama a Don Carlos. Don Juan ama a Doña Ana, pero Doña Ana ama a Don Carlos. Al final sólo es feliz la pareja de amantes sinceros: el buen Don Carlos y la discreta y hermosa Doña Leonor, en quien parece haberse retratado la misma Sor Juana. A pesar de lo artificioso y convencional de las situaciones dramáticas, el diálogo va revelando un agudo conocimiento de los secretos del corazón y de los móviles de la conducta. En el sainete intercalado entre el segundo y tercer actos alguien afirma, a propósito de comedias, "que siempre las de España son mejores", y que nadie se atrevería en México a silbar "una de Calderón, Moreto o Rojas". Por eso será que *Los empeños de una casa*, siguiendo la moda de más prestigio, sitúa la acción en España: hay, sin embargo, un personaje mexicano, el gracioso Castaño. Ya que hemos mencionado ese sainete digamos que ofrece un valor excepcional: los interlocutores, mientras esperan la tercera jornada de *Los empeños de una casa*, se burlan de las dos primeras; es decir, que Sor Juana convierte en espectáculo la conversación que suele entablarse durante el intervalo de una función teatral, creando así una interpenetración, muy moderna, de público y escenario, de críticos y actores. Este procedimiento, que rompe la frontera entre ficción y realidad, se usa sorprendentemente en la tercera jornada, cuando Castaño, al disfrazarse de mujer, de pronto se dirige al público y consulta a las señoras sobre prendas íntimas.

Sor Juana sintetizó todas las corrientes apreciadas y practicadas en la primera mitad del siglo: tradicionales, renacentistas y barrocas, populares, cultas y vulgares, aquí una lira a lo San Juan, allá una silva a lo Góngora o una décima a lo Calderón o un romance a lo Lope o una jácara a lo Quevedo. Hizo oír en poesía la voz del negro. El tema del negro existía en la literatura de Hispanoamérica. Llegan negros en 1502, en la flota de Nicolás de Ovando, y aparecen en las crónicas. Los poetas del Renacimiento (Castellanos, Ercilla) lo presentaban como ínfima gente. Pero Sor Juana, con esa abierta curiosidad del barroco, poetiza al negro o lo aprovecha para dar color y ritmo a su poesía. Desde entonces el negro —fundido en la población de América— se moverá por nuestras letras hasta lograr una espléndida expresión en el siglo xx.

MISTICISMO

Otras mujeres habían sido ya notables en este período: en el Ecuador, Jerónima de Velasco; en el Perú, Santa Rosa de Lima (1586-1617) y dos poetisas a quienes conocemos como Clarinda, autora de un "Discurso en loor de la poesía", en tercetos, y Amarilis, que envió a Lope de Vega una epístola en forma de silva. Pero la mujer que, después de Sor Juana, más alto llega en la expresión poética de este siglo es la elocuente monja de Nueva Granada SOR FRANCISCA JOSEFA DEL CASTILLO Y GUEVARA, llamada MADRE CASTILLO (Colombia; 1671-1742). Al decir expresión poética no nos referimos solamente a sus versos (algunos de los que se le adjudicaron resultaron ser de Sor Juana) sino a ciertas revelaciones de su prosa ascética y mística. Sus lecturas habían sido muy mezcladas: al lado de los libros religiosos —la Biblia, Santa Teresa, San Ignacio, el Padre Osuna, etc.— las novelas y libros de comedias que ella llamó "la peste de las almas". Con temas y formas de la literatura religiosa y de la literatura barroca hizo su propia literatura, no por vocación, sino por orden de sus confesores. Se advierte en su prosa un lento progreso, del amaneramiento y desaliño de las primeras páginas a la sencillez de las últimas. Escribió una especie de diario de sus íntimas devociones: los editores lo han llamado *Afectos espirituales*. Cuando lo comenzó tenía veintitrés años de edad: su prosa era insegura, artificiosa, exuberante, oscura, recargada de figuras retóricas, defectuosa en sus amplios períodos. Veinte años después continuaba su diario, pero la prosa era más sobria. Ya entonces había comenzado una autobiografía, desde la infancia hasta que abandonó la gobernación del convento —los editores la han llamado *Su Vida*—: por ser obra de madurez, la *Vida* se diferencia de los *Afectos*, no sólo porque nos da anécdotas y episodios de las buenas y malas costumbres conventuales, sino porque está redactada con una prosa menos frondosa, menos confusa. Dejando de lado las virtudes de la prosa —que en ella no fueron nunca excelentes— la Madre Castillo nos interesa porque su sinceridad religiosa atravesó como un rayo de luz sus pesadas palabras. Su vocación era tan intensa que no se parece a nadie de su época. Con vuelo oratorio la Madre Castillo va a posarse en lo alto de los grandes temas cristianos. Es desordenada, digresiva, sin rigor doctrinal. Pero en sus páginas relucen las metáforas y al relucir iluminan los sentimientos de un alma estremecida por el goce y el pánico de sus visiones de Dios. Fue la mística de nuestras letras.

CAPÍTULO IV

1701-1759

[Nacidos de 1675 a 1735]

Marco histórico: El trono de España pasa a los Borbones. Bajo Felipe V y Fernando VI el Imperio español comienza a esforzarse para retener sus colonias.

Tendencias culturales: Fines del Barroco. El Rococó. El Neoclasicismo.

Desde fines del siglo XVII Francia ejercía una hegemonía cultural sobre toda Europa. España recibió esta influencia antes que los Borbones entraran a gobernarla. Sin duda el cambio dinástico la favoreció. Sólo que, más que afrancesarse, España se europeizaba: al lado de las influencias francesas hay que tener en cuenta las italianas y las inglesas. Pero el desnivel entre España y el resto de Europa era tan marcado, que la ascensión cultural española fue lentísima. En Europa, en una sola generación —digamos: de 1680 a 1715—, se impuso la Ilustración. En España, en cambio, el nuevo espíritu, racionalista en filosofía, clasicista en literatura, empieza a manifestarse en la tercera década del siglo. Hasta entonces la literatura dominante seguía siendo la barroca. Como es natural, la ascensión de la cultura hispanoamericana fue aún más lenta. Las corrientes de la Ilustración pasaron de España a América e influyeron en las ideas y costumbres; pero no inspiraron una literatura neoclásica hasta al final del siglo XVIII. La literatura quedó rezagada, pues, en la marcha de las colonias detrás de la metrópoli. Se cultivaba el estilo barroco cuando ya en España estaba olvidado, se transformaba en rococó o era recordado burlonamente. A falta de grandes personalidades —apenas podríamos mencionar las de Peralta Barnuevo, Juan Bautista Aguirre, Paz Salgado, Santiago Pita— tendremos que intentar aquí la pintura de una atmósfera cultural. Comparada con la de Europa, y aun con la de España, es pobrísima. Sin embargo, no podemos prescindir de ella, si queremos comprender el lento amanecer del espíritu setentista. Nuevas luces empiezan a desleír el cielo. Desde el punto de vista de las ideas, las primeras irradiaciones de la Ilustración se infiltran a través de las nubes de la Escolástica. Desde el punto de vista de las letras (más o menos bellas) los colores cálidos del Barroco se suavizan en rosados rococós, se enfrían en azules neoclásicos. El orden de las ideas y el orden de las letras no están tan separados en la realidad como parecen estarlo en las frases que acabamos de escribir. Hay —¡los benditos estorbos a toda clasificación!— fenómenos intermediarios: tratados con asomos literarios y literatura con propósitos didácticos; y el barroco, a pesar de que el neoclasicismo quiera interceptarle el paso, continúa por todo el siglo. Con esta advertencia, de que no hay demarcaciones fijas, hablaremos primero de los escritores de prosa discursiva y después de los que, en prosa o en verso, quieren entrar en la literatura.

DE LA ESCOLÁSTICA A LA ILUSTRACIÓN

El centro de las ideas está ahora fuera de la cultura hispánica. Lo que está pasando en Europa (y España es la última en enterarse) es nada menos que la liquidación de la cosmología cristiana, tal como la habían organizado las iglesias, y, en cambio, el triunfo de una nueva cosmología fundada en la razón y la experiencia. A vista de pájaro (un pajarón profesor de filosofía) el lento y complejo proceso de descomposición de la autoridad intelectual de la Iglesia católica, apostólica y romana ocurrió al mismo tiempo que la exploración, conquista y colonización de América: entre el siglo XV y el XVIII. Y los agentes corrosivos de esa descomposición fueron, en Europa, el Protestantismo, el Humanismo y el Racionalismo. Gracias a la acción disolvente de estas

tres fuerzas la cultura occidental se renueva radical-
mente: a la cultura del siglo xviii se la llama Ilustración. La Ilustración europea consiste en la creencia de
que los hombres podemos, aquí, en este mundo real,
lograr una perfección que para la Escolástica sólo era
posible a los cristianos en estado de gracia, después de
la muerte. Newton (la naturaleza puede ser explicada
racionalmente) y Locke (podemos aplicar a las cosas
humanas soluciones naturales) se integran en la Ilustración (naturaleza, razón) y sustituyen los anteriores principios de gracia, salvación, predestinación, etc. Los ingleses Newton y Locke no fueron tan lejos como los
franceses que se educaron con sus ideas. Los franceses
fueron los difusores. En la primera mitad del siglo xviii
—escenario de este capítulo— iluministas como Voltaire y Montesquieu constituyen una generación mo-
derada. Son deístas que se burlan de lo que les disgusta.
Sólo en la segunda mitad del siglo —escenario de los
próximos capítulos— aparecerá una generación de iluministas radicales. Ya el disgusto no les permite la
risa. Años de ateísmo, de mecanicismo. Y todavía habrá
una tercera generación de iluministas (racionalistas clásicos que siguen a Holbach; románticos sentimentales
que siguen a Rousseau, con un ideal de hombre razo-
nable y sentimental, inteligente y bondadoso, sano de
cabeza y de corazón) que son los que hicieron la revolución de la América sajona (1776) y la Revolución
Francesa (1789) e influirán en los revolucionarios de
la Independencia de Hispanoamérica. Pero no nos apre-
suremos. Estamos en el período de 1701 a 1759. En
Europa, repetimos, ha habido un cambio: la vida baja
del cielo sobrenatural, cristiano, después de la muerte,
a una tierra donde de un momento a otro se va a lograr
una felicidad natural. Cambio que implica la doctrina
del progreso, por irradiación de las luces de la razón.
La Iglesia había enseñado siempre. Ahora hay que enseñar a la Iglesia. Y la Iglesia, en efecto, no puede
menos de aprender. La Razón nos hace comprender

las leyes de la Naturaleza. En un Universo-reloj, hecho por un Dios-relojero, vive un hombre capaz de leer el movimiento de sus agujas. Dios existe para el deísta Voltaire. Pero no hay por qué rogarle que haga milagros: basta con comprender el reloj. (De 1750 en adelante Dios será prescindible: lo sustituirá la Diosa Razón.) La ética cobra autonomía. Para los cristianos, el hombre nace del pecado: el mal se explica por la codicia humana, y la salvación de Cristo no inspira una política cultural de mejoramiento del ambiente. Para los iluministas, el ambiente es decisivo. Por eso hay que arreglar razonablemente las circunstancias exteriores de la vida, para que el hombre se oriente hacia el bien. El cristianismo, evidentemente, no desaparece. Resiste, y sigue arrastrando las masas. Pero en ninguna parte la Iglesia ha conservado tanto su poder como en España. En Europa los filósofos del siglo XVIII protestaban porque había muchas cosas que ofendían la razón: todo el pasado medieval, sobreviviendo en instituciones arbitrarias. Más aún: la razón —después de Descartes, Newton, Locke— reclamaba el poder de organizar los asuntos humanos y sociales. En España el nuevo espíritu no salió del ámbito de la Iglesia. El espíritu humanitario se dio dentro de la Iglesia, en un sector del clero y de la grey, sector no públicamente visible o diferenciado. Entre el cielo místico del cristianismo y el cielo terrestre que los iluministas colocaban en el futuro, hay en España un cielo intermedio: que los cristianos mejoren la sociedad dentro de la Iglesia. De los tres agentes de disolución que del siglo XV al XVIII cambiaron en Europa la concepción del mundo, el Protestantismo no tuvo fuerza en España; y el Humanismo y el Racionalismo operaron desde la Iglesia. España no estaba preparada para el salto que dio Europa; y aun las ciencias naturales y físicas siguen en el siglo XVIII atadas a las autoridad eclesiástica. Piénsese, en el período que nos ocupa, en la labor de un Feijoo, que concilia la religión y la filosofía. En Hispanoamérica la ortodoxia fue aún mayor: por lo menos aquí sólo se manifiesta lo ortodoxo. A principios del siglo XVIII no se había deslizado en las colonias americanas el pensamiento moderno, ni en filosofía ni en religión. (Hasta las últimas décadas del siglo predominará el escolasticismo.) La Teología se basaba en la revelación, y procuraba demostrarla racionalmente. No se conoció, pues, el racionalismo tipo Descartes (sólo poquísimas excepciones), sino el racionalismo escolástico. Las ciencias dependían de la Teología, y la razón de la fe. Las discusiones que hay son intra-eclesiásticas. Sátiras y polémicas dan una apariencia ilusoria de libertad intelectual. En el fondo, son trifulcas de familia: la orden dominica y su escuela tomista; la franciscana y su escuela escotista; la jesuita y su escuela suarista... Los tomistas dominaban la cultura, y es natural que algunas órdenes religiosas se resintieran. Si había tanta tirantez dentro de la Iglesia, es fácil imaginarse la resistencia a lo francamente heterodoxo. El escolasticismo, al principio, rechaza en absoluto las tendencias ilustradas; después, se fortifica tomando conciencia de sí mismo y cuidándose de sus debilidades; por último, algunas voces aisladas se levantan, dentro de la Iglesia, contra la Escolástica. No puede culparse solamente a la Inquisición de este misoneísmo (odio a lo nuevo). Las inquisiciones hispanoamericanas no necesitaban censurar lo hispánico porque ya venía censurado por la de España. Las censuras a lo francés e inglés revelaban más bien un espontáneo "santo horror" por las novedades que una política inquisitorial. La Inquisición operaba prácticamente, no especulativamente. Prohibía, no discutía. Su doctrina era que las grandes verdades ya estaban descubiertas y, por lo tanto, no hay progreso posible. Los anales de la Inquisición no ofrecen interés, pues, para una historia de las ideas: sólo nos dan datos sobre las ideas prohibidas. Otra fuerza represiva de las nuevas ideas fue la literatura apologética en defensa de la Iglesia y contra lo moderno. Para ser católico —se dice— no se necesita ser filósofo; pero si se es católico y filósofo, hay que ser aristotélico.

Crónicas, tratados, libros didácticos

Útiles para el historiador de la cultura hispanoamericana, pero no interesantes para el lector ávido de ideas, son las crónicas, historias, memoriales, tratados de crítica, teología, ciencia y filosofía que aparecen en la primera mitad del siglo xviii. Una historia de la cultura tiene que hacerse con hechos; pero a veces, para comprender la renovación filosófica en este siglo xviii, hay que imaginarse que debió de haber habido hombres que pensaban fuera del cauce aristotélico-escolástico, sólo que no podían expresarse. Así, el historiador se encuentra con una situación difícil: debe quitar importancia a muchos escritos de este siglo, porque son ecos muy tardíos; y dar importancia, en cambio, al vacío de lo no escrito, porque allí, en su silencio, se están incoando las voces nuevas que han de irrumpir de un momento a otro. En Europa hubo movimientos nuevos; en Hispanoamérica, sólo unos pocos hombres nuevos, que para peor no se expresaron. En Europa hubo movimientos nuevos porque los cambios se habían gestado bien. El siglo xvii, se ha dicho, fue "un siglo de genios". Galileo y Descartes tuvieron discípulos experimentadores, como Torricelli y muchos más. En Hispanoamérica los experimentos eran ínfimos: Sor Juana nos hace sonreír piadosamente cuando habla de experimentos en la cocina. En la filosofía tampoco Hispanoamérica había dado genios en el siglo xvii. El siglo xviii hispánico, pues, no estaba preparado para el salto que dio la Ilustración de la Naturaleza a la Razón. Nuestra ciencia siguió atada a la autoridad de la Iglesia; y cuando se suelta no es como lo hace una criatura en una matriz grávida, sino como una rama bajo el hacha del leñador que golpea desde fuera, desde Europa. En Europa la Ilustración sentía que griegos y

romanos primero y después renacentistas y reformistas
habían contribuido a la exaltación de la razón. La Iglesia católica, medieval y oscurantista, era para los iluministas el mal. La Ilustración, como toda religión nueva,
necesitaba un Diablo, y la Iglesia fue este Diablo. Pero
en Hispanoamérica esto no era posible. Todo en la
cultura hispanoamericana era diferente. Griegos y romanos eran conocidos en versiones de la Iglesia; renacentistas y reformistas no se habían alejado de la Iglesia. Y la Ilustración hispánica no rompió con la Iglesia,
comparativamente.

Dijimos que, a falta de grandes personalidades, pin-
taríamos una atmósfera cultural. A las atmósferas se
las pinta a largas pinceladas, como en la síntesis que
dimos en las páginas anteriores, o con un puntillismo
de toquecitos de pincel, que es la nómina que daremos
en seguida. Estos nombres, por lo general, no significan nada en la historia de la literatura; pero por estar
todos juntos darán al ojo del lector la sensación de un
grupo humano laborioso.

Como la mayoría eran sacerdotes, los más escribían
de religión o sobresalían en la oratoria sagrada. La oratoria es el arte de usar la lengua oral para actuar prácticamente sobre los oyentes. Documenta, pues, no sólo
las ideas, sino el gusto. Y hay que estudiarla también
porque suele chantar sus esquemas lingüísticos en la
literatura. El culteranismo llegó a la oratoria. América
tuvo sus Fray Gerundios de Campazas. Y también sus
Padres Islas que los fustigaban. Pero hubo brillantes
oradores sagrados, como el P. Francisco Javier Conde
y Oquendo (Cuba; 1733-1799). Y teóricos de la oratoria, como Joaquín Díaz Betancourt (México; fl.
1752) y Martín de Velasco (México; fl. 1726). Entre
la gente religiosa que escribió sobre temas eclesiásticos
mencionemos a Ortiz de Morales (Colombia; fl. 1713);
José J. Parreño (Cuba; 1728-1785); Vergara y Azcárate
(Colombia; m. en 1761). Nos interesa especialmente
el jesuita Manuel Lacunza (Chile; 1731-1801). Era

un "milenarista", o sea, que creía en la antiquísima profecía de que el mundo finiquitaría dentro del sexto millar de años. Así como la creación del mundo, según el Génesis, había llevado seis días, después de seis mil años la historia humana llegaba a su término: después imperaría la justicia y la bondad sobre la tierra, en un séptimo millar de años. Para defender a los milenaristas Lacunza escribió *La venida del Mesías en gloria y majestad*, con gran aparato de erudición bíblica y mucho gasto de ingenio. La redacción quedó concluida hacia 1790: fue editada póstumamente entre 1810 y 1812. Figuraba como autor Josaphat Ben-Ezra, "hebreo cristiano". La Iglesia la puso en el Índice, no por sus creencias (que eran "opinables" para un católico) sino por desvíos menores: por ejemplo, la idea de que la Iglesia también caería en la prevaricación en los días del Anti-Cristo. No deja de tener un aura poética la profecía de un reinado de Jesucristo en la tierra durante mil años, imaginado en una utópica comunidad con una sola lengua, ninguna discordia y el infierno clausurado.

Entre los cronistas e historiadores mencionemos unos pocos: Fray Domingo de Neyra (Argentina; 1684-1757), con una que otra buena descripción de su país; el obispo Pedro Agustín Morell de Santa Cruz (Santo Domingo-Cuba; 1694-1768), pasable prosista en *Historia de la Isla y Catedral de Cuba*; Basilio Vicente Oviedo (Colombia; 1699-1780), que con las *Cualidades y riquezas del Nuevo Reino de Granada* forma un tesoro de cosas que admira pero que también quiere usar prácticamente. José Martín Félix de Arrate y Acosta (Cuba; 1701-1765) dejó una historia aparentemente desordenada y farragosa, pero con un plan; o, por lo menos, con una dirección constante, la de su amor a Cuba, la de su orgullo en ser criollo de pura ascendencia española. Su *Llave del Nuevo Mundo* (1761) comienza a girar desde el Descubrimiento mismo; pero la vuelta en que abre algo es esa en que siente el latido

de su propio tiempo. El aristócrata Arrate, herido porque algunos españoles desprecian a Cuba, les recuerda que también ellos son despreciados por los europeos
como "atrasados". En unas pocas páginas habló con
gusto de la belleza del paisaje, las fiestas campestres,
las etiquetas de la corte, el brillo de la ciudad, las
modas, el refinamiento y el lujo: ideal de elegancia, de
licencia, de frivolidad, ostentación y fiesta que, cuando
más adelante se haga más fuerte, inspirará un estilo
rococó. El padre JUAN DE VELASCO (Ecuador; 1727-
1792) es una de las figuras importantes en su nación.
Su *Historia del reino de Quito* (1789), si bien rica en
observaciones y datos, es fabulosa, legendaria, imaginativa. Hay allí gigantes y amazonas. Los Andes son el
resultado del Diluvio. Piedras y plantas tienen vicios
y virtudes. Como en una novela de caballería el emperador Huaina-Cápac enamora a la reina Shiri Paccha
y se hace la paz entre pueblos enemigos. El hijo de ese
amor, Atahualpa, vencerá a su hermanastro Huáscar,
hijo, no del amor, sino de la "razón de Estado" entre
el Inca y la Coya imperial. FRANCISCO XAVIER ALEGRE
(México; 1729-1788) dejó una redacción de la "historia de la Compañía de Jesús en la Nueva España" casi
terminada cuando lo sorprendió la expulsión de los
jesuitas; en Bolonia redactó, "casi de memoria", un
compendio de la misma. FRANCISCO XAVIER CLAVIGERO
(México; 1731-1787) publicó en italiano su historia
de México: el original castellano permanece inédito.
Idealizó la realidad precortesiana con un sentimentalismo moderno; si bien había leído autores de pensamiento crítico —Feijoo, Descartes, Newton, Leibniz—
en sus comentarios a los milagros las preocupaciones modernas parecen estar ausentes.

Había quienes escribían de jurisprudencia (MELÉN-
DEZ BAZÁN, Santo Domingo, m. en 1741) o de cien-
cia (SÁNCHEZ VALVERDE, Santo Domingo, 1720-1790;
FRANCISCO XAVIER GAMBOA, México, 1717-1794; PEDRO
VICENTE MALDONADO, Ecuador, 1710-1748) o de filo-

sofía (José Antonio Alzate, México, 1729-1799). Hubo latinistas (Joaquín Ayllón, Ecuador, m. en 1712; Juan B. Toro, Colombia, 1670-1734). Juan José de Eguiara y Eguren (México; 1695-1763) formó su importantísima *Bibliotheca Mexicana* para destruir la "leyenda negra" que los europeos habían fabricado contra América: ante el prejuicio de que la naturaleza del nuevo mundo impide el desarrollo del espíritu, él va a mostrar la precoz y brillante fecundidad de las letras de México.

En medio de la literatura religiosa —misticismo, hagiografía, etc.— el pensamiento, aunque presienta el cambio de filosofía, se retrae a las viejas explicaciones. Religión, moral y derecho andaban juntos en la escolástica; y ahora continúan juntos en los intentos de explicar América. ¿Cuál es el origen de América? ¿Cómo comprender estas tierras —desconocidas por los antiguos— dentro de la cosmología y la cronología escolásticas? Aun a fines de la colonia se propondrán hipótesis pintorescas: por ejemplo, las de Francisco Xavier Alejo Orrio (1763), *Solución del gran Problema acerca de la población de América en que sobre el fundamento de los libros santos se descubre fácil camino a la transmigración de los hombres del uno al otro continente;* o las de Ordóñez y Aguiar, *Historia de la creación del cielo y la tierra conforme al sistema de la gentilidad americana.* Y podrían agregarse las prodigiosas explicaciones de Pedro Lozano (España-Paraguay; 1697-1752), autor de la *Descripción del Gran Chaco;* José Guevara (España-Argentina; 1719-1806), autor de la *Historia del Paraguay, Río de la Plata y Tucumán.* En vez de describir las peculiaridades de América, se seguía encubriéndolas con nociones europeas. Conocer América era coordinarla con la Biblia y la cultura greco-latino-medieval. Entre la creación del mundo y el Diluvio —período de 1656 años, ni más ni menos— la tierra era una única y maciza masa continental por donde se repartieron los hombres. Después del Dilu-

vio, el arca de Noé llegó a la gran isla Atlántida, escala
de comunicación con el nuevo mundo. O quizá el dios
heleno Posidón fue el primer poblador de esa Atlántida; y su descendencia pobló las tierras americanas. La
civilización maya o la azteca ofrecen riquezas arqueológicas y folklóricas que esos españoles de la primera mitad
del siglo XVIII no saben estimar: quieren forzarlas dentro de un marco bíblico de historia universal. No obstante, esta imagen escolástica del mundo sufrirá en
pocos años un golpe tan recio que se vendrá al suelo
y se levantará en cambio una interpretación racionalista. El religioso que mejor vio la amenaza, el golpe
y el derrumbe, y que con más energía defendió a la Iglesia, fue JOSÉ MARIANO VALLARTA Y PALMA (México;
1719-1790). Denunció los caminos ocultos por donde
venía la filosofía impía y, así, fue tal vez el primer
escolástico hispanoamericano que hizo una historia de
las ideas. Sólo que, para él, era la historia del Mal.
Comenzó a escribir en México. Expulsado, junto con
los otros jesuitas, se fue a Italia y allí vio triunfante lo
que desde Hispanoamérica se veía sólo como amenaza.
Es decir, que vista desde América la filosofía moderna
era una tormenta en cierne; y vista desde Europa, la
tormenta ya había devastado la cristiandad. Descartes,
Gassendi, Copérnico, Newton son los causantes de tanto
principio infame, antirreligioso. A Newton lo consideraba el más peligroso, por su teoría de que los cuerpos
del mundo se habían creado desde el comienzo por
partículas de la materia primera, puestas en movimiento. Las leyes de la atracción y repulsión dañaban —decía Vallarta— la explicación de la Iglesia en el Génesis.
Todo experimento es un escandaloso desvío de la
Teología. Y aun la poesía, cuando canta la libertad
en vez de cantar el sometimiento a la ley divina, niega
la fe de Cristo. Había tendencias más modernas de
pensamiento, pero no se soltaron de las faldas de la
madre Iglesia, en esto diferentes a las tendencias del
resto de Europa. El pensamiento, con todo, se iba mo-

dernizando en las colonias. Ya bajo estos reinados de
Felipe V y Fernando VI se advierte el cambio. Para
emular con Francia e Inglaterra, la propia España organiza expediciones científicas. En 1736 llega la comisión
de La Condamine, con sabios franceses, para medir en
el Ecuador un grado del meridiano terrestre: participan
don JORGE JUAN (España; 1713-1773) y don ANTONIO
DE ULLOA (España; 1716-1795), cuyas observaciones
geográficas, náuticas, sociales y culturales pasan a *Relación histórica del viaje a la América meridional* (1748)
y a las casi revolucionarias *Noticias secretas*, de autenticidad discutida. La *Relación histórica* representa bien
ese tipo de literatura científica en la que descollaría
más adelante Alejandro de Humboldt con su *Voyage
aux regions équinoxiales du Nouveau Continent*. Ulloa
asentó, en numerosas relaciones e informes, sus experiencias de muchos años de América, en varias funciones administrativas, en varios escenarios. Su visión de
conjunto se revela en las *Noticias americanas* (1772).
Se las recibió elogiosamente. Se carecía entonces de
una ordenada y amena descripción global del medio
americano. Allí dejó abundantes datos sobre las características fisiconaturales de América y sobre las posibilidades abiertas al trabajo humano. Estos sabios
extranjeros dejan huellas: orientación de claridad intelectual frente a la erudición barroca. La erudición adquirió entonces sentido crítico y fue convirtiéndose en
un movimiento antiescolástico. La filosofía europea
fue su nervio. Aun los religiosos tuvieron que renovar
el contenido de sus enseñanzas. El interés por lo nuevo
fue acrecentándose en la segunda mitad del siglo. Por
eso estudiaremos en el próximo capítulo la obra de
Pablo de Olavide, a quien, por haber nacido antes
de 1735 (como también José C. Mutis), alguien podría
exigirnos que lo situásemos aquí. En cambio, traemos
aquí a otro escritor que, por haber nacido antes de
1675, debió haber sido estudiado en el capítulo anterior,
sólo que nos ayuda a ilustrar la orientación cultural de

estos años: Peralta Barnuevo. Y como él hizo literatura, nos servirá para encabezar el próximo parágrafo.

DEL BARROCO AL ROCOCÓ

Dijimos que el predominio que la filosofía escolástica tenía sobre toda la vida intelectual desde la Contrarreforma hizo difícil la penetración de principios racionalistas y métodos experimentales. Aun los espíritus más ávidos de conocimiento —como el peruano PEDRO DE PERALTA BARNUEVO, 1663-1743— vacilan entre la verdad y la fe, salen al encuentro de las noticias de la filosofía y ciencia europeas pero retroceden sin atreverse a sumarse a ese viaje que todos los países, menos España, emprendieron desde el Renacimiento hasta hoy. Peralta Barnuevo no sólo podría estudiarse en dos regímenes políticos (la primera mitad de su vida bajo virreyes de los Austrias; la segunda, bajo virreyes de los Borbones), sino que su obra, aunque dominada por los rasgos de la cultura barroca del siglo XVII, ofrece también las primicias del afrancesamiento neoclásico en América. Su mucho saber —fue historiador, jurista, teólogo, matemático, ingeniero, astrónomo, dramaturgo y poeta que se ensayó en varias lenguas— pertenece a ese tipo de hombre culto que ya estudiamos con Sigüenza y Góngora; pero anticipó también el ideal enciclopedista del siglo XVIII. Sólo que está más cerca de la escolástica que de la enciclopedia; y si por momentos parece un precursor es por un fenómeno mimético: las tradiciones escolásticas con su gusto por las grandes síntesis, al posarse en el siglo XVIII, se parecen al racionalismo iluminista, como ciertas mariposas parecen hojas al apoyarse en las ramas. Peralta, a pesar de sus ciencias —cosmografía, matemáticas—, a pesar de sus técnicas —dirigió los trabajos de fortificación de Lima—, se atiene a la mística. Su libro *Pasión y triunfo de Cristo* (1738) es expresión de una filosofía anterior a la Ilustración: desilusionado de antemano por una ciencia que sólo vio en sus comienzos, Peralta afirma que la verdadera sabiduría es inescrutable, tan inescrutable como Dios mismo. El Universo no puede reducirse a ley humana. Lo menos olvidable de su obra literaria es el poema *Lima fundada* (1732) con algunos toques gongorinos, la comedia-zarzuela *Triunfos de amor y poder* (1711?), con dioses mitológicos en amores humanos y de una escenografía más al gusto italiano que al de la época de Lope; la comedia *Afectos vencen finezas* (1720); y una tragedia, *La Rodoguna*, calcada de *La Rodogune* de Corneille. Se nota también la influencia de *Le Malade imaginaire* y *Les Femmes savantes*, de Molière, en dos fines de fiesta que escribió; influencia temprana, pues por lo menos una de esas piezas fue de 1711. Escribió, además, entremeses y bailes. Lo más ambicioso de su teatro es *Afectos vencen finezas*, enredo a lo Lope pero sin su poesía, a lo Calderón pero sin su filosofía. Son amores entre príncipes y princesas en un mundo seudogriego donde siempre se habla con pompa. El lector se distrae y pierde los hilos. No hay una sola escena de real valor artístico. Y sólo unos versos suenan bien: se admira en ellos más la variedad de metros que la de imágenes. Todo parece haber entrado en un gris crepuscular: el amante no es tan apasionado, el perverso no es tan infame, el gracioso no es tan chistoso. Y aunque Olimpia, al oír cantar las penas de Roxana, da la fórmula de la catarsis estética ––"En fin, el mal no es tan feo / cuando canta bien sentido; / que es otra cosa el gemido / puesto en traje de gorjeo"––, lo cierto es que los sentimientos en la comedia no se depuran hasta alcanzar categoría poética. Uno de los pasajes más vivos —el relato que Lisímaco hace de su lucha con el león— divierte pero no conmueve. Hay situaciones que, en sí mismas, son agradables. Lisímaco y Orondates andan por un bosquecillo suspirando de amor por princesas a las que creen muertas; al verlas creen que son imágenes de ensueño; más tarde en la corteza de los árboles ven grabadas letras que les recuerdan las letras de ellas; deciden seguir esas pistas; entretanto, una de las amadas, Estatira, se ha encaminado hacia un arroyuelo que copia en su cristalina corriente "mis afectos en lo puro, / mis llantos en lo perenne". "Aprende de él [le responde Cleone]: ¿no reparas / que, si el curso le impidiesen, / castigara a inundaciones / el error de detenerle?" Los dos héroes la encuentran allí, dormida; las jornadas terminan con intenso movimiento: reconocimientos, duelos a cuchilladas, rapto en carroza, persecución... Canciones y bailes suben algo el punto lírico de la comedia.

TEATRO

Ya que hablamos de teatro detengámonos ante un fenómeno curioso: la abundancia de producción teatral en todas las colonias, de la que da una idea un mero padrón de autores. En México, José Mariano Abarca, Pedro José Rodríguez de Arizpe, Felipe Rodríguez de Ledesma y Cornejo, José Antonio Rodríguez Manzo, Manuel Urrutia de Vergara, Manuel Zumaya. En Colombia, Jacinto de Buenaventura. En el Perú, Félix de Alarcon, Pedro Bermúdez de la Torre, Manuel Oms, Marqués de Castell-dos-Ríus, Vicente Palomino, Domingo Prieto. En Bolivia, Salvador de Vega. En Argentina, Antonio Fuentes del Arco. De todos estos no hay ninguno de real vocación teatral. Por lo general son autores de una sola obrita (loas, entremeses, bailes, sainetes, fines de fiesta, coloquios, etcétera). O, en el mejor de los casos, de cuatro o cinco. Dramas o comedias rarísimas. Las loas se escribían en verso en ocasión de un nuevo rey, virrey o arzobispo. Solían tener personajes simbólicos (de la mitología, como Apolo, Febo; o de cualidades, como la bondad y la riqueza) y también "indios" y "caballeros", según se representara América o España. El gusto por el teatro se repartía en todos los niveles: teatro aristocrático en palacios; teatro popular en corrales;

teatro como diversión para todos en la "Casa de Comedias"; teatro religioso en los conventos. Destacaremos, de una veintena de escritores que se dedicaron al teatro, sólo unos pocos. FRAY FRANCISCO DEL CASTILLO ANDRACA Y TAMAYO (Perú; 1716-1770) escribió comedia, drama, bailes, loas, sainetes, piececillas alegóricas y un *Entremés del Justicia y litigantes* muy divertido en su desenvuelto diálogo y en sus personajes tomados de la realidad. Era un repentino versificador satírico, procaz, popularísimo en sus "coplas del Ciego de la Merced". JERÓNIMO DE MONFORTE Y VERA (Perú) dejó un estimable sainete —*El amor duende*, 1725—, el más entretenido en estos años, con tipos de español enamorado, de "tapadas" coquetas, de negra bozal, con acción rápida, diálogo gracioso y callejuelas limeñas por escenografía. EUSEBIO VELA (España-México; 1688-1737), continuador de la escuela de Calderón, representaba comedias en los palacios virreinales. Se han editado tres: *Si el amor excede al arte, ni amor ni arte a prudencia, La pérdida de España por una mujer* y *El apostolado en Indias y martirio de un cacique*. La primera escenifica las aventuras de Telémaco en la isla de Calipso, de gran aparato visual y con escenas de magia y encantamiento; la segunda escenifica el tema tradicional de Rodrigo; la tercera es una apología de los misioneros franciscanos, de Hernán Cortés y de sus soldados. Vela no se queda en chiquitas: echa mano de los recursos más espectaculares de que es capaz el teatro, aun fuegos y derrumbamientos, y todo lo exagera hasta el máximo posible. JOSÉ AGUSTÍN DE CASTRO (México; 1730-1814), poeta de calderoniano gusto, autor de loas y autos, es estimado por *Los remendones*, "petipieza nueva", y *El charro*, "juguetillo nuevo". Una de las comedias más líricas y elegantes de este período fue *El príncipe jardinero y fingido Cloridano* (entre 1730 y 1733), de SANTIAGO DE PITA (Cuba; m. en 1755). Acaso su tema provenga de la "opera scenica" del florentino Giacinto Andrea Cicognini (1606-1660): *Il*

principe giardiniero. Pero Santiago de Pita bordó su
enredo en el bastidor de la comedia española tal como
la cultivaron los ingenios del siglo de oro. Ecos del
lirismo de Lope, pero más del juego formalista de los
barrocos Calderón y Moreto se oyen en todas las escenas. Imágenes conceptistas y cultistas, procedimientos
de versificación, situaciones, convenciones, etc. nos
traen, al leer a Santiago de Pita, el recuerdo del teatro
del seiscientos. Ese siglo XVII, visto desde el siglo XVIII,
es ahora un fondo de literatura, bello en sí pero también
embellecido por la contemplación a distancia. Con nostalgias de arte, Santiago de Pita hace destacar, sobre
aquel fondo áureo, las idealizadas figuras de su comedia
poética. Hace, pues, literatura aprovechando una literatura ya venerable: por ejemplo, cuando el gracioso
Lamparón se compara a sí mismo con Sancho Panza
y describe a su amo Fadrique como otro loco Don Quijote. El barroco de Santiago de Pita es académico, sereno, elegante, sentimental. Barroco tardío, con un des-
puntar de preferencias que luego serán características
del rococó: amores en el jardín, en una Tracia utópica,
con refinamientos poéticos, aristocracia, mujeres atre-
vidas en declarar sus pasiones, exaltación del placer,
acción con geometría de danza, decorados artificiosos
pero tomados de la naturaleza, y así. Dentro del siglo XVIII esta comedia va por la corriente sentimental,
no por la racionalista del neoclasicismo. Las funciones
teatrales en los palacios solían tener tantos lujos, en
escenografía, en adornos, en música, que, de por sí y
dejando de lado qué es lo que representaban, documentan un nuevo espíritu. JERÓNIMO FERNÁNDEZ DE CAS-
TRO Y BOCÁNGEL (Perú; 1689-1737), autor él mismo de
una loa-zarzuela, ha descrito en *Elisio peruano* (1725)
el boato de una representación de Antonio de Zamora:
"empezó la orquesta a resonar la sonora sinfonía de vio-
lines, óboes y otros instrumentos... Después de un dul-
císimo grave, concluyó en festivo alegre aire de minuet
que sirvió de seña para levantarse la cortina. Descubrió-

se luego el teatro en frondoso bosque y amena floresta... No es ponderable la hermosa tempestad de luces
que, al suave trueno de un silbo, arrojó el foro en este
paso porque era una inundación de diamantes la que
ahogaba la vista en cada uno de los ilustres actores...
La rica materia, tisúes toda, de los exquisitos y primorosos trajes aun pareció se escondía avergonzada de no
poder ser más detrás de las muchas joyas que la encubrían. Las plumas y martinetes que ocupaban el aire
formaban una vaga riquísima primavera..."

LA PROSA

De la masa de escritos en prosa a que aludimos en la
primera parte de este capítulo muy poco es lo que podríamos traer a esta segunda parte, más literaria. Es
lo más barroco de esa prosa. De hecho, parecería que lo
no barroco no alcanza tampoco a ser literatura. Novela, no se espere, por lo que dijimos en el capítulo anterior. En Francia, en Inglaterra, la novela tiene que
levantarse en medio de la sorna y el desprecio de los
letrados y preceptistas, y al levantarse lo hace con los
movimientos que habían enseñado *Don Quijote* y la
picaresca. Pero a pesar de que lo mejor de la novela
europea ha de tener un cariz español (como el *Gil Blas*
del francés Lesage o los relatos de los ingleses Smollet
y Fielding), España no cuenta en estos años en la plasmación de la novela moderna. Lo cierto es que en todas
partes la novela anda de capa caída. Filósofos e ironistas
se apoderan de ella. Cuando se la quiere rehabilitar, se la
empuja hacia géneros que se consideran más nobles, y
así se habla de la novela como "poema en prosa". Poema heroico-cómico, por ejemplo (así calificaban *Don
Quijote*), o poema en prosa seria, a la manera del *Télémaque* de Fénelon, que tuvo una repercusión extraordinaria y fue imitado y leído por doquier. Los primeros años del siglo XVIII fueron en España un páramo.
Nadie sabía lo que pasaba en el mundo. Sólo en la

época de Carlos III habrá viva curiosidad intelectual, pero tampoco por la novela. Sería mucho esperar, pues, que en las colonias americanas se novelara. El abogado ANTONIO DE PAZ Y SALGADO (Guatemala; fines del s. XVII-1757) nos interesa por dos obras en las que la sátira y la anécdota se combinan con formas de narración jocosa. En *Instrucción de litigantes* (1742) procura revelar al gran público los secretos de la profesión legal. El tono festivo, los rasgos autobiográficos, los casos judiciales narrados y algún rescoldo de estilo quevedesco confieren al libro una relativa legibilidad. Más quevedesco fue *El mosqueador* (1742), "para ahuyentar... todo género de tontos". La mordaz descripción de los majaderos y de los modos de defenderse de ellos es feliz de ingenio y de expresión. Una autobiografía espiritual —*El peregrino con guía y medicina universal del alma*, 1750-1761, del fraile mexicano Miguel de Santa María, o sea MARCOS REYNEL HERNÁNDEZ— puede caber aquí.

LA POESÍA

La poesía barroca

Al pasar al examen de la poesía nuestro primer reconocimiento ha de ser la vitalidad del barroco. Que no es un estilo de decadencia, como se ha dicho, es prueba el hecho de que, en América al menos, mantiene en lo alto la imaginación mientras la poesía decae en el siglo XVIII.

Es verdad que hubo también otros tipos de poesía. Por ejemplo, la popular y la latina. En la poesía popular, satírica, ya mencionamos a Castillo Andraca y Tamayo, el de las "coplas del Ciego de la Merced"; y podríamos emparejarlo con JUAN BAUTISTA MAZIEL (Argentina; 1727-1788), poeta mediocre y oscuro —aunque jurisconsulto notable— que compuso uno de los primeros intentos de poesía gauchesca: "Canta un guaso en

estilo campestre los triunfos del Excelentísimo Señor
Don Pedro Cevallos." En la poesía latina trabajaban
los hombres de iglesia, que eran los que sentían la pal-
pitación cordial de ese estilo. Los jesuitas DIEGO JOSÉ
ABAD (México; 1727-1779), el ya mencionado Francisco
Xavier Alegre, RAFAEL LANDÍVAR (Guatemala; 1731-
1793) —sobre todo este último, autor de la importante
Rusticatio Mexicana— escribieron una poesía latina de
notable valor, ajena, no obstante, a nuestra historia.
Aquí sólo nos atañe la poesía escrita en castellano.

Dejando de lado, pues, a los poetas populares y latinos, nos encontramos al padre jesuita JUAN BAUTISTA
DE AGUIRRE (Ecuador; 1725-1786). A mitad de la cen-
turia, a más de un siglo y cuarto de la muerte de Góngora y a cuarto de siglo de la *Poética* de Luzán, Aguirre
nos da una hermosa flor barroca. Apenas nos ha dejado una veintena de poesías. Y asombra que, en tan
corto número, haya tanta variedad de tonos: composiciones morales, teológicas, amatorias, satíricas, líricas, polémicas, descriptivas. También que haya tanta variedad
métrica: sonetos, octavas rimas, silvas, canciones, liras,
romances, décimas, cuartetas. Y, por último, que haya
tanta variedad de influencias: Góngora, Quevedo, Calderón, Rioja, Polo de Medina. Para Aguirre la poesía
debió de ser un entretenimiento formal; y tal vez por
esta actitud sus mejores poemas son los barrocos, en los
que coincidía su disposición juguetona con un estilo ex-
tremadamente formal. Una lógica silogística va reco-
rriendo por dentro la sintaxis y la obliga a retorcerse y
saltar en hipérbaton, elipsis, construcciones a base de
simetrías y contrastes, etc. Pero esa lógica ha cambiado
sus abstracciones por metáforas: y así aparece una realidad rica en colores, sonidos, belleza plástica y fragan-
cia. A primera vista parece poesía dinámica. Luego uno
advierte que nada se mueve: el poeta ha descargado
violentamente una luz metafórica sobre un concepto
inmóvil (como quien, en un cementerio en tinieblas, de
golpe ilumina una lápida). Pero si lo que nos importa

no es el significado lógico de los versos ni su función
dentro de la alegoría o de la filosofía que el poeta desarrolla, sino el movimiento mismo de la metáfora, sola
como un fragmento meteórico, entonces sí debemos
reconocer cierto dinamismo en el padre Aguirre: algunas de sus imágenes acudieron con toda la intensidad
de una auténtica visión poética. Metáforas de buen
poeta en poemas mediocres. Condiscípulo de Aguirre
fue IGNACIO ESCANDÓN (1719), ecuatoriano de nacimiento, si bien residió y escribió en Lima. Fue poeta
mediocre, y lo más interesante de él fue su elogio al
Padre Feijoo y su proyecto —no cumplido— de hacer
una historia de la literatura americana: "La América
Meridional —decía—, más abundante de ingenios que
de metales... así como fue un país de literatos se hizo
un sepulcro de la memoria de ellos."

La lista de poetas barrocos sería numerosa. Baste
mencionar a FRANCISCO RUIZ DE LEÓN (México; 1683),
que está todavía gongorizando en *La Hernandía* (1755),
relación en verso de las hazañas de Hernán Cortés, y
en su poema religioso *Mirra dulce*; JOSÉ SURÍ Y ÁGUILA
(Cuba; 1696-1762), poeta de corte religioso, improvisa-
dor en fiestas y ceremonias eclesiásticas, rebuscador de
palabras con afán barroco; LORENZO MARTÍNEZ DE AVI-
LEIRA (Cuba; 1722-1782), también poeta religioso, con
una que otra composición satírica. El historiador Juan
de Velasco, de quien ya hablamos, nos dio una *Colección de poesías varias, hecha por un ocioso en la ciudad
de Faenza, en 1790*, la primera de poetas ecuatorianos.
Allí están RAMÓN VIESCAS, autor de un "Sueño sobre
el sepulcro del Dante"; JOSÉ OROZCO (1733-1786),
autor del poema heroico "La conquista de Menorca";
los hermanos AMBROSIO y JOAQUÍN LARREA; el nostálgico
MARIANO ANDRADE (1734), etc. En esta antología de
poetas ecuatorianos hay poesías satíricas, elegiacas y
heroicas, estilos renacentistas y barrocos. Entre los españoles (que también están representados) resalta, significativamente, Góngora.

La poesía rococó

Pero el barroco se va haciendo rococó. Joaquín Velázquez de Cárdenas y León (México?; 1732-1786) escribió sonetos con elegancia y sensualidad más rococós que barrocos. Francisco Antonio Vélez Ladrón de Guevara (Colombia; 1721-m. después de 1781) fue poeta cortesano y de sociedad. Versificaba en obsequio de virreyes y virreinas. Tiene escasos rasgos gongorinos. Su tono es de galantería. Más: hay ya un tono rococó. Al cantar, por ejemplo, "A una beldad amiga suya le arrebató el viento el sombrero", la actitud es nueva. Lo mismo su uso de temas mitológicos. Sus redondillas en ocasión del "cumpleaños de una dama" tienen la gracia del rococó. En su romance descriptivo de un paseo por la catarata del Salto hay sentimiento de la naturaleza y un cuadro de costumbres libres y regocijadas de caballeros y damas que beben, cabalgan, se pierden en el bosque, etc. Hay, sí, rococó; o, mejor, se ve al fondo la sociedad virreinal que participa de un modo europeo, refinado, cuyo estilo fue en esos años el rococó. Tantas veces se ha estampado en este capítulo la palabra "rococó" que ya es hora de explicarla. En Europa el estilo rococó se dio en la primera mitad del siglo xviii. En Hispanoamérica apareció más tarde. El nombre mismo, "rococó", tampoco se usó en Hispanoamérica; pero esto no es óbice para que lo usemos aquí. Ya se sabe que primero aparecen los cambios de estilo y cuando ya han pasado muchos años se los describe y bautiza. La verdad es que la palabra "rococó" se hizo corriente sólo después que el estilo a que aludía había sido ya sustituido por uno nuevo: el neoclásico. "Rococó", usado ya en 1754 por los críticos del nuevo gusto clasicista, significó algo pasado de moda, algo que había que ridiculizar. Pero es evidente que, en la primera mitad del siglo xviii, en Europa, era un fenómeno fresco y vital. Antecedente de la palabra "rococó" es esa otra, "rocalla", que designaba desde el siglo xvi la construcción de toda clase de lugares de fausto y goce: jardines, fuentes, grutas, glorietas, etc. Eran artificios arquitectónicos, elegantes pero basados en piedras sin desbastar, en incrustaciones de conchas, en caprichosas formas de espumas marinas y ramos florales. De la rocalla italiana, francesa, alemana sale el rococó. En el siglo XVIII el rococó —estilo esencialmente decorativo— suaviza el barroco. La aparatosidad, la magnificencia, la pesadez, el movimiento trágico de las grandes masas, la violencia del barroco se convierten en un estilo amable, juguetón, alado, danzarín, brillante, ingenioso, delicado, aparentemente frívolo y licencioso, siempre distinguido, siempre refinado, suave en sus ondulaciones y trémulo de gracia en sus diminutos detalles. Si el barroco expresaba una visión desesperada de la vida, el rococó expresa una visión de la vida como alegría y voluptuosidad. La riqueza sensual del estilo rococó indica que los hombres se han decidido a buscar la felicidad, libremente. En este sentido el rococó acompaña al movimiento de las ideas que antes bosquejamos. El libertinaje, la molicie ¿no se apoyan en la idea iluminista de que, mediante la razón, descubrimos la naturalidad del acto sexual, antes considerado pecaminoso? Uno de los elementos del rococó, dijimos, es el apetito de deleites. Recordemos que en el siglo XVIII la escatología cristiana había sido sustituida por otra que prometía el cielo en la tierra. Y más: se creía que todos los hombres podrían llegar a ser dichosos muy pronto. Claro que en esta idea de felicidad terrestre entraban nociones morales, pero ¿no se escapaba de esa idea, al mismo tiempo, un efluvio hedonista? Recuérdense las escenas de regodeo en jardines rebosantes de flirt, música y perfumes. Es decir, Watteau, Fragonard, Boucher et al. ¿no pintan pedazos de un paraíso logrado en la línea del progreso humano? En Hispanoamérica el rococó se da mitigado, como era de esperar: pero sus notas eróticas de devaneos y amoríos, de ternura y perversidad, de donaire e indiscreción; sus notas paisajistas, en que la naturaleza aparece como refugio para la galantería; sus notas de intimidad acentuadas por procedimientos que visten y desnudan en un juego de ornamentos, ironías y fugas de la realidad, se dan también en poetas, prosistas y comediógrafos. No olvidemos que en Hispanoamérica ahora el lujo no es sólo un tema, sino una experiencia real. Las cortes virreinales han creado ambientes de cortejo, suntuosidad y exquisitez. Cuando el ya mencionado Fray Antonio Vélez Ladrón de Guevara describe materiales preciosos tiene frente a sus ojos la industria de las perlas, en la costa colombiana; y cuando a las señoras las llama "madamas" descubre todo un rincón áulico y afrancesado en su mente de poeta galante.

CAPÍTULO V

1759-1788

[Nacidos de 1735 a 1760]

Marco histórico: Gracias a las reformas sociales, políticas y económicas de Carlos III mejora la posición de España y de sus colonias. Crece, no obstante, la insatisfacción de los criollos.
Tendencias culturales: Ideas de la Ilustración. El Neoclasicismo.

El movimiento de las ideas y los estilos que describimos en el capítulo anterior se hizo más desenvuelto en este período. La idea del progreso va abriéndose paso. La Iglesia no creía, en general, en el progreso. Le parecía más evidente la idea de regresión: del paraíso hemos degradado, y las mejoras en esta tierra son sólo preparación para una salvación sobrenatural. Esta escasa atención a la idea de progreso era concomitante con el poco progreso material de las colonias hispanoamericanas. Es decir, que en Europa la filosofía elaboraba la idea del progreso ante los resultados concretos de un progreso real. En Hispanoamérica, al revés, primero se habla, abstractamente, de progreso: el progreso material fue posterior.

POLÉMICAS SOBRE LA INFERIORIDAD DEL NUEVO MUNDO

En estos años es cuando estalla en toda Europa la polémica sobre la supuesta inferioridad del nuevo mundo. El abate prusiano Cornelio De Pauw, en 1768, declaró que la naturaleza americana es débil y que los indios son brutos degenerados. Concede la posibilidad de un progreso —"al cabo de trescientos años América se parecerá tan poco a lo que es hoy en día cuanto hoy se parece poco a lo que era en el momento del descubrimiento"—, pero ese progreso supondrá la desamericanización de América. Como De Pauw injuriaba, de paso, a conquistadores españoles y misioneros católicos, la primera en reaccionar, en el orbe hispánico, fue la Iglesia. Además de los españoles —primero el abate Juan Nix y, sobre todo, el padre Feijoo, de gran influencia en este como en otros temas—, los criollos también saltaron en defensa de América. Los jesuitas, expulsados en 1767, se sintieron molestos por el desprecio de los europeos hacia las tierras de América y, animados a veces por la nostalgia de sus patrias, las defendieron como el mexicano Antonio López de Priego (1730-1798), quien en unas doscientas ochenta *Décimas* (1784) imaginó un pleito entre un italiano que estuvo en México y un mexicano que estuvo en Italia para terminar con un soneto censurando a los que no advierten "que se halla en todas partes malo y bueno". El padre Francisco Xavier Clavigero —de quien ya nos ocupamos— escribió su *Historia antigua de México* (1780-81) con el propósito de refutar las ideas de una América degenerada. El padre Juan Ignacio Molina (Chile; 1740), en su *Compendio de la historia... del reino de Chile* (1776), responde a las calumnias europeas enorgulleciéndose del paisaje patrio y de su habitante. El padre Benito María de Moxó (España-Bolivia; 1763-1816) en sus *Cartas mexicanas* (1805) ofrece sus observaciones sobre el terreno para deshacer los prejuicios de De Pauw y sus seguidores. La furia fue aplacándose con los años, pero de vez en cuando se oirán voces contra "el calumniador e imbécil De Pauw", matizadas por el patriotismo de la Independencia y después por el sentimiento romántico de la naturaleza (el argentino Francisco Javier Iturri, 1738-1822; los peruanos José Manuel Dávalos, Hipólito Unanue, 1755-1833, y Manuel de Vidaurre, 1773-1841; los colombianos Diego Martín Tanco y Francisco José de Caldas, 1771-1811; el mexicano Fray Servando Teresa de Mier, 1763-1827; y el hondureño José Cecilio del Valle, 1780-1834). Sea que se defendieran de los vilipendios europeos o que, al margen de la polémica, expresaran su confianza en la inteligencia criolla, en estos años una de las preocupaciones de los escritores es por el progreso americano.

Expulsión de los jesuitas

Hubo reacios al progreso y partidarios del progreso. En este balancín la posición de los jesuitas fue curiosa. En 1767 Carlos III ordenó que los jesuitas de América fueran expulsados. Partieron en bandadas. Y acaso porque escribieron su obra en el destierro, y a veces en italiano o en latín, no se les ha considerado en la historia de la literatura hispanoamericana. Su importancia en la historia exclusivamente literaria no es, por cierto, muy grande, pero sí la fue en la historia cultural y aun política. La cultura humanística de los jesuitas fue como un puente entre el Barroco y el Neoclasicismo. Antirregalistas, detentadores de la cultura, los jesuitas dieron una dirección nueva a las tradiciones intelectuales españolas. Se acercaron a las burguesías criollas, simpatizaron subrepticiamente con la causa de la autonomía y difundieron algunas de las ideas filosóficas y científicas de la Ilustración. Hemos mencionado a varios de estos jesuitas, en el capítulo anterior o al comienzo de éste: Francisco Xavier Clavigero, Francisco Xavier Alegre, Rafael Landívar, Manuel Lacunza y otros. Podríamos agregar otros nombres nacidos después de 1735: Pedro Berroeta (Ecuador; 1737), poeta; Andrés Cavo (México; 1739-1803), historiador; Manuel Fabri (México; 1737-1805), biógrafo de sus hermanos de orden; Juan Luis Maneiro (México; 1744-1802); Pedro José Márquez (México; 1741-1820), que juntó sus preocupaciones por la arqueología y la estética; y muchos más. La expulsión de los jesuitas dañó la cultura literaria pero permitió a la larga la libre expansión del espíritu moderno. Por ser antirregalistas y detentadores de la cultura los jesuitas formaban la raíz ideal de la revolución de las colonias contra la metrópoli. Eso sí: su espíritu moderno hacía más efectiva la fuerza de la Iglesia, y sin ellos hubo más libertad intelectual.

Actividades didácticas y científicas

En la oratoria sagrada la Iglesia sonaba a todo pulmón: padre JUAN BAUTISTA BAREA (Cuba; 1744-1789), padre RAFAEL DEL CASTILLO Y SUCRE (Cuba; 1741-1783). Pero se oyen también voces modernas. Una defensa de las ideas —dedicada a los "jóvenes mexicanos"— fue emprendida por el jesuita ANDRÉS DE GUEVARA Y BASOAZÁBAL (México; 1748-1801): elogió a Descartes, Galileo, Bacon. FRANCISCO ANTONIO MORENO Y ESCANDÓN (Colombia; 1736-1792) fue uno de los que llevaron a cabo la orden de expulsar a los jesuitas. Propuso una importante reforma educacional, promoviendo el estudio de las ciencias físico-naturales para corregir "fútiles cuestiones de la teología escolástica". Aconsejaba a los teólogos que se pusieran a estudiar para "huir de la superstición y credulidad en que fácilmente cae el vulgo": en la filosofía —decía— "debe prevalecer el eclecticismo... experiencia y observación". JUAN BENITO DÍAZ DE GAMARRA (México; 1745-1783), que no era jesuita, si bien estaba lejos de Descartes, importó filosofías eclécticas (o, por lo menos, filósofos de los siglos XVII y XVIII de los que se alimentaban los eclécticos). Sus *Errores del entendimiento humano* (1781) critican el formalismo escolástico y proponen una lógica más eficaz. Hubo actividad científica. JOSÉ CELESTINO MUTIS (Colombia; 1732-1808) fue uno de los grandes naturalistas de su época. Mantenía —en latín— relaciones epistolares con sus colegas europeos: Linneo, Berguis, Willdenow... Linneo, en carta de 1774, lo llamaba "inmortal"; y cuando años después Alejandro de Humboldt llegue a Colombia se asombrará de la biblioteca de Mutis, "eclesiástico venerable de cerca de 72 años": "Fuera de la de Banks, en Londres, no he visto una biblioteca botánica tan grande como la de Mutis." Combatió el letargo intelectual de España y sus colonias, explicándoles cosas tan escandalosas como el sistema... ¡de Copérnico! ANTONIO DE ALCEDO Y BEXARANO (Ecuador; 1735-1812) escribió una notable enciclopedia sobre temas hispanoamericanos: *Diccionario geográfico-histórico de las Indias Occidentales o América* (1786-1789). Físico-matemáticos como JOSÉ IGNACIO BARTOLACHE (México; 1739-1790); etnógrafos y arqueólogos como JOSÉ DOMINGO DUQUESNE (Colombia; 1748-1822) y ANTONIO LEÓN Y GAMA (México; 1735-1802) indican una nueva tensión intelectual. El nuevo espíritu crítico, didáctico, constructivo de la Ilustración apareció primero en reformas de la vida intelectual: fundación de gacetas, mayor participación en los intereses sociales, cuidado de bibliotecas, traducciones, bibliografías... Porque ahora comienza una época discutidora, satírica o pedante que tuvo por lo menos una dirección sólida en la erudición histórica. En la historia podríamos citar a ANDRÉS CAVO (México; 1739-1803), IGNACIO JOSÉ URRUTIA Y MONTOYA (Cuba; 1735-1795), el Deán GREGORIO FUNES (Argentina; 1749-1829) y ANTONIO DEL CAMPO Y RIVAS (Colombia; n. en 1750), de quien conservamos una *Historia* local, con espíritu humanitario que condena a los conquistadores como "destructores del género humano" y denuncia su crueldad, ante la que "se horroriza la humanidad" (repárese en esa palabra: la "Humanidad").

EL PENSAMIENTO ILUMINISTA

Los más fructíferos cambios, en esta época, se encuentran en el pensamiento. Son los años de la génesis intelectual del movimiento autonomista. Los criollos viajan a Europa y vuelven con ideas y papeles revolucionarios. O vienen los veleros cargados de simientes de la Ilustración. Enciclopedismo francamente enraizado en la filosofía de la Ilustración francesa fue el de PABLO DE OLAVIDE Y JÁUREGUI (Perú; 1725-1804). Ya notable, por su brillo intelectual y su capacidad de acción, fue en 1752 a España, para defenderse de acusaciones que lo deshonraban. Lo encarcelaron. Después hizo fortuna y gozó de la protección de la corte. En Francia se lanzó al torbellino de los salones, donde conoció a artistas, escritores y filósofos. Arte rococó (conoció a Boucher), literatura neoclásica (conoció a Marivaux, Marmontel), ideas de la Ilustración (conoció a Diderot). Trabó relaciones amistosas con Diderot, D'Alembert, Voltaire. De vuelta a Madrid abrió un salón literario como los de París y edificó un teatro privado para el que tradujo o adaptó la *Phèdre* de Racine, la *Zaïre* de Voltaire, *Le Jouer* de Regnard, la *Merope* de Maffei, etc. Frecuentó la tertulia de Jovellanos. En 1776 apareció una sátira contra su persona: *El Siglo Ilustrado. Vida de Don Guindo Cerezo, nacido, educado, instruido, sublimado y muerto según las luces del presente siglo. Dado a luz por seguro modelo de las costumbres por Don Justo Vera de la Ventosa.* Con formas de la novela picaresca el autor —español— inventa un personaje para burlarse, episodio tras episodio, de las ideas de Olavide. Encarcelado, condenado, vejado por la Inquisición, huyó a Francia (1780). Ya estallada la revolución, fue uno de los ciudadanos adoptivos de la República. Pero llegó a abominar de ella. En una crisis interior Olavide inclinó la cabeza y se puso a meditar sobre lo deleznable de la humana vanagloria y a escribir poesías de tema sagrado: unos nueve mil versos de fogosa religiosidad. Poco después de 1794 —fecha en que fue tomado preso en Orleáns, víctima del Terror jacobino— volvió a la fe católica y escribió *El Evangelio en triunfo o Historia de un filósofo desengañado* (1797). Imaginó una trama novelesca, tejida con episodios autobiográficos. Un filósofo, por accidente, va a parar a un convento. Allí, gracias a la prédica y el ejemplo de un monje, se arrepiente de su impiedad. Al reincorporarse a la vida social ajusta su vida y la de sus familiares a normas cristianas. La carta era una de las modas literarias de la época. Se leían novelas epistolares, como *Pamela* de Samuel Richardson, *La Nouvelle Héloïse* de Rousseau, *Werther* de Goethe. Olavide, pues, recurre al truco de las cartas para ilustrar las controversias del filósofo, su crisis moral y su conversión. Los conocimientos teológicos de Olavide eran más débiles que la fuerza de su convicción religiosa. Sentimiento y fantasía tiñen su prosa; prosa que, a pesar del retorno a la fe española, conservó los giros y las maneras aprendidos en las lecturas de tanto escritor francés. Su contrición se extendió también al verso: *El salterio español o Versión parafrástica de los Salmos de David, de los cánticos de Moisés, de otros cánticos y algunas oraciones de la Iglesia* fue un servicio a la fe, no a la poesía. Ajenos a la poesía, no a la moral, son, del mismo modo, los endecasílabos de sus *Poemas cristianos*. Fue lo último que escribió. Terminó así, en el llano conservador, tradicional, católico, el hombre que en su juventud había sido eminencia del iluminismo.

Los criollos ventilan en tertulias secretas las prédicas igualitarias de Rousseau. Filosofía y política conspiran juntas para cambiar el orden colonial y aun para derribarlo. Una de las figuras más descollantes de la ilustración es el mestizo FRANCISCO EUGENIO DE SANTA CRUZ Y ESPEJO (Ecuador; 1747-1795). Tenía conocimientos enciclopédicos. Mientras en filosofía imitaba algunas de las ideas del sensualismo, en política preparaba, supiéralo o no, la independencia americana. Consta en documentos que a los revolucionarios de 1809, en Quito, se les acusó de ser "herederos de los proyectos sediciosos de un antiguo vecino nombrado Espejo que hace años falleció en aquella capital". Los escritos de Espejo corrieron de mano en mano. Acusaba a la educación colonial de ser "una educación de esclavos". El neoclasicismo fue un intento parecido al erasmismo del siglo XVI para europeizar el mundo hispánico. Y es

curioso que ahora, como en el siglo XVI, los diálogos
satíricos a la manera de Luciano fueran el género preferido del nuevo espíritu. Espejo escribió el *Nuevo Luciano o Despertador de ingenios*. Son nueve conversaciones
entre los personajes Murillo y Mera (este último, porta-
voz de Espejo) sobre retórica y poesía, filosofía, plan
de estudios, teología, etc. Se proponía la revisión y
crítica del estado mental de la Colonia. Es la mejor
exposición de la cultura colonial del siglo XVIII. Pasó
allí revista a los poetas coloniales. Escribió otras obras
importantes, que continúan el *Nuevo Luciano*. Dirigió
—y escribió totalmente— el primer periódico ecuatoriano: *Primicias de la Cultura de Quito*. De vena también burlona (aunque muy diferente a la de Espejo) es
el autor del *Lazarillo de ciegos caminantes... sacado
de las memorias que hizo don Alonso Carrió de la
Vandera... por don Calixto Bustamante Carlos Inca,
alias Concolorcorvo*. Aunque Concolorcorvo existió de
verdad y acompañó a Carrió de la Vandera, no tuvo
nada que ver con la redacción del libro. Todo fue una
superchería. ALONSO CARRIÓ DE LA VANDERA (España;
c. 1715-m. después de 1778) lo imprimió clandesti-
namente en Lima, en 1775 ó 1776, puso el pie de imprenta en Gijón, anticipó la fecha a 1773 y simuló que
Concolorcorvo lo había extractado de la relación de
viajes que él le dictaba. ¿Por qué? Carrió de la Vandera, establecido en Lima desde 1746, fue encargado
en 1771 de la inspección y reorganización de las postas
terrestres entre Buenos Aires y Lima. En líos con un
funcionario de Correos, acaso decidió resguardarse de
un ataque directo publicando sus observaciones como si
fuera otro quien las sacaba a luz. La explicación que,
en una carta, dio Carrió fue ésta: "Disfracé mi nombre
por no verme en la precisión de regalar todos los ejemplares. No ignoran VSS. lo árido de un diario, particu-
larmente en países despoblados, por lo que me fue preciso vestirle al gusto del país para que los caminantes
se diviertan en las mansiones y se les haga el camino

menos rudo." El *Lazarillo*, en efecto, está concebido como un manual para viajeros, con algo de documento, crónica, tradiciones populares, cuadros de costumbres, chistes, anécdotas y diálogos de cierta gracia novelesca. De novela picaresca tiene, precisamente, el hacer hablar en primera persona a Concolorcorvo: "Yo soy indio neto —dice— salvo las trampas de mi madre, de que no salgo por fiador. Dos primas mías coyas conservan la virginidad, a su pesar, en un convento del Cuzco, en donde las mantiene el Rey, nuestro señor. Yo me hallo en ánimo de pretender la plaza de perrero de la catedral del Cuzco para gozar inmunidad eclesiástica." La intención es didáctica, reformadora. Carrió está familiarizado con las literaturas grecolatina y la castellana (Cervantes, Quevedo, Gracián, Feijoo), pero no es libresco. Al contrario: describe directamente la realidad americana que tiene ante los ojos. Es un español muy americanizado que supera críticamente todo provincialismo mental: lo superior está en la civilización, no en esta o aquella nación. La crítica va a veces contra la administración española; a veces es anticlerical. La risa o la ironía castiga a españoles, criollos, mestizos e indios. Hay simpatía por el hombre educado, español o criollo. De ahí va decreciendo rápidamente: gauchos, mestizos, indios, negros. El *Lazarillo* es, por lo general, una vivísima descripción del viaje de Montevideo a Lima, pasando por Buenos Aires, Córdoba, Salta y Cuzco. El tono picaresco, el ritmo de la acción, las descripciones costumbristas y el arte de sorprender al lector con una inesperada situación o detalle hacen la lectura divertida a ratos. En este diario de viaje que es el *Lazarillo* el ojo va destacando las notas peculiares: las coplas de los gauderios o gauchos, la venta de negros, las diferencias entre las costumbres de una localidad y otra.

Entre los libros de viajes, pero con propósitos científicos, habría que mencionar los de FÉLIX DE AZARA

(España-Argentina; 1746-1821), quien observó la naturaleza y los hombres a la luz de las ideas progresistas de la Ilustración, como en su interesante *Memoria sobre el estado rural del Río de la Plata en 1801.*

En los últimos veinte años del siglo XVIII los intelectuales y la culta burguesía urbana advierten —como Espejo, Nariño, Rojas y Salas, Gual y España— que hay que aprovechar y dirigir los cambios sociales que han surgido. Más significativa que la actividad literaria —de sello neoclásico y canalizada en los géneros típicos del neoclasicismo— fue la vida intelectual del periodismo, las universidades, las tertulias, los libros franceses, las polémicas entre jansenistas y sensualistas. La filosofía en acción de la Revolución Francesa influyó más que la filosofía escrita. La historia literaria suele adornarse a veces con grandes figuras políticas que en realidad no le pertenecen, pero que por haber sido hombres de letras —en este sentido vasto que "hombres de letras" tiene en la América española— permiten y justifican el préstamo. Es el caso de FRANCISCO MIRANDA (Venezuela; 1750-1816). Su importancia es política, pues de sus conspiraciones y luchas arranca la serie histórica de la independencia; pero hay derecho a considerar sus escritos como exponentes de un espíritu original. Sin ambiciones literarias de ninguna clase fue asentando en páginas sueltas lo que oyó, pensó, vio y leyó. Su modo conciso y agudo de comentar monta tanto como su documentación para la historia de esos años de crisis.

EL TEATRO

El teatro, por su carácter social, es índice del refinamiento con que se imitan las costumbres cortesanas de España y de otros países europeos. A Pablo de Olavide se le había encomendado que edificara un nuevo Coliseo (un terremoto había destruido el viejo), y lo hizo tan suntuoso que allí se dio todo el brillo rococó de la época. La célebre actriz criolla Micaela Villegas, conocida como la Perricholi, reinó allí, de 1760 en adelante. Era amante del Virrey Manuel de Amat y Junient; y su gracia, su coquetería, su elegancia licenciosa dieron a las colonias la misma nota de belleza y de placer que los europeos gozaban en sus cortes. Entremeses y sainetes hacen florecer, en la segunda mitad de este siglo, un nuevo tipo de costumbrismo. Coincide con la fundación de coliseos, costeado por hacendados y comerciantes gustosos de entretenimiento, en ciudades que se iban engrandeciendo económicamente mientras disminuía la industria minera de México y Lima, centros de teatro cortesano. La Habana en 1776, Buenos Aires en 1783, Caracas en 1784, Montevideo en 1793, Bogotá en 1793, Guatemala en 1794, La Paz en 1796... Se representan, sí, obras de pretensioso corte neoclásico; pero se multiplican los sainetistas criollos que, en vez de las majas y los manolos del español Ramón de la Cruz, hacen salir al escenario a los tipos populares de regiones americanas. Por ejemplo, *El amor de la estanciera*, sainete en verso, anónimo, compuesto entre 1780 y 1795. Carece de valor literario; y en cuanto a su valor costumbrista, si el autor se hubiera querido burlar del campo argentino y de su tipos no hubiera podido elegir frases más groseras. La burla al portugués no es mayor a la que hace de los dos gauchos y sus mujeres. La muchacha es también una figura grosera.

EL PERIODISMO

Ya no podemos demorar más algunas noticias sobre el periodismo, una de las actividades más típicas del espíritu setentista. En el siglo XVI solían aparecer unas hojas impresas con noticias europeas. En el XVII hay órganos periodísticos, aunque sin regularidad: la primera *Gaceta de México* es de 1667. Pero es en el siglo XVIII cuando los periódicos surgen en todas partes y cambian la vida intelectual. De los dedicados a la literatura y a las ciencias son memorables los que editaron en Mé-

xico José Antonio Alzate (1729-1799) y José Ignacio Bartolache (1739-1790). En Colombia Fran-
çisco Javier Caro (1750-1822) publicó un ameno
Diario (1783) en el que se ridiculiza la vida burocrá-
tica.

PROSA NOVELESCA

Nada que decir sobre la novela. Como señalamos en
capítulos anteriores, la novela, tal como la había creado
Cervantes, fue olvidada en España. El padre Isla, en
su *Fray Gerundio*, reveló talento narrativo, pero, a diferencia de Cervantes, dejó que la sátira ahogara su
novela. Como los españoles ya no podían crear novela
en la tradición cervantina hicieron esfuerzos para apoderarse del *Gil Blas* de Lesage (y el Padre Isla, al
traducirlo, decía que estaba restituyendo a España lo que
Francia le había robado). En verdad el gusto literario
de España no estimaba tanto la novela a la manera de
Cervantes como la novela a la manera de Marmontel
o de Florian. El país que había visto nacer la novela
moderna, gracias al *Don Quijote* de Cervantes, estimaba en Cervantes dos servicios ajenos al arte: matar
con el ridículo un género literario y defender la lengua
contra los traductores del francés. No se sabía qué hacer con la novela, género desacreditado por no tener
antecedentes clásicos o por ser degeneración de la épica
o por no ser moralmente edificante o por ser frívolo
ejercicio de mentiras. ¿Qué decir, pues, de la novela
en Hispanoamérica? Fray Joaquín Bolaños (México)
contó *La portentosa vida de la muerte* (1792) con una
prosa verbosa, truculenta, retórica, hinchada de sermones, ilustraciones de la literatura religiosa y enumeraciones simétricas y contrastadas. Su alegoría quería
golpear, con la presencia de "la emperatriz de los se-
pulcros", en la conciencia de los mexicanos de esos
años, distraídos —según él— por la frívola invención
de pasatiempos y diversiones. El tema medieval de la

muerte, elaborado por el Barroco, se ofrecía así a lectores que vivían en una época rococó y se sentían "muy hallados en el mundo". No es extraño, pues, que los lectores no apreciaran la obra de Bolaños: la encontraron de mal gusto. Pero aun sacerdotes como el padre José Antonio de Alzate Ramírez la criticaron como "perjudicial al dogma y a las buenas costumbres" porque la Muerte, después de todo, aparece allí como figura burlesca y el autor parecía adherirse a la doctrina del probabilismo. Sin contar —decía— que es "novela mal concertada". De novela tiene poco. La personificación de la señora Muerte no alcanza a cobrar vida; sus visitas a hombres de toda condición no alcanzan a ser aventuras. Se sabe que hubo novelas manuscritas —algunos historiadores las han tenido en sus manos—, pero lo que prueban es, solamente, la existencia de vocaciones narrativas que no pudieron llegar a las prensas: *Fabiano y Aurelia* (1760) del padre José GONZÁLEZ SÁNCHEZ; *Cartas de Odalmira y Elisandro*, del padre ANASTASIO M. DE OCHOA Y ACUÑA (México; 1783-1833).

LA POESÍA

La poesía se arrastra, con las alas cortadas. Es que el Barroco, cuando no se dulcifica en el Rococó, tiene que agachar la cabeza ante el Neoclasicismo. MANUEL DEL SOCORRO RODRÍGUEZ (Cuba-Colombia; 1758-1818), de poesía amanerada, con las maneras del barroco. DIEGO PADILLA (Colombia; 1754-1829), autor de una oración fúnebre a Carlos III. El padre JOSÉ M. SARTORIO (México; 1746-1828) dio lo mejor que tuvo en sus poesías a la Virgen (y, lo peor, en sus versos de circunstancias). Cultivó el género, tan dieciochesco, de la fábula; si imitó a Iriarte fue, como muchos fabulistas de esos años, su género, no su doctrina. De la Argentina es MANUEL JOSÉ DE LAVARDÉN (1754-1809), autor de la "Oda al majestuoso río Paraná" (1801), la mejor composición poética de entre todas las escritas en ese

país, con anterioridad a 1810. Es una alegoría didáctica en la que el río, dios fluvial, aparece descrito con
detalles de la naturaleza local; ese río simboliza la prosperidad económica y cultural del pueblo rioplatense.
De Lavardén sólo conservamos esta "Oda", una "Sátira" (1786) contra Lima y en defensa de Buenos Aires, y una "Oración filosófica" que en 1778 pronunció
en el Real Colegio de San Carlos. La producción teatral de Lavardén se ha perdido; y lo que conservamos
son sólo atribuciones no comprobadas. En 1789 se representó su tragedia *Siripo*, y se ha dicho que a ella
pertenece un segundo acto que se conserva. Es dudoso:
es posible que ese segundo acto sea de un *Siripo* posterior, de otro autor. El tema —el cacique Siripo y
Lucía Miranda— era legendario: lo trataron Del Barco
Centenera, Ruy Díaz de Guzmán y otros cronistas. Lavardén se mantuvo silencioso durante las invasiones
inglesas y la reconquista de Buenos Aires, mientras
muchos otros poetas celebraban el júbilo de la victoria.
Entre los que, por su fecha de nacimiento, hay que
situar aquí, hubo uno culto, JOSÉ PREGO DE OLIVER,
que cantó en endecasílabos al héroe de la Reconquista,
y otro popular, PANTALEÓN RIVAROLA (1754-1821),
que cantó en octosílabos la acción heroica de la masa.

La sátira

La poesía satírica, sobre todo la que dirigen los
tradicionalistas contra el nuevo espíritu, documenta
cómo en Hispanoamérica hay una sociedad licenciosa,
frívola, con saraos cortesanos y fiestas versallescas, con
salones equívocos, galantería, refinamiento en el arte y
el amor. De 1786 son unas anónimas "Ordenanzas de
Venus para las majas y chinas de volatería" en las que
hay una caricatura del rococó: diosas de la espuma, arte
de agradar, desvergonzados donaires, contoneos de mujer, descoco en la conversación, "reírse mucho, mano-
tear, darle vuelo al abanico", vestidos transparentes,
bailes, música teatro, paseos por jardines. . .

CAPÍTULO VI

1789-1808

[Nacidos de 1760 a 1780]

Marco histórico: Bajo el inepto Carlos IV España se pone en una actitud puramente defensiva y va perdiendo sus posesiones. A causa de la invasión del ejército napoleónico, Carlos IV abdica en favor de su hijo Fernando VII: los días del Imperio español en América han terminado.

Tendencias culturales: La literatura lleva un sello neoclásico, afrancesado. El racionalismo se colorea con sentimientos.

Una historia de la literatura resuelta a ajustarse a su propia materia —el registro de lo que hicieron los hombres para expresarse en bellas palabras— debe cerrar los ojos y dejar fuera lo más importante de este último período del siglo XVIII, que no fue la literatura, sino el movimiento de las ideas filosóficas y la preparación de la independencia política. En todo caso, señalar sólo lo más próximo a la literatura. Comencemos, pues, con un vistazo a las ideas para acercarnos a la literatura cada vez más.

IDEAS RELIGIOSAS, FILOSÓFICAS Y POLÍTICAS

La oratoria sagrada, aunque se remonte estéticamente, sigue plegada a las formas mentales del clero: *v. gr.*, el padre José Policarpo Saname y Domínguez (Cuba; 1760-1806), famoso por el "sermón de la nube", dado en Santo Domingo. Hay abundante literatura religiosa, inclinada reverentemente a sus propias tradiciones y dogmas, como el *Riego espiritual para nuevas plantas* de la Madre María Petronila Cuéllar (Colombia; 1761-1814): en prosa sencilla y espontánea se procura dirigir a las novicias y religiosas.

167

Pero, en general, las páginas más significativas, dentro de los temas religiosos, fueron las que llevaron adelante la discusión de las nuevas ideas. Hombre de iglesia fue José Agustín Caballero (Cuba; 1762-1835), sólo que atacó el escolasticismo y expuso a Locke y Condillac. Más: su *Philosophia electiva* fue una formulación sistemática del pensamiento antiescolástico. Ante los avances de la filosofía moderna se retiraba la escolástica pero resistiendo. Caso ilustrativo es el curso de ética que daba en Buenos Aires entre 1793 y 1795 Mariano Medrano. Su método es todavía escolástico, aunque no estricto; y la doctrina expuesta sigue la de Aristóteles y Santo Tomás, pero tampoco estrictamente. Medrano, católico y monárquico, resiste el pensamiento de Hobbes, Locke, Rousseau y otros pero, al resistirlo, no deja de recibir el golpe y de retroceder en su línea dogmática; y así las nuevas ideas avanzan sobre las aulas de San Carlos. En realidad la filosofía escolástica —en decadencia a fines del siglo XVIII, sobre todo en el Río de la Plata— fue contraproducente. En 1793, cuando las llamaradas de la Revolución Francesa alumbraban las colonias americanas y Miranda ya se había lanzado en sus campañas emancipadoras, el doctor Medrano quería convencer a sus alumnos criollos de los derechos absolutos de los reyes de España. Denigró a Las Casas, ocultó el pensamiento teológico de Vitoria, es decir, cortó los únicos lazos de afecto que los criollos podían sentir hacia el pasado español. Pocos años después esos criollos serían los dirigentes del movimiento de la Independencia. Hubo frailes que, minados ya por algunas ideas enciclopedistas, aceptaron la independencia como inevitable y aun trabajaron junto con los patriotas. En Colombia el ilustrado Camilo Torres (1766-1816) —autor de *Memorial de agravios*, 1809— tenía una clara idea de la importancia de América en la economía del mundo y de que los errores antiliberales de España iban a provocar la independencia. José Félix de Restrepo (Colombia; 1760-1832) fue partidario de la reforma educacional de Moreno y Escandón. No era un enciclopedista, sino más bien un "filósofo cristiano" que abandonó los métodos aristotélicos y adoptó los experimentales. Las ciencias, para él, no eran enemigas de la religión. Luchó por la abolición de la esclavitud y estuvo a favor de la Independencia, contra el "despotismo" y la "tiranía" españoles. Tomás Romay (Cuba; 1764-1849) fue un espíritu científico, progresista y constructivo, pero con buena educación literaria. Francisco Antonio Zea (Colombia; 1766) fue un sabio con sensibilidad literaria (se le han atribuido versos) y aun en sus descripciones sobre las "gracias" y el "hechizo" de la botánica hay una visión amable de la naturaleza, emparentada con la del rococó. Es que aun las páginas de los hombres de pensamiento y estudio se empapaban con el sentimentalismo de la época, como en las *Cartas americanas políticas y morales* (1823) de Manuel Lorenzo de Vidaurre (Perú; 1773-1841) y en las de uno de los grandes espíritus científicos de estos años: Francisco José de Caldas (Colombia; 1771-1811). El estilo dieciochesco de "hombre sensible", rápido de lágrimas, se ve en la carta de Caldas a su maestro Mutis, a propósito del desaire que le hizo Humboldt; o en las cartas a su novia. Es la influencia de las cartas exclamativas de Rousseau, en la *Nouvelle Héloïse*, una novedad literaria. Caldas era un naturalista con talento literario, y sus descripciones de la naturaleza —la del Tequendama, *v. gr.*— valen como arte. Su prosa está bien emparentada con la de Feijoo, Jovellanos, Quintana, aunque la terrible naturaleza por la que andaba todo sobrecogido suele inspirarle frases de poderoso patetismo. "La razón, la experiencia son mi luz", decía; pero también recibía las luces de su corazón. Luz es la palabra clave. Publicó su *Semanario de la Nueva Granada* (1808-1809) para "promover incesantemente la ilustración y felicidad de sus pueblos". Cuando fracasó la Independencia fue fusilado por Enribe, el de la famosa frase:

"España no necesita de sabios". Tampoco corresponde
a una historia literaria la figura de ANTONIO NARIÑO
(Colombia; 1765-1823) porque no produjo literatura.
Sin embargo, vivió la literatura de los demás y debe
mencionarse aquí siquiera como ejemplo de lo que era
el intelectual hispanoamericano en las postrimerías de la
colonia. Nariño tenía la biblioteca privada más rica
en el virreinato de Nueva Granada. Discutía con sus
amigos esos libros —muchos de ellos prohibidos—; y
en una pequeña imprenta de mano componía, para
regalar a sus amigos, selecciones de sus lecturas. Tradujo la *Déclaration des droits de l'homme* (1794), que
tuvo grandes repercusiones pues preparó el levantamien-
to de las colonias. Pero la figura que, sin pertenecer
íntegramente a las letras, ornamenta la literatura de
este período con colorido más original es la de FRAY
SERVANDO TERESA DE MIER (México; 1763-1827). El
gran acontecimiento de su vida —origen de sus desventuras e indirectamente de sus páginas autobiográficas y aun de su pensamiento político— es de 1794, y se
da dentro de la vida cultural de la Iglesia. Nos referimos a su sermón negando la tradición popular de la
Virgen de Guadalupe y afirmando la predicación del
Evangelio en América, antes de la llegada de los españoles ¡nada menos que por el mismo Santo Tomé! A
Mier le dolían las preferencias por los gachupines.
Amaba su tierra. Así como España se inventó su Santiago Apóstol, él —de oír a Borunda, y sin estar muy
convencido— decidió inventar un Santo Tomé apóstol
para México. De aquí nacieron sus desventuras: de
tener Mier razón, los americanos no deberíamos a España ni siquiera la fe... Mier no está disconforme
de la Iglesia, sino de España. Si se hubiera quedado en
lo que acabamos de referir, Mier sería una de las tantas
mentalidades eclesiásticas que, cuando ya había triunfado la Ilustración, todavía insistían en una visión es-
trafalaria del mundo. Pero se engrandeció humana-
mente por las crueles persecuciones que padeció, y al

engrandecerse abrazó causas políticas que lo pusieron
en la serie histórica de la Independencia. No perdamos
de vista, sin embargo, que Mier tiene una cabeza formada en ideas del pasado; que defendía la fe católica
contra los herejes (jansenistas, deístas, ateos) y, en última instancia, aunque se asocie a los esfuerzos de la
Independencia, justificará su acción, no con los principios de la filosofía política de la Ilustración, sino con
el mito de que Santo Tomé había predicado en
América: "así como Santo Tomé profetizó la venida
de los españoles, dejó también predicho el fin de la dominación, y poco más o menos ésta es la época". Este
mito —como el de Santiago Apóstol en España: y,
de paso, Mier los asocia— aparta a Mier del movimiento intelectual nuevo. Pero no fue un misoneísta, y a
veces critica a los frailes por sus miras estrechas. Tenía la cosmovisión de un sacerdote, aunque no el temperamento de un sacerdote. Le faltaba humildad, mansedumbre, quietud. Y de este conflicto psicológico
nacerá la originalidad de su persona y las contradicciones de su literatura. Literariamente, Mier existe por
sus memorias, y éstas pertenecen a la serie del siglo XVIII. Sus páginas autobiográficas —que algunos
editores han reunido con el título genérico de *Memorias*— nos hacen conocer a Mier en sus contactos do-
lorosos con la vida eclesiástica. Pero ganan en interés
literario cuando levanta la vista y mira la realidad de
los países en que vive. La *Relación*, por ejemplo, es
buena en su descripción de Francia, Italia y España.
Aquí está el Mier escritor. Mier dijo que era suya la
traducción de *Atala* que apareció firmada por S. Robinson, seudónimo de Simón Rodríguez. Comoquiera
que sea, no hay rasgos de Chateaubriand en su literatura ni en su persona. Prosa artística no hizo. Y tampoco trató de describir paisajes naturales ni monumentos
artísticos. O habla de sus propios infortunios —insistiendo siempre en que se le persigue porque, por ser
americano, su superioridad intelectual es intolerable a

los españoles— o describe las circunstancias sociales más inmediatas, las que están enredadas con sus viajes. Suele reflexionar sobre las diferencias de costumbres en actitud crítica, didáctica, reformadora (siglo XVIII), no en actitud de simpatía por lo regional, popular y singular (siglo XIX). Su prosa corre rápida pero dignamente. De vez en cuando, un epigrama feliz. A veces, en dos rasgos, un personaje que merecería vivir en un cuento. Hay gracia, a veces sarcasmo y a veces violencia polémica. Si sus memorias son novelescas, puede discutirse: nadie discutirá que él, Fray Servando, fue héroe de novela.

Un libro de memorias nos dejó JUAN EGAÑA (Perú-Chile; 1768-1836): *El chileno consolado en los presidios.* Fue uno de los enciclopedistas criollos, autor de un poema dramático y otro jocoso, pero cuando Marcó del Pont lo deportó en la isla de Juan Fernández escribió sus memorias de prisión.

EL PERIODISMO

Se hace más intenso e interviene más eficazmente en la transformación ideológica y social de la época. Ocasionalmente estos periódicos se abrían a la literatura y aun hacían crítica literaria, como cuando MANUEL DEL SOCORRO RODRÍGUEZ (Cuba-Colombia; 1758-1818), contestando a un lector que cree que no hay que publicar versos porque Nueva Granada es inferior en eso a México y Perú, sale en defensa de las letras neogranadinas.

EL TEATRO

En estos años, de 1789 a 1808, se siguen fundando teatros: ya dimos datos. Mejor índice de la creciente atención al teatro, sin embargo, es lo que pasa en ciudades donde lo había desde mucho tiempo atrás. La veintena de comedias que se representaban por mes en México o en Lima eran de autores españoles: los hispanoamericanos se dedicaban más a sainetes y piezas cortas. En realidad los hombres de teatro de entonces eran más refundidores que comediógrafos. En sus refundiciones preferían los autores de éxito. El repertorio de México y de Lima era casi el mismo que el de Madrid. Parece que al afianzarse el teatro como diversión pública los autores más recientes pasaron a ocupar el primer puesto. Calderón, inevitablemente, era el Dios: encabezará todos los repetorios. También figuran otros del Siglo de Oro, como Moreto, Rojas Zorrilla, Mira de Amescua, Vélez de Guevara. Se omitía a Lope, a Tirso, a Alarcón, escuela a la que ya se sentía muy remota. El gusto por lo moderno se orientaba hacia autores inmediatos del siglo XVIII, como Iriarte, Jovellanos, Ramón de la Cruz, García de la Huerta, Moratín, Moncín, Valladares, Cañizares, Bances Candamo, Arellano, Zamora. Fuera de los españoles se daban obras de los franceses Racine, Molière, Beaumarchais, Jean Baptiste Rousseau, y de los italianos Goldoni, Metastasio, Apostolo Zeno. En una historia del gusto a lo largo del siglo XVIII, en la transición del barroco al neoclasicismo, interesan especialmente las figuras menores y oscuras. Figuras que no significan gran cosa cuando se las mira desde la alta perspectiva de la historia litcraria —la historia debería ir de cumbre en cumbre— rcvclan un proceso de modernización y aun de americanización del teatro. En este sentido interesan ciertas obrillas hispanoamericanas que fueron representadas una y otra vez, como *La mexicana en Inglaterra* (1792), *La Morbella* (1792) y *La lealtad americana* (1796) de FERNANDO GAVILA, actor, en esos años, de la compañía teatral del Nuevo Coliseo de México. Otros mexicanos: JUAN DE MEDINA (fl. 1796), MANUEL QUIRÓS Y CAMPO SAGRADO (fl. 1792), DIEGO BENEDICTO VALVERDE (fl. 1790), JOSÉ MARÍA VILLASEÑOR CERVANTES (fl. 1809). En Lima el *Mercurio Peruano* pedía en 1791 "un poco de gusto moderno en la predilección de las piezas" y, sobre todo, que la gente sensata no se sumara al aplauso que la "ínfima plebe" daba a los entremeses. Uno de los autores de más éxito, el actor RAFAEL GARCÍA ("Chicho"), divertía precisamente con sus sainetes y entremeses chocarreros. En otras partes de Hispanoamérica también hubo teatro: JUAN FRANCISCO MARTÍNEZ (Uruguay; fl. 1807), JUAN ANTONIO TRIS Y DOYAGUE (Chile; fl. 1792). La figura más destacable fue la de CAMILO HENRÍQUEZ (Chile; 1769-1825), turbulento patriota que, ya radicado en Buenos Aires, escribió dramas político-sentimentales: *Camila o la patriota de Sudamérica* es uno de los tantos ejemplos de mal teatro en Sudamérica, donde se trata de enseñar al pueblo la tolerancia y la libertad. Ese fraile chileno era un liberal: "Voltaire, Rousseau, Montesquieu —decía— son los apóstoles de la razón." Como periodista, como versificador, intervino en la propaganda política a favor de la Independencia.

PROSA IMAGINATIVA

Novelas no hay, y lo que digamos ahora continúa la historia de un género ausente que emprendimos en capítulos anteriores. A lo largo del siglo XVIII se cultivaba en España un tipo de narración realista alimentada de tradición nacional. Pero no tenía calidad literaria. Era mero costumbrismo, satírico o irónico. La realidad de todos los días no parecía digna de seriedad artística. Los mejores escritores españoles no querían escribir novela y el público no quería leer libros que reflejaran las triviales circunstancias españolas. Se traducía más de lo que se escribía: traducciones —para citar sólo lo mejor, entre tanta morralla— de los ingleses Swift, Fielding, Goldsmith y Richardson (si no de Richardson por lo menos de una de sus continuadoras, Frances Sheridan, tradujo el dominicano JACOBO DE VILLAURRUTIA, 1757-1833, sus *Memoirs of Miss*

Sidney Bidulph, sólo que lo hizo de una versión francesa, y la tituló *Memorias para la historia de la virtud*); del alemán Campe, el *Werther* de Goethe; de los franceses Marmontel, Florian, Mme. de Genlis, Ducrai-Duminil, *Paul et Virginie* de Saint-Pierre y la *Atala* de Chateaubriand (esta última por el mexicano Fray Servando Teresa de Mier en 1801); de los italianos Della Croce (el *Bertoldo*) y Conde Zaccharia Serinam. Toda esta actividad de traductores, llevada adelante a pesar de la ojeriza de los literatos, de los círculos cortesanos y de la Inquisición (en 1799 una providencia del Consejo prohibió la impresión de novelas). Claro, las minorías cultas leían en su lengua original las novelas que no se tradujeron, como las de Ana Radcliffe, Defoe, Rousseau, Voltaire, Diderot. España estaba, pues, vacía por dentro y los que querían respirar el aire de la novela tenían que asomarse al exterior. Las corrientes narrativas europeas acentuaban más la emoción, la moral, el análisis psicológico, la conversación, el monólogo, la carta, la filosofía. Irrumpen en la novela el sentimiento, la virtud lacrimosa, los temas femeninos, el viaje, la fantasía, lo sobrenatural, la superchería literaria, el exotismo, el deísmo y el panteísmo. En este clima languidecen y fracasan los nuevos novelistas españoles: Montengón, Martínez Colomer, Mor de Fuentes. A las colonias americanas todo esto llega aún más tarde, más mezclado, más debilitado, más incompleto. No se espere en Hispanoamérica, pues, una producción novelesca a tono con la época.

Apenas si, rasgos de novela, se hallan en el presbítero José Mariano Acosta Enríquez (México; su obra literaria va de 1779 a 1816). Metió a Cervantes, Quevedo y Torres Villarroel en la trama de su *Sueño de sueños* y con ellos se fue de viaje —viaje onírico— al otro mundo, presentando la muerte en forma de alegoría. Narra Acosta Enríquez en primera persona, y con sus tres más admirados escritores va conversando sobre los cambios en la moda y en el habla, sobre la vejez, la medicina y la muerte. Aparecen comitivas de gentes de toda clase y desfiles de símbolos morales y de personificaciones de dichos populares. Ingenio novelesco no hay. El tema de *Sueño de sueños* ni siquiera es nuevo. Quevedo había escrito sus "Sueños", Torres Villarroel había imaginado un diálogo con Quevedo. Ahora Acosta agregó Cervantes a la compañía: tampoco en convocar esta reunión fue el primero pues en 1728 Nicolás de Molani Nogui había publicado una *Querella que Don Quijote de la Mancha da en el tribunal de la muerte contra Don Francisco de Quevedo sobre la primera y segunda parte de las visiones y visitas de Don Diego de Torres*. Pero, con todo, esta obrecilla tiene interés por sus datos sobre el gusto literario setentista. Debió de escribirla alrededor de 1800: habla del "fin del siglo que acabó, llamado el de las luces", y el libro más reciente que menciona es la traducción de *Clara Harlowe* de Richardson, de 1798 (y hasta es muy probable que ese *Robinson* que menciona sea la traducción de *El nuevo Robinson* de Campe, en cuyo caso la fecha es ya 1800). Desde el 1800 echa una mirada a la historia de la narración española y señala la fortuna literaria de Cervantes, Quevedo y Torres Villarroel, agregando interesantes noticias sobre los gustos dominantes en el siglo XVIII. Nos dice que las muchas traducciones del francés están cambiando la lengua de los escritores. Entre los libros que por México "corren semejantes a los vuestros" —les dice a los tres españoles— menciona los de los franceses Bottens, Fénélon, Lesage, Mme. de Genlis, de los ingleses Fielding (Henry y también Sarah), Richardson, del alemán Campe y del italiano Serinam. Entre las novelas originales de españoles, las de Montengón y, lo mejor a su juicio, *Los enredos de un lugar* (1778) de Fernando Gutiérrez de Vegas, cuyo héroe, el licenciado Tarugo, se asemeja, dice, a Don Quijote.

POESÍA

México, en los treinta últimos años de la colonia, es
pujante centro humanístico. El clasicismo, aunque de
luz refleja, tenía calor. Por lo menos, calentó, el ánimo de muchos versificadores. Se traducía, imitaba y
comentaba abundantemente a Horacio, Virgilio, Ovidio, Catulo, Marcial y aun a los griegos. El único escritor de esta época de Carlos IV, de vocación si no
de talento, fue Fray Manuel de Navarrete (México; 1768-1809), poeta de los paisajes mexicanos, más
refinado en su cultura neoclásica que fino en sus percepciones. Comenzó a publicar sus versos en 1806.
Fomentó la Arcadia mexicana —una de las innumerables academias de este período—, cuyos miembros se
llamaban con nombres de pastores: imitaban las anacreónticas de Meléndez Valdés. Éste le enseñó a almi-
barar versos eróticos; y también a leer a Young, cuyos
Night Thoughts imita en "Noche triste" y en "Ratos
tristes". Así fue de la suave poesía pastoril de su juventud a la elegíaca de sus últimos años de desencanto.
En "Poema eucarístico de la Divina Providencia" hay
reminiscencias de Fray Luis de León. Se le parece
Manuel Justo de Rubalcava (Cuba; 1769-1805),
poeta clásico, sobrio, de corrección formal. En sus
silvas, en que cantaba a frutas cubanas, imitaba a
Virgilio ("Egloga") y al poeta español José Iglesia de
la Casa. Su soneto "A Nise bordando un ramillete"
es de lo mejor que hizo. Manuel de Zequeira y Arango (Cuba; 1764-1846), como otros poetas neoclásicos,
escribió poemas didácticos, heroicos y satíricos, Acertó,
sin embargo, en la nota bucólica: nos referimos a la
oda "A la piña", en la que canta las dulzuras del trópico. Con paramentos tomados de la mitología compone una especie de biografía fantástica de la piña,
desde que nace hasta que, vestida en la tierra por Poma
y Ceres, es llevada por Ganimedes al Olimpo, donde
triunfa entre todos los néctares y aromas y es celebrada

por los demás. Este juego —tan típicamente neoclásico— adquiere una emoción criolla y americana cuando el poeta se enorgullece de la piña, "pompa de mi patria". Seguía a Meléndez, Cienfuegos, Quintana. Una de sus invenciones más poéticas se dio, no en su poesía, sino en su vida, cuando, al volverse loco, creía que su sombrero lo hacía invisible. GRACILIANO AFONSO (Canarias-Puerto Rico; 1775-1861) tradujo del griego a Anacreonte y compuso anacreónticas más o menos originales.

La fábula —antiguo género moralizador y práctico— se transformó en el siglo XVIII en discusión ideológica. Los animales hablaban como filósofos, en la manera de los españoles Iriarte y Samaniego. En Hispanoamérica imitaron el género, no la filosofía, JOSÉ NÚÑEZ DE CÁCERES (Santo Domingo; 1772-1846); DOMINGO DE AZCUÉNAGA (Argentina; 1758-1821), espectador escéptico de la sociedad en que vivía, quien introdujo en sus fábulas animales y cosas locales; FRAY MATÍAS DE CÓRDOVA (Guatemala; 1768-1828), autor de una notable fábula, "La tentativa del león y el éxito de su empresa"; y RAFAEL GARCÍA GOYENA (Ecuador-Guatemala; 1766-1823), en cuyas treinta y tanta fábulas se vislumbran ciertas ideas que eran nuevas en su tierra americana.

En los últimos años del siglo XVIII la poesía satírica, tanto la anónima como la firmada, se carga con el aire de tormenta de los temas sociales y políticos. Poesía que vale, pues, como barómetro del gran cambio que se prepara. Usaron principalmente de la agresión satírica los defensores de la tradición, que iban perdiendo terreno ante el avance de la modernidad; pero también fue la sátira cauce de inquietudes revolucionarias. Las burlas eran generalmente anónimas; pero se conservan algunos nombres: MARIANO JOSÉ DE ALVA Y MONTEAGUDO (Cuba; 1761-1800) y sus glosas festivas; el padre ÁLVARO MONTES DE OCA (Cuba; 1768-1848). La gran influencia sobre la poesía satírica de

América fue Quevedo: sus temas, sus fórmulas, su lenguaje, sus momentos de apetito y de hartazgo por el mundo. Quevedesco es ESTEBAN DE TERRALLA Y LANDA, andaluz que vivió en México y al llegar a Perú satirizó las costumbres locales en los romances de *Lima por dentro y fuera* (1797), obra amarga, desordenada y resentida. En *Vida de muchos o sea una semana bien empleada por un currutaco de Lima* anotó, día por día, el vacío ¿de quién?, ¿de un petimetre típico? Creemos que más bien de su propia vida. Era un egocéntrico, y culpaba a los criollos de sus fracasos económicos y sociales. Se sentía perseguido. Lo que le pasaba es que no acababa de adaptarse. Se asoció a los españoles en la reacción anticriolla. No era muy inteligente, y quedó ciego para el gran cambio histórico de su época. Terminemos con la poesía de circunstancias, que es donde termina toda poesía: por ejemplo, la inmensa cantidad de composiciones en verso a que dan lugar las invasiones inglesas en Buenos Aires.

EN EL UMBRAL DE LA INDEPENDENCIA

Los lectores que, con impaciente patriotismo, quieren que se les hable de la originalidad de sus patrias, nos reprocharán la atención que en estas páginas se da a las ideas y estilos europeos. Pero es que el estudio de la literatura, por aspirar a normas universales, no refleja la peculiaridad de la sociedad americana que puede encontrarse en la etnografía. Europeos trajeron al nuevo mundo su caudal de cultura; y a pesar de que se adaptaron al ambiente, y sus hijos y nietos y tataranietos fueran americanos, esa cultura europea prevaleció. Cierto que viven en una situación histórica distinta a la europea, pero las influencias europeas no cesan. Los vínculos entre la metrópoli y las colonias son estrechos. La falta de comunicación directa queda compensada por la idealización de la cultura europea que no se conoce, por el deseo de pertenecer a la mejor cultura conocida. En el siglo xviii, por ejemplo, cuando ya las colonias parecerían alejadas de las primeras generaciones de españoles, y de las primeras fundaciones de ciudades e instituciones culturales y, por lo tanto, podría esperarse más originalidad, lo cierto es que una nueva ola europeísta viene a cubrirnos. Constantes olas de inmigración, progresos técnicos y administrativos, actividad comercial, movimientos del ejército y de la marina, etc., continúan el intercambio iniciado en los primeros años.

Segunda parte

CIEN AÑOS DE REPÚBLICA

CAPÍTULO VII

1808-1824

[Nacidos de 1780 a 1800]

Marco histórico: Guerras de Independencia, que terminan con el triunfo de las armas criollas.

Tendencias culturales: El Neoclasicismo y las primeras noticias del Romanticismo inglés.

Como la historia es puro cambio, cada uno de sus períodos es una transición. En éste de 1808 a 1824 continúa todavía la transición a que se refirieron los capítulos anteriores: dentro de la Ilustración las ideas se hacen más liberales, las formas literarias más variadas y los estilos individuales más sentimentales, pero la Ilustración misma está transitando por nuevos caminos y, cuando menos lo esperamos, la veremos dialogando con voces que son ya románticas. Puesto que dentro de poco dejaremos la Ilustración para encararnos con el Romanticismo, conviene hacerle justicia. En el orden de la acción, la cultura iluminista hizo nobles esfuerzos para regenerar a España y sus colonias. En el orden de las ideas, ayudó a salir del pantano escolástico y afirmó el humanitarismo, la libertad, el progreso, la razón y los estudios de la naturaleza. En el orden de la literatura, realizó virtudes de claridad, orden, equilibrio y universalidad.

EL LIBERALISMO NEOCLÁSICO

El Neoclasicismo fue la cara literaria de la Ilustración. Pero en los temas neoclásicos —el de la Naturaleza por ejempo— se advierte cómo los escritores rebasan el marco racional y nos dan visiones afectivas. Cada vez se venera más a la Naturaleza (antes sospechosa, para el cristianismo tradicional) y se la mira no tanto como un mecanismo (según hacían los racionalistas), sino como un organismo con fines. Otro de los temas de la literatura neoclásica fue la política. De la vieja palabra latina *liberalis* (lo propio del hombre libre) se derivó el adjetivo "liberal" y, justamente en estos años, los españoles e hispanoamericanos reunidos en las Cortes de Cádiz lo sustantivaron con sentido político y de ahí se acuñó el lema de "liberalismo" —ya usado por lo menos en 1814— para caracterizar el sistema de creencias que se oponían al poder absoluto del Estado y de la Iglesia. Los temas políticos de la literatura neoclásica fueron, pues, los del liberalismo. El liberalismo fue la expresión política de una voluntad de dignificar al hombre que, en el fondo, implicaba la fe en que el hombre era dignificable. Libertad y Progreso fueron, pues, las dos claves de la época. El liberalismo vivificó la literatura. La literatura había sido muchas veces un mero ejercicio académico, retórico, de entretenimiento más o menos frívolo. Ahora las minorías cultas hicieron de la literatura un acto vital. El neoclasicismo adquiría así nuevo empuje. Los intelectuales se sentían responsables de la libertad y el progreso de la sociedad americana. Gracias al liberalismo pudieron los poetas, maestros, escritores, oradores, dar sentido ideal a una revolución y a una independencia que estallaron antes que las colonias estuvieran preparadas. Porque si bien es cierto que había fuerzas económicas, sociales y políticas que se movían en ese sentido, también es verdad que fue la invasión napoleónica de España la que precipitó los acontecimientos y obligó a improvisar la emancipación. Cuando se inicia el movimiento insurreccional de 1808 viven, actúan y escriben muchos de los intelectuales que hemos estudiado en el período colonial o se hacen conocer hombres ya maduros. Pero aquí nos referimos a las contribuciones literarias de los jóvenes.

LA NOVELA

Del grupo mexicano del período de la independencia
—Anastasio María de Ochoa (1783-1833), Andrés
Quintana Roo (1787-1851), Francisco Manuel Sánchez de Tagle (1782-1847), Francisco Ortega (1793-
1849), Joaquín María del Castillo y Lanzas
(1781-1878)— vamos a destacar el mayor en edad y
calidad: José Joaquín Fernández de Lizardi (México; 1776-1827). Comenzó escribiendo versos popula-
cheros, generalmente satíricos, que publicaba en folletos
para venderlos luego por las calles. Pero desde 1812 se
puso a escribir prosas, donde brilló su talento. Se había educado en las tendencias liberales del pensamiento
iluminista. Parece haber sido indiferente a la causa de
la independencia, pero su liberalismo era auténtico: el
mal no estaba para él en que las colonias perteneciesen
a España, sino en que las instituciones atentaran contra
la razón y la libertad. Denunciaba la responsabilidad
de la Iglesia en la ignorancia popular, festejaba la abolición de la Inquisición, atacaba los vicios de las clases
poderosas e insistía en la necesidad de una radical reforma social. El triunfo de la reacción absolutista en
España restauró la Inquisición y Lizardi tuvo que disimular, aunque sin ceder. Cuando el censor condenó
sus artículos periodísticos Lizardi decidió refugiarse en
un nuevo tipo de literatura. Fue una decisión afortu-
nada. Gracias a ella apareció la primera novela en Hispanoamérica: El Periquillo Sarniento, publicada en tres
volúmenes sucesivos, en 1816 (a causa de la prohibición
oficial el cuarto volumen aparecería póstumamente).
¿Por qué no se produjo novela durante los trescientos
años de la colonia? Ya hemos hablado de esto. Lo
cierto es que, de pronto, el género nació en México,
robusto y chillando originalidad. Nació parecido a la
madre: la novela picaresca. Parecido de rostro: relato
en primera persona, realismo descriptivo, preferencia
por lo sórdido, aventuras sucesivas en las que el héroe

pasa de amo en amo y de oficio en oficio, sermones para hacer tragar la píldora amarga... Pero el alma de la nueva criatura fue diferente. Lizardi continúa el optimismo del racionalismo del siglo XVIII y pese a que, al describir las malas costumbres de la ciudad de México, parecía autor picaresco, no creó un pícaro. El Periquillo no es un pícaro sino un débil de carácter, arrojado a las malas influencias. El acierto de Lizardi estuvo en llenar ese vacío de la voluntad del héroe con la resaca social de su época. La filiación literaria de Lizardi viene del siglo XVIII: por eso su novela se parece más a la picaresca de Lesage, del Padre Isla, de Torres y Villarroel que a la del barroco. ¿Cómo situar el *Periquillo* dentro de la novela española? De 1700 a 1808 se sigue escribiendo en España la novela nacional, burlesca, realista; pero desde 1785 ya se leía la nueva novelística europea, de Richardson, Goethe, Mme. de Genlis, etc. Sólo que esta novelística moderna, sentimental, prerromántica ha de dar fruto en el próximo período, de 1824 en adelante. En el *Periquillo* hay algunos episodios sentimentales de este tipo, con mujeres desdichadas, hombres virtuosos perseguidos, sexualidad aceptada como fuerza normal, y así. Recuérdese la historia de Don Antonio (t. I, caps. XIX-XXI) o la del trapiento (t. II cap. IV). Pero en general el *Periquillo* está en la tradición realista. Un realismo que no toma en serio sus temas, sino que los rebaja al plano estilístico de lo cómico. Las desgracias que le ocurren al protagonista se deben a su incapacidad de vivir de acuerdo a normas racionales y virtuosas. Periquillo se va desplazando por la sociedad mexicana como un señuelo para llamar la atención sobre los males de esa sociedad. Es decir, se va moviendo por los cauces del sistema de ideas que Lizardi tenía sobre la vida social. Cada capítulo es un paso en el desarrollo de una filosofía. Se quiere demostrar que un muchacho débil de carácter y mal educado por las ínfulas aristocráticas de la madre, al caer, cae por estas miserias: cueva de tahures, hospital, cárcel,

trabajos con escribano, barbero, boticario... Lizardi
aspiraba a algo más que a describir una sociedad: quería
mejorarla. No era un "filósofo ilustrado" (de esos que
rompieron con la Iglesia), sino un "filósofo cristiano"
(de los que se proponían conciliar el catolicismo con
el liberalismo). Desgraciadamente era más moralizador
que artista y sacrificó la libertad narrativa. Aun dejando aparte los sermones morales, el propósito de reforma es tan ostensible que aparece en la construcción
misma de los episodios: recuérdense, en los primeros
capítulos, las tres escuelas a que va sucesivamente Periquillo; la primera, con un maestro bueno pero inefi-
caz; la segunda, con un maestro eficaz pero malo; y la
tercera, síntesis de todas las virtudes pedagógicas que
el autor ofrece como solución. Esto es, que Lizardi
no niega que haya caminos abiertos al bien; sólo que
quiere mostrar lo grueso, lo común, lo típico de la vida
de su tiempo. Actitud de costumbrista, no visión me-
noscabadora de valores, como en la picaresca. Nos hemos detenido en el *Periquillo* por su importancia histórica, pero la obra maestra de Lizardi fue *Don Catrín
de la Fachenda*. Ha aprendido el arte de contar y
cuenta sin distraerse con digresiones. No tiene el abi-
garramiento de los cuadros costumbristas del *Periquillo*, pero es más novela: la acción corre con gracia, de
episodio en episodio, y se cierra como una obra de equi-
libradas proporciones. Cuenta como Cervantes, a quien
imita: ese final del capítulo III, que corta la escena de
Tremendo y Modesto con los sables levantados, para
retomarla al comienzo del IV, cuando se descargan fu-
riosos, es parodia de la pelea entre Don Quijote y el
Vizcaíno, interrumpida por el cambio de capítulo (parodia, a su vez, de *La Araucana*). Se parece, pues, a un
pasado; otra vez, el de la picaresca. Pero lo cierto es
que *Don Catrín* vale por su novedad. Su tema es la
vida de un joven mexicano de buena familia y de buena
presencia que, orgulloso de su abolengo, menosprecia
el trabajo honrado y va cayendo con la velocidad de un

suicida que se arroja desde una torre: militar, estafador, tahur, cómico, sirviente de prostíbulo, asaltante y mendigo son las posturas de Catrín en su caída. Las aventuras son divertidas, y la ironía con que se narran de lo más fino en la literatura hispanoamericana. La intención didáctica es palmaria: los personajes llevan nombres simbólicos; el diálogo suele canalizarse por razonamientos típicos de lo bueno y lo malo, de lo inteligente y lo tonto, de lo dañino y lo virtuoso; hilos de la misma trama se entretejen con simetrías y contrastes que van dibujando la filosofía reformista del autor. . . A pesar de lo cual Don Catrín adquiere vida de personaje de novela. Lo vemos, lo oímos. Lo reconoceríamos si lo encontráramos por la calle. Existe. Es un tipo, sí; pero lo bastante concreto y particular para que sintamos su presencia como si fuera un prójimo. Moribundo, ya boqueando, Catrín permanece fiel a su modo de ser. Es posible que el lector de hoy se sienta molesto por la intervención constante de la ironía de Lizardi en la autobiografía de Catrín. Hay que desdoblar el "yo" de *Don Catrín de la Fachenda*: leída así, el "yo" de Lizardi nos habla del "yo" de Catrín como si fuera una tercera persona, y la novela se convierte en una de las más chuscas expresiones irónicas de toda la literatura hispanoamericana. Notable es también esta novela por su estilo, que anda con paso de hidalgo de antaño y, sin embargo, es ágil y juvenil. Ocurrencias felicísimas suenan a frases que hemos leído en la buena literatura española; pero no están puestas ahí, sino que han nacido de los labios de los personajes inventados por Lizardi. Inferiores, artísticamente, son sus otras dos novelas: *La Quijotita y su prima* (1818) y *Noches tristes* (1818). Escribió, además, fábulas y piezas teatrales. Son sus novelas lo más original que se produjo en América durante los años en que las colonias luchaban por su independencia. Novela autobiográfica, picaresca, costumbrista fue también *El cristiano errante* (1847) de ANTONIO JOSÉ DE IRISARRI (Guatemala; 1786-1868).

Publicó otro esbozo de novela picaresca: *Historia del perínclito Epaminondas del Cauca* (1864?). Fue un brillante polemista, conservador, monárquico, antiliberal, inquieto, viajero incansable, personalidad rencorosa y de gran interés humano. Es autor también de *Poesías satíricas y burlescas* (1867).

En otra dirección se anticipó la novela hispanoamericana a la española: en la de la novela histórica. En 1826 apareció en Filadelfia *Jicoténcal*, de autor anónimo. Fue la primera novela histórica escrita en castellano en el siglo xix, su asunto fue hispanoamericano (la conquista de México) y precedió en dos años a la primera de autor español conocido. ¿Es legítimo incluir *Jicoténcal* en una historia de la literatura hispanoamericana? Se ha dicho que su autor debió de ser mexicano. Es difícil probarlo. Sus censuras a Hernán Cortés están inspiradas no por patriotismo mexicano, mucho menos por espíritu indigenista, sino por las ideas racionalistas, humanitarias y liberales de la Ilustración. El autor, quienquiera que fuese, eligió Tlaxcala como escenario, y a Jicoténcatl como héroe, porque esa realidad se prestaba mejor que ninguna otra a su ideología afrancesada. Tlaxcala es la República; Cortés y Moctezuma, los déspotas; los dos Jicoténcal, el viejo y el joven, simbolizan la libertad, la virtud, la razón; Teutila, la inocencia. Ni siquiera hay color americano en *Jicoténcal*: paisajes convencionales, pocas palabras indígenas, apenas trazos costumbristas en las nupcias de Jicoténcal y Teutila... Es novela discursiva, no descriptiva, y los discursos traducen los hechos de la conquista de México a términos europeos. El autor es más liberal que patriota, más racionalista que indianista. No es novela romántica. Por lo pronto, no hay rasgos de Walter Scott. No se cuenta: se predica. Su sentimentalismo procede más bien de las novelas históricas prerrománticas de Francia: Marmontel, Mme. de Genlis, Mme. Cottin, Chateaubriand... Sentimientos siempre dirigidos por la razón, más rococós que románticos.

PROSA SUELTA

Al margen de otras actividades algunos próceres escribieron buena prosa, como José Cecilio del Valle (Honduras; 1780-1834), redactor de la declaración de la independencia de Centroamérica y autor de bellas descripciones de la naturaleza.

Las ideas liberales de la Enciclopedia venían influyendo desde el siglo xviii, mas la violencia de la Revolución Francesa, el jacobinismo, la exaltación dieron paso, de ese siglo xviii, a un elemento irracional, sentimental y, por tal, casi romántico. Rousseau —una de las fuentes del romanticismo francés— inspiró a los hombres de la independencia. Miranda lo había leído; Simón Rodríguez, el maestro de Bolívar, lo enseñó; y Simón Bolívar mismo (Venezuela; 1783-1830) se nutrió tanto de Rousseau que, sin haber sido escritor, fue sin embargo uno de quienes mejor lo representan. Algunas de sus páginas tocan la literatura, como "Mi delirio en el Chimborazo" (1824) o los penetrantes vistazos de la "Carta de Jamaica" o su preámbulo a la constitución de Angostura, sus proclamas y cartas. Su genio para la acción tiraba las riendas a su imaginación utópica, y su prosa corría así, briosa y frenada, con bellos caracoleos. Pero Bolívar fue más un tema que un autor, porque en la poesía se describieron las guerras de la independencia; y Bolívar fue el héroe. Cantidad de cantores. El mayor: Olmedo.

LA POESÍA

La poesía neoclásica

José Joaquín de Olmedo (Ecuador; 1780-1847) escribió unas noventa composiciones poéticas, de las que muy pocas salva el gusto de un lector exigente. Cubren un largo período, de 1802 a 1847, con largos intervalos porque solía fallarle la capacidad poética y hasta la vocación. Fue siempre poeta neoclásico, imitador de griegos y latinos, próximo, en los raptos de mayor efusión, a Meléndez Valdés, Cienfuegos y Chateaubriand (cuya prosa de *Atala* versificó en la "Canción indiana"), por lo general en la línea de Quintana y de Gallego. Hay dos poemas de Olmedo que se levantan sobre el nivel de su tiempo no sólo en América, y son "La victoria de Junín. Canto a Bolívar" (1825) y "Al general Flores, vencedor en Miñarica" (1835). La importancia histórica de ambos episodios sacudió la vocación de Olmedo y lo decidió a trabajar ahí con todas las fuerzas de su arte, que era grandilocuente no sólo por deliberada imitación a la elocuencia de los grandes modelos sino porque su alma tendía al énfasis; y así se dio el caso de que un poeta, componiendo con toda frialdad, astucia, lentitud y mucho estudiar y retocar, lograra efectos de incendio y de vendaval. Olmedo, que por las dos odas mencionadas pasa por inflamado y vehemente, era en el fondo sobrio, moderado, reflexivo, sensato. Gracias a la correspondencia entre Olmedo y Bolívar y a las variantes de edición a edición se conoce la génesis de "La victoria de Junín". Parece que Bolívar le pidió que cantase "nuestros últimos triunfos" (aunque exigiéndole que su nombre no apareciese). Olmedo empezó a concebir su poema al enterarse de la batalla de Junín (agosto de 1824); pero fue la victoria de Ayacucho (9 de diciembre del mismo año) la que le inspiró una oda grandiosa, con Bolívar como héroe, sí, pero estructurada de tal modo que apareciera no sólo Junín (donde peleó Bolívar) sino Ayacucho (de la que Bolívar estuvo ausente). Para unir ambas batallas en el mismo relato Olmedo recurrió a un truco viejo en la escuela épica: una aparición sobrenatural que profetiza, después de la victoria de Junín, la victoria más decisiva de Ayacucho. Es Huayna-Cápac, el último Inca que poseyó íntegro el Imperio. El discurso que Olmedo pone en boca del indio es típico de la filosofía humanitaria de la época.

Olmedo no abogaba, ni mucho menos, la restauración de los Incas, pero los hombres de su generación —tanto españoles como criollos— se habían inventado un indianismo sentimental que les servía para condenar las crueldades de la conquista y, de paso, luchar contra el absolutismo político. En el fondo este canto a la independencia continúa el pensamiento liberal de los mismos españoles que, por otra parte, estaban revalidando a Las Casas y escribiendo novelas y dramas históricos con temas indigenistas. Otro rasgo de la política de esos años es que Olmedo (o, mejor dicho, Huayna-Cápac) habla de los pueblos de América como "de un pueblo solo y una familia". La verdadera hazaña —dice— no está en derrotar a España, sino en crear una federación hispanoamericana de provincias laboriosas y libres. Tanto se exigía Olmedo, que se desanimó por las imperfecciones de sus versos y llegó a creer que había fracasado. Sin embargo, "La victoria de Junín" es una de las mejores odas de nuestra historia literaria. Fluyen sus versos como poderosas oleadas de música, y el lector se entrega encantado a sus juegos de sonido, retumbantes como en "el trueno horrendo que en fragor revienta", suaves como ese "en sonante murmullo y alba espuma", siempre vivaces, leves y sinuosos. Su elocuencia no era vacía. Desplegaba el verso con solemnidad; uno teme que eso termine en mera pompa, hinchazón y palabrerío; y la sorpresa está en la concisión con que ha elegido cada palabra, cada ritmo, cada imagen. Economía verbal en un género y un estilo que tienden al derroche. Olmedo expresó su emoción del paisaje, y así el poema, épico en su inspiración, didáctico en sus fines, se estremeció de lirismo. Este acento lírico fue lo más nuevo; y lo más americano. Herida su fantasía por un rayo de color que le venía del paisaje, el poeta se ponía a elaborar sus impresiones, animaba y personificaba las cosas hasta convertirlas en personajes de fábula. No sólo fue Olmedo el cantor de las últimas guerras de la Independencia: diez años después le tocó cantar las guerras civiles. "Al general Flores, vencedor en Miñarica" es una oda aún más lograda que la ofrecida a Bolívar, por su delicada sonoridad, sus imágenes originales y desenvueltas, la espontaneidad con que los versos corren y el sentimiento se desnuda. Sentimiento de horror ante la anarquía y el fratricidio que empezaban a despedazar la América grande y unida que antes había celebrado.

Andrés Bello

Más alto aún, ANDRÉS BELLO (Venezuela; 1781-1865). Su primera educación fue religiosa, pero templada por los gustos de la Ilustración. Leía con fruición los clásicos latinos (a los quince años traducía un libro de la *Eneida*), se divertía con Cervantes y Calderón, el francés y el inglés le ponían a la vista los grandes movimientos sociales y culturales de Europa. Se destacó muy pronto por su amplia curiosidad intelectual y por su vocación literaria. Sus primeros ejercicios poéticos son puro tanteo. Rasgos de Horacio y Virgilio y de la escuela italoespañola del siglo XVI vienen a juntarse con la estética neoclásica del siglo XVIII, estética prosaica, didáctica, científica. La poesía, urgida por el ardor constructivo, procura enmendar el atraso intelectual de los países de habla española. Y este ideal patriótico, progresista, arrastra todas las actividades: el lirismo, pues, va a la rastra. Su soneto "A la victoria de Bailén" (1809) —que siempre estimó Bello entre sus mejores poemas— cierra el primer período de su vida. Porque en 1810 marchará a Inglaterra, como auxiliar de Bolívar y López Meléndez, delegados ambos de la junta revolucionaria de Caracas; y en Londres ha de transcurrir el segundo período, hasta 1829 (el tercero será el de Chile, de 1829 a 1865). Bello no había sido nunca un revolucionario. Simpatizaba más bien con una monarquía ilustrada. Quedó solo en Londres y allí, de 1810 a 1829, en medio del esplendor de la cultura europea, se puso a aprender lenguas, literatura, filosofía, historia, ciencias, derecho. Es el período más fecundo de su vida. En su *Biblioteca Americana* publicó la "Alocución a la Poesía" (1823), fragmentos de un poema que Bello pensaba titular "América". Es una silva neoclásica; pero en esa tradición el poeta canta con ánimo nuevo. Invoca a la Poesía para que deje las cortes de Europa y venga a las naciones nacientes de América, cuya naturaleza e historia le serán más propicias. En medio de las guerras de la Independencia, pues, el poeta lanza un programa de independencia literaria. Hay ahí una emoción americana, de nostalgia y de amor. Hay, sobre todo, emoción ante una época que se inicia. Los ejércitos americanos luchaban en nombre de la libertad y del progreso contra el despotismo y la inquisición de Fernando VII. Guerras horrorosas como todas las guerras —Bello no fue nunca poeta belicoso—, pero que abrían el camino a las fuerzas creadoras de la historia. La humanidad estaba sacudiendo los yugos del pasado; y las batallas de América eran "casos de la grande lucha de libertad, que empieza". El triunfo universal de ese impulso histórico, aunque seguro, estaba todavía lejano. Iluminada así con los resplandores de la libertad, América desarrebujaba sus bellezas y se hacía merecedora de la poesía. Una poesía que, con la voz educada en la literatura europea, cantara los temas vernáculos. La "Alocución" de 1823 fue una dirección original no sólo en la historia literaria hispanoamericana sino también en la española: invitaba a los poetas a que no se distrajeran con imitaciones retóricas. Bello aprovechaba sus clásicos, continuaba sus lecciones, pero la intención era nueva. Aun su invocación a la Musa —tan retórica— adquirió en él valor de manifiesto estético. Tres años después, en el *Repertorio Americano*, publicó su silva "A la agricultura de la Zona Tórrida" (1826). Fue concebida dentro del mismo plan de la "Alocución", pero el poeta no pudo refundir ambas silvas porque en el fondo tenían diferentes tensiones poéticas. Las batallas de Junín y de Ayacucho habían puesto fin a las guerras de la Independencia, y Olmedo las acababa de cantar. Hay que reconstruir. Que los pueblos dejen las armas y tomen el arado. El tema de la glorificación del campo en oposición a la ciudad era clásico; y son evidentes las reminiscencias de Virgilio, Lucrecio, Horacio. Pero Bello siente vivamente el campo porque es el paisaje patrio que ama más. La prédica de dignificación civil se disuelve en un genuino sentimiento del paisaje tropical. El Bello de la silva "A la agricultura" se adentró en ese camino hacia la expresión de la originalidad americana que conocía porque era suya. Su lengua poética, no obstante, se parecía a la tradicional. Había una escuela descriptivo-didáctica derivada de los clásicos romanos, proseguida por los humanistas del Renacimiento, cultivada por los jesuitas que versificaban en latín y alentada por el naturalismo de hombres como Humboldt, a quien conoció Bello en Caracas. Las ideas de la Ilustración le dictaban también versos prosaicos, moralizadores: la paz, el trabajo, la virtud, la reconciliación con España, la unidad política con América... A la "agricultura", actividad práctica, no a la "naturaleza" como paisaje, dedica su poema. Esto es lo neoclásico. Pero ¿no es nueva en nuestra literatura esa abundancia de imágenes, ese ímpetu entusiasta de la descripción, ese orgullo en el fruto americano y en su nombre indígena, esa nostalgia, que empapan todo el poema, desbordan sus moldes intelectuales y morales y suben en marea lírica? Por eso las imágenes sobre plantas americanas que en la "Alocución" quedaban sueltas, en la silva "A la agricultura" se desarrollan, se enriquecen, se llaman unas a otras, adquieren no sólo más belleza sino más sentido, pues ahí es donde el poeta hace cristalizar su corriente de sentimientos. Al ahincarse en su propio mundo, el íntimo y el americano, Bello se acercaba a los románticos. Tengamos cuidado, empero. Si el lirismo es lo que más nos conmueve en las "silvas americanas" es porque es lo más próximo a nuestro gusto de hoy. Pero Bello permaneció siempre poeta neoclásico y desde esa posición estética corregía sus propios impulsos. De esta época son también otras poesías; entre las mejores, la "Carta escrita desde Londres a París por un americano a otro", epístola moral a Olmedo en la que Bello se siente exiliado no sólo de América sino del mundo; y en tercetos ricos en emoción patria se lamenta de lo que años después sería obvio: que la Independencia no había traído ni la virtud ni la felicidad soñadas. En Londres, Bello cultivó la amistad de Blanco-White, Puigblanch, José Joaquín de Mora y otros españoles liberales. Blanco-White, que era el maestro, procuraba apartar a sus amigos de la retórica neoclásica. El ejemplo de la poesía inglesa, fresca, sincera, inspirada en las bellezas naturales, en el folklore, en la vida simple y en la realidad inmediata, tuvo efectos. El primer brote romántico de la literatura española apareció, pues, en Londres, sólo que como era literatura de emigrados (y a veces escrita en inglés) no tuvo influencia en España y por eso no cuenta en las historias literarias corrientes. Fue, en todo caso, un romanticismo tan distinto al que se impuso después de 1834 (con la vuelta a España de los emigrados educados en París), que ni siquiera suele llamárselo así. Bello no pudo haber sido una excepción en el cambio de gustos literarios de los emigrados en Londres. El romanticismo a la inglesa debió de haber influido en su descripción de las bellezas de su tierra. Con todo, en los años de Londres no escribió poesías románticas. Al establecerse en Chile, en 1829, publicó en seguida un artículo sobre las poesías de Fernández Madrid —compañero de inmigración en Londres— y allí se refirió a una nueva promoción literaria, distanciada de Meléndez Valdés y Quintana, la de los emigrados españoles de 1823. Pero el romanticismo que prendió en España fue el importado de Francia. Los liberales que en Londres habían descubierto el valor de una poesía original, sin imitaciones al clasicismo francés, se disgustaron ante este nuevo afrancesamiento de las letras españolas. Su reacción parecía antirromántica, pero en realidad iba contra lo que la moda tenía de insincera. Bello comprendía los ideales románticos pero estaba dispuesto a resistir la moda. Denunció el disfraz de los románticos afrancesados. Tradujo a Victor Hugo (así como antes había traducido a Byron) y hasta aprovechó la traducción de la "Prière pour tous" (1830) para volcar en ella su intimidad: la "Oración por todos" (1843) es una adaptación más que una versión. ¿Es el viejo Bello traduciendo al joven Hugo o es el clasicista Bello recortando la imaginación del romántico Hugo? De todos modos, ahí se ve a Bello en medio de la corriente romántica, pero resistiendo. Lo mismo podría decirse de la traducción de "Les Djinns" (1828) en "Los duendes" (1843). La llegada a Chile de los argentinos Sarmiento, Alberdi, López —sobre todo la de Sarmiento— sacudió violentamente la vida literaria. Esos argentinos habían aprendido su romanticismo en libros franceses; y se encendió una polémica en la que Bello apareció como clasicista. Sin embargo, en su famoso discurso inaugural de la Universidad de Chile, en 1843, Bello demostró que era el más comprensivo de todos. Él había conocido el romanticismo en su fuente inglesa: sólo objetaba la superficialidad de los repentistas. Traviesamente —tenía un fino sentido de la ironía— desarmó la máquina de resortes y mecanismos del estilo romántico y luego la volvió a armar demostrando así que comprendía su funcionamiento. En 1846 (más o menos) imaginó a la Moda romántica —"La Moda" se llama esa composición— revelando sus secretos. Es una poética al revés, notable porque Bello se burla, no desde fuera sino desde dentro, comprendiendo. Cuando Mitre se desorbitó en su composición "Al cóndor de Chile" (1849) Bello se burló de las faltas de lógica en ese estilo romántico: "El cóndor y el poeta". Construir era su ley: y por eso sus grandes aciertos de poeta se dieron en esa línea. Llegó a escribir leyendas —por lo menos una, la del "Proscripto"— al modo romántico. Pero su fuerte no estaba ahí. Era un constructor de pueblos. Era también un pensador: y su última obra —*Filosofía del entendimiento*— le da un lugar señero en el panorama filosófico hispanoamericano. Aunque ahí Bello se refiere solamente a la psicología y la lógica, es lo bastante sistemática para incorporarse a la historia de las ideas. El pensamiento de Bello reflejaba, sin duda, tendencias europeas. Frente a las escuelas escocesas (Reid, Dugald, Stewart, Brown) y ecléctica (Cousin, Jouffroi) que él estimaba como la filosofía dominante en su tiempo, buscó un desvío. Aprovechaba para ello lecciones aprendidas en la filosofía inglesa anterior a la de los escoceses (de Hobbes a Hume, especialmente Berkeley), recogía del eclecticismo elementos de Kant y, con noticias del positivismo que se alzaba a sus ojos, propuso una reducción de las facultades del alma a entendimiento y voluntad: de aquí su división entre psicología y lógica (no alcanzó a formular la división entre la psicología moral y su práctica en la ética). Todo lo que dijo ya se había pensado: pero él lo volvió a pensar. La fuerza con que repensaba creó matices personales, visibles sobre todo cuando es el filólogo Bello, el escritor Bello, quien comunica sus experiencias. Libro, en suma, excepcional en la lengua española de esos años.

Más poetas neoclásicos

En Buenos Aires —como en otras ciudades de la América española— la revolución de 1810 contra España se hizo con fórmulas políticas españolas (Jovellanos suministró algunas); y también en los primeros cantos a la libertad resonaron los ideales neoclásicos en boga en España. Sin duda había una voluntad de crear una patria nueva y de dar a esa patria una expresión literaria propia. Pero la verdad es que cuando las tertulias literarias se abrieron a los temas de la guerra por la Independencia esos temas no inspiraron una nueva poesía, sino que entraron en las formas poéticas tradicionales. Parte de la abundante versificación patriótica, desde 1810, se recogió en dos libros: *La Lira argentina* y la *Colección de poesía patriótica*. El examen de estos quince años de producción en verso apenas salva unos nombres. VICENTE LÓPEZ Y PLANES (1787-1856), que ya había documentado, en más de mil endecasílabos, "El triunfo argentino" (triunfo sobre los ingleses invasores), ahora escribió una "Marcha patriótica", una de las muchas que entonces circulaban, convertida luego en Himno Nacional. ESTEBAN DE LUCA (1786-1824) escribió también una marcha patriótica, odas a las victorias criollas y a la libertad de América y elegías a la muerte de nuestros héroes. Su "Canto a la victoria de Maipú" y su "Canto lírico a la libertad de Lima", con ser los mejores, son briosos sólo en la intención civil. La poética neoclásica les cortó las alas.

Quien se levanta por encima de tanta chatura y alcanza un plano próximo a los grandes poetas neoclásicos de América —Bello, Olmedo— es JUAN CRUZ VARELA (1794-1839). Su poema juvenil "La Elvira" se emparienta con los eróticos de Cadalso, Meléndez Valdés y Arriaza. Aunque Varela creyó, en sus primeros años de poeta, que se consagraría a cantar no temas de sangre, estragos, guerras, sino "juegos, ternura y risa", muy pronto se sumó al coro de patriotas y, junto a ellos, cantó el triunfo de Maipú (1818), la **muerte** de Belgrano, la libertad de Lima, etc. Más que canto era declamación; y tampoco declamación ardiente, sino con ese frío académico tan característico del período neoclásico. Desde 1820 Rivadavia —primero como ministro, después como presidente— dio unidad e impulso a la cultura iluminista de la época, y Cruz Varela ha de convertirse en el poeta oficial. Fueron unos pocos años, y tan frustrados por las guerras civiles y la barbarie que vinieron después, que quien vuelva los ojos hacia la época de Rivadavia percibirá un brillo de utopía. Se confiaba en la razón como instrumento de bienestar público. Con normas racionales había que regular la vida de los pueblos y levantar instituciones progresistas, de valor universal. Cruz Varela se convirtió en el poeta de la administración de Rivadavia. Como todos los neoclásicos era lector de Virgilio (traducirá fragmentos de la *Eneida*), y con el episodio de Eneas y Dido escribió una tragedia en tres actos; o, más bien, una elegía, pues lo que se destaca en *Dido* (1823) es la tristeza y la muerte de la reina abandonada. Años después escribió otra tragedia —*Argia*— inspirada por Alfieri y, como Alfieri, disfrazando con un ropaje de antigüedad clásica el odio a los tiranos. El teatro, en el Río de la Plata, era entonces "una escuela práctica de moral". La Sociedad del Buen Gusto del Teatro (constituida en 1817) procuraba proteger al público de las "corrupciones" y "absurdos" de Lope de Vega y Calderón. Las dos tragedias de Cruz Varela realzaron el teatro rioplatense, pero no contribuyeron en verdad con nada que no se hubiera hecho antes en España. El "Canto a Ituzaingó" retomó el tema bélico. La guerra, ahora, no era contra España, sino contra el Brasil. Los poetas de la guerra contra España ya habían enmudecido. Cruz Varela quedó solo; y cantó al nuevo enemigo emulando "La victoria de Junín" de Olmedo. Cayó Rivadavia en 1827, Dorrego fue fusilado en 1828 y en 1829 entró en la escena un caudillo que dominaría al país hasta 1852: Juan Manuel de Rosas. Cruz Varela se desterró a Montevideo y allí murió. Meses antes de morir dejó oír su "canto de cisne": "El 25 de Mayo de 1838 en Buenos Aires." Poesía civil, política, vehemente en la invectiva contra Rosas. Por la vivacidad de las imágenes y por el renunciamiento a los postizos neoclásicos es de lo más original y conmovedor que escribió. Los tercetos discurren plegándose a los movimientos del alma: nostalgia, desprecio a Rosas y una dignidad de vencido. No lanza improperios: se despide tristemente.

En todas partes se dio esta poesía culta, de forma neoclásica, de temas sacados de la filosofía de la Ilustración, a veces de tono burlón y satírico, siempre moralizadora. Unos ejemplos. SIMÓN BERGAÑO Y VILLEGAS (Guatemala; 1781-1828), a quien condenó la Inquisición por ser "agitador de ideas perniciosas y sedicioso", escribió fábulas, letrillas, un "canto a la vacuna" y una "silva de economía política". El padre JOSÉ TRINIDAD REYES (Honduras; 1797-1855), el primer poeta que aparece en su país, escribió unas sátiras políticas llamadas "cuandos" por la palabra del estribillo. Su poesía patriótica está en la línea de Quintana. Lo mejor de él fueron sus "Pastorelas", piezas teatrales versificadas, de inspiración popular. JOSÉ MARÍA SALAZAR (Colombia; 1785-1828), lírico neoclásico pero autor de una *Oda a la muerte de Lord Byron*.

La poesía popular

Al lado de esta poesía urbana, culta, académica, durante las guerras de la Independencia surgió la voz del gaucho. BARTOLOMÉ HIDALGO (Uruguay; 1788-1822) representó, dentro de *La Lira* y la *Colección*, una dirección poética aparentemente más humilde pero en su destino más revolucionaria, pues abrió un camino a la expresión americana. Hidalgo no era un gaucho, pero había oído a payadores auténticos, conocía sus modismos y acertó a expresar, en sus "cielos" y "diálogos", el tono de la improvisación gauchesca. La importancia de Hidalgo está en ser, si no el primero, por lo menos uno de los primeros en descubrir para la poesía el valor de la población rural americana. La palabra "gaucho" apareció en el Río de la Plata, a fines del siglo XVIII, con una significación negativa: era el vagabundo, el cuchillero, el alzado contra la autoridad, el cuatrero, etc. Sin duda la palabra recortaba, de toda la población pastoril que vivía suelta y desparramada, los elementos humanos que por su rebeldía, por su iner-

cia, alarmaban más a los hombres de orden y de ley.
Pero pronto la palabra "gaucho" se cargó de un contenido más favorable. En primer lugar las masas gauchas
entraron a formar parte activa en la vida histórica del
país y, desde 1806, cuando las invasiones inglesas, de-
mostraron sentido de patria y abnegación; comprendieron el sentido político de la revolución de 1810 y hasta
llegaron a defender los ideales de independencia y de-
mocracia cuando algunos porteños vacilaban. El gaucho, en los versos de Hidalgo, es más bien un paisano
que comenta la realidad política de las guerras contra
el español en un estilo espontáneo y plebeyo, chabacano
pero nuevo en el cuadro literario neoclásico. Y, sin
embargo, aun en los "diálogos" de Hidalgo, el viejo
Chano se queja de "que hasta el nombre de paisano /
parece de mal sabor". Qué valor artístico tenían los
genuinos cantos de los gauchos es asunto de folklore, no
de historia literaria. Lo que la literatura recoge no es la
poesía de los gauchos, sino una tradición elaborada artísticamente por hombres cultos que simpatizan con los
gauchos o se dirigen a ellos procurando hablarles en su
propia lengua. Hidalgo, en actitud de gaucho, canta
los sentimientos de la población del campo en las
guerras de la Independencia y sus luchas por la libertad. En los "cielitos" canta los ideales militantes de
la lucha contra el poder español, de 1811 a 1816. Amor
a la patria, odio a los tiranos; y alienta a los gauchos a
luchar contra los partidarios de Fernando VII. En los
"diálogos" el poeta ya no se limita. Tienen como fondo
los años 1821-1822. Hidalgo contempla las contiendas
de su tierra y evoca las glorias de la Independencia.
Quiere exaltar a los criollos con la visión de las hazañas
de los patriotas de Mayo. Y por esta mayor seriedad
los "diálogos" ofrecen lo mejor de Hidalgo: léase la
"Relación que hace el gaucho Ramón Contreras".

Por la simpatía a la expresión popular podría, al
lado del rioplatense Hidalgo, ponerse al mestizo peruano
Mariano Melgar (1791-1815), aunque éste fue más

culto. Traductor de Ovidio, apenas tuvo tiempo para expresar su musa erótica: murió joven y parte de su obra fue destruida precisamente por tratar de amores. En lo que conocemos se reconocen las preferencias neoclásicas: fábulas, traducciones e imitaciones de Virgilio... Pero, en la dirección más sentimental del neoclasicismo, acertó en dos hechos: primero, en cantar un amor realmente vivido; segundo, en dar a ese canto los metros cortos de la copla quechua. Los "Yaravíes" de Melgar no valen gran cosa, poéticamente, pero esa melodía indígena —melodía de la estrofa y del sentimiento— fue algo nuevo. Inició una poesía mestiza que luego continuarán los románticos, con su vuelta a la naturaleza y a los temas nativos. Melgar, por su asunto vernacular, por la tónica de su sensibilidad —recuérdense sus "palomitas"—, sobresale al lado de los otros escritores peruanos de sus años: *v. gr.*, el satírico José Joaquín de Larriva (1780-1832), que después de haberse burlado de España se burlará de las nuevas repúblicas.

EL PRERROMANTICISMO

En este período hemos visto volar, por el cielo de la cultura hispánica, las primeras chispas románticas que traen los vientos de Europa. Las palabras "romántico", "romanticismo" ya se conocían, pero como sinónimas de pintoresco, extravagante, absurdo. Lo que importa en la historia literaria es el uso de esas palabras como designación de una nueva corriente estética. Y, como no podía menos de ser, este uso definitorio, tipológico, es posterior a la existencia de la nueva corriente estética. La palabra "romanticismo", en este sentido, pertenece al siglo xix, pero la literatura a que se refiere viene del xviii. El concepto de "romanticismo" como opuesto al de "clasicismo" se usa, con plena conciencia de su importancia, en Alemania desde 1802, en Francia desde 1816, en Italia y España desde 1818, en Inglaterra desde 1823. Estas definiciones se diseminan gracias especialmente a August Wilhelm Schlegel. Como dijimos al estudiar a Bello, hubo curiosos contactos entre los emigrados liberales de España e Hispanoamérica que se establecen en Londres y el romanticismo inglés. Los escritores ingleses que ahora llamamos románticos constituían un grupo con una coherente visión de la poesía, la imaginación, la naturaleza y el espíritu. Su estilo, rico en metáforas, símbolos, mitos, a veces oscuros, misteriosos y aun místicos, era nuevo. Se rechaza la concepción mecánica del universo en nombre del poder visional y creador de la fantasía. Los aspectos más sencillos y humildes del mundo se empapan de luz metafórica. El poeta participa, con sus cantos, de las fuerzas infinitas y eternas del universo. La naturaleza aparece como un todo orgánico, animado, vivo, de tal modo que el poeta, al celebrar sus fines, identifica la belleza con la verdad. Aun en figuras menores de Hispanoamérica se advierte cómo este romanticismo, visto en Inglaterra y en seguida sentido en todas las otras literaturas europeas, despierta una nueva sensibilidad. José FERNÁNDEZ MADRID (Colombia; 1789-1830), a quien llamaban "el Sensible", fue uno de los primeros en cultivar una poesía con temas de hogar, con tonos de meditación y con sentimientos de la naturaleza que debió de haber leído en Inglaterra, pues en Francia se manifestó posteriormente. Fue también lector de Chateaubriand. Hizo representar *Atala* en forma de tragedia. Con reminiscencias de los paisajes de *Atala* compuso "La rosa de la montaña". La poesía inglesa era gustada no sólo por los emigrados en Inglaterra, sino también por los que vivían en los Estados Unidos. José ANTONIO MIRALLA (Argentina; 1789 1825), traductor de la "Elegía" de Thomas Gray, había vivido en ambos países. Young y el falso Ossian fueron otras de las influencias que llegaron, directa o indirectamente, de Inglaterra; y no sólo al verso, sino también a un tipo de prosa poemática.

Ruinas, llantos, recuerdos, soledad, melancolía, una naturaleza crispada por el dolor de los hombres se manifiestan aun en la prosa discursiva. José María Gruesso (Colombia; 1779-1835), en un discurso universitario, daba definiciones como ésta: "El murmullo de una fuente es la dulce sonrisa de una ninfa; los trinos de las avecitas, el llanto de Filomela; el rocío que humedece el prado, las lágrimas de Endimión, y el ruido de los árboles, agitados por el viento, los suspiros del dios del bosque." Escribió poesías. "Las noches de Geussor" —donde habla de bosquecillos "románticos"— derivan de la nocturnidad de las *Noches* de Young. Y, en efecto, "el Young americano" lo llamaba su amigo Ulloa. Francisco Antonio Ulloa (Colombia; n. 1783) escribió en una prosa artística en la que se reconocen sus lecturas de Fénélon, Ossian, Saint-Pierre, Chateaubriand. Muy de época, sus cartas sentimentales, con lágrimas, tierna amistad y besos. Tradujo "una Noche", de las poesías de Ossian, y en una dulzona carta dedicó a Gruesso "esas bellezas dignas de corazones sensibles y de la triste melancolía que ha sacado de tu alma suspiros tan tiernos y patéticos". Estos fenómenos literarios a que acabamos de aludir no son abiertamente románticos, pero nos preparan para comprender el advenimiento del nuevo estilo. (Aun en las excelentes *Memorias* del general argentino José María Paz, 1872-1854, de estilo varonil, llano, preciso y objetivo, más verdaderas que el *Facundo* de Sarmiento y más novelescas que la *Excursión* de Mansilla, se acusan, no rasgos románticos o líricos, pero sí fuertes sentimientos de desilusión.)

CAPÍTULO VIII

1825 - 1860

[Nacidos de 1800 a 1835]

Marco histórico: Disgregación de las colonias en núcleos nacionales; anarquía, caudillismo; luchas entre el absolutismo y el liberalismo.

Tendencias culturales: El romanticismo en dos promociones. Del costumbrismo al realismo.

La literatura hispanoamericana se hizo romántica siguiendo el ejemplo de toda Europa. La conversión, sin embargo, no fue tan simple como podría esperarse. Ya vimos cómo algunos viejos neoclásicos acabaron por aceptar las incitaciones de la joven estética (Bello), y ahora veremos cómo también hubo lo opuesto: jóvenes que no se dieron por enterados del cambio y siguieron prendidos a las faldas del neoclasicismo (Baralt). Al lado de ellos están los que vacilan inclinándose ya hacia tradiciones académicas, ya hacia la libertad artística, resistiendo el avance romántico como quien no quiere la cosa o acompañándolo casi sin saberlo (Heredia). Pero quienes dan equilibrio a este período son los escritores plenamente conscientes de la nueva concepción de la vida, del arte y de la historia. En el capítulo precedente se dijo algo sobre las primeras noticias del romanticismo: propagación a España de las definiciones de Schlegel; emigración de españoles e hispanoamericanos a Londres, donde conocen el nuevo estilo; la influencia ejercida por Francia... En este capítulo lo que ha de ocurrir es que la influencia de Francia se afirmará. En efecto, la primera generación hispanoamericana de románticos que saben lo que quieren y actúan con un programa polémico abandonó la madre España y adoptó a Francia como madrastra. Esto, en los países más impulsivos, como Argentina, y sólo hasta mediados del siglo. Después los hispanoamericanos se darán cuenta de que Francia no era una madre, sino una buena tía, y abrirán los brazos al romanticismo español. Es así como, en los países de más lento paso, el romanticismo llegó tarde y hablando, no en francés o en inglés, sino en español. La literatura romántica europea entraba por ahí ya españolizada. No es que disminuya la influencia francesa (esto no sucederá sino en el siglo xx), sino que aumenta la española. Tenemos, pues, dos generaciones románticas: la primera es la que da obras significativas antes de 1850 (como el *Facundo* de Sarmiento); la segunda es la que empieza a producir después de 1850 (como los folletines con que se inicia en la novela Alberto Blest Gana). Si, *grosso modo*, fechamos así las dos generaciones, la primera de nacidos entre 1800 y 1825 y la segunda de nacidos entre 1825 y 1850, es evidente que esta segunda generación romántica no cabe toda en el capítulo en que vamos. Aquí sólo alcanzaremos a estudiar unos pocos de los escritores de la segunda generación; y a los restantes, por su longevidad o por su importancia en el desenvolvimiento literario, los pasaremos al próximo capítulo. En verdad, el romanticismo, por ser el movimiento más vital, cambiante, expansivo y duradero, no puede encerrarse en marcos cronológicos. Aun más de dos generaciones románticas podríamos esbozar: ¿no llega acaso a nuestro tiempo, en continuas transformaciones?

A *las puertas del romanticismo*

Llave de oro, para abrir este capítulo, es JOSÉ MARÍA HEREDIA Y HEREDIA (Cuba; 1803-1839). Niño, Heredia traducía ya a los latinos, estudiaba en ellos sus primeras lecciones de composición literaria e imitaba a los neoclásicos franceses y españoles. Era, por otra parte, lo que hacían sus mayores: traducir e imitar. Cuando llegó a México (tenía dieciséis años) el humanismo que allí encontró había perdido su fuerza espiritual y se reducía a recomendar normas de arte y a parafrasear sin arte un pasado del que ya no se sabía recibir ningún aliento vital. Heredia nunca olvidará su aprendizaje de las letras latinas: aun en sus poesías de madurez, en los momentos de mayor sinceridad y lirismo, sus versos tendrán reminiscencias clásicas, y así el lector reconoce en ese "mi sepulcro no ha de guardarme entero" de "Poesía" el "*Non omnis moriar*" de Horacio. Del neoclasicismo recibió la influencia de los poetas que reavivaron la antigua escuela de Salamanca: leyó a Meléndez Valdés, el mejor lírico de la época, a Cienfuegos, a Jovellanos, a Quintana. Y se puso a escribir en esa franja literaria que iba desde el dulce y melancólico erotismo hasta la poesía filosófica y social. Ejemplos de las literaturas inglesa y francesa le indicaban que iba por buen rumbo; y traduciendo e imitando la poesía ossiánica, a Chateaubriand, Byron, Ugo Foscolo, Lamartine y quizá a Victor Hugo (a quien nunca citó, pero algunas de cuyas obras poseyó) tiñó sus versos de imaginación, de melancolía y de angustia romántica. Este tono doliente de su poesía es en él lo más valedero. Su filosofía era la humanitaria de la Ilustración: paz, libertad, justicia, orden racional, progreso... Meditaba sobre estos temas y los exaltó con gestos declamatorios a lo Quintana. Cuando volvió a Cuba conspiró a favor de su independencia y se convirtió en poeta heroico. Sin embargo, su originalidad no está en el fervor patriótico, sino en una forma más intensa de amor a la patria: la nostalgia. Y la nostalgia se da en él como evocación de paisajes y amores. Se sentía desgarrado de Cuba. Muy poco había podido vivir en su isla, y por eso mismo la idealizó. Sentimientos de ausencia, de lejanía, constituyen el *leitmotiv* de su literatura. El "día de la partida" de Cuba le crea inumerables versos, como uno de esos traumas mentales de los que ya no nos reponemos jamás. Sufría el destierro como lírico más que como ciudadano. En ningún sitio se "hallaba": ni en México ni en los Estados Unidos. La verdad es que ni siquiera fue feliz en Cuba: era un desarraigado. Amaba su tierra, pero con las raíces en el aire. Nada podía contentarlo porque llevaba el descontento en su alma. Su mayor ímpetu (si no en su vida por lo menos en su poesía) fue el del amor. El primer amor, claro, en Cuba. Nunca lo olvidará. Es una constante de su expresión. Se refracta y se irisa en el lenguaje literario convencional, pero uno reconoce la fuerza de ese insistente rayo de luz: amar y no ser amado, los celos, preferir el amor a la fama, no querer dañar a la amada atándola a la propia vida, tan desdichada. El paisje cubano fue vivido con ánimo enamorado, y por eso, a la distancia, el desterrado lo evoca como parte de su ternura. Más tarde las circunstancias lo llevaron a cantar la necesidad de la guerra contra el opresor español: ya dijimos que Heredia fue poeta civil, patriótico. Pero más poderosa que esa noción abstracta de patria libre es, en su lirismo, la nostalgia. Heredia era un inadaptado, pero un inadaptado que ansiaba quietud. A veces el tema de la paz, desarrollado como virtud civil, descubre en sus armónicos el verdadero sentimiento del poeta: paz, sí, pero, sobre todo, que lo dejen en paz a él. Este ideal de vida tranquila es tan obsesivo como el amor de mujer y el recuerdo de las bellezas patrias: y todo junto se alza a lo lejos como un espejismo de perdido en el desierto, como sueño de un triste solitario. De todos los poetas de formación clásica fue Heredia el que más habló de sí. Fue el más lírico de todos. Por simetría los críticos, después de haber definido a Bello como el poeta de "Alocución a la Poesía" y de la silva "A la Agricultura", y a Olmedo como el poeta de "La victoria de Junín" y de "Al vencedor de Miñarica", presentan a Heredia como el poeta de "En el teocalli de Cholula" (1820) y de la descripción del "Niágara" (1824). Pero una antología de Heredia será más extensa que las de Bello u Olmedo: fue lírico con más frecuentes aciertos y dejó varias composiciones tan buenas (¿y por qué no mejores?) que las dos mencionadas. "En el teocalli de Cholula" (hay dos versiones, la de la edición de 1825 y la más pulida y aumentada de la edición de 1832) es el poema que mejor coloca a Heredia en la historia literaria. La melancolía, el espectáculo de las ruinas, la comparación del monumento con el volcán, la reflexión sobre la naturaleza y la historia y el sentimiento del tiempo indicaban una imaginación fresca. La percepción de cada matiz de color, de cada perfil de las cosas aparece con extraordinaria nitidez; y, sin embargo, esa descripción tan precisa que es como si nos regalara con un nuevo par de ojos, no es física: no hay realidad exterior sino la del alma en pena que contempla, se siente vivir y medita. El crepúsculo es un movimiento de sombras en la intimidad de una conciencia que se ha escapado de su tiempo. En el canto al "Niágara" otra vez la naturaleza se deja penetrar de lirismo; el poeta se asombra, ante esa maravilla natural, de otras aún mayores: Dios, el Tiempo; y en esta expansión del yo crece el anhelo de la mujer amada y la nostalgia de Cuba. ¡Con cuánta fuerza rompe Heredia el marco neoclásico de su poesía y da salida a emociones (¿románticas?) en "Misantropía", "El desamor", "En mi cumpleaños", "A la estrella de Venus", "Vuelta al sur", "Desengaños", "Placeres de la melancolía", "Himno al sol", "Himno del desterrado"! Al decir que rompió el marco neoclásico de su poesía nos referimos a la forma interior del clasicismo, racionalista, didáctica, porque en lo que atañe a sus patrones de versificación se mantuvo en los de su época. Si inflamos el concepto de romanticismo, Heredia cae dentro de él, por los tonos de su sensibilidad ante la naturaleza, ante las ruinas, ante el exilio, ante el dolor. Heredia escribió también drama, crítica y cuentos. El mejor cuento es "Historia de un salteador italiano" (1841). Aunque en una prosa que marcha con las riendas tirantes, tiene fuerza romántica: el escenario, exótico para un

cubano, de los Abruzzos; el tema del joven italiano
que se hace bandido por despecho amoroso; la mujer-
ángel; el contraste entre la pureza de Rosa y la bruta-
lidad del capitán de bandoleros; la pasión del joven
(que es quien narra), y su acto final de querer ser su
primer verdugo ya que no había sido su primer esposo
(símbolo: el capitán la posee en vida, desflorándola;
el joven la posee en la muerte, clavándole el puñal en el
corazón; amor y muerte).

José Joaquín Pesado (México; 1801-1861) fue poeta mediocre: nunca se levantó a gran altura; tampoco
escribió una sola poesía que de veras sea mala. Hay
dignidad en su paso medido, lento, seguro, correcto.
Sabía mucha literatura (leía en latín, italiano, francés)
y antes de armar un verso debió de pasar rápida revista a sus mejores lecturas. A cada paso encontramos
reminiscencias de la Biblia, de griegos y romanos, de
Dante y Petrarca, de Tasso, de Fray Luis de León...
Sin contar las traducciones e imitaciones que él mismo
indicó. Era más reflexivo que lírico; pero sus abstracciones se mueven tan bien dentro de cada estrofa que
parecen frías hijas de la fantasía. Mejores que sus poesías amorosas —"A mi amada en la misa del alba"—
son las sagradas; mejores que éstas, los sonetos y romances descriptivos, como los de "Sitios y escenas de
Orizaba y Córdoba". Mejor aún, y con más significación en nuestra historia literaria, fue su colección Los
aztecas (1854). Aquí intentó resucitar la poesía indígena mexicana. Un indio le tradujo viejas tradiciones
poéticas de Nezahualcóyotl; Pesado las transformó libremente en versos españoles. Fue un esfuerzo de poeta culto: por ejemplo, en el canto sobre la "Vanidad
de la gloria humana" se reconoce el esquema medieval de "Ubi sunt qui ante nos in mundo fuere". Pero
esa voluntad de poetizar el alma india aparecerá, más
y más, en la literatura hispanoamericana. Junto a Pesado, en el culto a la poesía mexicana neoclásica, se
podría mencionar a Manuel Carpio (1791-1860),

mayor en edad pero mas tardío en su obra. Otros nombres vendrán más adelante, al referirnos al encontronazo de neoclásicos con románticos.

De los tres grandes que ofrece Venezuela en los primeros años de vida independiente —Fermín Toro, Juan Vicente González y Rafael María Baralt (1810-1860)— este último fue el más chapado de tradición neoclásica: sus fríos preceptos, sus fríos versos, sus fríos cuadros históricos, su frío desdén a la cultura cosmopolita, su fría sabiduría académica quitan sabor a su obra y hoy nadie la apetece. Su pensamiento era liberal; su literatura, conservadora. Los otros, en cambio, armonizaron el gusto clásico de las aulas con el nuevo gusto por la historia, el color local, el sentimiento y la intuición, y por eso anuncian a los románticos venezolanos más jóvenes: José Antonio Maitín y Abigaíl Lozano. Juan Vicente González (Venezuela; 1811-1866) cultivó la prosa poética que se estilaba en el siglo XVIII; y, en efecto, sus *Mesenianas* son adaptaciones de las elegiacas *Mesenianas* del abate Jean-Jacques Barthélemy. Fue también historiógrafo de prosa apasionada (semejante en su aptitud para sentir la turbulencia de las masas a su contemporáneo Sarmiento, el argentino). Su *Biografía de José Félix Ribas* evoca, con violentas estampas, los principios de la independencia en Venezuela. González rebasa la historia y entra, como un brazo de mar, en la literatura romántica. Fermín Toro (Venezuela; 1807-1865) estimaba la literatura neoclásica lo bastante para continuarla en los anacreónticos versos de "A la ninfa de Anauco". Pero su sensibilidad para la historia —educada en lecturas como las de Chateaubriand— lo acercaron al romanticismo. Fue el primer venezolano en acercarse tanto a la nueva estética, manteniendo el equilibrio con las tradiciones. Escribió una "Oda a la Zona Tórrida" (reminiscente de la silva de Bello no sólo en el título), con más capacidad de asombro ante la leyenda y la naturaleza de América. En su "Canto a la conquista", también de forma clásica, el indio no es espectáculo: es también el espectador, pues Toro lo imagina en el acto de mirar a quienes a su vez lo están describiendo. Desgraciadamente quedó inconcluso su poema "Hecatonfonía"; pero los cantos que conocemos están estremecidos por el misterio de las ruinas mayas: "Cada signo es un misterio, / un problema cada ruina." "Hay horror, horror sublime / en esta región de espanto." La emoción del pasado —tan romántica— lo llevó a la novela histórica. En *La viuda de Corinto* presentó la lucha entre musulmanes y cristianos (aunque el amor trágico que cuenta se independiza de la trama histórica). En *Sibila de los Andes* (1849) quiso explotar el tema americano pero el esfuerzo quedó inconcluso. Otra novela: *Los mártires*. Escribió "cuadros de costumbres" porque era la moda: *Costumbres de Barullópolis*. Este género venía del siglo XVIII, con su filosofía racionalista y didáctica a cuestas; pero hay un momento en que se hace romántico. Fermín Toro escribió un artículo humorístico —"Un romántico"— en el que se ve cómo el romanticismo era algo nuevo para él. Al describir a un loco que a medianoche declama versos malditos e incestuosos, Toro pone en su boca: "¡Yo soy un romántico!"; y agrega: "Quedéme suspenso; nunca había oído aquel nombre"; "desde entonces tiemblo al oír nombrar un romántico". Costumbristas de diferentes países dejaron pinturas jocosas de ese nuevo tipo humano, con sus modas, gestos y palabras. El romanticismo fue, pues, un tema de "cuadros de costumbres". Después el cuadro de costumbres mismo será romántico.

Muchos de los patriotas que lucharon en favor de la independencia o de los que habían esperado grandes adelantos después de las batallas de Junín y Ayacucho se desilusionaron en seguida. Surgió así una literatura crítica, burlona, amarga, aunque no reaccionaria. Reaccionario, sí, fue el implacable FELIPE PARDO Y ALIAGA (Perú; 1806-1868). Su familia, monarquista y de humos aristocráticos, había emigrado a España al producirse la independencia del Perú. Allí se educó Felipe. Eran los negros años del despotismo de Fernando VII. Al regresar al Perú, Felipe Pardo sintió disgusto por las instituciones republicanas y por los principios liberales; y los atacó con saña en nombre de un orden caduco. No comprendía el sentido de los cambios sociales de su época, y por eso sus versos satíricos, sus famosas "letrillas", sus comedias, sus cuadros de costumbres, a pesar del ingenio con que los escribía, han perdido toda significación vital. Estaba contra la igualdad de las razas, contra la justicia social, contra la libertad política. Le chocaba que, en vez de un rey hereditario, español, naturalmente, rigiera un "Czar de tres tintas, indio, blanco y negro, / que rige el continente americano, / y que se llama Pueblo Soberano". Se lamenta de que las leyes igualen un blanco de familia bien "al negro que unce tus bueyes / y el que te riega el maizal". En su poema satírico "Constitución política" (1859) se burló de la ciudadanía democrática. Tenía educación neoclásica: la del "despotismo ilustrado", la de autoridades retóricas... Comenzó escribiendo odas de corte académico. Admiraba a Quintana; encontraba fastidiosa, en cambio, la poesía sentimental "pastoril o bucólica". Tenía el alma seca de lirismo. Por eso acertó en la sátira ("La Jeta", 1834), en la comedia didáctica (*Frutos de la educación*, 1829; *Una huérfana en Chorrillos*, 1833; *Don Leocadio*) y en los artículos de costumbres ("El espejo de mi tierra", 1840). Quería ser cáustico: "Si arden mis verdades también arden los cáusticos y curan." Pero Pardo no tenía remedios para curar los males de la América independiente: él creía en el pasado colonial. En vez de cáusticos aplicó vinagre a las heridas. Su desprecio le permitió por lo menos ver claro en los defectos del primer período republicano (que eran, dicho sea de paso, defectos que venían de la época colonial). Es evidente su intención moralizadora. Es evidente también su talento. No es evidente el amor, que es lo que daba grandeza al estilo de otros costumbristas.

Imitó al romántico Béranger, citó a Byron; refiriéndose a Zorrilla llegó a tributar "un homenaje de admiración al nuevo carácter con que hace aparecer la poesía castellana este joven sacerdote de las Musas". Pero no fue romántico: sus artículos de costumbres —"Un viaje", "El paseo de Amancaes", etc.— no sienten ni la fascinación del paisaje original ni el movimiento histórico en la vida del pueblo. De la misma estatura literaria de Pardo, y con la misma vena cómica, MANUEL ASCENCIO SEGURA (Perú; 1805-1871) escribió otro tipo de cuadros de costumbres, sátiras y comedias. Fueron adversarios. Ante todo, Segura sentía la realidad peruana como propia: "A pesar de mis desgracias —dice— aún no he perdido el apego a las cosas de mi tierra." El mestizo Segura acompaña con su risa —burlona pero comprensiva— el andar histórico de su país. De aquí el valor "nacional" de su literatura. Los dialectalismos, que en la pluma despectiva de Pardo aparecían para humillar a los peruanos, en Segura cumplen una función de simpatía criolla. Es andariego, curioso, vital, despejado, ocurrente; habla constantemente de sí mientras describe las costumbres de su tiempo porque, aunque se ría, es parte de lo que describe, se siente identificado con su pueblo, *es* pueblo. Uno de sus temas es la propia vocación de escritor: nos dice cómo y por qué escribe. No se toma en serio, si bien entre burlas y veras afirma que lo que escribe sigue "el espíritu y la tendencia de su siglo". Su tono es el de la conversación, y su prosa se enriquece así con vivos y caprichosos modos de decir. El epigrama no se le endurece. En sus versos festivos —porque fue festivo más que satírico— Segura mostró facilidad para dar fluidez al chiste y hacerlo correr en variedad de metros: "La Pelimuertada" (1851) fue su mayor poema. Pero su importancia en nuestra historia literaria está en sus piezas teatrales en verso. Una de las primeras fue de 1839: *El sargento Canuto*. En total escribió unas quince, de desigual valor. Su compás estético va de los sainetes de Ramón de la Cruz a las come-

dias de Bretón de los Herreros. *El Resignado* (1855),
Ña Catita (1856), *Un juguete* (1858), *Lances de
Amancaes* (1862), *Las tres viudas* (1862) fundaron
el teatro criollo limeño. Pedir conflictos dramáticos
hondos, situaciones escénicas nuevas, análisis psicológicos finos, sería demasiado. Pero el diálogo chisporrotea
sin cesar, regocijado e imaginativo. A pesar de las convenciones del verso —y de las convenciones teatrales de
la época: monólogos, apartes, mecánicas salidas y entra-
das, enredos tradicionales, etc.— los personajes son
reales. Reales como tipos sociales, no como caracteres
individuales, pero de todas maneras reales. Realismo
popular, a veces grosero como la descompostura de vientre de Ña Catita, a veces con la fuerza conmovedora del
folklore, como cuando Ña Catita se agacha y separa dos
pajitas que habían caído sobre el suelo en forma de
cruz: "Nada... que aquí hay una cruz. / No la vayan
a pisar." Los temas son los del casamiento, la politiquería limeña, los abusos de la prensa, los militares revoltosos, la empleomanía...

En tranquilas, correctas y elegantes octavas reales
José Batres Montúfar (Guatemala; 1809-1844) sol-
tó, a la carrera, un tropel de imágenes dinámicas. Sabía
contar, y lo mejor que escribió fueron sus tres cuentos
picantes —"Las falsas apariencias", "Don Pablo" y
"El reloj"— agrupados con el curioso nombre de *Tradiciones de Guatemala*. La acción se desenvuelve ágil
y rápida: y que su talento era primordialmente narrativo es prueba el hecho de que los mejores pasajes
son esos en que el poeta llega a uno de los nudos de la
intriga y allí nos suspende el ánimo con la curiosidad
de saber qué va a ocurrir cuando los nudos se desaten.
Pero tuvo otro dinamismo, no tan exterior como el del
relato: nos referimos a su imaginación, que imprime
movimiento, vida, intenciones, gestos aun a las cosas
inanimadas. En "Don Pablo", por ejemplo, el diálogo
entre la luna y el farol —"Ya reinaba el sosiego y el
reposo, / ya la luna se hundía en el Poniente / y a

la trémula luz que despedía / el farol moribundo respondía"— es una de las innumerables notas líricas de su poesía. El lirismo va, pues, a compás de la narración; afina su voz al tono jocoso de las situaciones y caracteres que se describen. De aquí uno de los efectos —¿se nos permitirá decir, "a lo Heine"?— de los versos de Pepe Batres; el poeta, como si se avergonzara de habernos descubierto su ternura lírica, de pronto se interrumpe, nos hace una mueca y ríe. ¿Que estropea su expresión? Sin duda; pero recordemos que el género menor en que escribía —cuentos humorísticos en verso— fue un estropicio en la literatura. Batres Montúfar fue un solitario, tímido, culto, escéptico, irónico. Su buen humor no suena como los cascabeles de un juglar: es silencioso, como una sonrisa inteligente. Los falsos valores del medio pacato en que vivía lo hirieron profunda y dolorosamente; pero el corazón sangraba miel. Criticó la hipocresía, la ignorancia, la violencia y la necedad de los hombres e instituciones de su tiempo; sus sentimientos más sollozantes se expresaron en poesías como "Yo pienso en ti", joya antológica. También de Guatemala fue el buen poeta JUAN DIÉGUEZ OLAVERRI (1813-1865).

EL ROMANTICISMO

Antes de presentar los distintos grupos literarios reparemos en sus características generales. El romanticismo eligió la fuente más inmediata, que era la del yo y su contorno. De esta fuente personal, abierta en un paisaje y en un momento concretos, surge una literatura que quiere libertarse de las autoridades del pasado. El romántico, más atento a las voces de su vida individual que a los consejos de una razón universal, se siente centro del mundo pero, al mismo tiempo, criatura de ese mundo. Es un vago sentimiento de armonía entre lo subjetivo y lo objetivo que se expresa en efusiones indefinidas. El romanticismo afirma la inspiración libre y espontánea, los impulsos pasionales, el acondicionamiento histórico en la vida de los hombres y los pueblos, la literatura como evocación de un pasado nacionalista y también como propaganda para un futuro liberal. En los hijos americanos reconocemos la misma fisonomía de los padres europeos. Sólo que, en América, los fenómenos culturales se arreglan en series peculiares. En primer lugar, los románticos criollos carecían de una gran literatura doméstica. Hicieron lo que pudieron para salvaguardar los pocos monumentos literarios que recordaban, y cuando batallaban en favor de un nuevo estilo era porque se ponían, mentalmente, en el viejo mundo. Se sumaban a ejércitos lejanos. En casa no había enemigos: escritores y obras de la colonia no podían ni imponer normas ni constreñir la creación literaria. Todo, pues, estaba por hacer. El romanticismo criollo fue más una actividad civilizadora que una escuela de bellas letras. Las armas, por literarias que parecieran, eran para usarlas fuera de la literatura, en la guerra entre tradición y progreso, hipanismo y europeísmo, masas y minorías. En general, la costa atlántica del continente fue más beligerante, en su romanticismo, que la costa del Pacífico. En el Río de la Plata el pasado colonial era pobrísimo y, como observó Bello en una carta a Mier, de 1821, Buenos Aires era la ciudad donde menos se leía. Por eso mismo no eran allí tan conservadores como en Perú o México: la literatura surgió con el mismo ímpetu de la Independencia nacional. La violencia se manifestó en polémicas y manifiestos doctrinarios que faltan en otros países. Mientras la generación rioplatense fue más europeizante que hispanófila, los modelos románticos de otros países fueron más bien los de España. Algunos españoles que visitaron o se establecieron en América fueron agentes de su literatura nacional: José Joaquín de Mora, Fernando Velarde, Sebastián Lorente, Juan Bautista Arriaza, García Gutiérrez, Zorrilla. En las colonias que no se independizan, como Cuba y Puerto

Rico, tampoco se debilitó la raíz hispánica, a pesar del prestigio creciente de las literaturas francesa e inglesa. Un mapa de las influencias europeas en América mostraría estos nombres frecuentes: los españoles Larra, Espronceda, Zorrilla; los franceses Hugo, Lamartine, Chateaubriand; los ingleses Byron, Walter Scott; los alemanes Goethe y Schiller se conocían indirectamente, y de los italianos apenas Manzoni y Foscolo. No siempre los románticos se sabían románticos. Para no confundirse con los románticos tradicionalistas, vueltos hacia la Edad Media, la religión, la leyenda y el egotismo, hubo muchos que militaron en un romanticismo social, democrático, progresista, profético, liberal, colectivista, y negaban ser románticos. Y así se dio el caso de parodias burlescas contra el romanticismo hechas por románticos. Eran riñas entre hermanos y algunos renunciaban al nombre de la familia. Estos románticos sociales —sobre todo en el Río de la Plata— se apartaban del pasado español, defendían los derechos a una lengua americana y prometían una literatura nacional, basada sobre todo en el paisaje y los modos de vivir. El nacionalismo lingüístico fue más radical en la Argentina que en ningún otro sitio. Tanto los románticos del yo como los románticos de la sociedad impusieron su terminología: meditabundo, horrible, fatídico, nefando, sombrío, delirios, ruinas; o proscriptos, luces, progreso, socialismo. Y, naturalmente, irrumpieron a centenares las palabras americanas que designaban cosas originales de la tierra: neologismos, indigenismos, arcaísmos. El despego por lo español, la admiración por lo europeo y, sobre todo, la actitud improvisadora tuvieron como consecuencia que la lengua se llenara de extranjerismos, especialmente de Francia. El énfasis en la emoción, la imprecisión del pensamiento y el descuido en el escribir quedaron también registrados en la sintaxis romántica. Las formas preferidas del verso fueron el soneto y el romance (en general, se prefirió el romance en las regiones donde las minorías cultas se enorgullecían del pasado español: México, Cuba, Colombia). La métrica se enriqueció, sobre todo en las combinaciones estróficas. Con notable frecuencia los poetas románticos, para dar variedad a una composición, y para matizar el movimiento de los temas, mezclaron medidas diferentes. Junto con esta polimetría hubo intentos renovadores en la exhumación o invención de metros, intentos que si no fueron tan lejos como los que cumplirán los modernistas a fin de siglo, en algunos casos se anticiparon a Rubén Darío, como Gertrudis Gómez de Avellaneda, José Eusebio Caro y otros. Con estos varios metros, pues, la poesía medirá ahora más las descompasadas palpitaciones de la vida que el compás de las ideas. Los géneros literarios adquieren un nuevo sentido. Se escribieron muchas piezas de teatro, pero muy pocas se representaban: tampoco valían gran cosa. En cambio, la prosa desplegó todas sus fuerzas. "¡La bella prosa al porvenir se lanza / y oscuro yace destronado el verso!", exclamaba el peruano Salaverry en su soneto "Verso y prosa". Exageraba, pero lo cierto es que con el romanticismo la prosa se dignificó literariamente en novelas, cuentos, folletines periodísticos, cuadros de costumbres, ensayos, memorias, crónicas de viajes y aun poemas en prosa. El cuadro de costumbres, que en el siglo XVIII había sido un género reformador, en el siglo XIX simpatiza con el color local, se hace dinámico y se convierte en cuento. El costumbrismo de los "cuadros" entra en la composición de novelas realistas. Abundaron más las narraciones históricas y sentimentales. No faltaron novelas políticas y curiosas novelas alegóricas.

Dentro del vasto temario del romanticismo mundial, los temas más típicos de Hispanoamérica fueron el paisaje natural, los tipos humanos, las maneras de vivir en las diferentes circunstancias sociales y la historia. En los países de grandes masas indígenas hubo una idealización del indio. Eran evocaciones de un indio remoto, imaginado en la época precolombina, de la conquista o de la colonia. En Argentina, por el contrario, la literatura fue hostil al indio. El tratamiento del indio contemporáneo, real, inmediato, ya no fue romántico: en el siglo XIX son muy pocos (González Prada será uno de los primeros) los que lo ven así, como problema social. La historia se cultivó profusamente en novelas, dramas y leyendas en prosa y en verso. Hasta se inventó un género: la "tradición" (Ricardo Palma encabezó una escuela de cuarenta imitadores). Un aspecto curioso del historicismo romántico fueron las obras (en su mayoría teatrales, aunque también hubo narraciones) que presentaban episodios de la vida literaria, con personajes que eran escritores reales, como Cervantes.

El romanticismo argentino

Tendremos que detenernos en la Argentina porque aquí, a diferencia de lo que pasaba en otros países hispanoamericanos, hubo una generación claramente romántica. El de 1830 es el año límite. Hasta 1830 los hombres cultos de Buenos Aires viven "en la época de las luces", racionalista y humanitaria. Bajo el signo de la Ilustración se hizo la revolución de Mayo, la independencia y la primera organización política y cultural de la República, de Moreno a Rivadavia. Desde 1830 Buenos Aires recibe las influencias del romanticismo francés y se forma la generación de Echeverría, Alberdi, Gutiérrez, López, Sarmiento, Mitre, en la que todos concuerdan en justificar la ruptura total con España, en expresar las emociones originales que suscita el paisaje americano y en probar un sistema político liberal. De estos jóvenes, que no se habían mezclado en las guerras civiles entre unitarios y federales, pero que el tirano Rosas obligó al destierro, ESTEBAN ECHEVERRÍA (Argentina; 1805-1851) fue el portaestandarte. En 1825 (tenía veinte años y había vivido borrascosamente, sin tiempo para dejarse atrapar en las redes racionalistas que le tendían sus maestros del Colegio de Ciencias Morales de Buenos Aires) Echeverría partió para Francia. Por lo que luego reveló en sus escritos y por las noticias que nos dejaron sus amigos inferimos que Echeverría observó atentamente, en los cuatro años que vivió en París, la síntesis de romanticismo y liberalismo que se producía justamente entonces. Pero del rico cuadro que Francia presentaba Echeverría aprovechó unos pocos aspectos. Entre 1826 y 1830 aparecieron libros importantes de Vigny, Hugo, Lamartine, Musset, Sainte-Beuve, Dumas... Pero más que estos franceses fueron los ingleses y alemanes que habían influido sobre ellos quienes orientaron el gusto de Echeverría. Estudió la filosofía de la historia y de la sociedad que, arrancando de la escuela historicista alemana, de Herder a Savigny, cobraba nuevos acentos en el pensamiento francés de Leroux, Guizot, Lerminier, Cousin y otros. Echeverría partió de París, si no educado por el romanticismo, por lo menos con la mente agudizada por sus lecturas románticas. Ya para entonces había proyectado sobre la realidad argentina dos de las fórmulas románticas: la del liberalismo político, que vino a justificar la ruptura de las colonias americanas con España e invitaba a continuar la línea revolucionaria de Mayo de 1810; y la de la simpatía artística hacia los modos de vivir del pueblo, que le descubrió las posibilidades de una literatura autóctona basada en las peculiaridades históricas y geográficas de las pampas. Aunque la primera fórmula fue la más significativa en la historia de las ideas políticas de la Argentina, en una historia literaria corresponde referirse sólo a la segunda. No tenía ni vocación ni genio para la poesía. Cumplió, sin embargo, con una función precursora en la historia externa de nuestra litcratura: *Elvira o la novia del Plata* (1832) fue el primer brote romántico trasplantado directamente de Francia, independiente del romanticismo español; *Los consuelos* (1834) fue el primer volumen de versos editado en la

Argentina; "La cautiva" (una de las composiciones de *Las rimas*, 1837) fue la primera obra que ostentaba con talento el programa de una poesía vuelta hacia el paisaje, la tradición, el color local, el pueblo y la historia. Los jóvenes, insatisfechos del "buen gusto" académico, se entusiasmaron con Echeverría. Creyeron que con *La cautiva* se había fundado "la literatura nacional". Su sencillez les parecía sinceridad; su abundancia sentimental, riqueza poética. Sin duda esta consagración halagó a Echeverría. Su vida había sido dura: lo sería hasta el fin. Era pobre, enfermo, atormentado. Eran sus años de misantropía; y la reputación literaria que ganó entre 1832 y 1837 debió de aliviarle la tristeza. Pero, como notó su amigo Gutiérrez, se sentía un poco "héroe de novela" y no le bastaba la reputación: gloria, gloria ¡nada menos! "Reniego de la reputación —escribió a Gutiérrez en 1836—, gloria querría, sí, si me fuese dado conseguirla. . ." Echeverría es hoy una de las glorias de la historia argentina; pero no por sus versos, sino porque puso su reputación de versificador, esa reputación de la que renegaba, al servicio de la regeneración política del país. Gracias a su reputación literaria los jóvenes siguieron el estandarte de la lucha que un buen día levantó. En adelante sus prosas serán más descollantes que sus poesías. Era, en verdad, mejor prosista que poeta; por eso, en la historia literaria, figura en sitio de honor *El matadero* (1838), cuadro de costumbres de extraordinario vigor realista, diferente de cuanto se había escrito antes por la intensidad del *pathos* y del *climax*. Como cuadro de costumbres tiene una intención política y reformista: mostrar la infame turba que apoyaba a Rosas. Pero de repente algunas figuras cobran vida y el cuadro se convierte en cuento. Entonces, a pesar de las inmundicias de la descripción, se hacen visibles los esquemas románticos: el contraste entre la nota horrorosa del niño degollado y la nota humorística del inglés revolcado en el fango; el sentido de lo "pintoresco" y lo "grotesco"; un aura de desgracia, fatalidad, muerte; embellecer literariamente la fealdad de la chusma al compararla con fealdades fabulosas; la curiosidad de centenares de negros "africanos"; la presentación del joven "unitario", héroe gallardo que desafía a voces a la sociedad de su tiempo (en contrapunto, como en un melodrama, con el fondo musical de guitarras y canciones vulgares) y antes que lo afrenten muere de indignación, reventándose en "ríos de sangre". En otras prosas, más serenas, Echeverría dejó sus lúcidas consignas para salir del atolladero en que se debatían "federales" y "unitarios". Echeverría tenía un plan serio. Consciente del respeto con que lo rodeaban decidió reunir a los jóvenes con una doctrina clara. Quedó así constituida, en 1838, la Joven Argentina o Asociación de Mayo, que se ramificó en seguida por los más remotos rincones del país. Gracias a Echeverría y a su Asociación el romanticismo argentino se recortó dentro del movimiento literario hispanoamericano con el perfil redondo de una generación. Voces románticas se hicieron oír, aquí y allá, en toda Hispanoamérica: sólo en la Argentina, sin embargo, se dio en la década de 1830 una generación de jóvenes románticos educados por los mismos libros, vinculados entre sí por una misma actitud vital ante la realidad histórica, testigos de las calamidades de la patria, amigos que en el asiduo trato personal coincidían en puntos de vista fundamentales, se agrupaban en tertulias y periódicos y, al tiempo que declaraban la caducidad de las normas precedentes, expresaban, con un estilo nuevo, el propio repertorio de anhelos. Echeverría imprimió a todos la disciplina inicial. La obra que realizaron es asombrosa. La Argentina no ha vuelto a tener un grupo de hombres así, que sepan pensar en grande. De allí salieron —además de Echeverría— algunos de los autores más importantes de la literatura hispanoamericana: Sarmiento, Mitre, Alberdi, Gutiérrez, López. Se podría incluir entre ellos al mayor poeta lírico de esos años, Mármol, otro pros crito de Rosas, ajeno a la Asociación pero amigo personal de los asociados. Además, los desterrados argentinos llevaron al Uruguay, a Chile, sus ideales románticos, y lanzaron allí pujantes movimientos literarios. Importante como fue la contribución puramente literaria de esta generación (novelas, dramas, poemas, ensayos, cuadros de costumbres, historia), no podemos abstraerla de la acción política. Característica de toda la cultura de la América española es que el pensamiento se aplique a la realidad social y la literatura esté al servicio de la justicia. Esos escritores argentinos que se agruparon en 1838 redactarán la Constitución, serán parlamentarios, ministros y, por lo menos dos —Mitre, Sarmiento—, presidentes de la República. Cuando Echeverría volvió de París en 1830, cargado de novedades, JUAN BAUTISTA ALBERDI (Argentina; 1810-1884) fue de los que más lúcidamente comprendieron a los autores románticos. La capacidad de comprender era su fuerte. Era más bien frío, reflexivo, observador, cauto, adaptadizo; y ante el romanticismo fue más comprensivo que entusiasta. Firmó artículos de costumbres con el seudónimo de *Figarillo*. Es que Fígaro influía en todos los románticos argentinos. Acaso sea Larra la única figura española que cuente en la formación espiritual de este grupo, por lo demás tan atento a Francia. Una vez en Montevideo continuó cultivando ese tipo de literatura crítica, mordaz, moralizadora. No sólo artículos de costumbres, sino también piezas teatrales que valen como documentos de su actividad política, no por su arte. En realidad, la figura de Alberdi fue creciendo en significación política, no literaria, y sus más importantes escritos —*Las bases*, que tuvieron una decisiva influencia sobre el ánimo de los constituyentes de 1853, por ejemplo— no pertenecen a esta historia. Más interesante, literariamente, es lo que Alberdi escribió cuando se trenzó en una despiadada polémica con Sarmiento. Las *Cartas quillotanas* de Alberdi y las *Ciento y una* de Sarmiento apenas aclaran sus respectivos puntos de vista sobre la organización nacional: en el fondo estaban de acuerdo. Pero la antipatía personal se expresó allí con una vehemencia que, a ratos, vale como literatura. Sobre todo las cartas de Alberdi, que nunca fue tan buen escritor como Sarmiento pero que, en esa polémica, pudo lucir mejor su arte de esgrima. La larga ausencia, desde 1838, le aflojó el puño. Desde Europa disparaba artículos políticos que ya no daban en el blanco. Sólo podía acertar con obras teóricas. Pero la obra de esos años que merece aquí más atención es su *Peregrinación de Luz del Día,* novela alegórica sobre la política rioplatense. La Verdad (o Luz del Día) se escapa de los horrores de Europa, en 1870, y espera encontrar honradez, tranquilidad y decoro en el nuevo mundo. Apenas desembarca en Buenos Aires tropieza con sus viejos enemigos, que también habían huido de Europa para establecerse en la América del Sur: el hipócrita Tartufo (Molière), el intrigante Basilio y el cínico Fígaro (Beaumarchais), el pícaro Gil Blas (Lesage), el seductor Don Juan (Tirso). También encontrará a Don Quijote, Sancho, etc. Discutiendo con ellos, Luz del Día descubre, acongojada, que la Argentina de Sarmiento (que era a la sazón presidente) había traicionado los ideales del liberalismo. Improvisada, con todos los defectos de un escritor que no se ha cultivado, pero con unas pocas frases aforísticas de gran fuerza, esta novela alegórica puede divertir a quien se interese por las claves y vaya reconociendo las alusiones a la política argentina de esos años; como pura literatura, se cae de las manos. Aquí Alberdi perdió su frialdad y, desilusionado de los liberales, expresó con imágenes originales y frases ingeniosas su malhumor de desterrado. Desgraciadamente no trabajó lo bastante su alegoría, que ni siquiera tiene unidad. Más que novela es el boceto de una novela. Se lee con pena (por lo menos con bostezos) porque uno va tropezando con escombros. Pero tiene el mérito de no parecerse a nada de lo que se escribió en su época.

El amigo más íntimo de Alberdi fue JUAN MARÍA GUTIÉRREZ (Argentina; 1809-1878), estudioso de literatura más que escritor: cuando escribió —poemas, cuadros de costumbres, novela— puso un cuidado en la expresión que lo diferenció en seguida del desaliño de sus compañeros de grupo. Su actitud de respeto al pasado literario —esa actitud acabaría por convertirlo en historiador y crítico de la literatura— se conoce en el cuño neoclásico que todavía usa. El volumen de sus *Poesías* (1869) no deja lugar a dudas de que su autor se dirigía a un público culto: su arranque era levantado. Escribió cuadros de costumbres: el más conocido, "El hombre hormiga" (1838), no es notable. Sí fue notable *El capitán de patricios*, novelín idílico —amor ideal en un San Isidro paradisiaco, entre una mujer angélica y un patriota arcangélico, interrumpido trágicamente por la guerra de la independencia—, novelín escrito con todas las fórmulas románticas de una literatura lacrimosa. Sin embargo, la imaginación de Gutiérrez consigue abrirse paso entre tanta frase prestada y logra algunos raptos líricos que sorprenden porque no eran comunes en esos años. La novela, aunque publicada en 1874, fue escrita en 1843: en medio del aluvión de cuadros de costumbres, ramplones en su mayor parte, realistas siempre, que cubre toda América, la prosa poética de *El capitán de patricios* tuvo el mérito de proponerse un ideal aristocrático de expresión. El hecho de que la lengua poética sea la que envejece más pronto no desmerece ese mérito: quien tenga suficiente educación literaria podrá recobrar de ese estilo que ya no gusta las sinceras expresiones líricas. Gutiérrez fue una inteligencia excepcional, pero se consumió en una tarea oscura: presentar y estudiar la inmadura literatura hispanoamericana. No hay gran crítico sin gran literatura. Y Gutiérrez, que tuvo aptitudes extraordinarias para la crítica, no pudo sobrepasar el tamaño de la literatura a que se consagró.

Domingo Faustino Sarmiento

Cuando en 1838 algunos jóvenes que habían estudiado en Buenos Aires regresaron a San Juan con los libros de moda —libros de Lerminier, Leroux, Cousin, Sismondi, Saint-Simon, Jouffroi, Quinet, Guizot—, Domingo Faustino Sarmiento (Argentina; 1811-1888) se dejó penetrar por la nueva corriente de ideas. Pero la originalidad de Sarmiento está en que esa filosofía romántica de la historia vino a fundirse entrañablemente con su intuición de la propia vida como vida histórica. Sentía que su yo y la patria eran una misma criatura, comprometida en una misión histórica dentro del proceso de la civilización. De aquí que sus escritos, siendo siempre actos políticos, tengan un peculiar tono autobiográfico. En su primer autobiografía, *Mi defensa* (1843), forjada en Chile como un arma, Sarmiento se exhibe luchando a brazo partido con la pobreza, atraso, ignorancia, violencia, injusticia y anarquía de su medio. Sus frases se refractan en dos haces: uno que ilumina el impulso de la voluntad creadora; el otro, la inercia de las circunstancias adversas. Pronto el lector advierte que esa polarización tiene un sentido filosófico: alude al conflicto entre espíritu y materia, libertad y necesidad, historia y naturaleza, progreso y tradición. Y, en efecto, cuando Sarmiento pasó del sentimiento de la propia vida personal a la interpretación de la vida pública argentina, las confidencias de *Mi defensa* se convirtieron en una fórmula política: "Civilización y barbarie". *Civilización y barbarie: Vida de Juan Facundo Quiroga* (1845) no es ni historia, ni biografía, ni novela, ni sociología: es la visión de un país por un joven ansioso de actuar desde dentro como fuerza transformadora. "El mal que aqueja a la República Argentina es la extensión", dice. Las ciudades son islotes de civilización: la pampa las rodea y engulle como un mar de barbarie. De las campañas vienen los gauchos, cuchillo en mano: son meras manifestaciones

bravías de la naturaleza, sin iniciativa histórica. Los
hombres de la ciudad son los que suscitan fases progresivas
en el correr de la civilización. En tal escenario,
con tales actores, el drama político desde 1810 ha transcurrido
en dos actos: *1)* la revolución de Mayo y la
independencia significaron el combate de las ideas europeas
y liberales que se asentaban en las ciudades
contra el absolutismo de una España que ya no creaba
valores espirituales pero que regía con su peso tradicional;
2) luego sobreviene la anarquía, porque de las llanuras
inmensas del país se sueltan hordas resentidas contra
las ciudades cultas. La Argentina, dice Sarmiento, está
dominada por figuras tan sombrías como Juan Facundo
Quiroga y Juan Manuel de Rosas. Muerto Facundo,
hay que derribar a Rosas. Pero eso no bastaría. Después
de todo Rosas es sólo una encarnación de la realidad
bárbara. Es la realidad misma la que debe transformarse.
Y ahora el autor avanza hacia el público y propone
un programa político de reconstrucción nacional: la educación
pública, la inmigración europea y el progreso
técnico-económico. Esta dialéctica era tan simple que
el mismo Sarmiento la encontró insuficiente y, a lo
largo del libro, tuvo que complicarla con paradojas,
saltos y salvedades que llegan a contradecir su tesis.
Las campañas no eran tan bárbaras; las ciudades no
eran tan civilizadas. Además, Sarmiento simpatizaba estéticamente
con las costumbres gauchas que desdeñaba
en nombre de sus principios políticos. "Facundo y
yo somos afines", exclamó una vez. Y el gaucho intelectual
que fue Sarmiento —"soy Doctor Montonero"
dijo en otra ocasión—, *com-padecía* desde la entraña al
otro gaucho, al verdadero, a Facundo, el hermano Caín.
Dentro del esquema dinámico con que Sarmiento dio
sentido a su percepción del país —civilización contra
barbarie— la sombra terrible de Facundo cobró una
pujante realidad artística porque no era un tema retórico,
sino una patética presencia en sus entrañas. En
este sentido Facundo es una creación fantástica de Sar-

miento. Nos impresiona como personaje vivo precisamente porque lo que le da vida es la fantasía del autor. Y los trazos exagerados con que Sarmiento nos pinta la criminalidad, lascivia, coraje y primitivismo de Facundo no responden al único propósito político de denigrarlo, sino también a que, de veras, para el romántico Sarmiento, la naturaleza toda, Facundo incluido, estaba estremecida por algo fascinante, tremendo, catastrófico; y al sobrecogerse Sarmiento ante el horroroso misterio de la barbarie dio a su pieza un trémolo de melodrama. Sin embargo, su Facundo, todo lo fantástico y exagerado que se quiera, fue verdadero. Investigaciones ulteriores han corregido los detalles del cuadro; aun Sarmiento se rectificó varias veces. Pero lo que él vio en 1845 fue esencial. En *Facundo* reveló Sarmiento su talento literario. Fue todavía más visible en el libro que le siguió, *Viajes* (1845-47), porque ahí el placer de contar pudo más que el móvil político. Son cartas, tan imaginativas que figuran entre la mejor prosa española de su época. A cada paso sorprenden por la agudeza de observación: valen como vastos cuadros de las costumbres y paisajes de Francia, España, África, Italia, los Estados Unidos... Más sorprendente aún que las observaciones hechas es el observador que las está haciendo. En ninguno de sus otros libros se abre tan a lo ancho y a lo hondo el alma de Sarmiento, con sus entusiasmos y depresiones, su solemnidad de profeta y su humorismo. Se siente actor del mundo que describe: sus cartas son, pues, fragmentos de una novela virtual. Además llevan implícita una filosofía de la historia. No sólo tenía el don de la metáfora, que rendía su intimidad en imágenes concretas, sino también el de la abstracción, que elevaba las minucias a categoría universal. En el camino de la civilización —nos dice Sarmiento— las naciones corren, se cansan, se sientan a la sombra a dormitar o se lanzan con ganas de llegar antes que otras. Son como personas. Y lo que monta de ellas no es lo que han sido en el pasado, sino el impulso que llevan. Sarmiento se decepciona de Europa, demasiado quieta, y propone como modelo de civilización a los Estados Unidos, que avanzan a zancadas de gigante y prometen la libertad política y el bienestar económico. De 1850 son sus *Recuerdos de provincia,* que continúan los de *Mi defensa.* Pero han transcurrido ocho años intensísimos. Sus paseos por Europa y los Estados Unidos le han dado una perspectiva favorable para comprender la América española. Es ahora más hombre, más escritor. Tiene conciencia de su misión y se dirige a públicos que han de sobrevivirle. Su estilo es más personal. Y escribe los *Recuerdos* no sólo por la necesidad política de contestar las calumnias de Rosas con un autorretrato que lo muestre superior, sino abandonándose a la dulzura de la evocación. Mira a su alrededor y ve una procesión en marcha: es la marcha de la civilización en tierra argentina. Él anda entremezclado en la multitud. ¡Y qué placer ir reconociendo a su familia en ese desparramo de gentes impulsadas todas por el buen viento espiritual! En su rica, llena y colorida experiencia de un "yo" agitado por las conmociones que vienen del pasado, hay también la conciencia de una misión providencial que cumplir. Vivía no sólo su vida de individuo sino la vida de su pueblo, y de la humanidad, de Dios mismo, puesto que para él la historia era el desarrollo de un plan providencial y él se sentía gestor de la historia. En 1851 partió de Chile para incorporarse al ejército de Urquiza que, en la batalla de Caseros (1852), derrotó a Rosas e inauguró así un nuevo ciclo de la historia argentina: el de la organización. Decepcionado de Urquiza (a quien comprendió a medias) Sarmiento salió de la Argentina. Ya en Chile escribió la *Campaña en el Ejército Grande* (1852), otro de sus buenos libros a pesar de la desordenada mezcla de documentos, anécdotas y desahogos personales, ameno como el diario íntimo de un novelista. Lo que escribió después (discursos, comentarios, proyectos y panfletos que llenan varios volúmenes de sus obras) vale menos. Es explicable. Desde 1862 —que es la fecha de la unificación de la Argentina— hasta 1880 —que es la fecha en que la ciudad de Buenos Aires pasa a ser capital federal— veremos a Sarmiento en funciones de gobernante. Y su sensatez de gobernante fue menos inspiradora que su pasión de desterrado. Un nuevo grupo, el de los "hombres del 80", está recibiendo la influencia de nuevas corrientes culturales. Ahora se lee a Darwin, a Spencer, a Taine. Ahora se cree que los métodos de las ciencias naturales pueden explicar hasta los fenómenos del espíritu. Sarmiento había sido siempre un visionario de los fines espirituales de la historia. Pero, de tanto insistir en los resultados prácticos de la acción, su pensamiento romántico fue haciéndose cada vez más empírico y salió al encuentro del positivismo, que venía a mecanizar el concepto de la evolución histórica. Cuando a esta altura de su vida Sarmiento quiso organizar, de un modo sistemático, sus ideas sobre la historia, escribió los borradores de un libro positivista: *Conflictos y armonías de las razas en América* (1883). Es la última de sus obras sociológicas; y la peor, por el alarde científico de tanta página desarticulada. La tesis —si la hay— es la inferioridad racial de la sociedad hispanoamericana. No era la ciencia su fuerte, sino el ardor intuitivo. Saltaba dentro de la realidad en un rapto de amor y, desde dentro, la acometía con tal ánimo de apropiársela, de personalizarla, de reformarla, que luego, al querer describirla, se encontraba con que él era a la vez el sujeto y el objeto. Por eso su estilo es autobiográfico y sus autobiografías son historias nacionales. Sarmiento escribía sólo cuando tenía algo que decir. Sus hábitos eran los del periodista, no los del escritor. Ocupado en muchas tareas a la vez, sus palabras eran otro modo de obrar. Golpean como olas. Y si parecen retirarse, disminuidas, es la retirada del mar, que vuelve en seguida con más ímpetu. Llega sin esfuerzo a la plenitud expresiva; y aun en sus descuidos rebosa el genio.

LA NOVELA HISTÓRICA EN ARGENTINA

Otro prócer en el grupo de los proscriptos por Rosas fue VICENTE FIDEL LÓPEZ (1815-1903). En su *Autobiografía* cuenta cómo desde 1830 hubo en Buenos Aires "una entrada torrencial de libros y autores que no se habían oído mencionar hasta entonces. Las obras de Cousin, de Villemain, de Quinet, Michelet, Jules Janin, Merimée, Nisard, etc., andaban en nuestras manos produciendo una novelería fantástica de ideas y de prédicas sobre escuelas y autores románticos, clásicos, eclécticos, sansimonianos..." López se entregó con alma y vida a sus estudios de filosofía de la historia. Con esta preparación escribió una novela histórica sobre los efectos en Lima de la expedición del pirata Francis Drake en 1578 y 1579: *La novia del hereje*. En su carta-prólogo de 1884 dice que escribió la novela a los veinticinco años (o sea en 1840) y que la publicó luego como folletín en un periódico chileno. En la misma carta-prólogo expuso mejor que nadie en su generación hispanoamericana la concepción romántica de la novela histórica. Partía de una profunda comprensión de la naturaleza histórica del hombre. Nuestras existencias están entramadas en el tiempo: un pasado nos asalta y con él a cuestas nos lanzamos al futuro. Además de existir, coexistimos con nuestro pueblo. Si una acción humana afecta el desenvolvimiento colectivo, la llamamos histórica. Pero lo cierto es que toda acción es histórica, por privada que parezca, pues en cada instante somos sujetos de la historia, agentes de un proceso espiritual. Lo que, gracias a los documentos, sabemos por seguro del pasado, nos ayuda a imaginarnos lo que no podemos saber pero que intuimos vivamente porque, después de todo, el drama humano es uno. La novela, con lo que se sabe y con lo que se imagina, salva el pasado. No hay, pues, conflicto entre los hechos efectivos y las atmósferas con que nuestra fantasía los envuelve. Con esta teoría López escribió una de las más interesantes novelas históricas del romanticismo hispanoamericano. Pone en movimiento el péndulo de España en el mundo del siglo XVI y describe su empresa colonizadora en Lima: rivalidades entre la Iglesia y el Estado y entre las varias órdenes religiosas, la Inquisición, costumbres de la clase media y de la aristocracia, actitud de los católicos españoles ante los protestantes ingleses, peculiaridades de los marineros en la costa y de los maricones limeños, etc. El punto de vista es el de un criollo liberal del siglo XIX que usa la literatura colonial, como el poema de Centenera, pero que respeta más la apología de Drake y otros piratas suministrada por las letras inglesas. Sobre un fondo histórico López concedió más atención a lo novelesco. El interés está en el relato, integrado en la historia; el relato, no a la zaga o como apéndice de la historia, sino con dignidad propia. El "raid" de Oxenham es histórico, pero el propósito —apoderarse de dos mujeres— es novelesco. Como en Walter Scott, los personajes históricos (Drake, Oxenham, virrey de Toledo, arzobispo Mogrovejo, Sarmiento de Gamboa) quedan al fondo, y los principales (Henderson, María, Padre Andrés, Mercedes) son ficticios. El tono es siempre romántico: amores contrariados entre el hereje Henderson y la católica María, contrastes en blanco y negro entre el héroe y el villano, muertes expiatorias, encuentros y desencuentros nocturnos, intrigas y venganzas, batallas navales, procesos inquisitoriales, blancas escenas idílicas y coloridas escenas costumbristas, sacrificios heroicos, espionajes, secretos revelados patéticamente, anhelos de libertad, y la naturaleza solidarizada con el drama humano, como en la escena del terremoto. Al final, Henderson y María escapan de las garras de la Inquisición, llegan a Inglaterra y son felices. El casamiento de Drake con Juana —hija de un cura español y de una peruana descendiente de los Incas— es una ficción que pone de resalto el interés de López en mostrar las buenas relaciones entre piratas ingleses y los hispanoamericanos. Lo negro de esta novela no está en los piratas, sino en el diabólico Padre Andrés, el personaje de más fuerza precisamente porque allí López descargó las espantosas tinieblas con que imaginaba. Los vitrales evocadores de la Lima colonial y la celeridad de la acción mantienen el interés del lector, a pesar de la pesadez de la prosa. Inferiores fueron su "cuento histórico" *La loca de la Guardia*, que avanza por el camino del ejército libertador de San Martín, y su novela epistolar *La gran semana de 1810*. El nombre de López se defiende mejor en su obra de historiador.

Paréntesis sobre el tema del pirata

Si hemos hablado más de su novela histórica *La novia del hereje* que de su admirable *Historia de la República Argentina* es porque nuestra obligación es la literatura. Pero aun en esa novela lo interesante es su filosofía de la historia, tan típica del liberalismo romántico. Un modo de probarlo es comparar el juicio sobre la piratería que formula López con el que propusieron los escritores de la colonia. Los piratas franceses durante la guerra franco-española de Carlos V y Felipe II contra Francia (1520-1559); los corsarios ingleses durante la lucha de Felipe II contra Inglaterra (1568-1596); los corsarios holandeses durante las hostilidades de los Países Bajos contra España hasta la paz de Westfalia (1648) y, por último, los bucaneros y filibusteros que hasta 1750 son dueños de puntos estratégicos en el Mar Caribe, todos esos ladrones del mar minaron el poder de España en América. En poemas narrativos, piezas teatrales y crónicas nuestros escritores los pintaron como herejes protestantes, agentes del demonio, castigos de Dios, enemigos de la verdad, la justicia, la religión, la propiedad, el comercio, el orden social, monstruos de infamia y crueldad. Cristóbal de Llerena, Juan de Castellanos, Silvestre de Balboa, Martín del Barco Centenera, Miramontes y Zuázola, Rodríguez Freile, Oviedo Herrera, Sigüenza y Góngora, el obispo Lizárraga y veinte más cargaron las tintas al describir las depredaciones de los piratas "luteranos". El más respetado, por sus proezas, fue Drake (de quien dirá Rodríguez Freile que, por haber sido paje de Carlos V, era muy "aespañolado"). A veces expresan admiración por los piratas; otras veces, echan la culpa de sus éxitos a la ineptitud de los españoles; pero, en general, el tono es siempre de horror y de condena a sus herejías y devastaciones. De paso, documentan de mala gana que negros, indios y ciertos grupos criollos simpatizaban con los piratas por esperar que "los ingleses" trajeran libertad a la vida colonial. Esta identificación de la piratería con la libertad encontrará su verdadero ambiente en el romanticismo. Como Byron, como Espronceda, los románticos exaltan la vida titánica del pirata y lo convierten en un héroe de la libertad: el pirata había sido el primero en desafiar el absolutismo religioso, político y económico de España, del que los liberales románticos acababan de emanciparse. Y así, en las novelas históricas del siglo xix, surge una serie de idealizaciones del pirata. López abre la serie, con *La novia del hereje*. Lo siguen, entre otros, Justo Sierra O'Reilly (*El filibustero*, 1841), Coriolano Márquez Coronel (*El pirata*, 1863), Eligio Ancona (*El filibustero*, 1866), Vicente Riva Palacio (*Los piratas del golfo*, 1869), Alejandro Tapia y Rivera (*Cofresí*, 1876), Francisco Añez Gabaldón (*Carlos Paoli*, 1877), Soledad Acosta de Samper (*Los piratas en Cartagena*, 1885), Francisco Ortea (*El tesoro de Cofresí*, 1889), Carlos Sáenz Echeverría (*Los piratas*, 1891), Santiago Cuevas Puga (*Esposa y verdugo, otros piratas en Penco*, 1897).

Otros románticos argentinos.

El grupo de enemigos de Rosas —al que se llama "de los proscriptos"— tuvo sólo dos poetas importan-

tes, y ambos diferentes entre sí: Ascasubi y Mármol.
HILARIO ASCASUBI (Argentina; 1807-1875) fue el que
más ahondó en la vena popular. Era hombre de ciudad, pero de toda su rica experiencia vital —tempra-
nos viajes por Europa, revoluciones, guerras, campañas
periodísticas— eligió la que tenía del campo y de sus
hombres para escribir poesía satírica. Se le comparó
con Jasmin, el dialectal poeta gascón, celebrado por
los románticos franceses. Pero Ascasubi seguía el ejemplo de Hidalgo al versificar en la lengua de los gauchos. En *Paulino Lucero* esos gauchos son unitarios,
enemigos de Rosas. Cantan su amor a la libertad, su
odio a la tiranía. El tono es sombrío, de horror ante
tanto crimen. En *Aniceto el Gallo* la actitud es des-
enfadada y festiva. Ya ha sido derrocado Rosas, y Ascasubi —que actuó del lado de Buenos Aires, contra
la Confederación— ahora se burla de las veleidades
políticas de Urquiza. (Esos títulos, *Paulino Lucero* y
Aniceto el Gallo, eran los seudónimos que Ascasubi
había usado.) Su obra más importante, no burlesca
sino reflexiva, fue *Santos Vega o Los mellizos de la flor*,
cuya acción ocurre en los últimos treinta años de la
vida colonial, aunque la realidad observada pertenece
a la campaña y la ciudad de mediados del siglo XIX.
Anacronismos rompen la ilusión histórica que el poeta
quiso dar. Publicó unos fragmentos en 1851 e interrumpió su composición. Veinte años después la retomó; se
publicó íntegra en 1872. Santos Vega es el narrador
de la vida de dos hermanos, Luis el malo y Jacinto el
bueno, especialmente de la del malo. El tema del
"malevo" era vulgar en romances de ciegos y folletones
seudohistóricos sobre hazañas de bandidos. Se moraliza, se quiere asombrar y conmover. Hay una poetiza-
ción de las costumbres y del paisaje de la pampa. Ascasubi mira, detalle por detalle, una realidad desaparecida.
Sin embargo, su ánimo no es nostálgico. Describe como
si estuviera viéndolo todo frente a sus ojos. El amanecer, el baile, el avance de los indios son escenas de

precisos contornos y colores. Sentía las aventuras de los hombres de acción, sentía los peligros de la frontera, sólo que no sabía construir una novela en verso. La composición es defectuosa. Pero se oye una voz gaucha. Poesía oral para oírsela a un payador, más que poesía escrita para leer en libro. JOSÉ MÁRMOL (Argentina; 1817-1871) escribió sus primeros versos en la pared del calabozo donde Rosas lo había engrillado en 1839: el énfasis con que él contaba una y otra vez esa circunstancia fue típicamente romántico. Todo lo que escribió fue típicamente romántico: versos, dramas, novelas. Y también la circunstancia fue siempre la misma: la tiranía de Rosas. Cuando cayó Rosas, el poeta enmudeció. La poesía con que Mármol se presentó al certamen poético de Montevideo, en 1841, llevaba un epígrafe de Byron; y el *Childe Harold's Pilgrimage* de Byron inspira su primera obra importante: los doce *Cantos del peregrino*. Claro, no fue la única influencia. Se reconocen las de Lamartine, Zorrilla, Espronceda. Pero Byron era para Mármol el último gran poeta que había dado Europa: "el canto expiró en Byron", dice en los primeros versos de su poema. No se olvide, sin embargo, la influencia de los amigos: Alberdi y Gutiérrez, al viajar a Europa, habían compuesto una especie de diario poético, "El Edén". Aunque al recordar los poemas inspirados por el mar Mármol citó el *Childe Harold* es muy posible que —como sospechó Gutiérrez— el ejemplo de "El Edén" —obra byroniana, de todos modos— fuera el más próximo. Los *Cantos del peregrino* se empezaron a escribir en el viaje que Mármol emprendió a Chile en 1844. El barco salió de Río de Janeiro, bajó hasta Cabo de Hornos y, arrastrado a la zona polar, no pudo llegar al Océano Pacífico y tuvo que regresar sin hacer escalas al punto de partida. En los *Cantos* el poeta se desdobla: cantan él y su personaje Carlos. Son una y la misma persona lírica; pero cada canto del peregrino Carlos está precedido por un prólogo narrativo. Mientras los cantos propiamente dichos mantienen el mismo tono elegiaco, los prólogos suelen cambiar al festivo. Mármol se rebelaba románticamente contra las tradiciones clásicas de los géneros puros. Con todo, el poema tiene "sistema", como dice el mismo Mármol. No ocurre nada en los *Cantos*: el poeta, solo, está en medio del mar, meditando sobre los hombres y sobre la suerte de la patria, evocando los paisajes americanos y contemplando la belleza de las aguas, de la noche y de las nubes. Pero hay orden: se compara "la caduca Europa" con la América abierta al porvenir; se recuerda la juventud, el primer amor; se describe la naturaleza tropical que se tiene a la vista y luego la de la Argentina, vista con los ojos de la nostalgia; al pasar por las costas argentinas se piensa en los horrores de la tiranía... Y así los *Cantos*, por misceláneos que sean, tienen el desarrollo de un diario de viaje. Además, hay una ilación lírica. En el viaje de ida y vuelta, entre el trópico y el polo, no hay más alma que la de Mármol, que va cantando a los paisajes de fuera (cielos, costas, agua) y de dentro (nostalgia, indignación, estremecimiento ante la belleza); y esa alma levanta todos los temas a un alto punto de imaginación. Sin duda Mármol es verboso por la excesiva facilidad de su improvisación, incorrecto en su variadísima versificación, a veces prosaico, a veces declamatorio; pero su indisciplinado lirismo vale porque esa imaginación era extraordinaria. Otra colección de sus versos fue *Armonías* (1851-1854). Aquí están algunos de los que más popularidad dieron a Mármol, por la violencia de su desprecio a Rosas. Desprecio más que odio. En todo caso, el odio de quien desprecia entrañablemente. Rosas quedó disminuido para siempre: en efecto, no debió de tener grandeza un hombre a quien se pudo despreciar así. El estruendo de sus maldiciones poéticas a Rosas ensordeció a los lectores que no oyeron el violín lírico, más íntimo, que también formaba parte de la orquesta. No fue menos importante en la historia de la novela que en la de la poesía: *Amalia* (1851-55) fue un folletín de aventuras truculentas que transcurren en Buenos Aires, en los años abominables de la tiranía de Rosas. Es, pues, novela política; y como Mármol había vivido y sufrido el régimen de Rosas es también novela autobiográfica. Parece haberse desdoblado en los dos personajes, Daniel y Eduardo, algunas de cuyas peripecias repiten las que pasó Mármol. A pesar de las tintas exageradas, de los contrastes rebuscados, de la invención calenturienta por la beligerancia, *Amalia* acertó en la verdad del cuadro político que presentaba. Se propuso —según explicó en el prólogo— "describir en forma retrospectiva personajes que viven en la actualidad". Diez años separaban al novelista de lo novelado: pero creó la ilusión de una distancia mayor hasta el punto de que hay críticos que consideran *Amalia* como "novela histórica". El pasado era reciente, sin embargo; más aún: no era un pasado. El autor no miraba con perspectiva histórica, sino política; objetivó la realidad contemporánea en forma de historia, no porque fuera en verdad "historia" sino porque desde el fondo de su corazón la declaraba caduca. El diálogo tiene extraordinaria vivacidad; los caracteres viven; y aunque muchas situaciones novelescas llevan la marca del folletín romántico, lo cierto es que se continúan dinámicamente, y el lector, por mucho que sonría, no suelta el libro. Menos fortuna tuvo Mármol con sus dramas de 1842: *El poeta* y *El cruzado*.

Uruguay y Chile

Al desterrarse, los románticos argentinos llevaron a otras partes su ideales y bibliotecas.

En Montevideo argentinos y uruguayos se identificaron en la misma causa. Sería ocioso diferenciarlos en grupos nacionales: no se sentía la nacionalidad como hoy. Al lado de los argentinos los uruguayos se pusieron también a buscar una expresión criolla. Ninguno de ellos dejó una obra apreciable: ni el crítico Andrés

LAMAS (1820-1891) ni los poetas ADOLFO BERRO (1819-1841) y JUAN CARLOS GÓMEZ (1820-1884).

También en Chile los emigrados argentinos iniciaron el movimiento romántico. Sarmiento, López habían llegado con nuevas ideas; fueron los agitadores. Ya hemos estudiado a Andrés Bello, quien por su superior cultura estaba muy por encima de las polémicas sobre la lengua y sobre el romanticismo que ocurrieron en 1842 (de aquí la llamada "generación del 42": los hijos de Bello son los que formaron esta generación: los hijos Carlos, 1815-1854, y Juan, m. 1860, y también los hijos espirituales). Algunos chilenos resistieron las ideas del romanticismo argentino en forma satírica: Jotabeche, Sanfuentes. Otros, los liberales más cerca de Mora que de Bello, simpatizaron con la novedad, como Lastarria. J. J. Vallejo, conocido por su seudónimo JOTABECHE (1809-1858), escribió cuadros de costumbres, tan animados que parecen cuentos. SALVADOR SANFUENTES (1817-1860), como discípulo de Bello que fue, leyó mucho a los clasicistas y hasta tradujo a Racine. Al contar leyendas su verso era también de formas clásicas. Sin embargo, hay una sensibilidad para el pasado americano, una idealización del indio, un gusto por los violentos contrastes pasionales, un arte de narrar aventuras que —si no fuera por la actitud académica del autor— podrían asociarse con los comienzos del romanticismo chileno. Su mejor leyenda es "El campanario" (1842) sobre amores trágicos en la colonia. Publicó otros cuentos en verso y un drama. El tema indianista que trató en algunas de esas leyendas —"Inami", "Huentemagu"— tienen un marchamo chateaubrianesco. José V. LASTARRIA (1817-1888) no aventajó a Jotabeche como costumbrista, pero fue el primer cuentista ("El mendigo", de 1843). Sus narraciones suelen cargarse con intenciones políticas —v. gr., su *Don Guillermo*, 1860, es más libelo que novela— o en todo caso con observaciones de la vida histórica o popular de Chile. En su vejez recogió su obra narrativa: *Antaño y ogaño. Novelas y cuentos de la vida hispanoamericana* (1885). Uno de los libros hoy más leídos de esta generación es el de VICENTE PÉREZ ROSALES (Chile; 1807-1886): *Recuerdos del pasado* (edición definitiva 1886). Escritos con amenidad y buena prosa, estos recuerdos, con el tiempo, se han convertido en historia; y el libro, en una de las obras maestras de la literatura chilena.

BOLIVIA

Cuatro poetas menores recuadran el romanticismo boliviano: MARÍA JOSEFA MUJÍA (1813-1888), de doliente musa; RICARDO JOSÉ BUSTAMANTE (1821-1886), cantor del hogar, de la patria y de la naturaleza; MANUEL JOSÉ TOVAR (1831-1869), que se atrevió, en el poema *La creación*, con el tema bíblico del Génesis; y NÉSTOR GALINDO (1830-1865), de entonación melancólica.

MÉXICO Y CUBA

Independientemente del movimiento romántico que, partiendo de Buenos Aires, se había proyectado a Montevideo y Santiago de Chile, brotaron románticos en otras partes de América. Pronto la ola cubrió a todos los países de habla española.

En México, el romanticismo de FERNANDO CALDERÓN (1809-1845) andaba a largos pasos y metiendo ruido por el escenario de teatro, y en cambio tropezaba en sus propios pies cuando quería ir a la poesía lírica. Sus dramas, en verso, se inspiraban en remoto pasado de tierras ajenas: género típicamente romántico que se propagó por toda América (un hecho entre tantos: en 1842, cuando Calderón produce en México *Herman o la vuelta del cruzado*, al otro extremo del continente, en la Argentina, Mármol produce otro drama con el mismo tema, *El cruzado*). Excepcional fue la comedia

A *ninguna de las tres*, donde presenta personajes mexicanos y critica los excesos del romanticismo. Claro que aun en sus tragedias hay un amor a la patria y una aversión a los tiranos que, si bien en términos de historia europea, refleja su actitud de mexicano ante el dictador Santa Anna: en este nacionalismo libertario sigue a Alfieri, cuya *Virginia* está presente en la *Muerte de Virginia* de Calderón. IGNACIO RODRÍGUEZ GALVÁN (1816-1842), inferior a Calderón como dramaturgo (también cultivó el drama histórico), lo aventajó como lírico. Desbordado, gemebundo, se hincha como un río, y olas de desesperación, ira, queja y consternación baten y maltratan los grandes temas. Hubo resistencias al romanticismo, no sólo de parte de conservadores, tradicionalistas y católicos, sino también de parte del gusto clásico de un reformador liberal y ateo como IGNACIO RAMÍREZ (1818-1879) —seudónimo: El Nigromante—. Fue una de las nobles figuras en las luchas llamadas de Reforma, pero la obra que trae a una historia de la literatura no es tan notable; sin embargo, aun en su poesía de humanista y estudioso de repente llamea la pasión, el odio y el sarcasmo; entonces uno reconoce la vida del autor, mucho más romántica que sus versos en su titánica negación de Dios, de las tradiciones españolas y del orden político vigente. Honrado y reformador como Ramírez, pero sin cultura, sin espiritualidad y romántico en sus negligencias de estilo, si no en su sensibilidad, fue GUILLERMO PRIETO (1818-1897), poeta de masas, robusto y pintoresco, autor de *Los San Lunes de Fidel*, colección de interesantes cuadros de costumbres. La novela romántica mexicana —como la de toda Hispanoamérica— prefirió los asuntos históricos (JUSTO SIERRA O'REILLY, 1814-1861; JUAN A. MATEOS, 1831-1913); aventuras y lances de amor (FERNANDO OROZCO Y BERRA, 1822-1851; FLORENCIO M. DEL CASTILLO, 1828-1863). La salud con que el género novela había nacido de Lizardi fue en parte heredada por el espeluznante y chocarrero MANUEL PAYNO (1810-

1894). Escribió esas novelas que se llaman "de folletín" o "por entregas", sin más propósito que el de hacer pasar un buen rato a los lectores. Y tuvo los defectos del narrador barato: facundia, truculencia. Pero desde *El fistol del diablo* (1845-46) hasta *Los bandidos de Río Frío*, su mejor libro, compuso un cuadro vivo de costumbres. Sus observaciones eran penetrantes, pero a esa materia documental la construía siguiendo convenciones románticas. Por su sentido de la aventura y por sus miradas, a veces irónicas, a la vida social contemporánea, todavía hoy se le puede leer con gusto. Otro de los herederos de Lizardi fue José Tomás de Cuéllar (1830-1894). A la luz de su linterna —*La Literna Mágica* es el título de su colección de novelas— Cuéllar copia con picardía tipos y costumbres mexicanos. Luis G. Inclán (1816-1875), que conocía como nadie la vida de los campesinos mexicanos, sacó de allí la materia para una novela de aventuras: *Astucia, el jefe de los Hermanos de la Hoja, o Los charros contrabandistas de la rama* (1865-66). El lector que con la curiosidad excitada pueda seguir sin cansancio los episodios sucesivos tendrá que agradecer a Inclán su elemental arte de contar. Para cerrar el cuadro romántico mexicano repárese en que uno de sus temas es el pasado indio. Después de los esfuerzos para recoger las tradiciones de la cultura náhuatl que emprendieron Olmos, Sahagún y otros, el interés decayó. Los barrocos del siglo XVII, si vuelven los ojos al pasado indígena, como Sigüenza y Góngora, es para detenerse en lo pintoresco o para fantasear con la historia. Los ilustrados Clavigero, Veytia, Boturini aprovechan en el siglo XVIII lo ya dicho en el XVI, sin agregar nuevas miras. Es con el romanticismo con que la literatura se abre a la vieja cultura indígena, si bien la puerta que se abre es esa por la que entran y salen la fantasía, la improvisación y el entusiasmo fácil. Bustamante, Roa Bárcena, José Joaquín Pesado, Rodríguez Galván, Peón Contreras, Calderón, Chavero, etc., reelaboraron las crónicas más populares sin entrar en contacto con los textos primitivos.

En Cuba Diego Gabriel de la Concepción Valdés, conocido como PLÁCIDO (1809-1844), no fue más lejos, en sus cánones, que los nacidos en el siglo XVIII, Quintana y Martínez de la Rosa, por ejemplo, a quienes admiró. Fue figura oscura porque le faltaban las luces de una educación literaria y, lo que es más grave, las de un estilo original de imaginación. Versificaba con facilidad: romances como el de "Jicoténcal"; sonetos eróticos como "La flor de la caña"; composiciones anacreónticas, legendarias, civiles, epigramáticas. En nada sobrepasó su medianía, aunque a veces llegó a tocar zonas interiores de sí mismo, como en esta imagen de su soneto "La fatalidad": "Ciega deidad que sin clemencia alguna / de espinas al nacer me circuiste, / cual fuente clara cuya margen viste / maguey silvestre y punzadora tuna." Su compatriota JOSÉ JACINTO MILANÉS Y FUENTES (1814-1863), en cambio, hizo sonar las dos notas características del romanticismo: la de la resurrección del teatro del siglo de oro y la de la rebelión. Sus mejores años de poeta son los que van de 1835 a 1843: después enloqueció sin remedio. Pero aun en esos años de lucidez mental la luz poética era intermitente. Muchas de sus composiciones —festivas, costumbristas, descriptivas, sociales, amatorias— lo desviaron hacia las sombras de otros poetas: quiso pensar (esa vaga declamación que los románticos a lo Victor Hugo o a lo Espronceda llamaban "pensar"), quiso ser "el vate que al pueblo alumbre"... Es posible que Milanés llegara a la muchedumbre por esos desvíos. Lo estimable en él, no obstante, fue lo lírico: la ternura, la ingenuidad, la queja del que a su pesar se ha quedado solo, el delicado sentimiento amoroso... Escribió también para el teatro. Su ensayo más serio fue el drama en verso *El Conde Alarcos* (1838), cuyo tema proviene de un romance del siglo XVI, ya teatralizado por Mira de Amescua, Lope de Vega y Pérez de Montalbán. Más lírica y poderosa que las voces que se habían oído en Cuba —Plácido y Milanés— fue la de GERTRUDIS GÓMEZ DE AVELLANEDA (1814-1873). Educada en la poesía personal pero todavía neoclásica de Meléndez Valdés y de Quintana, nunca se desató de esos lazos y, ya en su plenitud, siguió admirando a Gallego y a Lista. Su romanticismo fue, pues, ecléctico. El velo con que la mujer cubre sus sentimientos más ardientes, y el otro velo que la grandilocuencia echaba desde fuera, sobre la desnudez del alma, no alcanzan nunca a velar del todo su sinceridad. Su lirismo no es el chorro sereno de un surtidor de jardín, sino una fuerza natural en libertad. Amó con un brío atrevido, tan intenso que no pudo ser feliz. Los amores de la Avellaneda —revoltosos dentro de su pecho como lo fueron dentro de la sociedad española de su tiempo, pues tuvo amantes, además de maridos— solían apaciguarse en pura devoción religiosa. Y hasta estuvo a punto de convertirse en monja. Escribió poemas de fe. Esta mujer apasionada, vehemente, con exaltaciones de gozo, depresiones de tristeza y también remansos de paz, se sintió siempre urgida por una necesidad de expresión que la hizo meditar atentamente en los procedimientos del arte y llegar así a una clara concepción estética. No me refiero solamente a sus poesías en las que canta el arte, sino también a esas en las que canta las virtudes de claridad, perfección formal, cuidado de estilo. A veces, excesivo cuidado, pues en su reedición de versos líricos (la primera de 1841; la segunda de 1850; la tercera de 1869-71) retocó; y este tacto académico deshojó la rosa. Sin embargo, gracias a la conciencia de su arte todo ese borbotar sentimental de su ser no se hizo sensiblería sino elegante estilización. La Avellaneda no descompone su figura, aunque se le desgarre el corazón. Si bien romántica, conserva algo del "buen gusto" académico, en cuyo ocaso se había educado. Los españoles la consideran una de su parnaso. Y hacen bien, pues en España vivió, publicó sus poesías y triunfó. Pero también pertenece a la historia literaria de América, no por el mero hecho de su nacimiento, sino porque ya escribía poemas antes de partir de Cuba y siempre se sintió ligada a Cuba por la nostalgia y el amor. Uno de los sonetos notables es precisamente ese en que la Avellaneda cuenta el pesar con que abandonó su patria: "Al partir". Y Cuba —que en sus labios siempre es "mi patria"— está presente en muchas de sus composiciones. Escribió dramas (*Baltasar*), novelas (*Guatimozín*). Transcurren, en general, en épocas y lugares que ella no había conocido. En cambio su novela *Sab* (1841) se basó en cosas vistas en Cuba. Es el tema de la esclavitud (un mulato esclavo, Sab, enamorado de la hija del amo), y la novela, si bien romántica, sabe describir la realidad cubana. Pero la primera novela de tendencia antiesclavista que se ensayó en Cuba fue *Francisco* (escrita en 1838; publicada en 1880) de ANSELMO SUÁREZ Y ROMERO (Cuba; 1818-1878). Documenta las lacras e ignominias de la esclavitud, la vida en los ingenios azucareros, las costumbres del guajiro; y el propósito documental ha dado una energía realista a la prosa todavía romántica del autor. Notable en la historia de la novela fue CIRILO VILLAVERDE (Cuba; 1812-1894). En diez años de continua actividad literaria escribió casi una veintena de narraciones románticas que no montan gran cosa: amores incestuosos entre hermanos o entre padre e hija, muertes, desastres, supersticiones, violentas pasiones, cuadros costumbristas, melodrama, etc. Su mejor obra, *Cecilia Valdés o La loma del Ángel* (la primera parte apareció en 1839; fue refundida y completada en 1879; debe juzgarse en la versión definitiva de 1882). Es una novela folletinesca de burda trama: amores entre la bella mulata Cecilia y el señorito Leonardo que ignoran que son hermanos; cuando él va a casarse con otra mujer, Cecilia, la mulata, instiga a un admirador a que lo mate. La urdió con personajes reales, con costumbres a la vista de todos, con observaciones de todas las clases y razas, desde los españoles mandones hasta los negros esclavos, con diálogos en que se oyen las diferentes maneras de hablar, en cada estrato social, con reflexiones sobre los aspectos más sombríos de la vida cubana. ¿Arte realista? Así lo declaró el autor, jactanciosamente. Más bien podría decirse que, fracasada la novela como arte, lo que interesa al lector es la realidad cruda que quedó sin expresión novelesca. Páginas costumbristas sueltas, no la novela de la mulata Cecilia Valdés, es lo que llama la atención. Cuadros de costumbres era lo que más se escribía: en Cuba lo hacían también José Victoriano Betancourt (1813-1875) y, mejor, José María de Cárdenas y Rodríguez (1812-1882). La otra rama de la narrativa romántica fue la histórica: y en Cuba la cultivó, además del mismo Villaverde en *El penitente* (1844), José Antonio Echeverría (Venezuela-Cuba; 1815-1885) con *Antonelli* (1838), sobre la vida colonial en la época de Felipe II.

Venezuela y Colombia

Sin duda el romanticismo cubano se reparte y llega a Venezuela. De los venezolanos más ilustres en la primera generación destacaremos ante todo a José Antonio Maitín (1814-1874), famoso por su "Canto fúnebre" a la memoria de su mujer (no hay, en esos años, una elegía que aventaje a ésta en sinceridad, dulzura, recato y sencillez); después a Abigaíl Lozano (1821-1866), ducho en palabras olvidables, y a Cecilio Acosta (1818-1881), estimado como pensador pero estimable por su poesía "La casita blanca". Al pasar de Venezuela a Colombia nos encontramos con un rico grupo de escritores. En poesía, José Joaquín Ortiz (1814-1892) escribía neoclásicas odas patrióticas y Julio Arboleda (1817-1861) compuso un poema épico-legendario de asunto colonial: *Gonzalo de Oyón*. Se perdió: sólo conservamos una versión incompleta. Al lado de ellos se levanta un poeta mayor: José Eusebio

CARO (1817-1853). Su vida fue una llama rápida pero intensa y brillante. Esa llama se alimentaba de la cultura de su tiempo y de su propio temperamento, combustible y violento. Aunque no fue filósofo, en su obra se encienden las ideas encontradas de su tiempo. Comenzó por ser escéptico, racionalista, utilitario, con lecturas de Voltaire y los enciclopedistas, de Bentham y Destutt de Tracy. Luego volvió a la fe católica, impresionado por Balmes, José de Maistre y Bonald, para orientarse hacia el positivismo de Comte y otra vez volver a su tradición cristiana. En estos cambios se le ve la busca de una postura moral, digna, decente. Cada una de sus poesías fue un acto moral, cuando no por el tema público, por su voluntad de sinceridad. Como poeta lírico figura en la línea más pura y feliz del romanticismo. Había formado su estilo en los escritores españoles de todas las épocas; y también en los clásicos de Italia y Francia. Los románticos —franceses e ingleses sobre todo— le ayudaron a descubrir su propio camino lírico. La lira de Caro tenía todas las cuerdas; también la política, la filosófica. Aun los temas que invitan a ser impersonal en él sonaban personales. Siempre es él el centro de la emoción; siempre arranca de su propio interior. La invectiva política, la meditación moral, la descripción del paisaje, el propósito didáctico, no lo sacan de su quicio lírico. Y allí, como en sus poesías de tema íntimo —el amor, la familia—, reconocemos el temple fogoso y sincero de un alma que quiere estar sola y expresar lo original. Porque aunque Caro fue un militante en la anárquica política de esos años, oyó siempre, en lo hondo, el rumor de su propia personalidad. Fue proscripto, y los proscriptos de América lo fueron porque era de veras vivo su interés en la sociedad. La sociedad los desterraba, no el ansia romántica de la soledad, como en muchos europeos. En Caro hay las dos cosas: proscripto por necesidad, proscripto porque era un solitario. Comenzó vistiéndose con metros holgados, sueltos, libres —un poco a la manera de Quintana, de Gallego o de Martínez de la Rosa—, y así se movía cómodamente, como en 'la silva "El ciprés", en actitud declamatoria, es cierto, pero con ese arte de entregarse al lector que selló todas sus obras. Más adelante —siguiendo más a los ingleses que a los latinos— imitó al exámetro clásico, combinándolo a veces con el endecasílabo. Buscaba, evidentemente, ritmos propios; y en este tercer modo de su versificación castigó cada línea con acentos no usuales, endureciendo acaso la ondulación de las palabras, pero enriqueciendo la lengua poética. En prosa, el género más abusivo era el cuadro de costumbres, que a veces se hacía cuento y aun novela. JOSÉ MANUEL GROOT (1800-1878) fue de los primeros en cultivarlo. Páginas de memorables aciertos descriptivos tienen también los *Apuntes de ranchería* de JOSÉ CAICEDO ROJAS (1816-1897). EUGENIO DÍAZ (1804-1865), autor de cuadros de costumbres y narraciones históricas, escribió también novelas, una de las cuales, *Manuela,* es más eficaz en la descripción realista del vivir campesino que en la descripción sentimental de los amores.

OTROS PAÍSES

En Guatemala el mayor prosista fue SALOMÉ JIL (1822-1882), anagrama de José Milla. Evocó el pasado colonial con una serie de novelas históricas: *Los nazaremos, La hija del adelantado, El visitador.* Los personajes históricos y ficticios conversan convincentemente. Esta actividad, idealizadora del pasado, es la que hoy menos interesa: en cambio, estimamos cada vez más su actividad como pintor de su tiempo. Sus *Cuadros de costumbres,* más bonachones que satíricos, animan la sociedad en que vivió, la salvan del olvido, la iluminan con la gracia del arte. Tienen, por momentos, andares de cuento; y hasta han creado todo un carácter popular, Juan Chapín.

En Santo Domingo el romanticismo entra con MA-
NUEL MARÍA VALENCIA (1810-1870). Pero los poetas
dominicanos de esta generación todavía no levantan
cabeza: los criollistas FÉLIX MARÍA DEL MONTE (1819-
1899), NICOLÁS UREÑA DE MENDOZA (1823-1875), JOSÉ
MARÍA GONZÁLEZ (1830-1863), FELIPE DÁVILA FER-
NÁNDEZ DE CASTRO (1806-1879), JAVIER ANGULO GU-
RIDI (1816-1884), FÉLIX MOTA (1829-1861), MANUEL
DE JESÚS DE PEÑA Y REINOSO (1834-1915) y JOSEFA
ANTONIA PERDOMO (1834-1896).

LA SEGUNDA GENERACIÓN ROMÁNTICA

Hemos visto cómo en algunos países prendieron los
primeros sarmientos del romanticismo, trasplantados de
Europa. Ahora veremos a escritores que empezaron a
escribir cuando ya había crecido en Hispanoamérica una
vida romántica propia. Sólo que, en ciertos lugares
—como Perú, Ecuador, Puerto Rico—, no se tuvo más
romanticismo que este de la segunda generación.

VERSO

Del racimo de poetas peruanos —JOSÉ ARNALDO
MÁRQUEZ (1830-1903), MANUEL ATANASIO FUENTES
(1820), MANUEL NICOLÁS CORPANCHO (1830-1863),
CLEMENTE ALTHAUS (1835-1881), LUIS BENJAMÍN CIS-
NEROS (1837-1904)— vamos a probar una sola uva:
CARLOS AUGUSTO SALAVERRY (1830-1891). Escribió
una veintena de obras dramáticas, en verso y a la manera romántica; pero no era dramaturgo, sino poeta.
Su lirismo es quejumbroso porque así era la moda, pero
en los momentos de más sinceridad logra expresarse en
versos correctos. En Ecuador la vendimia nos dio a
NUMA POMPILIO LLONA (1832-1907), de dolor muy
moderno y sonetos muy tradicionales, y JULIO ZALDUM-
BIDE (1833-1887), meditabundo, contemplativo, elegiaco, religioso.

En Puerto Rico MANUEL A. ALONSO (1823-1889) inicia el costumbrismo y el criollismo: recogió en *El Gíbaro* (1849) versos y prosas de raíz popular. Fue, pues, el primer cronista del carácter nacional. Su actitud es festiva, pero moralizadora. Siguiendo sus recuerdos (estaba entonces en España) reconstruyó en prosa los cuadros típicos: casamientos, bailes, riñas de gallos, carreras de caballos. Como aun en sus poesías recurría a la ortografía fonética para imitar la lengua del jíbaro, su obra es también un documento lingüístico. ALEJANDRO TAPIA Y RIVERA (1826-1882) escanció su vino romántico en poesías, novelas, dramas. Fue un agitador de ideas incómodas, como las heréticas de *La Sataniada, grandiosa epopeya dedicada al Príncipe de las Tinieblas*. A la historia la rehacía artísticamente en dramas y novelas. Sus temas no eran siempre americanos. Sí lo fue el de su pieza *La cuarterona* (1867), que trata de los prejuicios raciales, y el de su novela *Cofresí* (1876), sobre el pirata puertorriqueño así llamado. Escribió curiosas novelas alegóricas y filosóficas. Lo que hoy se lee con más gusto son *Mis memorias*. Otros dos poetas puertorriqueños: JOSÉ GUALBERTO PADILLA (1829-1896), patriótico, clásico en sus gustos; y SANTIAGO VIDARTE (1827-1848), versificador romántico, esproncediano, de tono melancólico y pesimista, con temas de amor, religión y naturaleza.

Todos los escritores de quienes pasamos ahora a hablar conocían en sus propias patrias antecedentes románticos, y sus obras son en unos continuación, en otros reacción a ese pasado local, en los menos salto adelante (decimos en los menos no porque sean pocos, sino porque a quienes saltaron más adelante los encontraremos en el capítulo que viene).

En la poesía, a paso lento iban los jóvenes mexicanos ALEJANDRO ARANGO Y ESCANDÓN (1821-1883) y JOSÉ MARÍA ROA BÁRCENA (1827-1908). Este último, aunque como poeta lírico no pasó de discreto, se inspiró en leyendas indígenas, en la colorida vida popular, en los paisajes mexicanos y aun en las fantásticas "baladas" en prosa de la literatura nórdica, que tanta impresión hicieron en nuestros románticos. Sus cuentos deberían estudiarse. Los venezolanos retuercen el romanticismo y así los vemos estirándose tan pronto hacia la poesía de ingleses, alemanes e italianos (JOSÉ ANTONIO CALCAÑO, 1827-1894, y JUAN VICENTE CAMACHO, 1829-1872), como hacia la naturaleza patria (JOSÉ RAMÓN YEPES, 1822-1881). El cubano JUAN CLEMENTE ZENEA (1832-1871) llega a las antologías con su elegiaca "Fidelia". En Colombia GREGORIO GUTIÉRREZ GONZÁLEZ (1826-1872) —como otros compatriotas de su época— se hizo bajo el signo de los españoles Zorrilla y Espronceda y de los venezolanos Maitín y Lozano. Sobre todo de Zorrilla; y no de toda la poesía de Zorrilla, sino de la más llorona. Pero aun en sus poesías juveniles, en las que más se nota el azorrillamiento, Gutiérrez González logró tal sencillez de estilo y tal sobriedad de emoción que su pecado de imitación queda atenuado. Más aún: tan consciente parece haber sido de que las poesías lúgubres o exasperadas eran frutos artificiales de la moda que, al mismo tiempo que las escribía, las censuraba y aun ridiculizaba. Es que prefería el verso sobrio con tono sentimental sinceramente vivido, y por eso, si bien andaba a la zaga de Zorrilla, por momentos se desvió hacia una expresión más íntima que, años después, Bécquer cultivaría con genio. Fue su preferencia "realista", digamos, la que alcanzó más altura poética, asegurándole un puesto de honor en nuestra historia literaria. Me refiero a su *Memoria sobre el cultivo del maíz en Antioquia* (1866). Aquí Gutiérrez González se retira de la sociedad literaria de su tiempo y va a refugiarse en un bosque primitivo de su tierra para cantar, no sólo su más extenso poema, sino el más extraño y original de su generación. Con un guiño humorístico finge que presentará a la Escuela de Ciencias y Artes una *Memoria científica*. Como quiere ser comprendido por el pueblo dice que sus instrucciones

serán precisas, claras y metódicas: "No estarán subraya-
das las palabras / poco españolas que en mi escrito
empleo / pues como sólo para Antioquia escribo / yo
no escribo español sino antioqueño". Y, en efecto, la
lengua poética de la *Memoria* es tan rica en indigenismos y dialectismos que aun los colombianos de Bogotá
necesitan recurrir a las notas lingüísticas que dos amigos
del poeta agregaron a la edición de sus obras completas. Con todo, la *Memoria* no es poema que viva exclusivamente en una provincia de nuestra América. El
tema sí es regional: Gutiérrez González describe cómo
treinta peones y un patrono buscan en el bosque un
terreno apropiado para el cultivo del maíz; cómo talan
los árboles y luego queman el suelo; cómo levantan sus
viviendas, siembran, riegan y defienden las semillas de
los pájaros; cómo crece el maíz; cómo se recoge y se
cocina... Pero el arte de mirar y de idealizar cada
detalle en una imagen lírica, la emoción ante las costumbres de un pueblo sencillo y el contraste entre la
vida al aire libre y la vida en la ciudad eran refinamientos de un poeta muy cultivado. En este cuadro
de los trabajos agrestes no reconocemos las *Geórgicas* de
Virgilio —como en el de Andrés Bello— sino la observación directa de la naturaleza por un imaginativo. El
relato avanza en una línea clara; y, sin duda, muchos
de sus endecasílabos son incorrectos, torpes y hasta prosaicos. ¡Qué estilizadora, no obstante, es la actitud de
Gutiérrez González! Mira desde arriba, como si visitara
la tierra desde otro planeta; y a la distancia —no desde
los ojos de los peones— se asombra ante la belleza extraña de cada movimiento.

En Chile hubo un grupo de poetas románticos:
Eusebio Lillo (1826-1910), Guillermo Matta (1829-
1899) y, el mejor, Guillermo Blest Gana (1829-
1904). Fue éste romántico de principio a fin. En
Poesías (1854) llora una desilusión amorosa. Claro
que hay en su llanto mucho arte plañidero. Es un
muchacho que ha leído mucha página lacrimosa. Y él

mismo, cuando pasen los años, se sonreirá irónicamente de esa juvenil estética del sufrimiento. Había traducido a Musset; y, como Musset, se consideró enfermo del mal del siglo. Luego se calmó. Dejó la pose. Si antes escribió, exaltadamente, un poema de antología, "No, todo no perece", ahora escribirá otro enternecido, igualmente antológico, "El primer beso". Blest Gana, en su período de madurez y sinceridad, probó que la melancolía era suya y no de los europeos que había leído. Es decir, que en sus últimos años de producción poética dio expresión al desencanto y a la tristeza que cuando joven sólo había entrevisto en el fondo de sí mismo. Como buen romántico, escribió en verso un drama de historia chilena sobre *La conjuración de Almagro*. Difícil de clasificar es el argentino CARLOS GUIDO Y SPANO. Vivió de 1827 a 1918. Recorrió, pues, una ancha superficie de historia literaria. Y se quedó en la superficie de un mitigado romanticismo, elegante, ático, fino, sobrio. Su primer libro, *Hojas al viento* (1871), recoge composiciones desde 1854: tiernas, candorosas, con sentimientos familiares, reflexiones más o menos filosóficas o temas civiles pero líricamente tratados, como su famosa "Nenia" al Paraguay, con motivo de su destrucción por la guerra. Muchas de sus poesías —como "Myrta en el baño", "En los guindos", "Mármol"— tienen cualidades plásticas. Su precisa mención de los colores de las cosas pone más en resalto esa plasticidad de su poesía. Por su frío esmero, por su visualidad y por las reminiscencias de la *Antología griega* —que tradujo en parte, si bien indirectamente— Guido y Spano ha sido asociado con los ideales parnasianos del Modernismo. En su segundo libro de versos, *Ecos lejanos* (1895), proliferan los versos de ocasión.

PROSA

En prosa, naturalmente, pusieron sus ideas hombres interesantes, como los chilenos FRANCISCO BILBAO

(1823-1865) y Benjamín Vicuña Mackenna (1831-1886) y el venezolano Arístides Rojas (1826-1894). Pero aquí nos interesa el arte de la prosa, aunque ese arte, como en los autores de cuadros costumbristas, sea elemental. Juan de Dios Restrepo, más conocido como Emiro Kastos (1827-1897), creía que sus cuadros carecían de brillo porque, ante todo, había que "respetar la verdad" (¡como si la verdad no pudiera ser brillante!). Lo que pasaba es que Kastos era más observador que imaginativo, y su humor, algo seco, no le inspiraba ganas de colorear sus páginas. Era un espíritu desilusionado de los hombres hasta el punto de que sus burlas ni siquiera tenían la esperanza de corregir. Cierta gracia, no mucha, tenía el costumbrismo de José María Samper (1828-1888). José María Vergara y Vergara (1831-1872), animador del movimiento literario de Bogotá, era un sentimental, y su sentimentalismo habría aprendido a hablar en los libros de Chateaubriand. En su carta "Un manojito de hierba" (arrancado de la tumba de Chateaubriand en el viaje que hizo a Europa), Vergara y Vergara escribió páginas con tensión lírica o con desenvoltura ensayística. Como muchos otros escritores (éste es uno de los fenómenos desdichados en nuestra literatura) Vergara y Vergara puso su mayor empeño al escribir sobre temas no americanos; al escribir sobre América, en cambio, solía borronear a prisa. Sus cuadros de costumbres, desgraciadamente, no tienen la dignidad artística que pudo haberles dado. Por ejemplo: en "Las tres tazas" —cada taza le sirve para evocar las modas, ridículas a su modo de ver, en la historia de las reuniones sociales de Bogotá: chocolate en 1813, café en 1848, té en 1865— el tema es más interesante que su solución literaria. Es que después de Chateaubriand sus gustos bajan en la dirección de Fernán Caballero y Trueba: y con su costumbrismo se insertó aun por debajo de esa línea. José Manuel Marroquín (1827-1908), que probó su arte de versificador en "La perrilla", alcanzó fama de narrador en *El Moro* (1897), historia de un caballo contada por él mismo (autobiografía equina al modo de *Black Beauty* de Emma Sewell), rica en observaciones costumbristas.

La novela puso marco a los asuntos de los cuadros costumbristas. El costumbrismo de esos cuadros eran jirones de las novelas picarescas de España que influyeron en prosistas ingleses (Addison, Steele), franceses (Jouy, Mercier), españoles (Larra); así transformado, actuó sobre los hispanoamericanos. Pero, en la novela, hay una clara diferencia entre el costumbrismo setentista —digamos: *Los enredos de un lugar* de Gutiérrez de la Vega— y el ochocentista —digamos: *El diablo las carga* del venezolano Ros de Olano, 1802-1887—. Y es que en el siglo XIX el escritor está más interesado en la trama de la novela que en el ambiente. Además, tema y ambiente le interesan más que la sátira social. Los novelas en forma de folletín —en Francia, *v. gr.*, las de Sue, Dumas, Ponson du Terrail, Paul Féval— habituaron a los lectores de todo el mundo a lances absurdos, intrigas complicadísimas e interminables, contrastes de personajes siniestros y seráficos, pasiones, violencia, exageración. Aunque en Hispanoamérica no se imprimieron siempre en folletín, también se cultivó este tipo de novelas. A *Los misterios de París* de Sue seguían *Los misterios de Santiago* (1858) de José Antonio Torres (Chile; 1828-1884). Novelita de aventuras, con una completa colección de rasgos románticos, es la de Mariano Ricardo Terrazas (Bolivia; 1833-1878): *Misterios del corazón* (1869). En estas novelas se mezclan aventuras históricas, eróticas, legendarias y, con curiosa frecuencia, anticlericales, como en *El Padre Horán. Escenas de la vida cuzqueña* (1848), donde Narciso Aréstegui (Perú; 1826-1869) noveló el asesinato de un penitente católico por su fraile confesor. En el relato panfletario de Aréstegui el romanticismo muestra dos de sus facciones: el sentimiento de la naturaleza y el pensamiento liberal. Otro de los géneros corrientes del romanticismo, ya se ha visto, fue la novela histórica: JUANA MANUELA GORRITI (Argentina; 1819-1892); SOLEDAD ACOSTA DE SAMPER (Colombia; 1833-1913); NEPOMUCENO J. NAVARRO (Colombia; 1834-1890); DANIEL BARROS GREZ (Chile; 1834-1904); FRANCISCO MARIANO QUIÑONES (Puerto Rico; 1830-1908). De la legión de novelistas de estos años nos detendremos en unos pocos, siquiera para dar una idea de qué es lo que se novelaba; y cómo. Sólo un gran novelista hubo, Alberto Blest Gana, y a él lo reservamos para el final de la lista.

Dentro de la novela histórica reclama atención VICENTE RIVA PALACIO (México; 1832-1896). Era hombre de estudio y de archivos. Conocía al dedillo la colonia y, especialmente, los entretelones de la Inquisición. Sin embargo, sus novelas, más que finas evocaciones, nos dan aventuras de folletín: *Martín Garatuza* (1868) es acaso mejor que *Monja y casada, virgen y mártir, Los piratas del Golfo, La vuelta de los muertos* y las restantes (si bien no las aventaja mucho). Desplegó su gracia y su talento en las tradiciones mexicanas, mejor construidas que las peruanas de Palma, como que eran ya cuentos: *Los cuentos del general* (1896) se llamó su colección póstuma. Sin embargo, sus mejores cuentos no son los que ponen alas a cronicones coloniales, sino los que relatan sucedidos o casos que conoce en fuentes más inmediatas. Sus años de Madrid dejaron huella en su estilo. Fue (después de Roa Bárcena) el fundador del cuento mexicano. Es posible que la posteridad se quede con sus cuentos y no con sus novelas. EUSTAQUIO PALACIOS (Colombia; 1830-1898) es autor de *El Alférez Real. Crónica de Cali en el siglo xviii*. Novela romántica, no tanto por su evocación histórica (después de todo, ese pasado era muy reciente —1789— y Palacios lo recogió sin esfuerzos), tampoco por sus descripciones costumbristas y de color local (aunque de aquí se alimenta gran parte del interés que pueda tener el relato hoy), sino por el sello de melodrama y sensiblería que ha impreso la novelística del siglo XIX. Las olas de sensiblería cubren el diálogo, gruesas, pesadas. Falta sutileza, falta matiz. Por eso las situaciones son sentimentales, pero el sentimiento no está presentado. La construcción novelística es ingenua y previsible. El autor va disponiendo de los materiales con tanto candor que la novela se aclara y permite ver a su través, hasta el desenlace. El amor de los huérfanos, el villano, el presentimiento de un misterio en la vida de Daniel y la revelación del matrimonio secreto de sus padres, el paralelismo entre los idilios Inés-Daniel y Andrea-Fermín, la felicidad que al final se vuelca a manos llenas sobre todos, debieron de haber encantado a los lectores contemporáneos: hoy nos decepciona la superficialidad psicológica de esos personajes que, sin embargo, hablan elocuentemente. El viejo sentimentalismo romántico inspiró bordados de idilio e historia, como en *Cumandá* (1879) de JUAN LEÓN DE MERA (Ecuador; 1832-1894). Es, de las novelas románticas de esta época, la que menos se defiende de los cambios en el gusto. Ha envejecido sin remedio. Sin contar que en 1871, cuando la concibió, ya era vieja esa manera novelística, derivada de los "poèmes en prose", género que desde Fénélon hasta Chateaubriand incluyó en la narración el lenguaje y aun los episodios de la poesía (Homero, Milton, Gessner, Ossian, etc.). La vena poética es lo que permanece fresco en *Cumandá*: humedece con líricas metáforas la descripción de selva, montañas y ríos de la parte oriental del Ecuador y el cuadro de las costumbres de los salvajes jíbaros. Sin duda lo nuevo de estos escenarios y escenas de la virgen América fue lo que admiró a los europeos que consideraron *Cumandá* como una de nuestras obras maestras. Pero, al fin y al cabo, es una novela; y juzgándola como tal es falsa desde la primera línea. Transcurre en 1808; pero la acción arranca del histórico alzamiento de los indios de Guamote y Columbe, en 1790. Inmediatamente el lector adivina que los amantes Cumandá y Carlos son, en realidad, hermanos separados en su niñez por aquellos trágicos acontecimientos. De un golpe queda destruido el interés en lo que *Cumandá* tiene de novela de aventuras. Pero la peor torpeza de Mera en tanto narrador está en su desbordante sentimentalismo, convencional e hinchado. En vez de invitar al lector a que entre imaginativamente en la historia de esos amores infortunados y de crearle así las condiciones para que se emocione desde dentro, lo agobia con pesados fardos de emociones ya preparadas, comprimidas y atadas con la marca de fábrica del romanticismo ñoño. Así, no hay un solo personaje que conmueva, un solo episodio que convenza, un solo diálogo que recuerde el habla viva de las gentes. Todo es absurdo, y a veces ridículo. La actitud europeísta en literatura, españolizante en política y católica en metafísica que Mera tenía ante los indios de su propio país falsificó también eso que, no sabemos por qué, se ha llamado "indianismo" de *Cumandá*. La novela romántica idealizó al indio presentándolo como personaje poético o exótico o legendario o histórico. Anselmo Suárez, Gertrudis Gómez de Avellaneda, Rosa Guerra, José Ramón Yepes, José María Lafragua, Eligio Ancona, Ireneo Paz, J. R. Hernández, Manuel de Jesús Galván, Ramón de Palma y Romay, Alejandro Tapia y Rivera y otros escribieron romances con indios. Mera, acaso, se acerca a la novela indianista más reciente por un detalle: al referirse a la violenta protesta de los indios por la injusticia y el abuso de que son objeto, de parte del terrateniente despótico, plantó un tema social que, con el tiempo, se convertirá en el más importante del género. Así y con todo, lo que de *Cumandá* vale, repetimos, es el ejercicio poético con tema americano; en otras palabras, el punto de enlace de la novela con los poemas indianistas que Mera mismo había escrito. *La virgen del sol* (compuesta en 1856, publicada en 1861) es una leyenda en verso en la que los hechos históricos —el Imperio de los Incas desmoronándose ante el avance español— sirven de bastidor a un bordado novelesco, con amores y venganzas. En las "Melodías indígenas" (1858) también se remonta al pasado indígena. "He intentado hacerme también indio", nos dice en el prólogo. Más bien se disfrazó de indio. En el fondo no sentía al indio. A lo más era un pretexto para sus textos de estilo europeo. Es posible que, con los años, se considere que el mejor relato de Mera no fue *Cumandá* sino "Entre dos tías y un tío", narración costumbrista de la vida aldeana de Ecuador. Publicó otras narraciones, de menor importancia. En Uruguay, si hay que mencionar a alguien, es a ALEJANDRO MAGARIÑOS CERVANTES (1825-1893). Su poesía lírica es trivial. No mejor, pero por lo menos más típica, fue su leyenda en verso *Celiar* sobre amores trágicos que transcurren a fines del siglo xviii. En *Caramurú* (1848), enmarañada novela sobre un gaucho de la época de la dominación portuguesa, en 1823, un burdo y folletinesco romanticismo malogra aun lo que pudo quedar: costumbres y color local. En Chile MANUEL BILBAO (1827-1895), para propagar sus ideas liberales, anticlericales, utilizó las técnicas de la novela folletinesca. En *El inquisidor mayor* (1852) imaginó el ambiente colonial de Lima (ciudad ésta en que Bilbao inició su carrera literaria). Otra novela —de aventuras pero también con historia— fue *El pirata de Guayas* (1865). El mayor novelista en esta generación fue otro chileno, ALBERTO BLEST GANA (1830-1920). Vivió en Francia, entre 1847 y 1851; leyó entonces a Balzac y se le despertó ahí su vocación de novelista. Escribió unas novelas en las que, a lo Balzac, presentó un ciclo de la vida chilena, desde la Independencia hasta principios del siglo xx, con los movimientos sociales de la clase media, la política matrimonial, las costumbres de Santiago, el poder del dinero, los conflictos entre la "gente de medio pelo" y la oligarquía, los motines políticos... No fue Balzac su único modelo (cita aun a Stendhal, cuando apenas se le conocía en el mundo hispánico).

Fue uno de los primeros realistas de nuestra lengua: Galdós escribirá poco después. Su labor de novelista podría separarse en dos períodos. De 1853 a 1863 escribió diez novelas (fecundidad que dio, además, un drama y varios artículos de costumbres y crónicas). Entre 1864 y 1897, un largo silencio. Y de 1897 a 1912 sólo cuatro novelas. Del primer período son importantes *La aritmética del amor* (1860), *Martín Rivas* (1862) y *El ideal de un calavera* (1863). El mismo Blest Gana dio la fórmula de su realismo: "La pintura de incidentes verosímiles y que no tengan nada de extraordinario puede, si el colorido es vivo y verdadero, interesar al lector tanto como los hechos descomunales con que muchos novelistas modernos han viciado el gusto de los pocos letrados" (1861). Con esta condenación de los folletines seudorrománticos abrió Blest Gana un nuevo rumbo en la novela hispanoamericana. En *La aritmética del amor* el protagonista es un joven que quiere vivir bien pero no tiene dinero para pagarse sus gustos. Se debate entre el cinismo y la virtud: después de muchas desgracias acaba casándose con su primera novia, la pobre pero leal Amelia. *Martín Rivas* fue mejor. Pero todavía Blest Gana caracteriza sus personajes insistiendo en sus modos de ser y de hablar. El procedimiento es mecánico y así mecaniza todas las figuras, que se mueven sin adquirir las dimensiones de verdaderos caracteres. El interés de *Martín Rivas* está en el cambio de situaciones, en el tejer de la trama, donde quedan dibujados en hebras de vivo color Martín, Rafael, Leonor, Edelmira, la sociedad chilena, el motín de 1851... ¿Realismo? Sí, porque el modo romántico de contar ahora desdeña la excesiva efusión sentimental —"sin afectación ninguna de sentimentalismo", dice por ahí Blest Gana— y, en cambio, describe más objetivamente la vida burguesa y se enfría en escenas humorísticas. Pero todavía no es el realismo de las novelas con las que romperá su largo silencio. *El ideal de un calavera* continúa los procedimientos a que nos hemos referido, si bien mejorándolos. La misma combinación de episodios novelescos con episodios históricos: el protagonista será fusilado después del motín de Quillota. La misma pintura de jóvenes de una clase media empobrecida, con ambiciones y amores promiscuos. Pero Abelardo Manríquez es ya diferente a Martín Rivas, no sólo en su conducta moral, sino en que, en tanto carácter, tiene más vida, complejidad y autenticidad novelescas. En el segundo período Blest Gana escribió *Durante la Reconquista* (1897), *Los trasplantados* (1904), *El loco Estero* (1909) y *Gladys Fairfield* (1912). Con excepción de la última de las citadas, éstas son las mejores novelas de Blest Gana. Por su tema y por su arte *Durante la Reconquista* se aparta de las demás. Antes Blest Gana había usado episodios históricos para acelerar el desenlace de sus novelas; ahora toda la novela está hecha de historia. Es una de las mejores novelas históricas en Hispanoamérica y, según algunos, si no la obra maestra de Blest Gana, por lo menos su más ambiciosa empresa. Se refiere a los años 1814-1817, desde las vísperas de la batalla de Rancagua hasta las de Chacabuco. Entreteje muchas intrigas novelescas en un riguroso tapiz histórico que copia de la *Historia general de Chile* de Barros Arana y lo colorea con sus propias observaciones de la sociedad chilena, que no había cambiado mucho en las pocas décadas transcurridas. En *Los trasplantados* iluminó, con una luz cruda, a veces burlona, a veces trágica, la vida familiar de algunos hispanoamericanos ricos en París. Deslumbrados por falsos brillos menosprecian sus propias patrias y a su vez son menospreciados por la aristocracia europea. *El loco Estero* es, quizá, la más graciosa, fina, entretenida y depurada de las novelas de Blest Gana. Son aventuras y amores —allá en Santiago, en 1839— teñidos por la nostalgia con que el anciano Blest Gana evoca sus años de infancia y juventud.

El talento autobiográfico de LUCIO VICTORIO MANSILLA (Argentina; 1831-1913) le asegura un lugar más alto que el de muchos otros escritores que escribieron en los géneros consagrados —poesía, drama, novela— pero sin tanto talento. No decimos que no trabajara en literatura: tradujo una novela de Vigny y otra de Balzac, con Dominguito Sarmiento tradujo *París en América* de Laboulaye, escribió una comedia de costumbres —*Una tía*, 1864—, un drama romántico —*Atar Gull*, 1864—, una colección de máximas —*Estudios morales*, 1864—, un pretensioso ensayo histórico-psicológico —*Rozas*, 1898—, etc. Pero su don era autobiográfico, dispersado en páginas que siguen siendo fragmentarias por más que el autor las encuadernara en volúmenes: *Entre nos. Causeries del jueves* (1889-90), *Retratos y recuerdos* (1894), *Mis memorias* (1911), *Páginas breves*. De toda esta literatura, el libro más importante —y de los más originales en América— fue *Una excursión a los indios ranqueles* (1870). El presidente Sarmiento lo había nombrado comandante de frontera en Río Cuarto, Córdoba (1868). Se trataba de continuar la conquista del desierto contra los indios ranqueles. Mansilla firmó un tratado con ellos, pero como los indios desconfiaban, y con razón, de la buena fe de los cristianos, se decidió, en un acto de coraje, a visitar los tolderías de tierra adentro, sin armas, con una pequeña escolta, para convencer al cacique. Vivió entre los indios, y la crónica de esos días no tiene par en nuestra literatura. Hay allí una intención política: burlarse de las instituciones de nuestra civilización por contraste con las formas de la sociabilidad en las tolderías de los ranqueles. "Como Gulliver en su viaje a Lilliput —dice el autor— yo he visto el mundo tal cual es en mi viaje al país de los ranqueles." Pero su pensamiento político —contra los "gobiernos fuertes", contra la "civilización sin clemencia" hacia el indio, contra la barbarie corruptora de los cristianos— no tomó la forma ni de una utopía como en Swift ni de una alegoría como la de *Peregrinación de Luz del Día* que en ese mismo año publicaba Alberdi para castigar pa-

recidos males, sino de una descripción de la vida de
los indios; y, con el tiempo, se debilitaron las alusiones
políticas y, en cambio, ganaron en relieve los méritos
de Mansilla como narrador. El grupo humano que describe es complejo. Indios, mestizos, renegados, blancos
aventureros o perseguidos de la justicia, cautivas...
Mansilla los ve a todos como una porción de la Argentina, porción en la que actúan los males que vienen
de la ciudad: muchos de los blancos son peores que
los indios. Cada vida es un drama. Mansilla la presenta dramáticamente. Y el escenario de la pampa
—que Echeverría había idealizado y Sarmiento había
descrito sin ver— en Mansilla es verdadero. Su aire
de naturalidad, que llega a ser descuido de maneras
literarias, a veces, tuvo la virtud de resistir la oratoria.

CAPÍTULO IX

1860 - 1880

[Nacidos de 1835 a 1855]

Marco histórico: Así como el período anterior puede definirse como anárquico (a pesar de los esfuerzos de los pueblos para darse una Constitución) ahora podríamos definir a éste por los logros de la organización (aunque la anarquía sigue devorando las entrañas de América).

Tendencias culturales: Segunda generación romántica. Actitud intelectual, estudiosa, crítica. Primicias parnasianas y naturalistas.

En la hoguera romántica de 1830 habían encendido sus antorchas los autores que estudiamos en el capítulo anterior; luego las pasaron a otros más jóvenes; y así, mientras el romanticismo quedaba atrás, en el pasado, antorchas románticas ardían todavía en muchas manos, al comienzo de la segunda mitad del siglo. Hubo casos en que se apagaron: se vio entonces que algunos escritores recurrían a las luces de una literatura humanística. Es que el romanticismo no tiene ya los brillos teóricos de antes. Ahora es más bien un calmoso ejercicio práctico. Se hace literatura romántica sin ostentar beligerantemente sus fórmulas estéticas. Hay que escribir con más disciplina, con más estudio. Se busca, pues, el trato de los clásicos y de los filólogos. Los temas de esta segunda generación romántica son los de siempre: tristezas de titanes vencidos, costumbres y hablas populares, leyendas indígenas de pueblos extinguidos, la historia. Acaso, con fuerza de tema nuevo, aparece la emoción del hogar, recuperado después del destierro o de las guerras civiles. El costumbrismo, de origen romántico, acabó por hacerse realista. Al final de este período ya existen grupos de escritores que cultivan las letras por las letras mismas y empiezan a traer a América las primeras noticias de los nuevos movimientos literarios de Europa, como el Parnaso y el Naturalismo. Intentaremos armonizar el desenvolvimiento literario en sucesivos acordes de escritores, combinando los acordes según sus claves. Claro, habrá también disonancias. Sea el primer acorde el de los poetas gauchos de la Argentina.

LOS POETAS GAUCHESCOS

ESTANISLAO DEL CAMPO (Argentina; 1834-1880) era hombre culto, de ciudad, que sabía escribir poesía lírica al modo romántico de la época. Sin embargo, su sitio está entre los poetas gauchescos. Ya vimos cómo Hidalgo primero, Ascasubi después, aunque también hombres de ciudad, habían convivido con los paisanos y, afectando el habla rústica, habían compuesto sus poemas. Ascasubi, sobre todo, era el maestro. Y Del Campo, a pesar de que carecía de experiencia de las cosas rurales, se inició en la vida literaria con versos gauchescos imitados de Ascasubi. A las sátiras que Ascasubi publicaba con el seudónimo de *Aniceto el Gallo* respondió Del Campo con otras bajo el seudónimo de *Anastasio el Pollo*. Esto ocurría desde 1857 en adelante. Las composiciones de *Anastasio el Pollo*, de índole política o puramente jocosa, no disimulaban la ascendencia ascasubiana. No hubiera ido Del Campo muy lejos de no haber sido por un acierto casual. El 24 de agosto de 1866 se representó en el Teatro Colón de Buenos Aires el *Fausto* de Gounod. Cinco días después Del Campo envió a Ricardo Gutiérrez, dedicándoselo, el manuscrito del *Fausto* criollo. Fue una obra maestra de gracia epigramática, de vivacidad imaginativa, de fluidez de versificación, de simpatía en el vivir por dentro los sentimientos de sus personajes rurales. Del Campo era ajeno al mundo de los gauchos: no podía, pues, remedarlos. Ascasubi había remedado a los gauchos y Del Campo remedaba a Ascasubi. En el uso del dialecto —pronunciación, vocabulario, sintaxis— Del Campo se quedaba corto. Como buen criollo de Buenos Aires que era, estaba cerca del habla rústica argentina, pero tuvo que hacer esfuerzos para aprender el que quería imitar. El estudio de las variantes entre el manuscrito de *Fausto* y su edición muestra su voluntad de acomodarse al lenguaje campesino. Pero hubo algo más valioso que el remedo mismo. Del Campo logró el estilo de la poesía tradicional, esa que el pueblo siente suya y la transmite de boca en boca y de generación en generación sin que a nadie interese quién fuera el autor individual. Pero al marchar hacia el estilo poético popular (o, mejor, tradicional) Del Campo se apropió de un estilo de vida que no era el propio y, festivamente, creó personajes individuales —Anastasio el Pollo, Laguna—, con sus modos de sentir, de pensar, de actuar, asomados al mundo culto. El gaucho Anastasio el Pollo ha ido a Buenos Aires, ha entrado de casualidad en el teatro de más postín, se ha dejado arrebatar por las escenas de la ópera de Gounod y ahora, de vuelta a su "tierra", cuenta al amigo Laguna, punto por punto, lo que vio y cómo lo vio. La historia de Fausto, Margarita, Mefistófeles, aparece interpretada, traducida, recreada, por las impresiones de esas almas sencillas. El contraste entre la realidad gaucha y el arte europeo es felicísimo; pero ese contraste surge en el ánimo del lector del poema. Del Campo y su público culto gozan del diálogo entre el Pollo y Laguna desde fuera: por dentro, el poema tiene una sincera unidad emocional. Artísticamente, Del Campo fue superior a su modelo Ascasubi. Sin embargo, sería superado después por otro poeta gauchesco: Hernández. Con motivo de la publicación de *Fausto* (1866) se renovó en Buenos Aires la cuestión de si existía una "literatura nacional". Se hace un balance y, en 1870, hay quienes dicen que no la hay. ¿Acaso *Fausto* era "literatura nacional"? ¿Basta la descripción externa de lengua, ropas, costumbres, folklore para considerar "nacional" una obra

literaria? José Hernández (Argentina; 1834-1886)
vivía en medio de esas discusiones. Era un hombre de
pluma, simpatizaba con la causa de los gauchos y desconfiaba del espíritu europeísta de los hombres importantes de la política de entonces. Debió de hartarse de
oír lo mismo: que la literatura gauchesca no tenía
calidad literaria, que sólo era divertida como en *Fausto*... Y probablemente se sintió resentido porque sus
propias preferencias no contaban en la tabla de valores
de su época. Lo cierto es que decidió incorporarse a
la serie gaucha y escribir también un poema: *Martín
Fierro* (la "Ida", 1872; la "Vuelta", 1879). Su propósito era serio. En el fondo de sus versos hay una
polémica sorda contra un grupo europeísta, indiferente
a lo gaucho; o de europeístas que creían que *Fausto*
era la medida de lo que el género gauchesco podía dar.
Hernández rompe a cantar con mucha conciencia de su
misión seria y, sobre todo, con mucha conciencia de
que hay quienes no creen en él (o en la literatura criolla de que él era capaz). Reprocha a los poetas gauchescos el haber dejado una tarea a medio hacer. Hernández sabe que él trae algo nuevo, más completo.
Y para decirlo remeda, con más talento que todos, la
voz auténtica del gaucho. *Martín Fierro* tiene, pues,
un doble público: se dirige a los lectores cultos y a los
gauchos. Con las mismas palabras ofrece dos mensajes
distintos. Ante los cultos, reclama justicia para el
gaucho. Ante los gauchos, procura darles lecciones
morales que mejoren su condición. En otras palabras,
que *Martín Fierro* era un poema político cuando se lo
leía en la ciudad y un poema pedagógico cuando se
lo leía en el campo. Pero al mimetizarse con los gauchos a fin de mejorarlos moralmente Hernández logró
algo genial: la identificación emocional, imaginativa,
con el mundo del gaucho. Su *Martín Fierro* vino a convertirse en un ejemplo, notable en todas las literaturas,
de poeta individual que se suma a una poesía popular,
reelabora su material, lo enaltece poéticamente y hace

oír, en la voz propia, la voz profunda de toda una comunidad. *Martín Fierro* no es poema épico. Es un poema popular en el que el poeta, con toda deliberación, pone su canto al servicio de una tradición oral. El impulso es individual; la fuente es popular. Hernández no refunde poemas ajenos: lo inventa todo, pero en la postura espiritual del payador. Por eso su *Martín Fierro* parece surgido del pueblo anónimo. Por eso los gauchos lo leyeron como cosa propia. Por eso los elementos tradicionales no están ahí traídos de fuera, sino sentidos, ideados por un Hernández metamorfoseado en Juan Pueblo. Poeta culto, pues, con una manera tradicional. Al poeta culto se lo conoce en la hábil construcción del poema: culta es la intención de reforma social, que da argumento a las aventuras y valor de tipo, de símbolo, al protagonista. La manera tradicional es la improvisación. Hernández había observado bien a los payadores. Vivió con ellos y los imitó. Saturado de espíritu gaucho, Hernández simula estar improvisando: "las coplas me van brotando / como agua de manantial". No era verdad: las enmiendas de los manuscritos y el estudio de las líneas sistemáticas de *Martín Fierro* revelan su arduo trabajo de composición. Uno de los rasgos estilísticos del *Martín Fierro* es que Hernández escribe conteniéndose, afinando su voz a la del gaucho que llevaba dentro. Sabe que su voz de hombre culto estropearía el poema; que la voz del gaucho, en cambio, es la que le da calidad. No escribe en un dialecto gauchesco ya existente, sino en una lengua española normal que él configura interiormente con perspectiva de gaucho. Lengua individual, enérgica, creadora, rica en folklore pero sin fronteras entre lo recogido y lo inventado. Los siete años entre la "Ida" y la "Vuelta" acentúan la intención reformadora del poema. Los móviles de la conducta del gaucho Fierro son diferentes. En la "Ida" Hernández levanta un retablo sociológico y sobre él hace mover la figura anárquica, orgullosa y maltratada del gaucho. El punto de partida, pues, es lógico, constructivo, de quien ha estudiado la realidad social y se propone dar un mensaje político. Hay alusiones a los doctores de Buenos Aires, a la política de Sarmiento, a los abusos del gobierno. Alegóricamente, Fierro huye y no tiene más esperanza que la que ofrece la indiada al otro lado de la civilización. En la "Vuelta", Fierro reaparece con una visión europea y progresista del trabajo: "que la tierra no da fruto / si no la riega el sudor". Ya "concluyó el vandalaje". Ahora elude la pelea y da explicaciones de por qué antes mató; justificaciones legales que muestran que Hernández, en el fondo, era un conservador respetuoso de la ley. Y es que, en 1879 (ya no gobierna Sarmiento, Avellaneda es el nuevo presidente), reconoce legítima la "sociedad" que antes, en la "Ida", condenó. Hay dos morales en la "Vuelta": la que Hernández propone y la que el cinismo del viejo Vizcacha documenta como una realidad; una moral con fines ideales y otra moral oportunista. Idealismo de Hernández y realismo de Vizcacha. Una Argentina programática y una Argentina inmoral. Luces y sombras. Civilización *versus* Barbarie: y he aquí que Hernández, el enemigo de Sarmiento, a la postre coincide con él. *Martín Fierro* es uno de los poemas más originales que ha dado el romanticismo hispánico. Su estrofa indicaba ya, dentro de la métrica romántica, una voluntad de eludir el rigor clásico sin que por eso se deje arrastrar por la corriente tradicional: versos octosílabos organizados en sextillas, con el verso inicial libre de la rima. Rasgos de "escuela romántica": la literatura como expresión de la sociedad; el color local; el nacionalismo; la simpatía por lo popular; el exótico tema de las costumbres indias; el héroe, víctima de la sociedad, exiliado y doliente; la noble amistad con Cruz; los episodios novelescos de violentos contrastes, como la muerte de Vizcacha, la pelea entre el indio y Fierro ante la mujer y la criatura degollada, y los felices reencuentros de Fierro con sus hijos y con los de Cruz.

Otros poetas argentinos

Más pegada que la de Hernández a las formas del romanticismo fue la poesía de OLEGARIO ANDRADE (Argentina; 1839-1882). De las dos épocas de Andrade (la de Entre Ríos, 1855-75, y la de Buenos Aires, 1876-81), la segunda es la que cuenta porque fue entonces cuando escribió sus mejores poesías. "El nido de cóndores", "El arpa perdida", "San Martín" y otras tienen el sello de "titanismo" característico de la literatura romántica: y el símbolo del titán aparece, en efecto, en "Prometeo", su "canto al espíritu humano". La imaginación creadora de Andrade fue más épica que lírica. Prefiere contar lo que ha ocurrido en el mundo a cantar lo que le ocurre en el alma. Sin embargo, lo que mejor objetiva Andrade son metáforas, es decir, visiones líricas. Visiones con cristales de aumento que todo lo magnifican desmesuradamente. Metáforas robustas, efectistas, construidas con tal voluntad de nitidez que generalmente aparecen con la forma de la comparación, del símil, con los lazos estructurales "como", "cual", a la vista. Son metáforas de un poeta visual que derrama la intimidad en el molde de cosas que están frente a los ojos de todo el mundo, metáforas plásticas. Aunque uno les reconozca el parentesco con el lenguaje metafórico del romanticismo —el de Victor Hugo, sobre todo—, las metáforas de Andrade no son criaturas de adopción, sino hijas verdaderas de la fantasía. Tienen el rostro parecido —como que forman una sola familia— pero cada cual vive su propia vida. Andrade escribe en la postura del salto. Está obsesionado por el espacio, por las alturas. Y salta a los grandes temas —el progreso, la patria, el porvenir, la libertad, el destino humano— de hipérbole en hipérbole. Poesía resonante, rotunda pero no hueca; o, por lo menos, no más hueca que el pecho de donde sale la fuerza del canto; afectada siempre, en parte porque el arte es afectación, grandiosa por ser grandilocuente, aunque no grande, porque Andrade, a pesar de todo, no fue gran poeta. Vivía aturdido por el estrépito de sus propias declamaciones y las declamaciones del periodismo de su época: Andrade pagó caro el no saber olvidarse que era periodista cuando escribía poemas.

Es 1880 la fecha terminal de este capítulo. Y en Argentina se llama precisamente "hombres del 80" —el año 1880 fue el de la federalización de Buenos Aires, con la que el país llegó a su organización definitiva— a los que andaban entonces entre los treinta y los cuarenta años de edad. Los portaliras que al llegar a ese hito histórico tenían más reputación eran Guido y Spano, Andrade (ya estudiados) y RICARDO GUTIÉRREZ (1836-1896). A ellos se sumaron los nuevos poetas: Obligado y Almafuerte. La obra poética de RAFAEL OBLIGADO (1851-1920) es escasísima: un solo libro escribió —poesías, 1885, ampliadas en la segunda edición de 1906— y aun allí son escasos los momentos de excelencia. Pero se le consideró en la Argentina "el poeta nacional", en parte porque insistió en temas y maneras de la línea Echeverría-Ascasubi-Hernández en una época en que el país ya estaba poniéndose, sobre el rostro criollo, la máscara cosmopolita. El haberse recogido en una poesía sencilla —el pasado, la naturaleza, la ternura hacia tipos regionales, el folklore, etc.— pareció original a sus amigos y lectores. Lo original, sin embargo, era cantar así en medio del aluvión inmigratorio, del progreso técnico-económico, de la imitación de estilos, ideas y costumbres de Europa, de la ambición de riqueza material. La exaltación nacionalista fue lo que dio fama a Obligado. De sus poesías —unas, legendarias; otras, históricas; otras, íntimas— se ha salvado su *Santos Vega.* Bartolomé Mitre primero, Ascasubi en seguida (y en la novela Eduardo Gutiérrez) habían ya hecho literatura sobre ese payador que, después de haber vivido en carne y hueso, siguió viviendo en la superstición de los criollos. Obligado oyó a sus peones contar cómo Santos Vega había sido vencido por el Diablo y desde entonces andaba errante por el campo, como alma en pena. Con un material extraído de la literatura y del folklore escribió, pues, su poema: no lo hizo en el dialecto criollo, sino con un lenguaje muy preciso, muy lírico, sutilizado con trémulas imágenes de misterio y, dentro del romanticismo, disciplinado con mucho estudio literario. El poema no es poesía pura, sin embargo: tiene preocupaciones morales, lecciones patrióticas y hasta una alegoría: en "La muerte del payador" Juan sin Ropa, el forastero —símbolo del progreso, la industria, la ciencia y la inmigración gringa—, diabólicamente vence a Santos Vega —símbolo de la tradición criolla que moría—. Cuando en 1887 agregó un nuevo canto —"El himno del payador"— a los tres de la primera edición, se acentuó la lección patriótica. Entre los "hombres del 80" —Cané, Obligado, Oyuela, etc.— no podríamos mencionar a Pedro B. Palacios, más conocido por su seudónimo ALMAFUERTE (Argentina; 1854-1917). Aquéllos eran cultos, ricos, sobrios, influyentes, elegantes, satisfechos, convencionales, europeizados. Almafuerte nadaba contra la corriente. Y cuando después de los "hombres del 80" vinieron los que, rodeando a Rubén Darío, se llamaron "modernistas", Almafuerte quedó otra vez fuera de grupo: en una ocasión pidió recompensa "en nombre de las letras americanas, a las cuales he salvado del decadentismo y afeminamiento". Sí, él no pudo ser un "decadente", es decir, uno de los nuevos poetas que admiraban a Verlaine, por la sencilla razón de que lo que cantaba su voz era otra decadencia, la del romanticismo. Literariamente era un mal educado; y por dar rabia a los estetizantes fingía ser peor de lo que era. La primera impresión de quien se dispone a leerlo es la de la deformidad de sus versos. Pero quien persevere en la lectura encontrará un poeta de vigor; más aún, de complejidad espiritual. Defectuosa y desigual, su poesía refleja el carácter de un hombre singularísimo. Era un maldiciente. Era misántropo, misógeno, megalómano y mesiánico; raro por todos los costados, con equivocadas aspiraciones a profeta y filósofo, estentóreo en sus gritos, delirante, furioso, ensoberbecido, áspero y grotesco. Pero era un lírico de voz nueva en nuestra literatura. Esa voz resonaba aumentada por las hipérboles continuas. Se dirigía a la chusma, a la "vil recua sudorosa". No fue poeta de muchedumbres —a pesar de que su popularidad le vino del pueblo bajo— sino un individualista agresivo. Su estilo parece a primera vista populachero, chabacano, emparentado con el de los tangos y especial para uso de compadritos crónicos que viven en los conventillos del arrabal: bien observado denuncia deseo de renovar el lenguaje poético, de adoptar metros nuevos, de inventar palabras, de buscar vaya a saber qué perfecciones en una incesante corrección de la propia obra. Tenía mal gusto, pero era personal en la desgarrada sinceridad con que renunciaba a las convenciones de su tiempo y se atrevía a confesar su angustiada visión de la vida. Todo era para él fracaso: Dios, el Universo, los hombres, él mismo. Su pesimismo, su desprecio y su rabia son radicales. Y por descubrir el fracaso en la raíz misma de la existencia nadie mejor que él ha poetizado lo feo, lo oscuro, lo pobre, lo frustrado, lo sórdido y aun lo repugnante. Su sombrío humor se expresó en prosas, en general epigramáticas: *Evangélicas*. Porque es el oficio de la prosa articular el pensamiento con rigor lógico ahí, más que en el verso, aparecen las contradicciones de la lógica de Almafuerte. Creía y no creía en la dignidad del hombre; creía y no creía en Dios y en un orden universal; creía y no creía en la posibilidad de una verdad; creía y no creía en el progreso moral; y así. Lo recio de su pensamiento estaba en la embestida, no importa para qué lado. Pensamiento mal articulado, pero rico en atisbos sobre la mala leche del hombre y las mentiras de la vida social. Es uno de los pocos poetas argentinos del siglo XIX que son estimados por los del siglo XX: lo admiró Lugones y lo admiran todavía algunos jóvenes de hoy.

Colombia

En el romanticismo colombiano —que generalmente toca en la octava que va de Chateaubriand a Victor Hugo— cantó con ímpetu propio RAFAEL POMBO (1833-1912). Es el más longevo de los poetas colombianos —setenta y nueve años— y el más fecundo —arriba de cuatrocientas poesías, sin contar traducciones, fábulas y cuentos en verso—. Larga vida, larga obra, en la que naturalmente es posible señalar etapas. De 1851 a 1853, el primer borbotón, con sabor a Zorrilla y a Byron, poesías más sentimentalistas que sentimentales, aunque las quejas suelen contenerse gracias a la complexión moral del hombre. En su segunda etapa, durante su permanencia en los Estados Unidos, alcanza su plenitud. Viajes, la experiencia de una cultura diferente, el trato con gentes distinguidas, la amistad con Longfellow y Bryant, el estudio de clásicos y modernos que lo llevó a traducir excelentemente, y la madurez de sus años, dieron flexibilidad y fuerza a su verso, de la oda al epigrama, de la elegía amorosa a la meditación filosófica, de la descripción del paisaje al tema civil o jocoso. Su tercera etapa va hasta 1912. Es el regreso a Colombia y la decadencia de la ancianidad, cuando su poesía se le hace más razonadora y se le fijan las maneras de la versificación (el soneto fue la forma predilecta de sus últimos años). Pero estas etapas recorren enteramente la órbita romántica, sin dejos neoclásicos, sin anticipaciones al modernismo. Un tema domina en toda su poesía: el amor, que le inspira desde la juvenil "La copa de vino", hasta la senil "Avisag". Amor de soltero no a una mujer sino a todas; amor a mujeres reales e ideales, a mujeres angélicas y sensuales, a mujeres de todas las razas y edades, y hasta a muertas, como en "Elvira Tracy", erotismo de la carne y de la imaginación que tan pronto lo atormentaba con la visión de la belleza o con la visión de su propio fracaso. Hasta llegó a mistificar poesías femeninas —"Mi amor"—, que engañaron a sus lectores e hicieron creer que en Colombia se escondía una Safo ardiente: Edda la Bogotana. Más tarde Pombo confesó la superchería y escribió "Edda", uno de sus poemas más conocidos. El sentimiento de la mujer se dio junto con el sentimiento del paisaje: después de todo, mujer y paisaje eran para él espectáculos naturales. Iba a la naturaleza, no como un jardinero, que la ordena en figuras bonitas, sino cohibido y desconfiado de las fuerzas del arte: "Deja tu lira, poeta, / deja, pintor, tu paleta, / y tu cincel, escultor; / naturaleza es mejor / que el signo que la interpreta." En "Preludio de primavera" es la naturaleza lo que vale: a sus pies, la vida del hombre es pequeña y sólo inspira melancolía. Este pensar en nuestro destino de hombres al contemplar la naturaleza solía anonadarlo. El Niágara, desde Heredia, ha sido una obsesión en la poesía hispanoamericana; cuando Pombo "En el Niágara" se puso a describir ese "museo de cataratas", "fábrica de nubes", "mar desfondado al peso de sus ondas", manifestó una fuerza visional más poderosa que nadie. Lo que él vio ahí está en el verso: el lector vuelve a ver el Niágara, porque está a la vista. Poesía torrencial, como el Niágara mismo. Pero no se queda en lo gráfico, y hasta podría decirse que lo gráfico es lo de menos. La misantropía se complace en deprimir al hombre mientras exalta la naturaleza. ¿Por qué temer a la naturaleza?: "el mal más grave que hace es un bien: servirnos una tumba, un lecho al fatigado". El hombre, "ése es el monstruoso", "ése es el áspid cuyo contacto me estremece", "injerto atroz de ángel y diablo". "Para mí —termina— la vida es un sarcasmo." Había en Pombo un Leopardi; y nos dio la nota desesperada. A los veintitrés años de edad escribió en sesenta y una décimas "La hora de tinieblas" (1864), blasfematoria para una conciencia religiosa, profunda y angustiada para todos por la sinceridad de sus dudas. Pombo, a fuer de católico, se retractó en su vejez, pero lo que dijo quedó dicho, y es un alto momento en la historia de nuestra literatura. Fue uno de los mayores líricos de su generación; pero de aguas tan revueltas que la onda del verso se le encrespa, turbia, rota, y así nuestro oído sufre a veces por su ruido. Por los aciertos debemos perdonarle sus caídas. Con DIEGO FALLÓN (1834-1905), EPIFANIO MEJÍA (1838-1876) y RAFAEL NÚÑEZ (1835-1894) podríamos cerrar la lista de los poetas colombianos de la segunda generación romántica. Fallón con su idealista sentimiento de la naturaleza, Mejía con sus versos realistas, de forma tradicional, y Núñez con su poesía de ideas. Después de ellos vinieron otros, disciplinados con el trato de los clásicos y los filólogos. En Colombia, país conservador y tradicionalista, las normas de estudio han sido siempre imperiosas. En la historia lingüística moderna (primordialmente alemana y, a la zaga, francesa e italiana) los españoles no habían tenido participación. Después del Brocense hubo una larga interrupción, y el colombiano RUFINO J. CUERVO (1844-1911) fue la gran cabeza lingüística: el español Menéndez Pidal llegará más tarde. Inclinado también a los estudios de la lengua —aunque más como gramático que como filólogo— otro colombiano ilustre, MIGUEL ANTONIO CARO (1843-1909) llevó a la literatura su seriedad de estudioso. Representó bien el florecimiento humanista en esos años de Colombia. Su amistad con Horacio, Propercio, Catulo y, sobre todo, Virgilio (tradujo admirablemente la *Eneida*) dejó sus señas y contraseñas en cada verso. Los versos le nacían sabios y técnicamente irreprochables, pero fríos, como que nacían en uno de los sótanos de la historia literaria. Les falta gracia y sentimiento. El poeta anda de rodillas porque su religión no es el desafiante titanismo de los románticos, sino el catolicismo humilde y resignado. Su soneto "A sí mismo" está apoyado sobre su rodilla clásica y su rodilla católica. Su pensamiento era académico, no crítico; o, dicho de otra manera, acertaba como crítico cuando sus materiales eran académicos, pero no comprendía los valores nuevos. A la larga el tanto negar lo que no comprendía acabó por dejarlo apartado de la literatura de su tiempo.

Quedó como una estatua clásica: con estilo estatuario escribió uno de los mejores poemas de su tiempo, "A la estatua del Libertador".

México

Todavía nos queda por tocar el acorde mexicano. Como en otras partes, encontramos en México, en estos años, poetas chapados de tradición. La tradición era clásica, de aliento virgiliano, en los *Murmurios de la selva* de Monseñor JOAQUÍN ARCADIO PAGAZA (1839-1918). La tradición del fecundo JUAN DE DIOS PEZA (1852-1910) era la romántica española, grandilocuente en los temas públicos y elocuente en su ternura doméstica (*Cantos del hogar*, 1884).

También romántico a la española, si bien más lírico, fue MANUEL ACUÑA (1849-1873), autor de un "Nocturno" de inspirado sentimiento amoroso, escrito en vísperas de suicidarse, como despedida de la vida y del amor. Acuña fue poeta de ideas liberales en política y positivista en filosofía. "Ante un cadáver" es una curiosa muestra de cómo el lirismo romántico se abre paso por los temas del materialismo cientificista, nuevos y provocadores en esos años. Otro romántico a la española fue MANUEL M. FLORES (1840-1885), el erótico poeta de *Pasionarias*. En cambio, AGUSTÍN F. CUENCA (1850-1884) miraba hacia el lado por donde años después se aparecieron los innovadores.

Otros países

Y ahora toquemos un arpegio final. DOMINGO ESTRADA (Guatemala; 1850-1901), romántico de gusto moderno, admirador de Martí, traductor de Poe. MANUEL MOLINA VIGIL (Honduras; 1853-1883) cantó ro-

mánticamente a la libertad, el amor y la muerte. Luisa
Pérez de Zambrana (Cuba; 1835-1922), autora de las
mejores elegías de su generación En Santo Domingo
se oyen ahora las primeras voces líricas de calidad: las
de José Joaquín Pérez (1845-1900), el autor de *Fantasías indígenas*, Salomé Ureña de Henríquez (1850-
1897), de intención civil y civilizadora y del enfático
Federico Henríquez y Carvajal (1848-1951). También podría citarse al patriota Manuel Rodríguez
Objío (1838-1871). En Puerto Rico, dos románticos,
uno de educación francesa: José de Jesús Domínguez
(1843-1898), el autor de *Odas elegíacas* y *Las huríes
blancas*; el otro, más importante, romántico a la española: José Gautier Benítez (1850-1880), sereno, melancólico, becqueriano, con temas de amor y de patria;
y aun podría agregarse el nombre de Lola Rodríguez
de Tió (1843-1924).

Los venezolanos Jacinto Gutiérrez Coll (1836-
1903), que conoció en Francia a los parnasianos, y
Antonio Pérez Bonalde (1846-1892). ¿Qué secretas
afinidades hicieron que Pérez Bonalde tradujese a Heine y a Poe? No lo sabemos. Tan secretas eran que ni
siquiera se revelaron en las poesías originales que escribió. No obstante, el haber traducido a Heine y a
Poe (que pocos años más tarde serían re-descubiertos
por los de la generación "modernista") ha hecho creer
que el elegíaco Pérez Bonalde fue un precursor del
tono poético, rico en matiz y en exquisitez que prevaleció desde 1890 en adelante. ¿Precursor? Puede ser.
Pero ¿por qué no decir que fue un rezagado? Poe, Heine
habían entrado en la literatura española antes que
Pérez Bonalde naciera. El gusto por lo germánico, con
sus preferencias por lo misterioso, lo legendario, lo sobrenatural, se advierte ya en la década de 1840. El mismo Bécquer, que lo manifestó mejor que nadie, vino
después. Por su romanticismo nórdico, neblinoso, se
consideró a Pérez Bonalde un "raro", un moderno, casi
un modernista. Pero sus libros de poesías —*Estrofas*,

1877; *Ritmos*, 1880— no pertenecen al ciclo que abre *Azul*... de Darío. Su mejor tono fue el de la nostalgia. Su "Vuelta a la patria" es una hermosa evocación romántica de su pueblo y su familia. El ecuatoriano CÉSAR BORJA (1852-1910), sombrío en sus sentimientos, luminoso en sus imágenes. El chileno JOSÉ ANTONIO SOFFIA (1843-1886) fue de esos poetas de tono menor, moderados, sencillos, gratos a las buenas familias. Sus *Poesías líricas* fueron de 1875. Bécquer acababa de dar la nota más suave del romanticismo español. Soffia prefirió esa suavidad. Suavemente cantó el amor —sobre todo el de su esposa—, el paisaje, la soledad, el misterio, la muerte, la virtud, el rincón natal, Dios.

LOS PROSISTAS

Faltan, en nuestro panorama de la poesía, algunos nombres: no es que los hayamos olvidado, sino que sobresalieron como prosistas y como tales estudiaremos más adelante a Isaacs, Palma, González Prada, Varona y Sierra. La prosa de esta generación es extraordinaria: si además de los que acabamos de nombrar agregamos a Montalvo, Hostos y otros que ya se verán, es evidente que estamos frente al mejor grupo de prosistas del siglo XIX.

Juan Montalvo

El primer prosista, en orden de méritos, es JUAN MONTALVO (Ecuador; 1832-1889), uno de los mayores de toda la lengua española. Gran parte de su obra arrancó de su lucha contra los males del Ecuador, que son los males de nuestra América: la anarquía, el caudillismo militar, la fanática voluntad de poder del clero, la ignorancia de las muchedumbres, el despotismo, la corrupción administrativa, la chabacanería, la injusticia, la pobreza... Pero la literatura política de Montalvo no tiene la turbulencia que podría esperarse de vida tan combativa. Hacía literatura con la política; y la literatura la hacía con una lengua artificiosa. Montalvo, atento a la lengua, se distraía del tema mismo sobre el que estaba escribiendo. Su interés estaba no tanto en las ideas como en la riqueza musical y plástica del lenguaje. Pensaba más con las palabras que con las ideas. Aunque ensayos era lo mejor que le salía, Montalvo vaciló en su carrera literaria: escribió poesías, relatos y dramas. Nunca estimó sus propios versos. En cambio, llegó a creerse dotado para la narración. Escribió unos pocos cuentos con unidad. No tienen la calidad de los "episodios" que ilustran su tesis (cfr. *Siete tratados*), de las anécdotas al servicio del discurso (cfr. *Las catilinarias*), de las alegorías y parábolas (cfr. *Geometría moral*), de los relatos sobre poemas ossiánicos o leyendas griegas, etc. Páginas todas estas que eran más bien ejercicios sueltos de una capacidad narrativa que no llegó a desenvolverse por entero. Lo cierto es que Montalvo no tenía interés en contar acciones, sino en pronunciar discursos. Aun en los *Capítulos que se le olvidaron a Cervantes*, que son una novela, lo que se salva son los ensayos intercalados o puestos en boca de Don Quijote. La actitud de Montalvo al ponerse a escribir el libro fue la de ensayista, no la de narrador. En vez de contarnos las aventuras de Don Quijote las sustituye con ensayos sobre la locura como fuente de aventuras, sobre la virtud del agua, el llanto, el decoro y la pobreza, el valor de la acción, el respeto al árbol, etc. El relato se le quebraba y desaparecía. Lo que del libro queda vivo, caliente, son los fragmentos de ensayismo, ajeno al ámbito de Don Quijote. Lo mismo podríamos decir de sus dramas, que no existen en sí mismos, sino como vehículos de pedazos de prosa discursiva. Y como es siempre la voz del autor-ventrílocuo la que se oye desde cada muñeco, el diálogo de la escena es más bien un monólogo a varias voces. El poeta, el narrador, el dramaturgo son sombras del ensayista. Lo mejor de la literatura de Montalvo son, pues, sus ensayos. Pero señalar cuáles son sus mejores ensayos es ya muy difícil. Hay ensayos que, en cuanto ensayos, esto es, como breves unidades de discurso, están muy bien. Repárese, por ejemplo, en muchos de los de *El espectador*: son cortos, sencillos, eficaces, ágiles. Pero este tipo de ensayo mínimo parece que no le satisfacía. Él ambicionaba composiciones más amplias y complicadas, arquitecturas opulentas, "tratados"... Montalvo, espontáneamente, escribía artículos; pero le parecían poca cosa y los consideraba apenas como elementos de "obras" mayores. Este miniaturista se lanzaba así a componer los vastos mosaicos de *Siete tratados*. Cuanto más se entonaba para conquistar públicos imaginarios, más precioso le salía el estilo y más se le derramaba la composición por el espacio. Mejoraba los fragmentos y estropeaba la totalidad. En los *Siete tratados* hay más brillos, más ritmos, más riqueza metafórica y aforística, más recursos y más frecuencia de aciertos poéticos; pero cada tratado no es una fluida unidad, creada desde adentro, sino una armazón —a veces desmañada— sobre la que se apoyan cuadros apenas vinculados entre sí. En los ensayos breves de *El espectador*, en cambio, aparecen estos cuadros sueltos, mas el haberlos dejado así ya indica que Montalvo no tenía mucho interés en ellos, que nos los "trabajó" literariamente; y, en efecto, son más simples y pobres en pensamiento y en imaginación. Al asomarse a su propia vida Montalvo solía enfocar su ojo estético en experiencias propicias al adorno romántico; en experiencias de resentimiento, disgusto, indignación, horror, odio; y en experiencias estimuladas por la literatura. Hay en su prosa, por consiguiente, un principio de diferenciación entre las modalidades de lo bonito, lo truculento y lo tradicional. Cuando el solitario Montalvo —ese Montalvo atento a los primores de su sensibilidad— se ponía a expresar sus íntimas conmociones, solía darnos una prosa poemática. Prosa romántica pero que, por orientarse hacia el "poema en prosa", se acercó al "modernismo" de la generación siguiente.

El afán de soledad, y de gustar en esa soledad las delicias del paisaje y de la melancolía, era un momento tímido, nervioso, retráctil de su alma. Sólo que esa alma no encontraba paz en el retiro: se sentía permanentemente ofendida por el mundo, y a la menor humillación (y a veces sin humillación alguna) saltaba a la arena a lidiar. Y así como para sus delicadezas encontró fórmulas estéticas, que fueron las del poema en prosa, también para su difamación de hombres y cosas, para los arranques de su humor trágico, pesimista, desilusionado o sarcástico, encontró la fórmula estética del insulto. El resentimiento que le ardía en las entrañas daba vueltas por el aire, como un humo, hasta que entraba en el haz de luz de la literatura infamatoria y se hacía diatriba. Tanto en su retraimiento como en su exasperación Montalvo se complacía en recordar escenas gloriosas y en sentirse personaje de fantasía. Sus experiencias se le armaban así con esquemas, temas, modelos, ideales, reminiscencias de ciertas formas de expresión artística que ya habían sido consagradas por la historia. Al contar anécdotas de su propia vida solía enriquecerlas con reminiscencias librescas; o al revés, proyectaba sobre las anécdotas librescas una intención autobiográfica. Sería interminable enumerar las tradiciones literarias que hay en muchas de sus páginas. El pasado rezuma constantemente en su lengua. La prosa de Montalvo es una de las más ricas del siglo XIX español. Acaso la mayor expresión de energía de Montalvo, y la más asombrosa, sea el haberse inventado en un rinconcito de América una lengua propia, lengua amasada con el barro de muchos siglos de literatura y amasada por el amor a la lengua misma. Tenía un extraordinario don de acuñar frases, de desviarse del camino trillado y encontrar una salida portentosa, de evocar una realidad con mínimos toques de prosa imaginativa. Por ese interés en retorcer y complicar la expresión logró, con más frecuencia que sus contemporáneos de lengua española, fragmentos estilísticos de primer orden.

Ricardo Palma

RICARDO PALMA (1833-1919) fue la gran figura del rezagado romanticismo peruano. Escribió dramas en verso que él mismo condenó más tarde como "monstruosidades abominables"; y muchos versos (en cuatro volúmenes) a los que, con ostensivo desapego, llamaba "renglones rimados". En las divertidas confidencias de *La bohemia de mi tiempo* (1887) Palma ha contado los excesos literarios románticos de los años 1848 a 1860. Desengañado y burlón se alejó, pues, Palma del romanticismo; pero allí había encendido una de sus antorchas, para iluminar románticamente el pasado peruano. La simpatía romántica hacia el pasado se apropió de ciertos géneros literarios. Palma, narrador nato, debió de sentir la atracción de todos ellos: la novela histórica, el cuadro de costumbres, la leyenda, el cuento. Pero no se entregó a ninguno de ellos, sino que, con un poco tomado de aquí y otro poco de allá, creó un género propio: la "tradición". Ya en 1852 escribía relatos tradicionales; diez años después iba cobrando su fisonomía definitiva y desde 1872 empiezan a publicarse las largas series de *Tradiciones peruanas*, perfectas. Seis series, de 1872 a 1883, a las que siguieron otras con títulos diferentes: *Ropa vieja* (1889); *Ropa apolillada* (1891); *Cachivaches y Tradiciones y artículos históricos* (1899-1900); *Apéndice a mis últimas tradiciones*, en prensa ya en 1911. (Hemos leído el manuscrito de sus *Tradiciones en salsa verde*, 1901, aún inéditas y difícilmente editables por su pornografía.) Con los años Ricardo Palma fue consciente de su originalidad y dio la fórmula de su invención (en la carta a Pastor S. Obligado, en el prólogo a las *Tradiciones* de Clorinda Matto de Turner, en la introducción a su *Ropa vieja* y en las frecuentes alusiones a su teoría y método de tradicionista, esparcidas en las tradiciones mismas). Entresacamos: "Algo y aun algos, de mentira, y tal cual dosis de verdad, por infinitesimal u homeopática que ella sea, muchísimo de esmero y pulimento en el lenguaje, y cata la receta para escribir Tradiciones. . ." El cuadro geográfico-histórico-social-psicológico que nos ofrece en sus *Tradiciones* es amplísimo: desde Tucumán hasta Guayaquil; desde la época de los Incas hasta hechos contemporáneos de los que el mismo Palma es actor; desde el mendigo hasta el virrey; desde el idiota hasta el genio. Pero en el centro del cuadro, y pintada con pincel más fino, está la ingeniosa sociedad virreinal de la Lima del siglo XVIII. Las fuentes son innumerables y a veces irreconocibles. Crónicas éditas e inéditas, historias, vidas de santos, libros de viajes, pasquines, testamentos, relatos de misioneros, registros de conventos, versos, y además de la palabra escrita la oral en el refrán, el dicho, la copla, la superstición, la leyenda, el cuento popular. . . La estructura de las *Tradiciones* es también compleja. La combinación de documento histórico y acción narrativa es desordenada, cambiante, libre. A veces ni siquiera hay estructura, pues suele ocurrir que se desmoronan los hechos y sofocan el relato. O, en una tradición, hay muchas otras tradiciones menores encajadas unas dentro de otras. El granero de enredos, situaciones y caracteres interesantes es tan copioso que toda una familia de cuentistas podría alimentarse allí. Una frase suele ser el grano de un cuento posible. Aun el espíritu de Palma se desdobla en planos. Simpatizaba herderianamente con las voces históricas del pueblo; mas también se burlaba volterianamente de ellas. Pero quien influyó en su humor fue, no tanto Voltaire, sino el Balzac de los *Contes drolatiques*. Tiene la multiplicidad de perspectivas de un escéptico zumbón, y aun sus protestas de imparcialidad —"yo ni quito ni pongo"— son irónicos pinchazos al absolutismo de la Iglesia y del Estado. Era un liberal, y sólo tomaba en serio los derechos de la conciencia libre y de la soberanía popular y los valores morales de bondad, honradez y justicia. Su tono dominante es la burla traviesa, picaresca. Y todavía tiene la sonrisa en los labios cuando, de pronto, pasa a contarnos el poético milagro de "El alacrán de Fray Gómez" o el dramático sacrificio de "Amor de madre". Esta última "tradición", una de las mejores, entusiasmó tanto a Benito Pérez Galdós que le dio ganas de escribir un drama "como *El abuelo*", según dijo en una carta. Sin embargo, por la sonrisa de Palma, entre burlona y compasiva, "Amor de madre", más que drama al modo de Galdós, se prestaría al teatro grotesco de los italianos Chiarelli o Pirandello. Farsas trágico-cómicas, no tragedias, estarían en la vena de Palma. A despecho de sus descuidos, fue buen narrador. Sabe hacernos esperar hasta el desenlace. No hay una sola virtud de cuentista que Palma no tuviera. Presentaba con gracia sus personajes, sobre todo a las mujeres, elegía conflictos curiosos y los enredaba y desenredaba... Pero no hay una sola "tradición" que sea, realmente, un cuento. Su fruición de anticuario lo lleva a coleccionar hechos, y para darles sitio interrumpe, desvía y altera constantemente el curso del cuento. El manejar hechos más o menos históricos le tiene las manos tan ocupadas que no puede dar al final un pellizco a la acción para que termine sorpresivamente. Tanto como la acción lo atrae la atmósfera histórica en que ocurre; y esa atmósfera está compuesta con corpúsculos de polvo de archivo. Los hechos flotan en el aire, sueltos y alocados. Como en Montalvo la prosa de Palma tiene algo de museo lingüístico en que palabras y giros se aprietan en espacios mínimos. Sólo que, a diferencia de Montalvo, la lengua de Palma es más popular y americana. También en esto respondía Palma —que como miembro de la Academia peruana correspondiente de la española trabajó en lexicografía— a una teoría lingüística: que se enriquezca el vocabulario dando libre entrada a americanismos, arcaísmos, neologismos, cultismos y popularismos; pero que se acate la sintaxis con estudio y celo. En las *Tradiciones* la lengua oral y la escrita, la hispanoamericana y la española, la popular y la culta se prestan constantemente sus arranques, movimientos, cadencias, palabras y sintaxis. Como esos ondulantes ideales de expresión ya se habían juntado, separado y vuelto a juntar muchas veces en la historia literaria, aun lo artístico de Palma tiene mucho de coloquial y, al revés, sus maneras de conversador mucha literatura. Su prosa, en conjunto, encanta ya por ese vitalizar frases hechas, ya por ese levantar las frases del pueblo peruano a categoría de monumentos artísticos.

LOS NOVELISTAS

JORGE ISAACS (Colombia; 1837-1895) nació justamente cien años después de Bernardin de Saint-Pierre; pero su *María* (1867) pertenece a esa familia literaria que la novela *Paul et Virginie* fundó a fines del siglo XVIII. En *Paul et Virginie* Saint-Pierre había creado el idilio de los criaturas inocentes que, en medio de una naturaleza también inocente, se aman con un amor al que la muerte viene a sellar con una pureza definitiva. Años después Chateaubriand, en esa misma tendencia sentimental, de idealización del amor y de descubrimiento de una nueva geografía, escribió su *Atala*: otra vez la pureza del primer amor, ahora en las soledades de los bosques de América, entre dos jóvenes a los que la muerte consagra vírgenes. Al escribir, pues, "ese diálogo de inmortal amor dictado por la esperanza e interrumpido por la muerte", Isaacs seguía detrás de la estrella erótica que había conducido ya a toda una caravana. Pero fue Chateaubriand quien enseñó a Isaacs a orquestar estéticamente su vago erotismo. Por eso cuando Efraín lee a María la novela *Atala* anota muy significativamente que María "era tan bella como la creación del poeta, y yo la amaba con el amor que él imaginó". Más aún: la lectura de Chateaubriand anuncia a Efraín y María el triste desenlace de ese idilio que vivían, como si *Atala* fuera, de un modo muy sutil, el libreto de un drama que ellos representaran. Al chateaubrianizar hubo algo en que Isaacs se sintió seguro: fue su visión del paisaje. Chateaubriand había descrito una América ideal: Isaacs describirá la América concreta en que amaba, trabajaba y luchaba. Para un francés el escenario americano de *Atala* era exótico; para Isaacs esa América era la propia tierra. Por eso *María* tiene una significación nacional que falta en *Atala*. En *María* se nos devuelve la imagen coloreada de nuestra vida americana: americanismo, no exotismo. Sólo que el exotismo era un rasgo tan típicamente romántico que Isaacs no quiso renunciar a él: y nos dio el cuento de Nay y Sinar en marco africano. África fue para Isaacs lo que América para Chateaubriand. La descripción de Isaacs no fue realista: veía los paisajes con ojos ya habituados a un estilo romántico. El solo gustar de la naturaleza era, de por sí, una disposición romántica. Isaacs sabía, pues, que el paisaje era un gran tema literario. Y lo desarrolló también al modo romántico, como un estado de ánimo. "Si la felicidad nos acaricia —dice Efraín— la naturaleza nos sonríe." Junto al paisaje-jardín, por donde pasea María, Isaacs nos describió la naturaleza sin María, terrible, desordenada, enemiga. Paraíso y purgatorio. La novela del infierno, del infierno verde de la selva, surgirá en América más tarde, y entonces los hombres valdrán menos, estéticamente, que las serpientes. Otro de los descubrimientos del romanticismo que influyeron sobre Isaacs fue el color local. Cuando Isaacs se inició como escritor, quien más, quien menos, todos los colombianos escribían o leían evocaciones de la vida familiar, del campo o de la ciudad. Isaacs cedió a la boga. Pero el costumbrismo, que en artículos sueltos tenía un amargo sabor, al desembocar en la novela se dulcificaba por el prestigio de lo sentimental. En *María* aun los toques burlones son cariñosos. Algo se resintió la novela por estas disonancias entre las notas costumbristas y las idílicas. Con todo, hay escenas bien vistas en la evocación de la chacra serrana de don José, de la cacería del tigre, de los amores de las muchachas, de la boda de Tránsito y el entierro de Feliciana. Y, sobre todo, es hermoso el cuadro rústico con la deliciosa Salomé coloreada en el centro como una ninfa mulata, inocente, juguetona y sensual. Esta sociedad feudal, feliz, en la que patronos, peones y esclavos conviven sin sordidez, está tan idealizada como los amores de los dos señoritos. Los románticos habían falsificado la noción de Hombre; y cuando Isaacs describe los sentimientos de María y Efraín los deja en esas falsas brumas de moda. María nació como una abstracción, pero la sinceridad del autor la fue humanizando. Esa María fue una síntesis lírica de las experiencias de amor de Isaacs, la cifra ideal de sus primeros años, el foco imaginativo adonde fue a concentrarse esa gran luz difusa de recuerdos y ansias verdaderamente vividos. Aunque al escribir Isaacs empujaba su erotismo hasta amoldarlo a la categoría literaria de la mujer-serafín, le sobraba una rica experiencia amatoria, real, matizada, concretísima en sus pormenores que fue lo que salvó su idilio. Gustaba de la mujer, sabía diferenciarla. Se ve que siente la fuerte atracción de todas las mujeres del Cauca. Isaacs comunicó a Efraín su virilidad. A pesar de la delicadeza de su amor Efraín estaba todo tenso, todo atento a las pequeñas desnudeces de María. María también siente la atracción de Efraín: es amor lo que los une, no siempre es literatura. Si el brazo de Efraín roza su talle, ella se enciende de rubor. El beso revolotea tímido, sin posarse nunca, pero buscándose. El idilio entre Efraín y María repetía estampas conocidas, pero la sinceridad de la ternura creó el milagro de una expresión tan fresca que pareció original. Los ritos del fetichismo amoroso (cambiarse flores, rizos), la coquetería y la inocencia con que María esconde o abandona su mano a la caricia de Efraín, el servirse del niño Juan como de un Cupido casero, el paisaje como confidente, el pregustar la tristeza mientras se gusta la dicha son notas sinceramente vividas, sinceramente expresadas. La primera carta que María escribe a Efraín es tan auténtica que sorprende encontrarla en un libro; y las últimas páginas han de recordarse siempre entre las mejores de la literatura española de su tiempo. La onda de poesía que recorre la obra no es continua, pero sí lo bastante duradera para que cuente en la historia de nuestra prosa artística. En sus versos, en cambio —relatos, recuerdos de infancia, cantos patrióticos, reflexiones morales, paisajes, etc.—, muy rara vez apareció una visión lírica profunda.

MANUEL DE JESÚS GALVÁN (Santo Domingo; 1834-1910) noveló la historia en *Enriquillo*. Se había educado en la tradición del clasicismo académico y sus límites culturales eran Jovellanos y Quintana, Scott y Chateaubriand. Al evocar la colonia española de Santo Domingo, de 1502 a 1533, Galván supeditó la marcha de su novela a normas de fidelidad histórica: sacrificó el valor artístico del relato cada vez que debió elegir entre su imaginación y los documentos; y aun en los casos en que no encontró documentos, en vez de inventar, interrumpió el relato. Apoyó la verdad histórica en los documentos originales, hasta el punto de transcribir páginas enteras de Las Casas y de explicar los episodios con lecciones de historia. Es asombroso que Galván haya logrado una novela de tanta calidad literaria, a pesar de las dificultades de su complejo tema histórico y de su método académico. La raza india se había extinguido en Santo Domingo, a consecuencia de la política española; y así los dominicanos, enfrentándose a España, la conjuraron como a un símbolo del espíritu de libertad. El indigenismo obedecía a un móvil de restauración nacional. Galván, en medio de este florecimiento indigenista —José Joaquín Pérez acababa de publicar *Fantasías indígenas* en 1877—, comenzó su novela idealizando también a los indios. (La primera parte de *Enriquillo* se publicó en 1878; la edición completa, en 1882.) Pero Galván, aunque siente la atracción de la simpatía romántica por el indio, no se deja arrastrar por ella. Nos advierte, explícitamente, que está de parte de la civilización europea: "Suplicamos al lector que no nos crea atacados de la manía *indiófila*. No pasaremos nunca los límites de la justa compasión. . ." Hay, pues, una diferencia de actitud entre Galván y otros escritores indigenistas de su época. Galván convirtió al padre Las Casas en el eje doctrinario de su novela; siguió sus escritos al pie de la letra —y a veces textualmente—. Pero Galván no interpretó la prédica de Las Casas como una prueba de la bajeza moral de España, sino como un noble ejemplo que España ofreció al mundo. Las Casas, después de todo, era español; y las fuerzas de sus invectivas redimen a España. Galván llamó "leyenda" a su novela. Título romántico. Pero su prosa, más que parecerse a la de otros autores de "leyendas", los románticos Zorrilla y Bécquer, se parece a la de los neoclásicos Jovellanos y Quintana. De aquí que domine en *Enriquillo* un marco de frase lógica, clara, amplia, serena, con mínimos regionalismos e indigenismos y reacia a separarse de las normas del "buen gusto". No obstante, abundan en ese bastidor clasicista bordados típicamente románticos. Ante todo, los del tema del amor. Amor imposible, como el de Grijalva y María de Cuéllar, que mueren de tristeza; idilio de Enriquillo y Mencía, inocente en la niñez, siempre interrumpido. Ante estas páginas los lectores de 1880 debieron de refrescar la emoción de románticos anteriores. Y, como en toda la literatura romántica, debieron de sentir el contraste del atropello lujurioso de Valenzuela a la honra de Mencía; contrastes *"more* romántico" entre héroes y villanos que Galván se complace en dibujar al aguafuerte hasta lograr el retrato de Pedro de Mojica, quizá el mejor estudio de la perversidad en todo el romanticismo hispanoamericano. Otro toque romántico fue la animación de la naturaleza como confidente de las pasiones humanas. Románticos también fueron el ideal heroico —libertad

o muerte— que aparece con típico énfasis; el vivir para
la fama, para la posteridad; la técnica de tejer los hilos
de la acción en una trama rica en coincidencias, embo-
zados, súbitas efusiones sentimentales, citas nocturnas,
con arrepentimientos y expiaciones finales, etc. Los
personajes viven vidas originales, con excepción de
Las Casas. Se comprende: Las Casas no es un carácter
novelesco, sino una figura histórica consagrada, y Galván prefirió mostrar sus rasgos conocidos, sin recrearlo
imaginativamente. Enriquillo, en cambio, se prestó a
una libre elaboración psicológica. No es un héroe sim-
bólico sino un mestizo de carne, hueso y alma. Lo vemos de niño, afligido primero por su orfandad, respetuoso con los españoles que lo educan, compasivo
siempre con los indios maltratados; aguanta bromas y
aun impertinencias porque busca el lado bueno de las
cosas; al crecer le crece también por dentro su idea de
la justicia, y un día, al ver que los españoles golpean
con varas a los indios, siente el primer brote de una
nueva vocación: defender a los de su raza. Vemos
cómo Enriquillo va mirando en sí mismo, va compren-
diéndose cada vez más; la maldad de los otros le afina
la conciencia de su propia virtud y de su deber de
indio; unos pasos más y Enriquillo descubrirá que
"es preferible la muerte a la humillación del alma".
Este descubrimiento lo abate: sabe que las grandes
pruebas comenzarán ahora, precisamente porque acaba
de descubrir su ley moral; ya no cree sino en la rebelión; y se rebela. Aun en los personajes menores Galván
observa los sutiles cambios psicológicos. La vida que
Galván ha sabido infundir en sus personajes es tanta
que los diálogos adquieren una real calidad dramática.

Mexicano es otro de los buenos novelistas de esta generación: IGNACIO MANUEL ALTAMIRANO (1834-1893).
Como a otros, la agitación política a menudo apartó
a Altamirano de las letras. Fue poeta estimable —Rimas, 1880— y tenía garra de novelista. Comenzó a
escribir La navidad en las montañas (1871) con la idea

de un "cuadro de costumbres"; no lo fue, sin embargo. Es más bien una novelita sentimental, con paisajes, tipos y acciones embellecidos a la luz artificial de la literatura. De la literatura, no del folklore: cuando un niño recita un romance de Lope de Vega el cura expresa su satisfacción de que aprendan composiciones poéticas españolas y no "los malísimos versos" de los corridos... (Estas quejas contra la deturpación de la buena tradición poética española en las malas coplas del pueblo se oían en muchos escritores románticos: Tapia y Rivera, en su *Cofresí*, se lamentará de que versos de Calderón hayan ido a parar, deformados, a la boca de cantores populares.) Los indios son "pastores verdaderos como los que aparecen en los idilios de Teócrito y en las églogas de Virgilio y de Garcilaso". Los amores de Carmen y Pablo siguen las convenciones del romanticismo. La técnica del relato —un narrador presenta un personaje, quien a su vez cuenta otro episodio, y así— no es la del cuadro de costumbres. Altamirano era un militante de la Reforma; y creó como protagonista de su cuento a un cura perfecto, excepcional, único, imagen ideal que, por contrastar en blanco y negro con el clericalismo de esos años, debió de halagar más a los liberales que a los católicos. Pero la importancia de Altamirano en la historia de la novela está en *Clemencia* (1869) y, sobre todo, en *El Zarco*. La primera es una novela romántica, sentimental, psicológicamente falsa, sin relieves sobre la gran masa de novelas del mismo tipo que se producen en esos años. Encuadrada a fines de 1863 y principios de 1864, cuando el ejército francés de Maximiliano avanzaba obligando a los mexicanos patriotas a replegarse constantemente, *Clemencia* refiere los amores desdichados, en Guadalajara, de cuatro jóvenes: el rubio Flores y el moreno Valle, la rubia Isabel y la morena Clemencia. Las dos mujeres —una angélica, la otra ardiente— aman a Flores, que es hermoso físicamente si bien innoble moralmente. Valle, en cambio, es físicamente repelente y moralmente superior. Flores traiciona la causa patriota, y va a ser fusilado; pero Valle, que ama a Clemencia, se sacrifica, pone en libertad a su rival y muere por él. Sólo entonces Clemencia comprende que debió haber amado a Valle. Se retira del mundo y se hace religiosa. En *El Zarco* apenas se notan las imperfecciones de un manuscrito que quedó póstumo, sin beneficiarse con los retoques definitivos que el autor, tan cuidadoso en su estilo, pudo haberle dado. *El Zarco* es un episodio de la vida mexicana en 1861-63, cuando, al acabar la guerra civil entre los liberales de la Reforma y los clericales, grupos de bandidos desalmados aterrorizaron en la tierra caliente. Algunos personajes están tomados de la realidad: el Zarco, Salomé, Martín Sánchez, el gran Benito Juárez... En la composición hay concesiones románticas: los juegos de simetrías y contrastes entre los buenos Pilar y Nicolás y los malos Manuela y el Zarco; el buho agorero que canta en la rama donde el Zarco será ahorcado... Pero es novela realista. Cuando describe el paisaje —y lo hace bellamente— no lo asocia a los estados de ánimo de los personajes: "la naturaleza seguía indiferente su curso normal", comenta en uno de los momentos más dramáticos. Describe a todo color la madriguera de los bandidos, pero no es el "color local" de los románticos. Más aún: el amor de Manuela por los bandidos —alimentado por lecturas románticas— está presentado con irónicas observaciones. Hay también alusiones a la inverosimilitud de *Atala* y *Paul et Virginie*. La actitud de Altamirano es moralizadora. Este sentimiento moral interviene a veces demasiado perentoriamente, y el novelista define un carácter antes de mostrarlo, lo juzga sin darnos tiempo a que lo veamos vivir. No obstante, el querer comprender y explicar el bien y el mal hizo de Altamirano uno de los novelistas más penetrantes de esta generación. Sus análisis psicológicos son complejos, detenidos, convincentes. *El Zarco* es notable por la atención a lo que pasa en las almas de los personajes:

se los ve en íntimo conflicto de pros y contras. Y en esas almas hay cambios; son almas que maduran, y allí están a la vista las transiciones. Además, sabe contar. Los episodios están bien anudados: el hilo de la acción corre rápidamente y la atención del lector no desfallece.

Uno de los amigos de Altamirano fue JUAN DÍAZ COVARRUBIAS (México; 1837-1859), como él romántico y liberal. Dedicó a Zorrilla sus poesías, sombrías y sepulcrales. En prosa escribió varias novelas: *Gil Gómez el insurgente o La hija del médico,* con escenas de la guerra de la Independencia; *La clase media,* en la que enaltece las virtudes de la burguesía y critica a los grupos aristocráticos; *La sensitiva* y *El diablo en México,* "novela de costumbres". Esta última obra es un buen ejercicio literario. La descomposición del tema de la desilusión del amor en planos románticos, irónicos y realistas es ágil y variada: narración, cuadros costumbristas, cartas, diario íntimo, filosofículas. El autor describe los paisajes (y aun los estados de ánimo) con retórica romántica, pero es capaz de agudezas propias. Sus personajes leen a Byron y a George Sand, pero el autor es consciente de que el romanticismo es un estilo, esto es, una manera del pasado, y en medio de sus efusiones, que llegan al azúcar poemático, suele sonreírse burlonamente al ver el triunfo de lo que él llama "positivismo". Burlón es el desenlace, en que "el diablo", un diablo antirromántico, separa a los amantes y los enlaza en parejas inesperadas.

LOS PENSADORES

Entre los ensayistas y los tratadistas de Puerto Rico —CAYETANO COLL Y TOSTE, 1850-1930, y SALVADOR BRAU, 1842-1912—, una cumbre: EUGENIO MARÍA DE HOSTOS (Puerto Rico; 1839-1903). Como otros civilizadores que hemos mencionado y mencionaremos, Hostos prefirió la acción al arte. Por cuidar la conducta descuidó la literatura. No podemos concederle en la historia literaria el lugar que merecería en una galería de los grandes maestros de América. Se diferencia de Bello, Sarmiento, Montalvo, Varona, González Prada, Martí —todos ellos constructores de pueblos— en que llegó a renunciar a su vocación literaria y aun a aborrecerla. En *Moral social*, 1888 —su obra más importante— escribió tres capítulos contra la literatura. Decía despreciarla en nombre de la moral y de la lógica. Su actitud es extrañamente incomprensiva, angosta, dogmática. ¿En el fondo de su rencor contra novelas, dramas y aun poesías hay una vanidad herida, un sentimiento de fracaso, una soberbia de apóstata? Hostos tuvo, en su juventud, ambiciones de gloria literaria; sólo que una "crisis de carácter" —para emplear sus propias palabras— vino luego a enriquecer su vida con luchas generosas y a empobrecer su pluma con funciones didácticas. En España —donde vivirá de 1851 a 1869— escribió breves relatos líricos, baladas en prosa que seguían la moda que imitaba a Hoffmann, Gessner, Ossian, etc. Y, sobre todo, una novela poética, *La peregrinación de Bayoán*, 1863, que por sus méritos de estilo, de imaginación, de sinceridad hace de veras lamentable que Hostos no persistiera en el género. Es una novela rara. Según uno de sus primeros lectores, el novelista español Nombela, el estilo era de "novedad absoluta" en las letras hispánicas; y, en efecto, esa prosa no era la corriente. En el prólogo a la segunda edición, de 1873, Hostos nos ha contado el proceso de la creación de su novela, las circunstancias en que la compuso, sus intenciones morales y políticas. No hay que quedarse, sin embargo, en lo que Hostos dice: en 1873 consideraba que "las letras son el oficio de los ociosos o de los que han terminado ya el trabajo de su vida", y exageró el valor de *La peregrinación de Bayoán* como obra doctrinal, de combate contra el despotismo español en las Antillas. Sin duda hay un pensamiento serio: la libertad de su patria, la unidad de Puerto Rico, Cuba, Santo Domingo y Haití, el deber antepuesto a la felicidad, los reclamos de la justicia y de la verdad... Pero el mensaje está diluido en un diario íntimo de extraordinario lirismo. Porque *La peregrinación de Bayoán* es eso, un diario íntimo. Desgraciadamente el propósito didáctico, las alegorías, los episodios novelescos estropean la calidad artística del diario íntimo. Es el diario de Bayoán: y Hostos, que aparece como editor de esas páginas íntimas, reconstruye la acción novelesca cuando el diario se interrumpe y hasta interviene dentro de la trama novelesca. Todos los personajes tienen nombres simbólicos: Bayoán es el nombre del primer indígena de Borinquen, es decir, de Puerto Rico, que dudó de la inmortalidad de los españoles; Darién, la amada, es el nombre indígena de la comarca más bella de Cuba; su padre Guarionex lleva el nombre de un poderoso cacique de Haití cuando Colón llegó a la isla... Y Hostos nos avisa que los tres personajes "representan en este libro la unión de las tres grandes Antillas". El valor de *La peregrinación de Bayoán* está, por lo visto a pesar del autor, en su poética visión del paisaje y de la vida, y en las novedades de su prosa. Esa visión era típicamente romántica: de proponer fuentes —¿y es necesario hacerlo?— las que quizá hubieran halagado a Hostos fueran Goethe (*Werther*), Foscolo (*Jacopo Ortis*), Byron (*Childe Harold*). Muchas de las situaciones de la novela (la enfermedad y la muerte de Darién), muchos de los temas (la soledad, el destierro, el amor triste, el titanismo del héroe que desafía a su tiempo, el sentimiento de la naturaleza), muchos de los procedimientos (emociones, caracteres y hechos dibujados con tajantes contrastes, de blanco y negro, etc.) son de la escuela romántica. Pero Hostos es original porque sabía autocontemplarse y descubrir matices personalísimos en el fondo de su alma. De este fondo —tocado así por el espíritu— se levantaba impetuosamente un estilo exclamativo, entrecortado, vivo, voluptuoso, apasionado, colorido, mórbido, rico e imaginativo. Como novela no está lograda: es brumosa en sus símbolos, quebrantada en su narración, desproporcionada en todo caso. Más hubiera valido que *La peregrinación* hubiera dado al desnudo el diario íntimo que Hostos llevaba. Pero sin duda hay páginas que se ponen a brillar vigorosamente. No volvió a escribir así. Es curioso que Hostos, tan efusivo en *La peregrinación*, tan sentimental en el relato de sus amores, *Inda* (1878), tan blando en sus *Cuentos a mi hijo* (1878), creyera que lo más importante era ser "hombre lógico". Sacrificó su intimidad, que la tenía rica y compleja, a una actividad lógica que no lo llevó muy lejos. No era filósofo, a pesar de sus pruritos de pensador sistemático. Llegó a construir una prosa abstracta, endurecida con simetrías y oposiciones al modo de los krausistas y los positivistas. Pero no tenía aptitud teórica, y su pensamiento, si bien noble, fue de radio corto. Su primer contacto con la filosofía había sido el conocimiento del krausismo (ya se sabe cuánto influyó el alemán Krause en la generación española de 1868: Sanz del Río, Salmerón, etc.). Pero siguió una de las corrientes agregadas al repertorio de las ideas de los krausistas españoles: el positivismo, con su confianza en la razón y en las ciencias experimentales.

Se acaba de ver, a propósito de Hostos, que, al tratar de los intelectuales de actitud estudiosa y crítica, contorneamos su aspecto de creación literaria, aunque no fuera el que trabajaran con más esfuerzo. Los intelectuales menos líricos no se prestan a ese tratamiento. Por ejemplo: ALEJANDRO DEÚSTUA (Perú; 1849-1945), tempranamente influido por Krause y después uno de los introductores de Bergson en América; su *Estética* se fundaba en el principio metafísico de la libertad; y GABRIEL RENÉ-MORENO (Bolivia; 1836-1908), la mayor gloria de las letras de su país; su prosa vivaz, matizada, retozona, expresiva es de las mejores de su época; pero la labor de este gran retraído —retraído en su tema boliviano y, dentro de Bolivia, retraído en su aristocracia intelectual— fue más bien de historiador.

Nuestra mira es estética; y por eso no sorprenderá que también nos demoremos en la obra literaria de los tres pensadores más serios de estos años: González Prada, Justo Sierra y Enrique José Varona.

Aunque ya había escrito versos en sus veinte años, MANUEL GONZÁLEZ PRADA (Perú; 1848-1918) surgió a la literatura con su robusta talla de demoledor después de 1880. Hasta su muerte será el escritor más genial de su país, temido y odiado por muchos, rodeado por unos pocos discípulos. Después de su muerte su figura ha venido agigantándose: sus libros siguen haciéndole discípulos. Rompió, violentamente, no sólo con las pequeñas mentiras de nuestra civilización, pero también con las grandes. Negó la tradición absolutista española, denunció la responsabilidad de la Iglesia católica en las iniquidades del mundo, condenó los privilegios injustos —Ejército, Propiedad, Estado—, ridiculizó las academias y las plumas gazmoñas, castigó el optimismo de los tontos, maldijo la cobardía y la concupiscencia. Nuestra literatura había tenido tremendos polemistas: Sarmiento, Montalvo. Pero la protesta de González Prada fue aún más terrible porque golpeaba no contra personas o partidos, sino contra la totalidad del orden vigente. Era ateo, anárquico, naturalista, partidario del indio y del trabajador. Su único impulso conservador fue el del nacionalismo: mientras no desaparezcan las fronteras, decía, debemos odiar al enemigo que las traspasa. Impulso puramente emocional, si se piensa que las fronteras, en Hispanoamérica, no estaban definitivamente establecidas y los conflictos eran con hermanos de lengua. Su formación mental se había hecho con lecturas de iluministas, algo de Hegel, Schopenhauer y Nietzsche, un poco de Guyau y Renan, y mucho, casi todo, de los positivistas Comte, Spencer, Darwin, Claude Bernard. Rechazó la metafísica y abrazó la ciencia, cuya influencia se nota en su gusto por las metáforas biológicas y físicas. A diferencia de otros cientificistas, sin embargo, colocaba la libertad y la igualdad por encima del orden y la jerarquía, y polemizó con sociólogos positivistas que hablaban de la inferioridad racial de los indios y el fracaso inevitable de los países hispanoamericanos. Acabó por exaltar, más que el cientificismo, la ideología anarquista. En Marx vio "uno de los grandes agitadores del siglo XIX", pero se sentía más próximo a Proudhon, Tolstoi y Kropotkin. Su sinceridad se construyó un estilo: no hay, en estos años, ni en España ni en América, una prosa tan filosa y tajante como la de González Prada. Despreciaba la lengua sobada y resobada de los Castelar o los Valera, y apartándose de ellos descubrió zonas todavía eréctiles de nuestra lengua. La importancia de González Prada en la literatura hispanoamericana se debe más a su prosa que a sus versos: lo que no significa que sus versos fueran malos, sino que su prosa fue el vehículo de lo que a él más le interesaba, que era el pensamiento crítico. Sus versos se distribuyen en nueve volúmenes: *Minúsculas* (1901), *Presbiterianas* (1909), *Exóticas* (1911) se escribieron entre 1869 y 1900. Los otros volúmenes son póstumos, y recogen poesías de 1866 a 1918: *Baladas peruanas, Grafitos, Baladas, Adoración, Libertarias* y *Trozos de vida*. En esta labor vemos a González Prada cambiando de postura: tan pronto echa el pie adelante el pensador como el lírico o el técnico de la versificación. Creía que la poesía debía dar ritmos a la inteligencia e imágenes a la comunicación del saber. Parte de su poesía fue, pues, intelectual y didáctica. *Grafitos* son epigramas sobre los hombres y sus actividades. *Presbiterianas* es sátira anticlerical. En *Libertarias* el tema es social y político. Su propia vida sentimental, amorosa, confidencial, íntima se expresa más bien en *Adoración* y *Trozos de vida*. Pero así como en la prosa renovaba las ideas, en el verso renovó las formas. Sus protestas se exaltaban líricamente; su espíritu estudioso lo llevaba a experimentar con la estructura rítmica del verso. Antes del Modernismo no encontramos en lengua española tanta variedad de versos como la que nos ofrece González Prada. En *Baladas* se ve su familiaridad con la poesía de todas las lenguas (española, francesa, italiana, alemana, inglesa, escandinava) y su aprovechamiento en imitaciones, adaptaciones y traducciones. *Minúsculas* y *Exóticas* fueron los poemarios que lo ponen en el camino del Modernismo. Ha vivido en París. Ha leído a parnasianos y simbolistas. Con exquisitez de virtuoso juega con novedades imaginativas y formales. Adopta el rondel, el triolet, la villanela y el pantum franceses; la espenserina inglesa; el laude, la balata, el estornelo y el rispetto italianos, los cuartetos persas. E inventa el polirritmo sin rima ("Los caballos blancos"). A la manera de Baudelaire cultivó las "correspondencias" entre los sentidos, la "sinestesia" tan preferida por los impresionistas: "En país extraño." Aunque estaba enterado del movimiento nuevo de la poesía, no emitió juicio sobre los modernistas. En realidad escribió poco sobre la poesía hispanoamericana. Dejando de lado sus experimentos rítmicos, la contribución más novedosa fueron sus *Baladas peruanas:* el tema del indio apareció visto de otra manera; ya no fue el indio idealizado por los románticos con propósito decorativo, sino un indio real, con todos sus dolores, comprendido dentro de la historia y el paisaje peruanos.

De las dos figuras mayores que Cuba ofrece en el último tercio del siglo XIX —MANUEL SANGUILY (1848-1925) y Varona— sólo nos detendremos en este último. Como pensador ENRIQUE JOSÉ VARONA (1849-1933) se sintió cómodo en la dirección del positivismo francés y del empirismo inglés. Aunque encuadrado en las ideas dominantes en el siglo XIX, su actitud escéptica ante los bienes logrados por el hombre y, sin embargo, la energía con que endereza su propia conducta hacia valores morales superiores dan un tono personal a su filosofía. En el fondo, confiaba que el hombre, cuando se dejaba arrebatar por la ilusión de su libertad, podía mejorar el mundo. Ilusión de libertad porque Varona era determinista, agnóstico, inclinado a las ciencias; y el hombre se le aparecía como una criatura que, dentro de la evolución natural, es capaz de redimirse. Cuba había tenido ya vocaciones filosóficas: Félix Varela, José de la Luz y Caballero, José Manuel Mestre. Pero Varona fue el primer cubano que convirtió la filosofía en ejercicio riguroso. No obstante, más que en sus trabajos sistemáticos —los tres volúmenes de sus *Conferencias filosóficas*, por ejemplo—, acertó en la reflexión fragmentaria. El aforismo es el mejor vehículo para un relativista. Y los de *Con el eslabón* ofrecen páginas de gran penetración y belleza. Sus ensayos breves, recogidos en *Desde mi Belvedere* y *Violetas y ortigas* (ambos de 1917), deben figurar entre los mejores de nuestra literatura. Podrían extraerse de allí teorías enteras (por ejemplo, su relativista teoría estética), pero la gracia está en la desenvoltura con que visita rápidamente los asuntos. Su poesía fue juvenil. Comenzó con versos patrióticos (su "Oda en la muerte de Gaspar Betancourt Cisneros" es de 1867) y cerró lo más grueso de su actividad poética con *Poesías* (1878) y *Paisajes cubanos y narraciones en verso* (1879). Fue poeta prosaico, con prosaísmo a lo Campoamor, aunque "Alas" y "Berceuse" muestran tal inquietud de vagar, de lograr perspectivas imposibles, de ansiar ser otra cosa y de vivir allá lejos, en lo que se sueña, que equivalen a poesía. "Alas" pertenece a sus *Poesías* y "Berceuse" a *De mis recuerdos*, que publicó en 1919 con el seudónimo Luis del Valle. Era un tema que sentía vivamente; y ha de reaparecer en *Poemitas en prosa* (1921). Había apreciado a parnasianos y simbolistas; pero se refirió con sorna a los "modernistas" —y también a los "futuristas" y "cubistas" que les siguieron— porque, en su opinión, "andan queriendo decir lo que no acaban de decir". JUSTO SIERRA (México; 1848-1912), discípulo de Altamirano, se convirtió, a su vez, en un maestro. Así es la historia, un pasar la antorcha de generación en generación. Sierra fue, sobre todo, un formador de hombres, y hoy su obra escrita importa menos que su magisterio. Obra de historiador, ensayista, educador, orador, político, crítico, cuentista, poeta... Aquí nos interesa su aspecto menor: el de literato. Menor porque no creció con su figura pública; se quedó fuera de la proporción atlética del maestro. Entró en las letras atraído por las voces románticas, la rotunda de Victor Hugo, la asordinada de Musset; y, de España, la íntima de Bécquer. Sus poesías se reunieron póstumamente: allí hay donaire, frescura, elegancia, y no es raro que algunas de ellas ("Playeras" por ejemplo) pasen por anticipos "modernistas"; también hay (por ejemplo, en "El funeral bucólico") un perfecto arte de poner la mano sobre el hombro de temas clásicos e invitarlos a pasear por la avenida de moda. La poesía de Justo Sierra se hizo prosa, en el doble sentido de que cayó en el prosaísmo y se levantó hacia los becquerianos *Cuentos románticos* (coleccionados en 1896). Conocía la literatura europea: los parnasianos franceses, D'Annunzio, Nietzsche. Y avanzó hacia los nuevos poetas hispanoamericanos con un saludo de simpatía y reconocimiento. Su prólogo a las poesías de Gutiérrez Nájera es una fecha en nuestra crítica. Es, asimismo, un lujo de prosa imaginativa, lírica y encantadora. No siempre escribió así. No era un esteta, sino un servidor de programas prácticos y de ideas próximas al "positivismo".

LOS HOMBRES DEL 80, EN ARGENTINA

Hubo un grupo de prosistas que conocieron —y algunos de ellos practicaron— por lo menos dos de las modas francesas: el Parnasismo y el Naturalismo. Es el grupo de los "hombres del 80", en Argentina. Tenían un aire de *dilettanti*, como si la curiosidad intelectual fuera un lujo. Por lo general se distinguieron por su prosa fragmentaria, miscelánea, opinante. Contribuyeron también a los géneros más imaginativos de la novela, el cuento, el drama y la poesía. SANTIAGO ESTRADA

(1841-1891), aunque su talento era más bien de cronista y de crítico, escribió algunas "fantasías" con intención poética. Lucio Vicente López (1848-1894), autor de varios relatos con un cosquilleo festivo a lo Daudet o a lo Dickens, dejó en *La gran aldea* (1884) una novelesca descripción de "costumbres bonaerenses". Mal construida, de descuidado estilo, tiene sin embargo cierto encanto porque en los veinte años en que transcurre la acción la ciudad de Buenos Aires había crecido y cambiado vertiginosamente, y López fue su mejor cronista. Miguel Cané (1851-1905) definió su propia literatura en los títulos de sus libros: *Prosa ligera, Charlas literarias, Notas e impresiones*. Mariposeaba sobre todos los temas con ágil inteligencia, y su divertida autobiografía, *Juvenilia* (1884), es notable precisamente porque son los recuerdos de la vida del colegio secundario tal como la padeció y gozó un muchacho inteligente. Tenía un trasfondo romántico de pesimismo, tristeza, egocentrismo, deseos de aventura y preocupaciones por el tiempo. Eduardo Wilde (1844-1913) dio más fina expresión a la actitud irónica, humorística, de los "hombres del 80" que hemos mencionado. Su obra intelectual es tan abundante y su tono jocoso tan frecuente que quedó oscurecida la porción más fantástica, imaginativa, intuitiva: la de sus cuentos, prosas poemáticas y páginas autobiográficas. Era un repentista; y sus defectos de estilo molestan más que en otros escritores contemporáneos que también los tuvieron porque en Wilde interrumpían una admirable capacidad para la frase original. Tenía una sensibilidad rara, y sabía expresarla en imágenes tan audaces para su tiempo que nos hacen pensar en la influencia que los parnasianos ya estaban ejerciendo en Buenos Aires en la década del 80. Léanse "La lluvia", "Tini", "La primera noche del cementerio" (en *Prometeo y Cía.*) y se descubrirá la presencia de una virtualidad de gran escritor. Su autobiografía *Aguas abajo* es de las más ricas en esa generación argentina de autobiógrafos. Irónicamente, el mejor escritor argentino de todos estos afrancesados fue un francés: PAUL GROUSSAC (1848-1929). Se había trasladado a la Argentina a los dieciocho años, aprendió allí el español y lo usó admirablemente. Fue un maestro de rigor crítico, de estudio disciplinado, de seriedad intelectual. Desde 1880 Buenos Aires lee poemas y cuentos parnasianos franceses; más aún, estos escritores parnasianos —Banville, Mendès, Silvestre, Coppée, France— colaboraron directamente en periódicos de Buenos Aires. Y Paul Groussac será de los primeros en estudiarlos desde América. En una serie de artículos —"Medallones", 1884— comentó la obra de Leconte de Lisle. (Otros argentinos también lo hacían —Domingo Martinto, Martín García Merou— pero por ser más jóvenes nos referimos a ellos más adelante.) Aunque puede encontrarse en Groussac uno que otro rasgo de belleza parnasiana, en la novela (*Fruto vedado*), en los cuentos (*Relatos argentinos*) y en el drama (*La divisa punzó*) buscó una expresión vigorosa, humana y personal. No fue un "modernista"; sin embargo Rubén Darío lo reconocerá como uno de sus maestros de prosa "modernista". Cuando Groussac publicó *Fruto vedado* (1884) había vivido en la Argentina tantos años como los que tenía al llegar; y como quería dominar el español (mientras los argentinos de su generación se deslizaban hacia el francés) su prosa resultó, siendo él francés, mucho más pura, castiza, correcta. Esta novela se divide en dos partes. La primera, en Buenos Aires, en el campo norteño, en Tucumán; la segunda, vida a bordo, con escala en Río de Janeiro y un final en París. Es una autobiográfica historia de amor adúltero. Marcel Renault, el protagonista, repite algunas de las situaciones vitales del mismo Groussac. Y nos plantea el problema psicológico de la doble nacionalidad. Groussac mostró su preferencia por casos psicológicos complejos también en sus cuentos "El hogar desierto", "La monja", "El número 9090", "La herencia". *La divisa punzó* (1923) es un drama en tres actos con Rosas y su hija como personajes-ejes. Al final Manuelita sacrifica su amor por Thomson y se queda con su padre, que necesita de ella y la aprovecha. El contraste entre Rosas y Manuelita es hábil: Rosas, el bárbaro, intuitivo, taimado, socarrón, enérgico, y Manuelita, encarnación de la nobleza, la docilidad, el orgullo y la ternura. Groussac no interviene en la obra, no toma partido. Es dramaturgo que sabe impersonalizarse para crear personas.

El novelista de más talento en este grupo argentino fue EUGENIO CAMBACÉRÈS (1843-1888). Como otros de sus coetáneos —Cané, López, Wilde— era hombre de mundo, de vastas lecturas (especialmente francesas), escéptico, burlón, conversador, con todas las finuras del viaje a París y de los pasatiempos de los "clubs" aristocráticos de Buenos Aires; y, al mismo tiempo, con experiencias directas del campo. Sus cuatro novelas fueron otros tantos escándalos en los círculos pacatos: y parece que al morir dejó inédita una quinta novela que su esposa se apresuró a quemar por mandato del cura confesor. Eran novelas naturalistas, a la manera de Zola. Sin embargo, Zola no se le impuso con la fuerza de un modelo. Cambacérès aprovechó de él no tanto la técnica de la novela experimental, sino el ejemplo de que era legítimo en arte presentar al desnudo la sórdida condición del hombre. Franco, inteligente, libre, agnóstico, atrevido, no se hacía ilusiones sobre lo poco que valemos. Su sentido moral —manifiesto aun en la filosofía cínica y brutal de sus principales personajes— desafía las mentiras convencionales de la sociedad pero con un gesto de cansancio, y a regañadientes, deja caer los brazos y reconoce que el poder de la naturaleza nos rebaja al grado de animales. Con amargura, casi con rabia, describe la indignidad humana. Y para que duela más elige lacras, enfermedades, corrupciones, vicios, adulterios, fracasos, muertes... La descripción repugnante de la sífilis de Pablo —en *Música sentimental*— era una prueba de que el novelista no

está dispuesto a dejarse asustar por el mal gusto; y,
en efecto, su vigoroso naturalismo nos somete a escenas
sexuales nuevas en nuestra literatura. El tema no es el
amor: es el hastío después del orgasmo. No sólo fue
truculento en las situaciones novelescas, sino que también su prosa atropellaba violentamente al lector: lengua de Buenos Aires, gráfica, evocadora, conversacional,
en la que los modismos criollos, las frases italianas y
francesas y los hallazgos metafóricos corren como en un
revuelto arroyo. *Sin rumbo* —su mejor novela— documenta la complejidad de la realidad argentina de esos
años: hay casuchas en las que todavía se ve la pintura
colorada de la época de Rosas; hay un viejo que ha
peleado contra Rosas; hay contrastes entre el refinamiento, la cultura, el arte, las aventuras galantes, la vida
de "club" en la ciudad de Buenos Aires y las duras
labores campestres en la provincia de Buenos Aires; y
el personaje —Andrés— es una de las psicologías mejor
delineadas de la novelística argentina.

Otros novelistas

De Uruguay es Eduardo Acevedo Díaz (1851-
1921), novelista de la Independencia y de las guerras
civiles en *Ismael* (1888), *Nativa* (1890), *Grito de gloria* (1893) y *Lanza y sable* (1914). Las tres primeras
forman un tríptico, que es el que coloca a Acevedo
Díaz entre los más enérgicos novelistas de América. De
ese tríptico de novelas la primera es la magistral, aún
romántica en la exaltación heroica, mítica, de la formación gaucha de su país, pero con un poderoso arte realista de observación. La vida en la ciudad y, sobre todo,
en medio de la naturaleza, los padecimientos, violencias
y aspiraciones de un pueblo rudo, la embestida con que
los hombres actúan sobre la realidad y hacen la historia,
el color de las costumbres, los relieves de las almas,
llevan el sello del talento narrativo de Acevedo Díaz.
Ismael transcurre en la época de Artigas, desde la

preparación del alzamiento criollo contra los españoles hasta la batalla de Las Piedras y la expulsión de los frailes patriotas de Montevideo en 1811; *Nativa* salta el período que va desde el encumbramiento de Artigas hasta su caída y nos transporta a un episodio menor durante la dominación brasileña en 1824; en *Grito de gloria* cuenta la cruzada liberadora de los Treinta y Tres Orientales hasta la batalla gaucha de Sarandí, en 1825; *Lanza y sable* no está articulada a las anteriores, pero completa el cuadro histórico con las primeras guerras civiles. Escribió otras novelas: *Soledad* es la de más valor literario, la de mejor prosa, la más afinada a las tendencias artísticas de la novela europea de su tiempo.

Algunos de los escritores ya examinados cultivaron, según se vio, la novela histórica. Hubo muchos otros que también lo hicieron. En su mayoría estas novelas cayeron fuera de la literatura: eran folletones disparatados, truculentos, burdos, menos artísticos aún que las novelas por entregas del español Fernández y González. En las últimas décadas del siglo se advierte la tendencia a aplicar a la evocación del pasado las técnicas del realismo. Así como en Europa, después de Walter Scott y Manzoni, vinieron los realistas Flaubert y Georg Ebbers, también en la América española los novelistas se propusieron, sobre todo, ser fieles a la verdad; por lo menos a la verdad tal como la conocieron en los libros a mano. Precisar los detalles de este tránsito de la novela romántica a la realista es imposible. Sin embargo, es patente que el escrúpulo de ser fiel a la realidad histórica fue reduciendo más y más el vuelo de la fantasía. A la filosofía romántica de la historia sucedió el positivismo. Aquí jugaremos un poco al dominó, poniendo sobre la mesa nuestras fichas. Procuraremos no repetir nombres que ya aparecen en otro lugar. De México, ELIGIO ANCONA (1836-1893), IRENEO PAZ (1836-1924), EULOGIO PALMA Y PALMA (n. 1851), CRESCENCIO CARRILLO Y ANCONA (1836-1897), JUAN LUIS

Tercero (1837-1905). De Cuba, Raimundo Cabrera
(1852-1923) y Emilio Bacardí (1844-1922). De Venezuela, Eduardo Blanco (n. 1838), Julio Calcaño
(1840-1919), José María Manrique (1846-1907). De
Colombia, Felipe Pérez (1836-1891), Marco Antonio
Jaramillo (1849-1904), Jesús Silvestre Rozo (1835-
1895), Francisco de Paula Cortés (n. 1850), Temís-
tocles Avella Mendoza (1841-1914), Constancio
Franco Vargas (n. 1842). De Ecuador, Carlos R.
Tobar (1854-1920). De Chile, Liborio E. Brieba
(1841-1897). De Argentina, Eduarda Mansilla de
García (1838-1892). De Bolivia, Santiago Vaca Guzmán (1847-1896), cuya mejor novela —Su Excelencia
y su Ilustrísima, 1889— no sólo narra, históricamente,
una enemistad entre el Gobernador y el Obispo en el
Paraguay del siglo xvi, sino que, filológicamente, la
prosa misma quiere ser de esa época. Pero el mejor
novelador de la historia, en Bolivia, y uno de los mejores de toda Hispanoamérica, fue Nataniel Aguirre
(1843-1888), cuya novela *Juan de la Rosa* (1885) evoca
episodios de la historia de Cochabamba, entre 1810 y
1812. El subtítulo dice "Memorias del último soldado
de la Independencia". En realidad el narrador cuenta
su infancia; y así las luchas por la Independencia aparecen vistas por un niño de doce años. Como el objeto de Aguirre parece haber sido completar el deficiente
conocimiento de la heroica resistencia de Cochabamba
contra Goyeneche, rellena el relato con páginas didácticas o pone en boca de sus personajes discursos excesivamente convencionales. La novela, en tanto novela, queda
falseada. Aguirre escribe una prosa académica, atildada,
cuidadosa. Pero compone descuidadamente. Algunos
de sus recursos de composición son los de la novela
romántica o de folletín: por ejemplo, el misterio de
quién era el padre del narrador, los contrastes entre
villanos y virtuosos, la belleza de las mujeres, etc. El
liberalismo y el patriotismo de Aguirre son manifiestos:
sin embargo, en *Juan de la Rosa* no hay una viva des-

cripción del pueblo boliviano. Apenas se señala de lejos a los indios (si bien, en los pasajes más sentimentales, siempre se oye cantar *yaravíes* y *huaiños*). No sólo novelas históricas. Tipos diversos se emprendieron, por los novelistas ya mencionados o por otros. Agreguemos más nombres. FRANCISCO GREGORIO BILLINI (Santo Domingo; 1844-1898), aunque con meloso sentimentalismo, noveló en *Baní o Engracia y Antoñita* la vida social de su isla. Fue poeta y dramaturgo, pero sus páginas costumbristas son las que hoy más interesan. MERCEDES CABELLO DE CARBONERA (Perú; 1845-1909), solitaria, radical, estudió a Zola y fue naturalista en algunas novelas de ciudad, cebándose en la corrupción y la ruina de las clases altas (*Blanca Sol, Las consecuencias*). NICOLÁS HEREDIA (Cuba; 1852-1901), realista en *Un hombre de negocios*. LUIS SEGUNDO DE SILVESTRE (Colombia; 1838-1887), que, antes de su novela *Tránsito,* había transitado evidentemente por la *María* de Isaacs. Temas chilenos semejantes a los de Blest Gana (aun con los mismos lances de amor y con los mismos reconocimientos al poder del dinero) tentaron a otros novelistas. Ninguno de ellos aventajó al maestro. Sobre línea mediocre —Valderrama, Rodríguez, Murillo, Vargas, Enrique del Solar Marín— sólo se levantó VICENTE GREZ (Chile; 1847-1909), que también fue poeta y dramaturgo. De todas sus novelas *El ideal de una esposa* (1887) es notable por el análisis de la pasión de los celos en una mujer casada. MANUEL FERNÁNDEZ JUNCOS (España-Puerto Rico; 1846-1928) nos dio descripciones y relatos de la isla, de un realismo elemental. En México la novela realista, de un realismo salpimentado al gusto español, no al crudo de los franceses, tuvo buenos expositores. JOSÉ LÓPEZ PORTILLO Y ROJAS (1850-1923), autor de poesía, drama, ensayo, sobresalió en sus relatos breves recientemente reunidos: *Cuentos completos* (1952). En uno de ellos —"En diligencia"— da un juicio sobre el estado en que la literatura se le aparecía: dos jóvenes deciden conquistar a una mujer por el lado de la literatura, uno considera a Zola y al naturalismo como la vanguardia, como la única escuela digna del siglo; el otro defiende al romanticismo sentimental y llorón. López Portillo y Rojas, ciertamente, se apartó de lo romántico y no entró en el naturalismo. Su propósito era nacionalista: hacer literatura mexicana. Lo que hizo fue seguir las huellas de regionalistas españoles. Eso sí, sentía una genuina simpatía por las clases sociales más desvalidas de México, y esto se salva en sus novelas *La parcela* (1898) —la mejor—, *Los precursores* (1909) y *Fuertes y débiles* (1919). En EMILIO RABASA (1856-1930) el costumbrismo de los años románticos ahora se despliega con más ambición y nos da caracteres y problemas funcionales en una realidad política y social que se estudia. De sus cinco narraciones, la novela *La bola* (1887) y la novelita *La guerra de Tres Años* (1891) son las mejores. Denuncia las aflicciones de nuestros pueblos (caciquismo, militarismo, clericalismo, burocracia, corrupción, politiquería, etc.) y lo hace con mordacidad. Al lado de los nombrados hay que citar a RAFAEL DELGADO (1853-1914), quien, cuando quería ser realista, se lo impedía su excesivo sentimentalismo. En *La Calandria* (1891), *Angelina* (1895), *Los parientes ricos* (1903) e *Historia vulgar* (1904) un soplo romántico mantiene fresca la descripción de costumbres regionales. Fue también cuentista, poeta y autor teatral.

TEATRO

Obras teatrales fueron escritas por los mismos que estudiamos en otros géneros. Nombres nuevos serían los de JOSÉ PEÓN CONTRERAS (México; 1843-1907), DANIEL CALDERA (Chile; 1852-1896), OROSMÁN MORATORIO (Uruguay; 1852-1898) y MARTÍN CORONADO (Argentina; 1850-1919).

CAPÍTULO X

1880-1895

[Nacidos de 1855 a 1870]

Marco histórico: Nuevas fuerzas económicas y sociales. Prosperidad, inmigración, desarrollo técnico, capitalismo. Mayor estabilidad política. Las oligarquías y la oposición democrática.

Tendencias culturales: Culto a las novedades europeas. El Parnaso francés. El naturalismo. La primera generación de "modernistas".

Los hispanoamericanos que llegaron a la vida pública alrededor de 1880 —es decir, cuando ya sus patrias habían pasado lo peor de la anarquía— admiraban, todavía románticamente, los héroes de la acción política; pero presentían que, cambiadas las circunstancias, su papel no iba a ser heroico. Con gesto amargo, irónico o decepcionado, según los casos, se apartaron de la lucha y se dedicaron a la literatura. Y aun dentro de la literatura se apartaban hacia tonos nostálgicos, hacia estudios humanísticos, hacia ideales de perfección formal, vistos y entrevistos en escritores europeos, especialmente franceses. En este período hay escritores muy distintos; pero lo común entre todos ellos parece ser el resentimiento contra las condiciones de vida social inmediatas y el aire jactancioso de ser los primeros en cultivar las letras por las letras mismas. Tanto los humanistas de gustos clásicos como los románticos, los realistas, los parnasianos y, en fin, los que luego se llamarán "modernistas", se sienten irritados por la sociedad y esta irritación —como en las ostras— les hace segregar perlas de literatura. De Rubén Darío en adelante el "modernismo" será un movimiento con dirección inconfundible (por eso lo estudiaremos en el capítulo siguiente); pero hasta Rubén Darío sí que se confunden las distintas direcciones de quienes se interesan exclusivamente por la literatura. En este sentido la lista de los "precursores del modernismo" debe ser mucho más larga de lo que se cree. Mucho antes del modernismo, por ejemplo, poetas no considerados como precursores habían logrado sin embargo variadísimas combinaciones de versos nuevos. Entremos en este período por la poesía, para salir con la prosa; y, al tratar a los poetas, dejemos para el final a los que han de prevalecer cuando triunfe el modernismo.

A. PRINCIPALMENTE VERSO

1. Últimos académicos, románticos y tradicionalistas

Ya se dijo que varios poetas dormían en postura académica, en una convalecencia neoclásica. Por eso, cuando en estos años surja una nueva poesía —en cierto modo equivalente a la renovación que habían realizado en Europa los parnasianos franceses y los prerafaelistas ingleses— será una reacción, no contra el romanticismo, sino contra ese yacente neoclasicismo. El anhelo de ser modernos los llevaba a muchas modas diferentes. La fascinación de las desconocidas lenguas alemana (Heine) o inglesa (Poe), el lirismo estremecido ante el misterio (Bécquer), el arte de la perfecta ornamentación (Gautier), la belleza pura del Parnaso francés (los maestros Gautier, Leconte de Lisle, Banville, Baudelaire y sus discípulos Sully Prudhomme, Heredia, Coppée y Mendès) los mareaban como si cursaran por un mar agitado, pero todos ansiaban llegar a un puerto, no sabían cuál, donde los esperaba "lo moderno". En este sentido son "pre-cursores". Pero, claro, los precursores no saben qué es lo que están pre-cursando. El crítico debe estar pues sobre aviso, no sea que incurra en confusiones. Iremos de los poetas que estiman más la tradición a los poetas que más estiman la innovación.

Parado en el umbral, mirando hacia las calles del pasado, está CALIXTO OYUELA (Argentina; 1857-1935), de gusto clásico e hispanizante, disciplinado en el respeto a las academias, conservador de secas formas líricas. Los puertorriqueños LUIS MUÑOZ RIVERA (1859-1916), JOSÉ DE DIEGO (1868-1918) y FRANCISCO GONZALO MARÍN (1863-1897) fueron rezagados cultores de una poesía civil y política todavía romántica. JULIO FLÓREZ (Colombia; 1867-1923) interpretó, sin complicaciones, el sentimiento popular. En vez de las medias tintas y esfumaturas de Valencia, chorros de color; pero este ardiente, este apasionado, este espontáneo tenía una visión tétrica de la vida. JOSÉ JOAQUÍN CASAS (Colombia; 1865-1951), versificador de clásico canon, de temas populares y tonos religiosos. DIEGO URIBE (Colombia; 1867-1921), popular en su inspiración y en su público, elegiaco sincero. FRANCISCO LAZO MARTÍ (Venezuela; 1864-1909) versificó temas nativistas. REMIGIO CRESPO TORAL (Ecuador; 1860-1939) fue cuidadoso de la forma, pero sin modernidades. En Chile JULIO VICUÑA CIFUENTES (1865-1936), como poeta, fue un correcto humanista; y el rebelde y bohemio PEDRO ANTONIO GONZÁLEZ (1863-1903) se convirtió en personaje de dos novelas —*La pluma blanca* de Marcial Cabrera Guerra y *El laurel sobre la lira* de Luis Enrique Délano—, no en figura de la historia poética. En Costa Rica, JUSTO A. FACIO (1859-1931) y JOSÉ MARÍA ALFARO COOPER (1861-1939) prefirieron los viejos moldes. Pero el mayor de los poetas costarricenses fue el regionalista AQUILEO J. ECHEVERRÍA (1866-1909), que versificó en metros cortos las costumbres de la vida rural con una lengua rica en dialectalismos, en descripciones de tipos, paisajes, sucedidos, naturaleza y folklore de su región. Fue romántico en la tónica sentimental, y realista en la voluntad de reproducir las cosas tal como eran a los ojos de todos. "Concho" es el campesino de Costa Rica; "concherías", sus acciones y expresiones. El campesino de Echeverría no es ni el pobre ni el rico: es el de una clase media acomodada. Tan auténticas son sus escenas que se podría estudiar en los versos de Echeverría la realidad social de la Costa Rica de su tiempo. La limpidez de sus observaciones le ha dado fama. Pero su fama es mayor que su valor de poeta. La Costa Rica de Echeverría no es ya la de hoy; y así *Concherías* (1905) ha adquirido con el tiempo otra virtud: la de despertar en los lectores nostalgias y emociones patrióticas. Hábil versificador dentro de la pobreza de ritmos tradicionales, Echeverría no es poeta que sobresalte al lector con hallazgos. Uno teme a cada verso que el siguiente sea un lugar común; y es lo que ocurre. Los *Romances* (1903) son románticos al modo de España y de toda América; sentimientos familiares, eróticos, trabajados con imágenes cultas y aun con mitologías griegas. JOSÉ ALONSO Y TRÉLLEZ, "el viejo Pancho" (España-Uruguay; 1857-1924). Cuando, tardíamente, comienza como poeta (1899), agonizaba el romanticismo a lo Zorrilla de San Martín y nacía el modernismo de Herrera y Reissig; apartado de ambos grupos cantó El Viejo Pancho. Cantó en la corriente popular gauchesca. En 1915 recogió sus poesías en su único libro significativo: sentimentalismo que parecía valioso precisamente porque no estaba tocado por el arte. En El Salvador, VICENTE ACOSTA (1867-1908) versificó temas vernáculos. En Honduras, JOSÉ ANTONIO DOMÍNGUEZ (1869-1903) fue un melancólico y patriótico romántico, bien apegado a las reglas.

Podríamos seguir así, con una interminable lista. Será mejor que describamos por lo menos dos grados en esta poesía no modernista: la de Othón y la de Zorrilla de San Martín.

MANUEL JOSÉ OTHÓN (México; 1858-1906), uno de los mejores descriptores de la naturaleza en nuestra literatura, era de tradición clásica. Su tradición venía de tan lejos (Horacio, Virgilio, Garcilaso y Fray Luis de León), que pareció un solitario. Tenía antecedentes más recientes: en España, Núñez de Arce; en México, Monseñor Arcadio Pagaza. Pero la comunicación de Othón con la naturaleza fue personal, directa, y en este sentido su poesía no necesita explicaciones de influencias. "No debemos expresar nada que no hayamos visto" fue su fórmula de sinceridad artística. Y nadie mejor que él expresó lo que veía en valles, selvas, ríos, montañas y desiertos de México. Al describir lo que mira pone el propio temblor del alma en cada cosa, en una especie de panothoneísmo. Era un espíritu religioso, y su intervención constante en el paisaje rústico suele tener fuerza metafísica o tono de plegaria. No se quedaba en los temas bucólicos, sino que, a propósito de la vida pastoril, nos daba la totalidad de su personal sentimiento de la vida. Identificación de alma y naturaleza, en sí muy romántica, pero versificada con una técnica clásica. No innovó en las formas: al contrario, se complacía en remozar las del siglo de oro. Su rancio abolengo no lo dejó simpatizar con el estilo que se llamará "modernista". Más aún: su tradicionalismo se convirtió en encono. El "modernismo" le parecía enemigo de la poesía. La idea de escribir su *Himno de los bosques* (1891) le vino cuando leyó que un crítico se lamentaba de que "Tristissima nox" (1884) de Gutiérrez Nájera no comprendiera, amara y describiera la naturaleza mexicana. Esta actitud polémica no quitó grandeza a su poesía, pero la confinó en la historia de los estilos. A pesar de que su libro decisivo fue de 1902 —*Poemas rústicos*— la significación de su obra completa es más clara en este período de 1880 a 1895 que estamos estudiando: entonces publicó sus dos primeros libros de versos, 1880 y 1888 respectivamente. Pero su eco resonaría en medio de los "modernistas"; y su "Idilio salvaje" aturdirá, en pleno modernismo, como poderosa voz. Es este poema uno de los que mejor miden la talla de Othón, y esa talla es de las más altas en toda la poesía anterior a Darío. Una ardiente y rápida pasión por una mujer joven inspiró el "Idilio salvaje". Artemio de Valle-Arizpe, en su *Anecdotario de Manuel José Othón*, nos ha contado que el poeta, por miedo a que su esposa se enterara de que andaba con otra mujer, se hizo el inocente y atribuyó la aventura al historiador Alfonso Toro, a quien le dedicó el primer soneto. A pesar de ese soneto de introducción (que el lector debería olvidar, por ser indigno del poema) "Idilio salvaje" es una desgarrada confesión. Para comprenderla mejor hay que leer otras composiciones del mismo año 1905: por ejemplo, "Urente", donde se describe a la mujer amada, y "De un poema", en que la interroga con alusiones al canto III del *Inferno* de Dante. No queremos explicar "Idilio salvaje" con una anécdota biográfica: el escenario del poema, el temple del poeta y aun sus imágenes y palabras ya habían sido ensayados mucho antes, una y otra vez, en diversas composiciones. Como en todo poeta sincero, hay en Othón cierta monotonía. El paisaje como espacio donde resuenan los golpes de su ánimo ya era un rasgo conocido de Othón. Es posible, pues, que ese episodio de la biografía de Othón no explique nada: lo cierto es que Othón sintió la necesidad de poetizar el conflicto entre la virtud religiosa y el ardor de la carne en un escenario terrible. En "Idilio salvaje" se ve, patente, que cuando describe la naturaleza es para integrarla con su ánimo. El paisaje se hace interior, se pliega a los relieves del amor y del pecado. La montaña y sus precipicios, el desierto, el crepúsculo gris, las águilas, los horizontes y las llanuras se convierten en símbolos de la propia pasión, en la soledad y la vejez. Descripción, sí, pero examinada en el espejo del remordimiento espiritual: "Y en mí ¡qué hondo y tremendo cataclismo! / ¡Qué sombra y qué pavor en la conciencia, / y qué horrible disgusto de mí mismo!" Escribió cuentos y novelas cortas en los que también prevalece el paisaje y los sentimientos de las gentes de campo; y obras teatrales, marcadas por la afición a Echegaray. Se ha dicho que su mejor composición dramática es *El último capítulo* (1905) en un acto y en prosa; juicio que, de ser verdad, condenaría irremisiblemente a las demás, pues ésta no tiene valor teatral. El tema es interesante: Cervantes, que está escribiendo el último capítulo de la segunda parte de *Don Quijote*, recibe la visita del autor del Quijote apócrifo (de Avellaneda). De haber tenido talento teatral Othón pudo haber hecho con Cervantes lo que Tamayo y Baus con Shakespeare: un carácter dramático. Pero la obra, a pesar de ser un solo acto, no tiene unidad: el episodio entre Cervantes y Avellaneda pierde fuerza porque el lector se ha distraído ya con otros episodios sueltos. El diálogo es enfático, oratorio, todo inflado con palabras que no salen de ninguna boca del escenario sino de la concepción romántica que el autor tiene de la genialidad de Cervantes y de su interpretación de Don Quijote.

JUAN ZORRILLA DE SAN MARTÍN (Uruguay; 1855-1931) empezó a trabajar su poema *Tabaré* en 1879; lo concluyó en 1886; lo corrigió en 1887; lo publicó en 1888; lo reeditó, cada vez con nuevas variantes, en 1892 y 1918; dio el texto definitivo en la "novísima edición corregida por su autor" de Montevideo, 1923. Algunos críticos lo han leído con una preocupación retórica: ¿a qué genero pertenece? ¿Novela versificada? ¿Poema épico? Y han solido desmerecerlo porque no se ajusta a sus nociones retóricas. Zorrilla no dio importancia al tema novelesco, que es muy ingenuo: Tabaré, mestizo de un cacique charrúa y de una cautiva española, ha recibido de niño la gracia del bautismo; ya mozo, ve a Blanca, hermana del conquistador don Gonzalo, y se siente intensamente atraído por reminiscencias de su madre muerta; luchan en él su alma bautizada y sus hábitos guerreros; salva a Blanca de los brazos de un indio, pero don Gonzalo cree que él ha sido el raptor y lo mata. Al considerar a *Tabaré* como poema épico nos advirtió que daba a la palabra epopeya una connotación personal: mostrar las leyes de Dios en los sucesos humanos. *Tabaré* es un poema católico, y por eso resulta grosero interpretarlo, como se ha hecho, a la luz de una verosimilitud naturalista. Al describir a los indios Zorrilla no tiene una actitud etnográfica, sino metafísica. Su tema —el destino de la raza charrúa— ha sido concebido teológicamente: ¿qué voluntad sobrenatural condenó a esa raza? El poema intuye, poéticamente, a la raza charrúa en momentos en que está por desaparecer: es tiniebla, sinsentido. Gracias a Tabaré, el mestizo de los ojos azules, Zorrilla se asoma al abismo y ve los destellos de la raza desaparecida. Tabaré, pues, aparece en el filo de dos creaciones: la raza charrúa, que es naturaleza, y la raza española, que es espíritu. La muerte de Tabaré condena a la raza charrúa al silencio eterno: desaparece no sólo físicamente, sino como posibilidad de ser comprendida. A pesar de su aparato exterior, legendario, novelesco, épico, *Tabaré* es poema lírico. Zorrilla de San Martín, como muchos otros poetas de su tiempo, salió de la escuela romántica española de José Zorrilla, Núñez de Arce y Bécquer. Pero Bécquer fue el que le enseñó a impostar la voz. Zorrilla de San Martín "becquerizó" con tanta delicadeza —imágenes sugidoras del misterio, impresionismo descriptivo, melancólica contemplación del vivir y del morir, vaga fluctuación entre la realidad y el ensueño—, que se puso a la vanguardia lírica. Acertó con un tipo de verso insinuante (porque su lirismo arrancaba de una visión de la vida como misterio) y pictórico (porque el poeta se proponía ser lúcido y perfecto en sus formas descriptivas). Bécquer no fue una fuente accidental, sino un espíritu afín que le mostró el camino del estilo. Otros poetas se quedaron prisioneros dentro del cerco romántico armado por otros. Zorrilla no. Del romanticismo salieron dos brotes especializados, uno en la perfección plástica (Parnaso), otro en la sugestión musical (Simbolismo). Zorrilla camina del romanticismo al simbolismo, pero independiente de la literatura francesa. A la nórdica vaguedad de Bécquer debió su ruta. La poesía de Zorrilla es clara y, más todavía que la de Bécquer, recurre a todas las posibilidades de expresión: idea, novela, pasión, sonido, sugestión, plasticidad descriptiva. Pero avanzó por donde Bécquer ya había avanzado: la alusión a estados de ánimo titubeantes entre la vigilia y el sueño; la sospecha de un misterio que al mismo tiempo nos envuelve y está dentro de nosotros; la confianza en que sólo la metáfora o la confidencia pueden revelar. La actitud de Zorrilla es parecida a la que más adelante tendrán los iniciados en el simbolismo. Sólo que su poesía, deliberadamente vaga, es rica en visualidad. Acierta siempre en la imagen visual, que va mejorando el relato y distinguiéndolo. Sus imágenes recorren todo el lenguaje del impresionismo: animación de la naturaleza, proyección sentimental, correspondencias entre los datos sensoriales, etc. De Bécquer tomó, junto con su delicadeza, la simplicidad del verso. Tal simplicidad se logra, empero, con una rica variedad de sugestiones musicales: el *leitmotiv* ("cayó la flor al río. . ."), el súbito cambio de los finales llanos a los agudos, el desenvolvimiento de endecasílabos y heptasílabos. La elección de esta versificación respondía a su estado de ánimo vago, persuasivo, más interesado en la fluida y apagada comunicación de metáforas que en la sonoridad fuerte y articulada. Esta tendencia de Zorrilla hacia una poesía de alusiones lo convierte en América en uno de los poetas líricos de más pureza y frescura: si apartamos la ingenua arquitectura novelesca de *Tabaré* muchos de sus versos son ya modernos. Su obra en prosa —ensayos, crónicas de viaje, discursos, historia— es menos renovadora.

Dijimos que Othón, disgustado, desvió su rostro de los que anunciaban una poesía nueva. Entre los que sí sintieron en la frente la delicia de la brisa nueva, hasta el punto de ser heraldos de la estética que se llamará "modernista", hay que contar en México a Agustín F. Cuenca y sobre todo a Justo Sierra, de quien ya nos ocupamos.

2. Los primeros modernistas

Difícil de situar en esta zigzagueante marcha de poetas es SALVADOR DÍAZ MIRÓN (1853-1928). Está entre Justo Sierra, que anuncia al "modernismo", y Gutiérrez Nájera, que le abre la puerta. O, mejor, Díaz Mirón es el que entra por la ventana. Desde 1886, en que Díaz Mirón publicó un cuaderno de poesías, su voz conmovió a toda nuestra América: en 1889 Darío lo saluda por su espíritu libertario y en 1890 le dedica un "Medallón" en la nueva edición de *Azul*... Más tarde Díaz Mirón renegó de su pasado y sólo reconoció *Lascas* (1901). El mismo poeta indicó el año 1892 —que fue cuando lo metieron en la cárcel por haber matado a un hombre— como el comienzo de un nuevo "criterio artístico". Antes de 1892 fue poeta victorhuguesco y byroneano, grandilocuente en pensamiento y metáforas. "Sursum", "A Gloria", "Voces interiores" ilustran esta manera, la más temperamental. El poeta se propone ser un tribuno, un profeta, un revolucionario. "Cantar a Filis por su dulce nombre / cuando grita el clarín '¡despierta, hierro!' / eso no es ser poeta, ni ser hombre." Desprecia "la musa de oropel y armiño" y en cambio prefiere cantar "el dolor humano", "la ciudad con sus ruidos de colmena", la verdad, la justicia, la virtud... ("Sursum"). Pero Díaz Mirón, a pesar de su arte social, de sus hipérboles clamorosas y de sus reflexiones aforísticas se las arregló para no afear su postura de artista. Fue campanudo, pero elegante. Y el aire de cultura que soplaba por sus versos —citas de la mitología y la historia, selección a contrapelo de palabras y efectos— gustó aun a los modernistas que no participaban de su desdén a las torres de marfil. En su segundo período, el de *Lascas*, Díaz Mirón se serena. Él, que había profetizado revoluciones políticas, hizo la única revolución posible para el poeta: la revolución interior. Sólo que no fue una gran revolución. En el fondo no cambió: así como antes hubo brillos modernos en su oratoria rimada, ahora encontraremos también declamaciones retóricas en estos versos tan golpeados y trabajados que se desprenden como chispeantes "lascas". Es el mismo Díaz Mirón, pero en *Lascas* entretiene su soledad con juegos de acentos y ritmos. Hay más delicadeza. Siente el gusto de vencer dificultades técnicas que él mismo se crea. Léanse "Pepilla", "Vigilia y sueño", "Ejemplo", "Nox"... Se verá que sacrificó su volcánica energía a perfecciones de miniaturista: sacrificio mayor en él por la fuerza eruptiva que debía contener. El decoro parnasiano de sus estrofas congeló muchas veces su emoción. Castigada y todo, su emoción reaparece convertida en una heroica voluntad de mejoramiento técnico en el arte del verso. Virilmente se prohibía facilidades en rimas y ritmos. Sus efectos musicales fueron tan rigurosos que nadie ha podido imitar sus difíciles versos. Latinizó la frase, suprimió partículas gramaticales inacentuadas, enriqueció la rima, con los acentos hacía comparecer el coro de las cinco vocales, cada detalle se magnificaba en la esfera de cristal de una metáfora, fundía las sensaciones en impresiones sinestésicas. Además de sonidos verbales ofrecía una musicalidad psíquica, interior, sugestiva. Fue, con *Lascas*, un modernista, aunque en el modernismo quedó siempre como un solitario, rebelde y amenazante. Su última época es de 1902 a 1928: poesías recogidas por Antonio Castro Leal (*Poesías completas*), en las que se agudiza su talento técnico.

En la historia literaria aparecen formando parte del primer grupo "modernista" Martí, Gutiérrez Nájera, Casal y Silva. La muerte de todos ellos antes de 1896 ha influido para que los historiadores redondearan ese grupo. Pero debemos resistir a la tentación de embellecer la historia con esquemas geométricos. Otros esquemas se han propuesto: por ejemplo, que ese grupo modernista tiene un meridiano en el tiempo (1882, fecha del *Ismaelillo* de Martí, o 1888, fecha del *Azul*... de Darío) y una latitud en el espacio (al norte del

Ecuador vivieron el colombiano Silva, el mexicano Gutiérrez Nájera, los cubanos Martí y Casal, el nicaragüense Darío). No es tan fácil delimitar a ese "primer modernismo". González Prada, Zorrilla de San Martín, Almafuerte, que contribuyeron a la renovación poética, cada quien a su modo, fueron mayores de edad a los considerados "modernistas"; y vivieron al sur del Ecuador. Si se los aparta habría que apartar a Silva y aun a Martí, que tampoco caben cómodamente en el "modernismo".

Por otro lado, la gran figura, Rubén Darío, llena no solamente este primer período modernista sino también el segundo, del año 1896 en adelante, y preferimos estudiarlo en el próximo capítulo, cuando es posible hablar del "modernismo" como de un movimiento estético perfilado. No se espere una clara división entre "romanticismo" y "modernismo". No son conceptos opuestos. No podrían serlo porque, a pesar de sus diferencias, ambos incluyen notas comunes. Románticos insatisfechos del romanticismo fueron, después de todo, quienes salieron en busca de modernidades. La llamada "literatura modernista" agrega, a los descubrimientos de la vida sentimental hechos por los románticos, la conciencia casi profesional de qué es la literatura y cuál su última moda, el sentido de las formas de más prestigio, el esfuerzo aristocrático para sobrepujarse en una alta esfera de cultura, la industria combinatoria de estilos diversos y la convicción de que eso era, en sí, un arte nuevo, el orgullo de pertenecer a una generación hispanoamericana que por primera vez puede especializarse en el arte. Dejemos, pues, por ahora este tema de qué es el "modernismo". Ésta no es una historia de "ismos" sino de personalidades creadoras, y fieles a nuestro método cronológico nos detendremos ahora en los autores del período que termina en 1895: Martí, Gutiérrez Nájera, Casal y Silva.

José Martí

JOSÉ MARTÍ (Cuba; 1853-1895) es la presencia más gigantesca en todo este período. Hacen bien los cubanos en reverenciar su memoria: vivió y murió heroicamente al servicio de la libertad de Cuba. Pero Martí nos pertenece aun a quienes no somos cubanos. Se sale de Cuba, se sale de América: es uno de los lujos que la lengua española puede ofrecer a un público universal. Apenas tuvo tiempo, sin embargo, para consagrarse a las letras. Dejó pocas obras orgánicas, que tampoco son lo mejor que escribió. Era un ensayista, un cronista, un orador; es decir, un fragmentario, y sus fragmentos alcanzan con frecuencia altura poética. Con él culmina el esfuerzo romántico hacia una prosa estéticamente elaborada. En la historia de la prosa Martí se sitúa entre otros dos gigantes: Montalvo y Rubén Darío. Parece todavía próximo a Montalvo por el predominio en su prosa de estructuras sintácticas que podrían encontrarse en cualquier autor de la Edad de Oro; y parece ya próximo a Darío por su mención a una cultura aristocrática, cosmopolita, esteticista. Su mayor herencia literaria era castiza —renacentistas, barrocos—, no francesa. Pero por muy poco afrancesado que él fuera lo cierto es que el aire poético de muchas de sus páginas se aclara si tenemos en cuenta que Martí estimaba a los franceses que crearon la prosa pictórica (Gautier, Flaubert) e impresionista (Daudet, los Goncourt). Se quejaba de la inercia idiomática de los españoles y, al buscar elegancias en otras lenguas, prefería la literatura francesa a la inglesa. No fue un esteticista. No concebía la literatura como actividad de un especial órgano estético. Escribir era para él un modo de servir. Celebraba las letras por sus virtudes prácticas: la sinceridad con que desahogaban las emociones generosas del hombre, la utilidad con que ayudaban a mejorar la sociedad, el patriotismo con que plasmaban una conciencia criolla. Por eso, aun en su estimación de la prosa artística, había sobretonos morales. Muy significativas en este sentido son las páginas que escribió en 1882 sobre Oscar Wilde. Aprecia "las nobles y juiciosas cosas" que Wilde dijo al propagar su fe en el culto de la belleza y del arte por el arte; pero las corrige con reflexiones sobre "el poder moral y fin trascendental de la belleza". Las ideas de Martí sobre el arte variaron a lo largo de su carrera y algunas de ellas, si no fueron contradictorias, por lo menos estuvieron acentuadas contradictoriamente. Es como si en Martí guerrearan su voluntad de perfección artística y su voluntad de conducta ejemplar. Siempre refrenó su gusto por el arte puro —renunciamiento en él más enérgico que en otros pues estaba espléndidamente dotado para la pura expresión artística—; pero en los últimos años tiró tanto de la rienda que su impulso hacia el arte fue deteniéndose. Al crecer su impaciencia por actuar —más o menos alrededor de 1887— Martí empezó a repeler la literatura quintaesenciada y el aprovechamiento de los "modernismos" europeos, especialmente del francés. Hay en su obra un período más esteticista y otro más moral. El primero cristalizó en una novela, la única que escribió: *Amistad funesta* (1885). La trama, con su historia de un amor trágico, entreteje hebras románticas. Pero sobre el cañamazo romántico Martí ha de bordar unos festones que no tienen par en la novelística hispanoamericana de esos años. Martí fue el primero en colaborar con el género novela en la renovación literaria que llamamos "modernismo". Describe una naturaleza bucólica, arcádica, pastoril, rococó, literarizada. Hermosea también a sus personajes con el doble procedimiento de la composición artística (el movimiento de los cuerpos va a detenerse en una postura suprema, a la manera de cuadros vivos) y de la transposición artística (las figuras humanas quedan realzadas por reminiscencias de museo). En el uso de cuadros, esculturas, piedras preciosas, objetos de lujo —cada vez más frecuente en la literatura desde Gautier hasta los Goncourt— Martí acertó antes que nadie dentro de la literatura "modernista" de lengua española. Como después en Gutiérrez Nájera, Rubén Darío, Casal y todos los que vengan, París es la avenida ideal por donde el escritor se fuga de la realidad inmediata hacia horizontes de pura belleza. *Amistad funesta* es el primer ambiente de artistas, de sofisticación, de esnobismo, de molicie y preciosismo intelectual en nuestra literatura hispanoamericana: más tarde vendrán las novelas de José María Rivas Groot, Vargas Vila, Díaz Rodríguez, Ángel de Estrada, etc. En el género narrativo Martí continuará su esteticismo en los cuentos infantiles para su revista *La Edad de Oro* (1889). Su prosa, con todo, no es tan francesa como la que Darío está escribiendo ya en esos años. Martí fue orador y usaba todos los latiguillos de persuasión de que es capaz nuestra lengua. Al escribir, animado por esa voluntad práctica o sacudido por el ímpetu declamatorio, solía dar a su prosa arquitectura de sermón, de discurso, de proclama, de oración. No es la arquitectura clásica ni la de nuestros predicadores del Siglo de Oro ni la de Donoso Cortés ni la de Castelar. Recarga, complica, amplifica, subordina y desproporciona excesivamente. Una tormenta de rayos de ideas, de truenos de emoción y de relámpagos de metáforas hace estallar sus parrafadas. La sinceridad es torrencial, derriba diques y socava nuevos cauces. Pero hay en su elocuencia un arquitecto laborioso. Su prosa no es un museo de sintagmas clásicos —como casi en los mismos años lo era la de Montalvo—; con todo, conserva algunos de los andadores con que marchaba la elocución clásica. Que esos esquemas de prosa oratoria sean viejos en nuestra literatura no es óbice para que Martí los refuerce. En Martí esos esquemas ponen marcos a los cuadros impresionistas que está pintando. Sus períodos oratorios están repletos de descripciones, de reflexiones, de imágenes líricas. Sin duda es un escritor enfático, pero con frecuencia su énfasis no es elocuente, sino expresivo. Es riquísimo en variedad melódica: períodos desmesurados y, al otro extremo de la escala rítmica, frases concisas, elípticas, exclamativas. Martí flexibilizó la prosa para que fuera portadora de sus experiencias impresionistas. Como poeta no era menos excelente. *Ismaelillo* (1882) fue ya un libro extraño: en metros de apariencia popular y con el tema también popular de recuerdos del hogar y del hijo ausente, Martí elabora una poesía breve, pictórica, de rimas inesperadas, de sintaxis compleja, de arcaísmos y riquezas verbales, de condensación y arte detallista. La lengua, la métrica son regulares: la fineza nueva está en las imágenes de una sensibilidad tierna mas viril. Martí sigue preocupado por sus compromisos en la lucha civil y política: en el centro de esas costas se serena ahora como un lago. Lago encantado, crepuscular, donde todo se vela tenuemente y entra en una bella irrealidad. El romanticismo se había recargado con los años de mucha retórica: cuando Martí desnudó en *Ismaelillo* su ternura, esa desnudez, aunque romántica, pareció nueva, y los modernistas la consideraron inaugural. (También así consideraban la desnudez de Bécquer.) Diferentes fueron sus póstumos *Versos libres*, escritos alrededor de la misma fecha. La violencia a veces echa humo, como si quemara leños todavía verdes. Otras veces, en cambio, arde en llamas, la última alta llamarada de los titanes románticos: "Yo, pálido de amor, de pie en las sombras, / envuelto en gigantesca vestidura / de lumbre astral, en mi jardín, el cielo / un ramo haré magnífico de estrellas. / ¡No temblará de asir la luz mi mano!" ("Flores del cielo"). El amor romántico, como en "Copa con alas": "¡la vida entera / sentí que a mí, abrazándote, abrazaba!"; "¡Tú sólo, sólo tú, sabes el modo / de reducir el Universo a un beso!" Por publicarse muchos años después de la muerte de Martí los *Versos libres* no influyeron en el modernismo: lo mismo podría decirse de otra colección póstuma: *Flores del destierro*. En *Versos sencillos* (1891)

Martí fue original porque llegó a zonas más profundas de sí y nos las cifró en apretados símbolos. Estos versos, escritos "como jugando", son octosílabos, algunos monorrimos (lo cual era una novedad) y otros con usos traviesos de la rima (repitiendo la misma palabra o haciéndola repiquetear en el interior de una línea). La sencillez, así y todo, es aparente. "Amo la sencillez, y creo en la necesidad de poner el sentimiento en formas llanas y sencillas", anunció en el prólogo; pero era la sencillez de un hombre genial y sincero, de allí su poder de seducción sobre los nada sencillos modernistas. Ocasionalmente se advierten esos preciosismos que entran en las definiciones corrientes del modernismo: rasgos impresionistas, exquisiteces cultas (léanse, por ejemplo, las composiciones x, "El alma trémula y sola"; xvi, "En el alféizar calado"; xxii, "Estoy en el baile extraño"; xlii, "En el extraño bazar"). Aun en el poema ix el tema grave de "la niña de Guatemala / la que murió de amor" se convierte en un gracioso juego plástico y melódico: con la forma del contrapunto Martí va armonizando, en redondillas que se persiguen una tras otra, la descripción de una muerte presente (el cadáver, el entierro, el cortejo fúnebre) y la evocación de un amor pasado (la despedida, la vuelta del amado con su nueva esposa, el suicidio en el río de la olvidada). No es episodio biográfico: es un ejercicio estético, con viñetas de arte y acompañamiento musical, muy al gusto modernista. Fue poeta de doble acento, romántico y modernista, personalísimo siempre, rápido en sus saltos de intuición a intuición, eficaz en vestir con una imagen concreta la idea más abstracta: "y pasó el tiempo y pasó / un águila por el mar" es su modo dinámico de contar los minutos.

Los otros modernistas

MANUEL GUTIÉRREZ NÁJERA (México; 1859-1895) no fue un renovador de la métrica: se sentía cómodo en la tradición de octosílabos y endecasílabos. Fue, eso sí, un renovador del tono de la imagen poética. Se sobrepuso a las dudas que lo atormentaban —coincidentes con la crisis irreligiosa de su época— e hizo resonar, por primera vez, las notas de elegancia, gracia, refinamiento, ligereza que Rubén Darío seguirá orquestando. Con los sentimientos preferidos por los románticos —sobre todo con los que Musset y Bécquer preferirían: de tristeza, amor imposible, misterio y muerte, dolor— Gutiérrez Nájera se arregla frente al espejo y se pone elegante. Se ve que, en esa autocontemplación, el poeta se complace no tanto en sus sentimientos sino en las imágenes con que los está vistiendo. De aquí que aun los temas elegiacos tengan un brillo, un colorido, un atavío placenteros, como en su "Elegía" en la muerte de su amigo Álvarez del Castillo, donde la Muerte es una hermosa joven enamorada. Ha habido un "antes" en que Gutiérrez Nájera estaba melancólico, deprimido o angustiado; pero ahora que, mirándose en un espejo de arte, se arregla para salir, sonríe. "¿Padeces? Busca a la gentil amante, / a la impasible e inmortal belleza", dice en "Pax animae"; y allí nos da una lección de cómo convertir lo ético en estético: "Corta las flores, mientras haya flores; / perdona las espinas a las rosas... / Cuando el dolor mi espíritu sombrea / busco en las cimas claridad y calma, / ¡y una infinita compasión albea / en las heladas cumbres de mi alma!" Esteticismo, ni frío ni frívolo —por lo menos ni tan frío ni tan frívolo como el que ya veremos en otros poetas que han de venir—, pero que juega con la vida hasta darle una figura de pura belleza: "y haz, artista, con tus dolores, / excelsos monumentos sepulcrales". La vida se hace monumento artístico. Imágenes plásticas, bien contorneadas para que las veamos; pero algunas también sugieren visiones sin mostrarnos las cosas concretas que esas visiones ven, en una especie de vago lenguaje musical. En sus versos a "La serenata de Schubert" exclama envidiosamente:

"¡Así hablara mi alma... si pudiera!" Envidia a la
música por su virtud insinuante, actitud nueva en nuestra literatura. En "Non omnis moriar" Gutiérrez Nájera recoge el tema de Horacio y lo reelabora con la oposición de Hombre-Poeta, tan cara al esteticismo: el poeta expresa lo inefable del hombre. Por aquí el romanticismo hispanoamericano (como antes el europeo) empieza a distanciarse del público y el poeta acabará por creerse un atormentado por elección de Dios. Gutiérrez Nájera —el Duque Job era su más famoso seudónimo— no se siente elegido pero sí aristócrata: era más duque que Job. Justo Sierra, prologuista de la edición póstuma de su *Poesía*, 1896, le atribuyó "pensamientos franceses en versos españoles" (como Valera le atribuiría a Darío un "galicismo mental"). En francés leyó no sólo a los franceses (en poesía, de Lamartine a Baudelaire y especialmente a Musset, el que más le era afín; en prosa, de Chateaubriand a Flaubert y Mendès), sino traducciones de la literatura: nexos con escritores mexicanos anteriores no los tenía. Visto desde América era un solitario que, en el camino, encontraría a otros como él y constituirían todos juntos un grupo: el de la llamada "primera generación modernista". En España no había poesía así, con tanta gracia, distinción, finura (por eso, Gutiérrez Nájera deslumbrará allá: Villaespesa, menos poeta, será uno de los deslumbrados). Sus imágenes, desconcertantes para los lectores de entonces, estaban concertadas entre sí, en una melodía de perfecta unidad; imágenes ordenadas como una mirada que se va desplegando hacia planos cada vez más profundos, enriqueciéndose con descubrimientos de bellezas; y, a pesar de la composición coherente, esas imágenes desfilan como ágiles cuerpos individuales. (Léase "A la Corregidora", de admirable maestría rítmica; el alma de cada cosa parece hablar con una voz insinuante y onomatopéyica.) La selección que el oído de Gutiérrez Nájera hace de las palabras —las más armoniosas, las que mejor se enlazan en ritmos y rimas— coincide con

la que hacen sus ojos —los objetos más lujosos, más bonitos, más exquisitos—. Entreveía también otra realidad, la de "las oscuras, / silenciosas corrientes de mi alma" (léanse "Ondas muertas" y "Tristissima Nox"), y ésa es la dimensión que estimamos más. La poesía de Gutiérrez Nájera ha perdido hoy su poder suscitante: cuando los jóvenes mexicanos buscan las fuentes de la poesía moderna las encuentran en González Martínez, Tablada y López Velarde. Unos pasos más y encontrarían la fuente de Gutiérrez Nájera. Opima fue la prosa de Gutiérrez Nájera, y de más significación que su poesía, por lo menos en la historia del modernismo. Periodista infatigable —director, además, de la *Revista Azul*— ofrecía su pasamanería afrancesada. Sus crónicas fueron obras maestras. Mariposeaban sobre los acontecimientos más frívolos de la semana y creaban así la ilusión de un velo de fantasía, irónico y embellecedor. El buen humor, la descripción impresionista, las notas de viaje por México, el comentario ingenioso parecían frívolos pero respondían a una meditada teoría de la prosa. Había en él también un crítico literario. Sus ficciones no han perdido totalmente su frescura. Los *Cuentos frágiles* (1883) y los póstumos *Cuentos color de humo* recogieron unos pocos: hoy, gracias a los *Cuentos completos* (edición de 1958), podemos apreciar en todo su valor la transformación de la prosa narrativa en sus manos de poeta. Muestras de su arte de contar: "Historia de un peso falso" y "La novela del tranvía". Era consciente de los peligros de la prosa poética: uno, el guardar en cofre —decía— las perlas sueltas, en vez de hilvanarlas en collar de acciones; otro, el romper la gramática española a fuerza de intercalarle formas francesas (el remedio —apuntaba— es leer a Jovellanos, buen administrador de la lengua).

JULIÁN DEL CASAL (Cuba: 1863-1893) publicó dos libros de poesías —*Hojas al viento*, 1890, y *Nieve*, 1892— y dejó otro póstumo —*Bustos y rimas*, 1893—, de prosas y versos. Últimamente se han recogido sus cuentos, poemas en prosa y crónica, páginas de aspiraciones artísticas, interesantes como guías para el estudio de la poesía de Casal, no como sustituciones a ellas. Los tres poemarios tienen entonación elegiaca. En el primero Casal no se ha acabado de desenredar de los españoles Zorrilla, Bartrina, Bécquer, Campoamor, aunque su romanticismo se crispa con expresiones a lo Heine y Leopardi y ya hay reflejos de la lírica francesa de Gautier, Heredia, Coppée y Baudelaire. En el segundo el trascendental pesimismo, el aristocrático vocabulario, la renovación métrica, la búsqueda de formas perfectas y el cultivo del poema descriptivo-pictórico son ya modernistas. No sólo rinde tributo a los franceses Baudelaire, Gautier, Banville, Mendès, Leconte, Heredia, Richepin, Verlaine y Moréas, sino también a los hispanoamericanos Gutiérrez Nájera y Darío. Es entonces un parnasiano, y su dios mayor, Gautier. Nada menos que Verlaine comentó *Nieve*, y reprochó a Casal sus aficiones parnasianas. "Creo —dijo— que el misticismo contemporáneo llegará hasta él y que cuando la Fe terrible haya bañado su alma joven los poemas brotarán de sus labios como flores sagradas." Tenía razón: el ideal parnasiano de formas frías y objetivas obligaba a Casal a desatender los estremecimientos de su melancolía. En el tercer poemario se revela más sombrío, personal, audaz e innovador. En el altar, al lado de Gautier, ahora están Verlaine y Baudelaire. El anhelo de una forma suprema, la flexibilización del verso, el culto a las sensaciones enfermizas, las transposiciones artísticas, el gusto por la cultura helenista o rococó, el japonismo, la maestría en disponer de palabras, símbolos y objetos refulgentes, todo inscribe a Casal en la órbita del modernismo. Vista en sus mejores momentos, su poesía es íntima. Colma hasta los bordes la breve vida del poeta, pero sin derramarse al exterior. No hay en ella ni cantos civiles, ni descripciones de la patria, ni relatos eróticos.

O, mejor dicho, los escasos versos de tema exterior son insignificantes. No sentía la belleza natural del paisaje cubano. En su isla de sol, verdes, alegrías, bullicios, entornaba las puertas y prefería quedarse a oscuras y a solas, en un enfermizo encierro. Su poesía, pues, está toda vertida dentro de su alma, que era tristísima. Las exclamaciones de tristeza se repitieron tanto en todo el romanticismo europeo y americano que a veces es difícil distinguir la voz del eco; pero no hay duda que el verso de Casal "¿Por qué has hecho ¡oh Dios mío! mi alma tan triste?" fue una voz auténtica. Podrá parecerse a la de otros versos románticos, pero es tan reveladora del ser de Casal que aunque se encontrara en un autor anterior otro verso verbalmente idéntico (en Vigny hay dos similares) ése seguiría siendo original. Era taciturno, no porque tuviera una concepción pesimista de la vida, ni siquiera por ser pobre, tímido y enfermo, sino porque no estaba íntimamente hecho para participar de las incitaciones gozosas del mundo. No da un juicio sobre el mundo: su tema es la propia tristeza, que le sube de escondido manantial. Siente disgusto por la vida, eso es todo. Pero no se queja: el mundo le es indiferente, y cuando dice que le parece cieno, pantano, nos da una impresión, no una filosofía. Se siente ya muerto en vida; y hay en él una gozosa expectativa de la muerte cabal que, por lo menos en ciertos versos que quedaron abandonados en periódicos, le hicieron pensar en el suicidio: "Y sólo me sonríe en lontananza, / brindándole consuelo a mi amargura, / la boca del cañón de una pistola." Léase "Nihilismo" y se verá cuán sinceras eran sus ganas de estar muerto: "Ansias de aniquilarme sólo siento / o de vivir en mi eternal pobreza / con mi fiel compañero, el descontento, / y mi pálida novia, la tristeza." Es un trágico bordoneo que se oye en toda su poesía. En "Autobiografía" se ve que el poeta no está haciendo ejercicios poéticos con el tema romántico de la angustia, sino expresándose sinceramente.

Lo que conmueve en Casal es, precisamente, que no jugara con las formas, a pesar de que pudo haberlo hecho, pues estaba bien dotado para lucirse con artificios, sino que prefiriera la pobreza formal de una obsesión única: la de morir. El arte fue para él un refugio. No se hacía ilusiones sobre su poesía: creía que se dispersaría "en las amargas ondas del olvido". Pero se entregó al arte como a un opio y se sumergió cada vez más en su sueño. Su primer romanticismo había sido superficial: el ánimo flotaba en las convenciones de la época, los versos boyaban vacíos. Pero en sus mejores composiciones se advierte que Casal se hunde como un buzo. A veces su escafandra es la poesía plástica, colorida, refinada que Casal admiraba en los franceses Gautier y Heredia; a veces, la poesía crepuscular e insinuante que Casal admiró en Baudelaire. La primera clase de poesía, por parecerse al lenguaje poético del Parnaso francés, resultó emparentada con la de otros hispanoamericanos que leían a los mismos autores. Hay versos de Casal notablemente parecidos a otros de Gutiérrez Nájera y Rubén Darío. Componía en cuadros vivos (como que solía inspirarse en cuadros de pintores: *v. gr.* Gustavo Moreau. Ya Huysmans, en *Á Rebours*, había descrito cuadros de Moreau). Los objetos no están embellecidos por Casal; ya eran bellos en el arte y el poeta los transporta como adornos. Es una atmósfera aristocrática, cosmopolita, exótica, con esplendores de París y de Tokio, con cisnes, cortesanas dieciochescas, piedras preciosas... Los títulos "medallones", "cromos", "camafeos", "marfiles viejos", "bocetos", "museo ideal", etc., ya anuncian su voluntad de artífice de formas y colores. En la otra dirección de su poesía, vuelta hacia la penumbra más secreta de su vida interior, Casal —deslumbrado por Baudelaire— expresó su "visión sangrienta de la neurosis", su viaje "hacia el país glacial de la locura"; su sinestesia "percibe el cuerpo dormido / por mi mágico sopor, / sonidos en el color, / colores en el sonido". Véanse "Post umbra",

"La canción de la morfina", "Horridum somnium", "Cuerpo y alma", etc.

José Asunción Silva (Colombia; 1865-1896) se paseó por los caminos del jardín romántico que ya estaba mustio; y tan pronto lo vemos pisando las huellas de los prosaicos Campoamor y Bartrina —"Gotas amargas"— como apartándose hacia los lugares preferidos por Bécquer —"Crisálidas", "Notas perdidas"—. Al regresar de París y de Londres trajo una biblioteca de autores contemporáneos e inició a sus amigos en el espíritu de las nuevas letras. Le fastidiaban, sin embargo, los amaneramientos de los "rubendariacos", según decía, y con la firma de Benjamín Bibelot Ramírez dedicó "a los colibríes decadentes" una sátira llamada "Sinfonía color de fresa con leche". Toda su obra es de juventud, conviene tenerlo en cuenta; y se logró como aspiración, casi adivinando. Sin contar que en un naufragio perdió los manuscritos de cinco años de trabajo poético. Según el testimonio de quienes habían conocido esos manuscritos eran sus mejores obras. Silva no cuidó sus relaciones con el público. Por no interesarse en el favor de los lectores no les ayudó ordenando la propia obra, que por su mezcla confusa produce una impresión falsa de inmadurez. Su pequeño volumen de poesías careció de unidad, y la diversidad de composiciones patrióticas, festivas, folklóricas, narrativas, eróticas, filosóficas desluce su mérito. Ahora que tenemos la *Obra completa* (1956), reunida por Rafael Maya, el crítico puede apartar la vista de las direcciones ya holladas y seguir a Silva cuando se interna por un senderillo misterioso, íntimo, lírico, estremecido, que es el que ha de llevarlo a la renovación poética que están emprendiendo otros poetas. Su cultura literaria estaba al día, con las últimas cotizaciones francesas e inglesas. Había leído a Poe y a Baudelaire, y en sus páginas de prosa "¿Poeta yo?" cita a Rossetti, Verlaine y Swinburne. Tenía afinidad espiritual sobre todo con Poe. Se ha señalado la influencia de Poe en los ritmos de "Día de difuntos" y del tercer "Nocturno", dos composiciones de nueva maestría métrica. Sin duda. Las sombras y misterios de Poe eran afines a la nocturnidad de Silva: *cfr.* "Dime", "Ronda", "Nocturno", "Midnight dreams", "Luz de luna", "Serenata", "Día de difuntos". Influencia de Poe en el procedimiento de cambiar de medida, la hubo. Pero Silva seguía en verdad su propio deseo de dislocar los ritmos. Su versificación se dulcifica en el camino hacia el versolibrismo. En "Un poema" nos dio su Estética: "Soñaba en ese entonces en forjar un poema / de arte nervioso y raro, obra audaz y suprema." No siempre fue fiel a esa estética. Cuando lo fue —y esos momentos son los que cuentan— nos dejó poesías trémulas de sentimientos mórbidos, sugeridoras de enigmas, con acentos de ternura y de melancolía. El pesimismo de Silva tenía raíces en su cuerpo, en su alma, en su filosofía, en la filosofía de su época. Sus mejores poesías —buen ejemplo de ellas es "Vejeces"— son las que evocan el tiempo ido, la voz de las cosas desgastadas, las visiones de la niñez, las sombras, los rumores y las fragancias olvidadas, y todo esto en un lenguaje poético vago, desvanecido y musical. Lo que le ha valido su fama son sus "Nocturnos", especialmente el tercero, aquel de la "sombra larga". Con una voz entrecortada en la que los silencios se sienten como escalofríos, con una especie de tartamudez poética, como si el poeta estuviera absorto ante una aparición sobrenatural y, en su estupor, sólo acertara a mover los labios o a mordérselos para contener el llanto, este "Nocturno" mayor —escrito, según se dice, con motivo de la muerte de su hermana Elvira— es una de las más altas expresiones líricas de la época, nueva en su timbre, en su tono, en su estructura musical, en su tema fantasmalmente elegiaco, en su rítmica imitación del sollozo. Este Silva de los nocturnos es el que está cerca de nosotros. Es, de todos los poetas colombianos del siglo xix, el único que habla a la sensibilidad poética de hoy. Mientras otros modernistas percibían el mundo, Silva se percibía a sí mismo. Su melancólico lirismo lo hizo desdeñar la grandilocuencia romántica y la magnificencia modernista; y son sus poesías de oscuros misterios las que nos lo salvan.

En todos los países hubo poetas, y el orgullo nacional nos pedirá cuentas si los omitimos.

México: FRANCISCO ASÍS DE ICAZA (1863-1925), JOSÉ MARÍA BUSTILLOS (1866-1899) y BALBINO DÁVALOS (1866-1951).

Antillas: Junto con Del Casal dieron los primeros pasos del modernismo otros cubanos, pero tan tímidamente que, a su lado, parecen ir en otra dirección. ANICETO VALDIVIA (a) *Conde Kostia* (1859-1927) propagó el gusto por las novedades francesas, pero en castellano prefirió no innovar. BONIFACIO BYRNE (1861-1936), saludado por Del Casal como poeta de nuevos acentos, no militó sin embargo en el modernismo. Fue, más bien, poeta de emoción patriótica. EMILIO BOBADILLA (1862-1920), más conocido por sus críticas mordaces, firmadas con el seudónimo Fray Candil, actuó en España. Aunque atacó el modernismo, sus versos aprovecharon las reformas métricas modernistas. Santo Domingo había dado dos poetas: José Joaquín Pérez y Salomé Ureña de Henríquez. En estos años vino a sumarse a ellos, en calidad, GASTÓN FERNANDO DELIGNE (1861-1913), el autor de *Galaripsos*. Sobresalió en el poema breve, un poco a la manera de Campoamor. Por su poder de observación y hondura de pensamiento convirtió casi en un género nuevo el poema psicológico, donde ilumina la vida íntima de una persona en un instante crítico ("Angustias", "Confidencias de Cristina"). También escribió poemas filosóficos ("Aniquilamiento") y políticos ("Ololoi"). Deligne se burló del modernismo: era, en verdad, un realista, y aun un naturalista, con caídas en el discurso prosaico. Practicó innovaciones métricas. Hay que decir que el modernismo enseñó a los dominicanos el arte de variar la versificación, pero no les arrancó de su órbita romántica o realista. Romántico fue ENRIQUE HENRÍQUEZ (1859-1940), el de los nocturnos. Y aun FABIO FIALLO (1866-1942), a pesar de su participación en la vida literaria modernista, fue un romántico del amor doliente, como Heine y Bécquer, según se advierte en *La canción de una vida* (1926), donde recogió gran parte de su obra. Y no se diga de los menores: EMILIO PRUDHOMME (1856-1932), CÉSAR NICOLÁS PENSON (1855-1901), PABLO PUMAROL (1857-1889), RAFAEL DELIGNE (1863-1902) y ARTURO BAUTISTA PELLERANO CASTRO (1865-1916), autor de las populares *Criollas*.

En Puerto Rico JESÚS MARÍA LAGO (1860-1929) fue modernista en su tardío *Cofre de sándalo* (1927).

Venezuela: MANUEL PIMENTEL CORONEL (1863-1907).

Colombia: ISMAEL ENRIQUE ARCINIEGAS (1865-1937), becqueriano en sus comienzos, cambió más tarde su espontaneidad por los joyeles parnasianos.

Bolivia: ROSENDO VILLALOBOS (1860-1939), traductor de parnasianos y simbolistas.

Argentina: Aquí varios interruptores de tradición crearon el movimiento que, en 1893, reconocería a Rubén Darío como el poeta más alto de la lengua: sólo mencionaremos al más importante, LEOPOLDO DÍAZ (1862-1947). Fue de los primeros frecuentadores del Parnaso francés. En sus *Sonetos* de 1888 ya hay un buscar mitologías griegas, un transponer figuras de las artes plásticas a la poesía, un gozar pagano, un pulir formas perfectas que serán acciones comunes a todos los modernistas. De 1895 son sus parnasianos *Bajo relieves*. Ya Darío estaba en Buenos Aires y lo[s] fraternalmente. En su obra posterior —*L[a] de Hellas*, 1902, *Atlántida conquistada*, 1[9] *foras y las urnas*, 1923— Díaz continu[ó] aquel punto de su estética parnasia[na] pero cada vez más frío.

A Rubén Darío, por la f[ama] deberíamos estudiarlo aquí. [...]

Gutiérrez Nájera y Del Casal, publicó *Prosas profanas* cuando ellos, y Martí, y Silva, ya habían muerto, y con ese libro de 1896 fue con el que el esteticismo llega a su plenitud, se hace consciente de su programa revolucionario, se da un nombre —"modernismo"— e influye en España. A Rubén Darío lo encontraremos, pues, en el próximo capítulo.

B. PRINCIPALMENTE PROSA

1. Novela y cuento

i) *México*

Entre los mexicanos que enriquecen el arte realista de contar —hemos mencionado algunos en el capítulo anterior; mencionaremos otros en el siguiente —surgen en estos años Micrós y Gamboa. Ángel de Campo, que usó el seudónimo Micrós (1868-1908), estampaba en los periódicos cuadros de costumbres. De sus impresiones de la sociedad salieron también cuentos y una novela corta: *La rumba,* donde volcó montones y montones de detalles naturalistas sobre una historia dolorosa. *Cosas vistas* es el título de una de las colecciones de sus páginas, título que anuncia una objetividad que Micrós no tenía. Cuando no hacía caricaturas o desplegaba su ironía, se mostraba como un sentimental. Sentía ternura, piedad por toda vida humilde, pobre, desamparada o enferma. Incluyó en su compasión a los animales, a quienes imaginó sufriendo como humanos. De su simpatía a los que sufren nacían sus críticas morales, a veces enconadas. Federico Gamboa (1864-1939) es en estos años el novelista mexicano que se acercó más a lo que entonces se consideraba como novela moderna: vale decir, la novela experimental, que estudia seriamente la sociedad mexicana. Documentó con métodos naturalistas las costumbres del pueblo y ·· ·ó el tema erótico. *Suprema ley* (1896) es la historia de un tísico que se arruina por amor, sobre un vasto fondo de sociedad mexicana. En *Santa* (1903) logró un mayor equilibrio entre su naturalismo, su erotismo y su costumbrismo. ¿Es Santa, la prostituta, una prima literaria de la Naná de Zola o de la Elisa de los Goncourt? Gamboa fue recobrando su fe católica, efectiva ya en *Reconquista* y en *La llaga,* y se hizo reaccionario. Fue intenso dramaturgo: tal vez su drama mejor construido fue *Entre hermanos.*

ii) *Centroamérica*

Honduras. La primera novela, *Angelina,* fue de CARLOS F. GUTIÉRREZ (1861-1899).

Nicaragua. SALVADOR CALDERÓN RAMÍREZ (1868-1940) cultivó lo fantástico en *Cuentos a mi Carmencita.*

Costa Rica. La tradición del cuadro de costumbres duró en América más que en ninguna otra parte. Muchos escritores, por pegarse a la realidad, apenas conseguían expresarse literariamente. Emergían de los fondos cenagosos, asomaban la frente, eran parte de la naturaleza que describían. No vale la pena dar nombres. En Costa Rica el costumbrismo —viejo en otras partes— surgió a fines del siglo con fuerza nueva, como si fuera revolucionario. De esas tierras de América salió esta nación, Costa Rica, pero salió sin literatura. Durante casi cuatro siglos esas tierras no produjeron escritores, ni significativos ni insignificantes: ni siquiera tuvieron imprenta hasta 1830. Cuando empezaron a aparecer se escindieron en dos familias: una de esteticistas cosmopolitas, otra de realistas regionales. Y fue la familia realista la que, por estar más cerca de las cosas, ha sido estimada como la mejor. Después de PÍO VÍQUEZ (1848-1899), rico temperamento aunque pobre escritor, de MANUEL ARGÜELLO MORA (1845-1902), el primer narrador considerable, y del padre JUAN GARITA (1859-1914), costumbrista, surge la figura importante

—importante en Costa Rica— de Manuel González Zeledón (1864-1936), más conocido con el seudónimo Magón. Describió la ciudad de San José, ciudad que no alcanzaba a ser ciudad; la describió por dentro y por fuera, la vida del hogar, de la escuela, de la burocracia, de las tertulias de club y de café, de las vegas, de los valles y los cafetales; describió la pobreza, las fiestas, el amor, los tipos populares, lo cotidiano, cosas vistas (y, en el campo, entrevistas). Y todo con la rapidez del conversador, con los coloquialismos dialectales, sin preocuparse de crear situaciones o dibujar caracteres. Era un observador de detalles, con preferencia por los groseros porque era un naturalista. Literatura del pueblo, para el pueblo y por el pueblo: fórmula democrática de escaso valor estético pero mucho documental. Eso sí: no hay en Magón cursilería. Es un valor negativo. Tampoco hay empaque: otro valor negativo. No es que Magón sea natural y desenvuelto, sino que en su costumbrismo no hay lugar para la cursilería ni para el empaque porque tampoco hay lugar para la literatura. El tono es de regocijo, de ironía, de travesura. Pero lo intelectual de esta actitud no va más allá y por eso rara vez el cuadro de costumbres adquiere la arquitectura del cuento. Un cuento construido es "El clis de sol" (con antecedentes en el "¿Por qué era rubia?" de P. A. Alarcón); otro, "La propia". González Zeledón enumeraba, describía, pero no construía el relato. Divierte, como divierten las conversaciones chabacanas; y vale porque ha captado un pueblo que, por tener un lugar bajo el sol, merece que se le ponga un espejo literario para que lo veamos de reflejo. Magón hacía en prosa lo que su primo Aquileo Echeverría hacía en verso. Lo emularon otros narradores costumbristas, como Manuel de Jesús Jiménez (1854-1916), Claudio González Rucavado (1865-1925), Carlos Gagini (1865-1925), Ricardo Fernández Guardia (1867-1950). El novelista realista de mayor fuste en estos años de Costa Rica: Jenaro Cardona (1863-1930), autor de El *primo* (1905), novela de la ciudad, con gente de la clase media, y *La esfinge del sendero* (1914), todavía más apartada del costumbrismo por el análisis del conflicto de conciencia en un sacerdote.

iii) *Antillas*

En las Antillas el género narrativo no tuvo lucimiento.

Cuba. Se destaca RAMÓN MEZA Y SUÁREZ INCLÁN (1861-1911), autor de *Don Aniceto el tendero,* novela satírica.

Santo Domingo. FABIO FIALLO (1866-1942) fue de la poesía a la prosa hasta el punto de que algunos de sus poemas se parafrasearon en cuentos. Ya lo hemos situado como poeta en otra parte. El motivo de sus *Cuentos frágiles* (1908) es el cuerpo de la mujer como objeto de contemplación artística. Es autor también de *Las manzanas de Mefisto* (1934) y de una obra dramática. Se mantuvo impermeable a los temas vernaculares. En cambio FEDERICO GARCÍA GODOY (1857-1924), ensayista, crítico, escribió una trilogía novelesca con episodios de la historia nacional. La mejor novela fue la primera, *Rufinito* (1908), cuyo protagonista es un caudillo político. Le siguieron *Alma dominicana* (1911) y *Guanuma* (1914). Otros: CÉSAR NICOLÁS PENSON (1855-1901) coleccionó, en *Cosas añejas,* a la manera de Ricardo Palma, tradiciones de fines del siglo XVIII y principios del XIX. JOSÉ RAMÓN LÓPEZ (1866-1922), cuyos *Cuentos puertoplateños* (1904), aunque incorrectos y poco originales, tienen cierta gracia. PEDRO MARÍA ARCHAMBAULT (1862-1944), que en *Pinares adentro* (1929) nos dio una descripción eglógica de la sierra. JAIME COLSON (1862-1952) costumbrista en *El general Babieca, Patricio Flaquenco* y *El cabo Chepe.* VIRGINIA ELENA ORTEA (1866-1903), sobria y culta narradora, autora de un cuento mitológico, "Los diamantes". Escribió también obras realistas.

Puerto Rico. MATÍAS GONZÁLEZ GARCÍA (1866-1938) noveló crudamente la vida de los trabajadores criollos en *Cosas* (1893) y *Ernesto* (1894). Pero el novelista más importante, dentro de este naturalismo criollo, fue MANUEL ZENO GANDÍA (1855-1930). Era médico, y escribió con ojo clínico sus "crónicas de un mundo enfermo": *La charca* (1895), *Garduña* (1896), *El negocio* (1922). Son estudios de la miseria, el hambre, el vicio y el dolor de la colonia puertorriqueña. Como buen naturalista que era, Zeno Gandía intervino doctrinariamente en la confección de sus novelas. Sus personajes quedaron así convertidos en tipos, más que en caracteres; además, los achataba el ambiente, que era lo que el autor quería sobre todo describir. Se trataba de regenerar la vida física y espiritual del campo y de las aldeas y ciudades, de corregir el egoísmo materialista, de dignificar a los hombres. Aunque más observador que imaginativo, Zeno Gandía logró calar en los conflictos humanos y sociales lo bastante para incorporarse a la historia de la novela hispanoamericana.

iv) *Venezuela*

MANUEL VICENTE ROMERO GARCÍA (1865-1917) fue efectivo con *Peonía* (1890), "novela de costumbres venezolanas". El autor (o, mejor, el estilo) es seco, desganado, cínico, sarcástico. No es que su confesada concepción materialista de la vida sea culpable de su dureza de escritor, pues otros positivistas de su tiempo fueron más tiernos y humanos y lo cierto es que del materialismo arranca lo mejor de su persona, que es el espíritu de reforma social, la crítica a las malas tradiciones venezolanas. No, si Romero García no resulta simpático al lector es porque antes, al crear su novela, le faltó simpatía por sus criaturas. O, dicho de otra manera, le faltó fuerza noveladora. Aunque puesta bajo la invocación de Isaacs, no hay en *Peonía* nada de *María*. Aun escenas parecidas están vistas con otros ojos. Nos dice, en una interesante digresión sobre la literatura venezolana, que estima la poesía romántica, pero no es un romántico, sino un costumbrista, un realista, aun un naturalista. La novela, en sí, no tiene gran valía: es la historia de un amor interrumpido por el destierro y la muerte, en medio de una degradada familia venezolana. Las reflexiones morales y políticas no agregan nada; al contrario, perjudican la acción novelesca. Queda, pues, la descripción costumbrista. Es que Romero García creía que eso era lo valioso, y abogaba por un arte derivado de la naturaleza y la sociedad. GONZALO PICÓN-FEBRES (1860-1918) es celebrado por *El sargento Felipe* (1889). Con un fondo histórico —la guerra fratricida entre Matías Salazar y Guzmán Blanco— esta novela describe la vida campesina y cuenta trágicos amores y venganzas. ¿Realismo? Poco. En todo caso es un realismo ablandado por muchas lágrimas románticas; cuando ese realismo, así ablandado, vuelve a endurecerse, es en las frases, cinceladas como joyas, de un estilo poemático. Algunas de las metáforas, más que ornamentos, son intuiciones. El tono es sentimental. A veces el juicio moral ante las crueles y estúpidas guerras civiles da a la prosa una levadura declamatoria, y los períodos se hinchan en ritmos amplios. Las mejores páginas son las descriptivas: bellísimos paisajes, bellísimos retratos, como los de Encarnación (en una ocasión se dice que la muchacha "semejaba una figura de Mistral, el candoroso poeta de Provenza"). Pero no hay ningún personaje que viva de veras: el sargento Felipe, menos que nadie. Picón-Febres los tiene siempre en sus manos de alfarero y no los suelta para dejarlos vivir. MIGUEL EDUARDO PARDO (1868-1905), aprendiz de novelista, escribía con abundancia de ripios y con escasez de frases vivas. *Todo un pueblo* es novela sin unidad. Un muchacho, Julián, descendiente de indios despojados, pero ahora de buena familia, quiere reformar la sociedad. ¿Anarquista? ¿Socialista? Su madre, viuda, se entrega

a un canalla, padre de la novia de Julián. Al final,
Julián mata al canalla. Se menciona a Balzac, a Flaubert, a Zola como modelos para una posible novela
sobre los defectos de la sociedad descrita aquí: pero
Todo un pueblo no sigue esos modelos. José Gil
Fortoul (1852-1943) es preferible como historiador,
no como novelista, si bien con su *Julián* (1888) fue
uno de los adelantados del naturalismo a la francesa.

v) *Colombia*

De los narradores de esta generación trasladaremos
a algunos, por sus relaciones con el modernismo, al
capítulo próximo —Vargas Vila, J. M. Rivas Groot,
etcétera— y, a otros —Lorenzo Marroquín, 1885-
1918; Francisco de Paula Rendón, 1855-1917— sólo
los mencionaremos aquí, para así poder dedicar todo el
espacio disponible al gran novelista de estos años, Tomás Carrasquilla (1858-1940). Su producción fue
tardía; y por el contraste entre su realismo y el gusto
cosmopolita de los modernistas hubo quienes creyeron
que sus novelas, escritas de 1896 a 1935, eran rezagos
fuera de moda. Carrasquilla se quejó, en efecto, de la
moda modernista, y en sus "homilías" a Max Grillo
y otros jóvenes estetas les recomendó un programa
realista —"describir al hombre en su medio"— que
revelara espontáneamente el carácter nacional. El realismo de Carrasquilla, sin embargo, estaba más cerca
de las novelas artísticas del novecentismo que del pedestre costumbrismo ochocentista (si bien fue pedestre
en algunas de sus narraciones). Fue un hombre original. Talento de escritor le sobraba: también dominio
de una lengua sabrosa en modismos antioqueños, castiza y dorada en su raíz última, desenvuelta y ágil en
sus atrevimientos. Pero no tomó en serio el oficio de
novelar. Borroneaba cuartillas sin pensar en el público;
ni siquiera se proponía publicar. Casi como apuesta
para probar que Antioquia se prestaba como escenario

novelesco se avino a escribir *Frutos de mi tierra* (1896), "tomada directamente del natural —dice el mismo Carrasquilla— sin idealizar en nada la realidad de la vida". El escribir en el vacío, sin público y sin aspiración al libro, dañó la armazón de sus relatos. Son de variada estructura, de variados temas: novelas (*Grandeza*, 1910; *La Marquesa de Yolombó*, 1926; *Hace tiempo. Memorias de Eloy Gamboa*, 1935-36); novelines (*Luterito*, después titulado "El padre Casafús", 1899; *Salve, Regina*, 1903; *Entrañas de niño*, 1906; *Ligia Cruz*, 1920; *El Zarco*, 1922); y cuentos folklóricos, fantásticos, psicológicos y simbólicos (*En la diestra de Dios Padre*, 1897; *El ánima sola*, 1898; *El rifle*, 1915; *Palonegro*, 1919). En conjunto, la narrativa de Carrasquilla se caracteriza por los innumerables personajes que presenta, arrancados todos de las minas, campos, sierras, aldeas y caminos colombianos y enredados en circunstancias ordinarias; estos personajes no muestran directamente su intimidad ("El padre Casafús" es un ejemplo excepcional de interés por lo psicológico), sino que viven hacia fuera, en constante voluntad de diálogo. En sus páginas se oye hablar, hablar: chismes, anécdotas, murmuraciones, con una genuina malicia popular. Pero la conversación de estos personajes no está "puesta" mecánicamente en las bocas, como hacían los escritores costumbristas, sino que Carrasquilla se la ha apropiado primero y luego la usa con vigor expresivo. Es decir, que Carrasquilla ha identificado el habla popular con su propio estilo, con lo que se anticipó al modo de los novelistas de tema regional de hoy. Más aún: si bien el escenario, las costumbres, las situaciones y los personajes son del pueblo, Carrasquilla no se codea con la muchedumbre fingiendo que sus ojos están a la altura de los demás —frío fingimiento de los realistas— sino que mira sinceramente desde su mirador de solitario. Mira con ojos tan penetrantes que han de dolerle. Aun su humorismo es doloroso, porque descubre la flaqueza humana. Observa mejor los movimientos de la masa que las acciones individuales. Su actitud es de amor a su región y a los humildes, pero con filosófico recogimiento. Por eso ha creado personajes de hondura y complejidad —mujeres, niños—; por eso tienen los recuerdos personales tanta fuerza en sus relatos. No ofrece tesis, no protesta, no predica, no moraliza, pero tiene una filosofía, la naturalista, que lo lleva a comparar la humanidad con la animalidad; para que la comparación se defienda mejor, Carrasquilla muestra sifilíticos, suicidas, ignorantes, elementales sumidos en el "basurero" de la naturaleza (cfr., "¡A la plata!"). Carrasquilla prefería Salve, Regina y La Marquesa de Yolombó. Con unos arreglos, la historia de la hermosa Regina, consumida de pureza, de fe, de amor, de escrúpulos, de duda y de fiebre hubiera ganado en fuerza trágica. Posibilidad de gran novela podríamos llamar a La marquesa de Yolombó. Es novela histórica, puesto que su acción transcurre desde mediados del siglo XVIII hasta después que terminan las guerras de la Independencia. Sin embargo, no parece novela histórica, sino etnográfica. Nos cuenta la vida de la criolla Bárbara desde que, a los dieciséis años, quiere ser minera, hasta que se enriquece, obtiene de Carlos IV el título de Marquesa, es víctima de un pillo que la desposa para robarle los caudales de oro, pierde la razón y la recobra en la ancianidad, cuando América es ya una gusanera de repúblicas. Historia, no; en todo caso, crónica. Y lo que mejor se ve no es esta delgada línea novelesca, sino las grandes manchas de color con que se describen las costumbres de las minas de Yolombó: costumbres de las ricas familias españolas, costumbres de las pobres familias negras, con simpatía artística para ambas. Folklore y masas humanas es lo que está en el primer plano. De aquí se alejan hacia el fondo unos pocos, muy pocos, episodios nítidos: el grotesco idilio entre Don Chepe y Silverita, la cruel escena de Martín y el negro crucificado, la canallada de Orellana. Y, más borrosos todavía, unos pocos, muy pocos, intentos de perfilar caracteres: Barbosa, Don Chepe, Martín, María de la Luz... En general *La Marquesa de Yolombó* está mal construida: digresiones, reflexiones anacrónicas, lecciones de historia o de etnografía que rompen la unidad del relato. En cambio, la prosa es sabrosísima, con regionalismos y neologismos. Carrasquilla está dentro de la lengua antioqueña y desde allí habla con libertad. El efecto es sorprendente. No podemos colocar esta prosa en la historia del realismo español: Galdós, por ejemplo. Carrasquilla vivía aislado de los gustos literarios (aunque en *La Marquesa de Yolombó* cita a Balzac y a Flaubert). No sólo aislado en su Antioquia, sino poniendo entre él y Antioquia unos lentes estéticos. A través de esos lentes deformaba las cosas regionales. Describía con agudeza, con ironía. Escudriñaba el detalle y lo captaba con palabras asombrosas. Se ve que, para él, escribir era un juego solitario. Por eso no fue —no puede ser— popular. Si le llamamos realista es por falta de otra palabra. Hacía cristalizar la realidad en una lengua aparentemente viva y coloquial, pero en verdad artística. Realidad y lengua, así cristalizadas, son una creación nueva, como esperpentos (y Carrasquilla, en efecto, nos habla de personajes que "entran hechos unos esperpentos"). Descripciones esperpénticas, como las que más tarde emprenderá Valle-Inclán. Carrasquilla, en frío, se ríe de su materia. Hay una atmósfera de farsa, como en los capítulos II y III en que el viejo Don Chepe pretende a la núbil Silverita. Las figuras se estiran o se acortan, como en caricatura. Y el placer de esta distorsión no es el de la novela realista del siglo xix sino el de la prosa artística del siglo xx. En sus mejores momentos Carrasquilla no documenta la realidad: la somete a las refracciones de lentes y espejos aberrantes. La realidad podrá ser humilde —españoles ignorantes, criollos perdidos en la naturaleza americana, negros prendidos a sus tradiciones africanas, indios-sombras— pero la óptica es aristocrática. Esto, en sus mejores momentos —que de conocerlos Valle-Inclán los hubiera gozado y aun aprovechado para su *Tirano Banderas*—, porque *La Marquesa de Yolombó*, juzgada en su totalidad, es novela fracasada. Como ejemplo de cuentos populares léase *En la diestra de Dios Padre*, donde uno admira la gracia, la ironía, con que viejos temas folklóricos se visten de costumbres de Antioquia.

vi) *Ecuador*

Tenemos al novelista ALFREDO BAQUERIZO MORENO (1859-1950), atildado, culto —con *Sonata en prosa*— pero capaz de extraer personajes del pueblo —como *El señor Penco*, 1895—. Quien abrió, y magistralmente, la serie realista de novelas ecuatorianas de contenido social fue LUIS A. MARTÍNEZ (1868-1909). *A la costa* es novela-hito, con su afán de verdad, casi científico. Refleja cambios en la vida del Ecuador: sus viejos cuadros sociales, las nuevas esperanzas de transformación.

vii) *Perú*

Mujeres novelistas las hubo desde el primer grupo de románticos y contribuyeron también al realismo. Se recuerda a la peruana CLORINDA MATTO DE TURNER (1854-1909) por su valentía en llevar a la novela las fórmulas de liberación del indio que había enunciado González Prada. *Aves sin nido* (1889) —el título se refiere a Manuel y Margarita, enamorados que resultan ser hermanos, engendrados en dos indias por el cura párroco— afirmaba el principio de que la nación peruana estaba formada por las muchedumbres de indios diseminados en la banda oriental de la cordillera y denunciaba la tiranía del gobernador, del cura y del terrateniente. Fue libro escandaloso. Hubo protestas, persecuciones. La autora había puesto el dedo en la llaga: al clero y a la oligarquía les dolió. Las novelas que siguieron —*Índole, Herencia*— no ensanchan el lugar que *Aves sin nido* dio a su autora en la historia literaria; pero ese lugar ya es bastante ancho, es el que corresponde a los iniciadores de tendencias; y, en efecto, después de Matto de Turner vendrán los planteos revolucionarios del problema del indio.

Sus *Tradiciones cuzqueñas* (1884-86) carecen de la variedad, imaginación y travesura de las "tradiciones peruanas" de Palma, a quien llamaba "mi maestro".

viii) *Bolivia*

Al primer grupo importante de narradores lo veremos en el próximo capítulo.

ix) *Chile*

Después de Alberto Blest Gana, los primeros narradores importantes que surgen en Chile son, en el orden de nuestra preferencia, Lillo y Orrego Luco. (Acaso debamos mencionar también a Gana.) Son los que abren la marcha de una legión. En los próximos capítulos veremos a los novelistas y cuentistas que seguirán explorando la realidad social chilena: Prado, D'Halmar, Santiván, Edwards Bello, etc.

BALDOMERO LILLO (1867-1923) descuella no sólo por la originalidad de su talento, sino también por la novedad de su tema. Trabajó en un pueblo minero del sur de Chile, y de la observación directa de la miseria y el dolor salieron sus cuentos. Observación directa, sí, aunque la literatura de los naturalistas franceses —especialmente del *Germinal* de Zola— le enseñó a contar y denunciar al mismo tiempo. En los relatos de *Sub Terra* (1904) la prosa, a pesar de ocasionales tropezones con la gramática o de raras caídas en un amaneramiento artístico, avanza eficazmente, con los pasos medidos. Muestra con vigoroso realismo los sufrimientos del trabajador de las minas de carbón. Hay protesta; pero la protesta no se queda en grito, sino que se hace literatura. Del mismo lugar del alma de donde le subía la protesta le subía también su comprensión para el roto, el huaso, el indio: fue esta comprensión, más que la protesta, lo que hizo de Lillo uno de los más efectivos escritores de su tiempo. Pocas veces escribió cuentos de intención humorística: su tono es patético. Sin disimulo mostraba sus sentimientos y buscaba la simpatía del lector, como en "La compuerta número 12", "El pago", "El chiflón del diablo", "Juan Fariña". Los cuentos de *Sub Sole* (1907) fueron más ambiciosos: no por eso fueron mejores. Apenas narra ahora escenas de las minas. En cambio, escribe relatos costumbristas, de ambiente campesino, marítimo, etc. Hay menos sentimentalismo y, en compensación, más buen humor. Y, sobre todo, cultiva un tipo de parábola, de alegoría, de leyenda emparentado con la prosa poética modernista. En las colecciones póstumas —*Relatos populares, El hallazgo y otros cuentos del mar*— es más visible la variedad de sus temas y estados de ánimo.

Los realistas chilenos se dedicaron casi por entero a temas campestres; si se ocupaban de la ciudad la mostraban en relación con el campo. Sin embargo, el primer novelista de esta promoción, Luis Orrego Luco (1866-1949), se destacó en temas de ciudad y, dentro de la ciudad, en temas de las clases sociales más distinguidas y afortunadas. Fue el novelista del rápido crecimiento económico y social de Chile. Con algo, no mucho, del naturalismo francés; con algo, bastante, del naturalismo español, observó la vida de la alta burguesía. No muestra la vida sana, sino las enfermedades morales. Se propuso una vasta serie de "escenas de la vida en Chile". La primera fue *Un idilio nuevo* (1900), que transcurrió en la ciudad de Santiago, en la época contemporánea, en la alta sociedad: su tema es la impotencia del amor y de la honradez ante la fuerza del dinero. En *Casa grande* (1908) —la más famosa de sus novelas— expuso la desavenencia matrimonial en un hogar de campanillas: ese mundo de negocios, fiestas, lujos, neurosis e inmoralidades termina con el marido asesinando a su mujer. Es una novela de costumbres y chismes de salón, la primera en que se analiza el modo de sentir, pensar y actuar del chileno de las clases pudientes. *En familia* (1912), *Tronco herido* (1929), *Playa negra* (1947) son otras tantas incisiones en la carne de la sociedad chilena. Sus novelas componen un ciclo novelístico monocorde y, estilísticamente, desafinado; pero valen como crónicas de la vida chilena. A veces la crónica se hace historia, como en *Memorias de un voluntario de la Patria Vieja* (1905) y *Al través de la tempestad* (1914). FEDERICO GANA (1867-1926) no se limitó a la descripción de costumbres: la enriquece con su emoción, agudeza psicológica y hasta poesía. Sus cuentos de *Días de campo* (1916) —el más cerebrado: "La señora"— son hábiles estampas. Otros chilenos: el costumbrista DANIEL RIQUELME (1857-1912), MANUEL J. ORTIZ (1870-1945), de gran éxito con sus *Cartas de la aldea* (1908) y ALBERTO DEL SOLAR (1860-1921), aunque este último se alejó de su país; en 1888 publicó una novela indianista —*Huincahual*—; pero en 1890 publicó otra realista —*Rastaquouère*— sobre los desengaños de los sudamericanos en París.

x) *Paraguay*

A Barrett lo veremos en el próximo capítulo.

xi) *Uruguay*

De la generación uruguaya que dio sus mejores frutos entre 1895 y 1910 —Rodó, Carlos y María Eugenia Vaz Ferreira, Herrera y Reissig, Florencio Sánchez, Horacio Quiroga— traeremos aquí a dos narradores realistas: Viana y Reyles.

JAVIER DE VIANA (1868-1926) escribió una olvidable novela, *Gaucha*, 1899, que al abultar los defectos con que componía sus cuentos disminuyó las virtudes con que también los componía. Cuentista de garra fue. Y tan abundante que llegó a concebir (él fue quien lo dijo) cuatro en tres horas. Las primeras colecciones indican un mayor esfuerzo de composición: *Campo* (1896), *Gurí y otras novelas* (1901). Después las narraciones se desenvuelven con más prisa: *Macachines* (1910), *Leña seca* (1911), *Yuyos* (1912). Al final Viana fue mecanizando sus procedimientos y produjo varios volúmenes en los que rara vez agrega alguna virtud nueva. Había aprendido a contar —él lo dice— en Zola, Maupassant, Turguenev y Sacher-Masoch. No obstante, su arte es tan espontáneo, tan típico de la conversación, que citar a esos maestros fue una coquetería. Su tema fue la vida del campo: destruyó la imagen romántica del gaucho presentándolo como un animal. Hombres, mujeres, son productos del suelo: la concepción naturalista de la vida era en él tan surgente que cada imagen, cada adjetivo, la saca a luz. Tiende a la anécdota; una pasión, un crimen, un engaño, una escena de guerra civil o de costumbre campesina. Pero a veces envuelve la anécdota con literatura —generalmente paisajista— y entonces se ve que en su biblioteca, en la que hay románticos y realistas, no faltan los modernistas. O sea, que algunos artificios había aprendido en ellos. Pero se inclinaba hacia lo común: la lengua regional, el efectismo de la violencia y la sordidez, la complacencia en formas de vida que tanto el autor como sus lectores creen que están por debajo de ellos. Cultivó el desenlace sorpresivo, no siempre por un vuelco de la situación, sino por un cambio psicológico de los personajes. CARLOS REYLES (1868-1938) es el mayor novelista que ofrece Uruguay en esta generación. Su técnica es la del realismo, y la realidad que noveló con más firmeza fue la del campo uruguayo. Tuvo otros temas: la vida en la ciudad, en Uruguay (*La raza de Caín*, 1900) y en España (*El embrujo de Sevilla*, 1922). Pero el hacendado que era Reyles fue, en definitiva, quien tomó la pluma para escribir, si no las mejores páginas desde un punto de vista estilístico, por lo menos las más duraderas. Ese rico hacendado no tenía simpatías para la gente pobre que trabajaba en sus tierras, pero sabía qué era el trabajo en el campo (*Beba*, 1894, parece a veces un manual de industria agropecuaria) y describía bien costumbres y tipos campesinos. *El gaucho Florido* (1932) es la novela de la estancia uruguaya con "gauchos crudos". Tiene episodios intensos, pero la novela, en conjunto, suele distenderse y aflojar sus virtudes. Novelas psicológicas son también las de Reyles: psicologías mórbidas, un poco al modo de Huysmans —como en *La raza de Caín*— y hasta probablemente tomadas de Proust —como la escena en que Pepe espía los juegos eróticos de dos mujeres en A *batallas de amor... campos de pluma*. Aunque inferior a Viana y a Reyles —siempre dentro de la literatura de temas campestres— podría recordarse a MANUEL BERNÁRDEZ (España-Uruguay; 1868), autor de *Narraciones* donde lo pasable es la descripción y lo rechazable es la declamación.

xii) *Argentina*

En Argentina apareció un grupo de escritores que hicieron de la novela una profesión. El tema, predominantemente social, documenta los trastornos de un país que veía derrumbarse por lo menos el optimismo de las grandes presidencias de Mitre, Sarmiento y Avellaneda. Los procedimientos eran realistas y, en algunos casos, con tesis y problemas abstractos, al modo de los naturalistas. MANUEL T. PODESTÁ (1853-1920), FRANCISCO A. SICARDI (1856-1927), JOSÉ SIXTO ÁLVAREZ "Fray Mocho" (1858-1903), CARLOS MARÍA OCANTOS (1860-1949), MARTÍN GARCÍA MEROU (1862-1905). En la imposibilidad de estudiar a todos —faltan muchos otros nombres— destaquemos unos pocos. MARTINIANO LEGUIZAMÓN (1858-1935) se quedó atrás, con el asunto histórico y la tónica todavía romántica de su novela regionalista *Montaraz*. La acción se sitúa en Entre Ríos, en 1820. Vemos el caudillismo, las montoneras, y una trama sentimental: la conducta heroica del matrero Silva, que defiende dos amores, la mujer y la tierra, hasta morir en la lucha épica, víctima de los desmanes invasores, entre los horrores del incendio y la destrucción. El idilio es débil; fuertes, las descripciones de la vida campesina. Si Leguizamón anda con paso de viejo Miró se adelanta con paso juvenil. JOSÉ MIRÓ (1867-1896), autor bajo el seudónimo de "Julián Martel" de una única novela, *La Bolsa* (1891), era cronista bursátil de *La Nación* y, aunque muchacho de veinticuatro años, conocía el mundo del agio y sus turbios personajes. Tenía frente a los ojos una sociedad agitada: el falso cosmopolitismo y la subversión de viejos valores criollos como consecuencia del aluvión inmigratorio, el ansia de lujo y de ostentación, el parasitismo de los ambiciosos, el oportunismo de los políticos, el contraste entre fortunas amasadas rápidamente y la crónica pobreza de las gentes, el peculado, el vicio... Sus descripciones quieren ser realistas y aun naturalistas, pero la técnica es primitiva, inmadura, burda en la construcción. Al lado de las observaciones directas del ambiente de la bolsa de Buenos Aires (en la novedad de este tema reside el mérito mayor, y tal vez único, de la novela) hay observaciones de segunda mano, como las que le inspira un antisemitismo de evidente origen europeo, pues en Argentina no existía entonces tal "problema". Las intervenciones declamatorias del juicio moral y de las reflexiones políticas dañan la novela. La vida del doctor Glow es el eje novelístico, pero el mecanismo de los negocios está mejor visto que los conflictos humanos. No repujó ni sus personajes ni su prosa. El novelista que con los años gana más y más respeto es ROBERTO J. PAYRÓ (1867-

1928). En crónicas, relatos y dramas desperdigó Payró su concepción paciente, comprensiva, honesta, tolerante y esperanzada de la Argentina en transición. Después de un desbroce de veintitantos volúmenes se nos quedan en las manos *El casamiento de Laucha* (1906), *Pago Chico* (1908), que podríamos fundir con los póstumos "cuentos de Pago Chico", y *Divertidas aventuras del nieto de Juan Moreira* (1910), tres obras estructuradas por un asunto común: los pícaros en la vida argentina. Tienen un aire de familia, como que son vecinos y se conocen entre sí. Pero las tres novelas suponen distintos puntos de enfoque, una desigual voluntad hacia la Argentina y, claro, cristalizan también en maneras diferentes de estilo. Tres obras, tres miras. La del pícaro, la del humorista y la del sociólogo. *El casamiento de Laucha* es la historia de una infamia, de una vileza, de una canallada. Pero Payró trata la picardía del comportamiento de Laucha con la picardía del arte de narrar, es decir, que Payró, por ser tan pícaro en su arte como Laucha en su conducta, ha logrado una novela picaresca donde la visión del narrador no se tiñe con escrúpulos. El mundo que allí rezuma es el mundo tal como lo intuye un pícaro, quien toma la palabra y va discurriendo gozoso de sí y confiado en que no existen valores más legítimos que los suyos. El autor no aparece ni en la lengua escrita: el relato simula ser un monólogo de Laucha. Payró resolvió magistralmente este delicado problema: presentar a Laucha charlando ante una reunión de criollos de modo que el monólogo sea psicológicamente veraz y artísticamente valioso. Novelista, en este y en otros muchos sentidos, ejemplar. Los relatos de *Pago Chico* nos vuelven a evocar la misma realidad apicarada de *El casamiento de Laucha* pero con un importante cambio de perspectiva: Laucha contaba un episodio de su vida, en su habla y con su propia estimativa. En *Pago Chico*, en cambio, los episodios los relata desde fuera un cronista a quien se supone burlón, ajeno al ambiente y documentado con papeles. En *El casamiento de Lau-cha* no había moral cívica: sólo se oía la voz de un tunante sin solidaridad social. Pero en *Pago Chico* está describiendo males un ciudadano ejemplar. Sólo que cuando se puso a evocar el bandolerismo político de la Argentina, el ánimo comprensivo y reformista de Payró impregnó de buen humor las páginas que escribía. Nos dio la visión humorística de un mundo de pícaros. En *Divertidas aventuras del nieto de Juan Moreira*, en cambio, creó a un pícaro con un propósito absolutamente serio. Se trata de la misma realidad social y humana que hemos visto en las obras anteriores. Pero ahora Payró ha construido los esquemas de esa realidad para que la juzguemos. Ha estirado la materia de la novela sobre los ejes de una teoría del progreso de la República Argentina. Novela con soportes teóricos. Es un pícaro quien habla —pues la novela figura ser la autobiografía de Gómez Herrera— pero ese pícaro se va moviendo a lo largo de las líneas de fuerza de la política argentina. Y detrás de Gómez Herrera, siguiéndole los pasos, Payró nos va señalando esas líneas de fuerza porque ahora es eso lo que interesa. La forma del país más que las anécdotas de Gómez Herrera. Payró fue menos afortunado con sus dramas, si bien dignificaron, por la seriedad de sus problemas, el incipiente teatro rioplatense.

2. TEATRO

Los más preocupados —y ocupados— pensadores fueron poetas. Los poetas fueron novelistas. Los novelistas fueron comediógrafos. En realidad, los escritores cultivan muchos géneros a la vez, y por esto es tan difícil clasificar nuestra historia en tipos literarios, a menos que despedacemos a los autores y repartamos esos pedazos en distintos parágrafos, con lo que la claridad aparente del esquema sacrificaría la viva unidad de cada persona. Al hablar del teatro deberíamos, pues, volver a los autores que mencionamos como novelistas. Un caso interesante en que el teatro sale de la novela se dio en el Río de la Plata. Las novelas de EDUARDO GUTIÉRREZ (Argentina; 1853-1890) no fueron notables, pero resultaron notables porque sirvieron al nacimiento del teatro rioplatense. Gutiérrez era un truculento folletinista, uno del montón, que garabateaba páginas con infalible éxito popular. En diez años escribió unas treinta novelas de aventuras, intrigas, violencias y asesinatos. Algunas de ellas eran gauchescas —en la línea del *Martín Fierro*— y encantaron al pueblo con sus malevos de pulpería y sus forajidos que peleaban en la frontera entre la barbarie y la civilización. La más famosa fue *Juan Moreira* (1879), crónica de un matón real que allá por 1870 había puesto su cuchillo al servicio de los caudillos políticos pero que, gracias a Gutiérrez, se convirtió en un héroe, encarnación del coraje y de la protesta contra los abusos de la policía. En 1884 un circo de Buenos Aires pidió a Gutiérrez que adaptase su *Juan Moreira* a una pantomima con cantos, guitarras, danzas, gauchos a caballo y duelos a cuchilladas y balazos. Dos años después el actor Podestá —el mismo que había organizado la pantomima— decidió convertirla en un drama hablado: con diálogos extraídos de Gutiérrez y otros de su propia cosecha Podestá fundaba, en el picadero de un circo de Chivilcoy, un teatro tosco, bárbaro pero original (1886). En seguida siguieron adaptaciones de otras novelas de Gutiérrez, se escribieron nuevas obras y la descendencia de *Juan Moreira* fue vasta. Había antecedentes teatrales, aislados entre sí, generalmente en el papel, no sobre la escena y, de todos modos, sin significación. Pero el teatro popular, como un mundo apretado, estable y continuo de obras, escenario, actores, público, críticos, comenzó en el Río de la Plata con el drama gauchesco. Decimos Río de la Plata porque autores argentinos y uruguayos se confundirán en un mismo movimiento según se verá en otro capítulo.

3. Ensayo

De los pensadores de esta época el más sistemático fue ALEJANDRO KORN (Argentina; 1860-1936). Criticó el positivismo pero con comprensión histórica. Korn se apoyaba preferentemente en Kant pero lo completaba con Schopenhauer, Bergson y otros. En *La libertad creadora* (1920) formuló su filosofía, que desarrolló más adelante. Su interpretación de la ciencia era pragmatista. Su filosofía dejaba la metafísica al fuero íntimo de cada quien y se proponía la indagación del mundo subjetivo. Nos ofreció una doctrina de los valores, de la que se desprendió su ética: una enérgica profundización de la conciencia en la lucha por la libertad. Fue un prosista extraordinario, incisivo, claro, irónico, elegante, y expresivo. En un grupo de ensayistas con doble vocación de pensadores y artistas figuran CARLOS ARTURO TORRES (Colombia; 1867-1911), el autor de *Los ídolos del foro*; CÉSAR ZUMETA (Venezuela; 1860-1955), que malgastó en el periodismo su complejo talento y, siendo más capaz que otros, dejó menos obra; ALBERTO MASFERRER (El Salvador; 1867-1932). Hubo intelectuales de gran influencia en su país, aunque sin obra literaria, como el introductor del positivismo en el Paraguay: CECILIO BÁEZ (1862-1941). Los grandes periodistas del modernismo no siempre eran doradores de estilo, pero en sus páginas, por sencillas que fueran en su lenguaje, recogían el oro de las mejores literaturas. BALDOMERO SANÍN CANO (Colombia; 1861-1957) fue uno de éstos. Su inquieta alma de humanista fue desplegándose como las hojas de un gran diario que registrase todos los temas y noticias de nuestro tiempo. Están todas las secciones, hasta la del buen humor. Y la internacional, pues viajó por muchos países y nos trajo informaciones y comentarios sobre remotas literaturas, anglosajonas, germánicas, escandinavas. Sin contar sus viajes por las bibliotecas y por la amplia casona de su propio espíritu. Fue amigo y mentor de los primeros modernistas, de Silva a Valencia; y no sólo por vivir mucho, sino por comprender bien lo nuevo que le salía al paso, siguió siendo amigo y mentor de los jóvenes y en su ancianidad distinguió con buena vista la fisonomía del superrealismo, del existencialismo o del comunismo de hoy. Su escepticismo era una alerta atención a todos los puntos de vista. La crítica literaria era para él un saber oír lo que cada autor está diciendo. Su prosa articula su pensamiento con la misma contenida energía con que los artistas de su generación articulaban el cuerpo de la belleza: modernista, aunque parezca lo contrario, es, pues, el frío y elegante afán de precisión de Sanín Cano. Coleccionó algunos ensayos en *La civilización manual* (1925), *Indagaciones e imágenes* (1926), *Crítica y arte* (1932), *Ensayos* (1942). Ni siquiera sus memorias —*De mi vida y otras vidas,* 1949— son orgánicas. En *El Humanismo y el progreso del hombre* (1955), recogió ensayos de los últimos veinticinco años (con más frecuencia, de los últimos diez). Prosa habitada, no visitada, por el epigrama (es decir, que el epigrama se mueve espontáneamente por donde quiere, no se aprieta en la sala de recibo).

CAPÍTULO XI

1895 - 1910

[Nacidos de 1870 a 1885]

Marco histórico: Industrialización. Fuerza del capitalismo internacional. Porfirio Díaz en México. La oligarquía liberal en la Argentina. España pierde sus últimas posesiones en América.
Tendencias culturales: Plenitud del "Modernismo".

En el capítulo pasado se vio cómo, desde 1880, aparecieron en toda la América española claros indicios de un cambio en el gusto romántico. En la historia literaria se ha bautizado este cambio con el nombre de Modernismo. Intentemos una caracterización general. El rasgo dominante fue el orgullo de formar parte de una minoría. Tenían un concepto heroico de la vida; pero puesto que las circunstancias sociales y políticas de América habían cambiado, y ya no podían ser héroes de la acción, se convirtieron en héroes del arte. Lo importante era no sucumbir en la mediocridad. Había que desviarse enérgicamente de toda línea media. Cultivaban las formas literarias como valores supremos. Todo podía entrar en esas formas, lo viejo tanto como lo nuevo, pero las formas mismas debían ser provocadoras, desafiantes, sorprendentes. El programa era positivo: levantar, palabra sobre palabra, rascacielos verbales. Y sus polémicas no iban, en verdad, contra el pasado —al contrario: les encantaba el pasado— sino contra el presente, contra un presente burgués de clisés, lugares comunes, perezas y pequeñas satisfacciones. La pasión formalista los llevó al esteticismo y generalmente es este aspecto el que más han estudiado los críticos; pero, con la misma voluntad de formas nuevas, los modernistas hicieron también literatura naturalista, filosófica, política y americanista. Cualquier esfuerzo espiritual les entusiasmaba, siempre que tuviera distinción. Ser distinguido quería decir entrar en cualquier tipo de expresión —aun en los comprometidos con una realidad común, basta, fea, anormal, enfermiza o multitudinaria— y representar allí gustos minoritarios, luciéndose siempre como un artista. Que los modernistas acogieran todas las incitaciones nuevas, estéticas o no, confunde el panorama. Por eso, para poder deslindar el modernismo, conviene cortar cerca de su centro estetizante. De ese modo estamos seguros que nos quedamos con el modernismo. Es lo que vamos a hacer. Sin embargo, insistimos en que parte de lo que ha de quedar fuera de ese deslinde también es modernista. Mucha literatura naturalista, criollista, indigenista es modernista, y si no se le considera como tal es porque, por sus temas, se confunde con el realismo no-modernista. En otras palabras, el modernismo fue una tónica literaria, no una temática.

Los modernistas aprendieron a escribir observando lo que el romanticismo tenía de elegante, no lo que tenía de apasionado. Pero fue el parnasismo francés la escuela donde los hispanoamericanos aprendieron a anhelar la perfección de la forma. Cuando ya los modernistas, con Rubén Darío a la cabeza, avanzaban triunfantes por las letras hispánicas, se enteraron de los triunfos que el simbolismo tenía en Francia en esos mismos años y, sobre la marcha, agregaron a sus maneras parnasianas, ricas en visión, las maneras simbolistas ricas en musicalidad. Tanto en el verso como en la prosa ensayaron procedimientos novísimos. Ante todo, una portentosa renovación rítmica. Además de los ritmos de la lengua, los de la sensibilidad y el pensamiento. Cultivaron juegos de sinestesias, evocaciones helenísticas, el rococó del siglo XVIII, japonesismos y chinerías y símbolos de aristocracia, como el cisne o la flor de lis, colecciones de objetos preciosos, museos de arte, cromatismos impresionistas, refinamientos nerviosos, filosofías antiburguesas, crisis morales, rebeliones políticas, miniaturas de prosa poemática... El Modernismo fue un movimiento de toda Hispanoamérica, pero seguirlo paso a paso es difícil. ¿Dónde y cuándo se encendió la primera lámpara modernista? ¿A lo largo de qué líneas nacionales se fue iluminando toda América con la estética modernista? A veces es un poeta humildísimo quien lanza una primicia, pero no vale la pena detenerse ahí, sino ver qué es lo que el poeta que se apoderó de ella supo hacer. Maestros insignificantes, ya se sabe, suelen quedar oscurecidos por sus propios discípulos. En cada país el modernismo tuvo un ritmo peculiar, y no siempre un poeta que ha nacido ahí es índice del gusto nacional, sea porque es un solitario o porque es un viajero perpetuo. Quizá Argentina y México sean los países donde el modernismo se dio en grupos más compactos, de actividad sostenida en todos los géneros, desde la primera hora, en los 1880 y tantos, hasta su liquidación definitiva en los años de la primera Guerra Mundial. Los otros países participaron en el modernismo de modo desigual e intermitente. A falta de mejor plan, seguiremos éste. Primero estudiaremos los modernistas que se destacaron más en el verso que en la prosa. Comenzaremos con Rubén Darío, el mayor de todos. Cada vez que iluminemos una de estas grandes figuras aprovecharemos para mirar de paso las otras menores que están a su alrededor. De este modo se verán los grupos nacionales. Aunque nos limitemos a enumerar poetas sin poder estudiarlos individualmente, el lector debe comprender que eso no es un mero catálogo, sino más bien una atmósfera: esos cúmulos, después de todo, pertenecen a la nubología literaria y contribuyen al paisaje. Después pasaremos a los modernistas que se destacaron más en la prosa que en el verso: sólo que, antes de hacerlo, tendremos que completar el panorama del verso refiriéndose a los poetas no modernistas o escasamente modernistas. Del mismo modo, cuando terminemos de pasar revista a los prosistas del modernismo dedicare-

mos las últimas páginas de este capítulo a los no-mo-
dernistas. El teatro y el ensayo irán al final.

A. PRINCIPALMENTE VERSO

I. POETAS MODERNISTAS

Rubén Darío

Y ahora RUBÉN DARÍO (Nicaragua; 1867-1916). En
la América española, donde siempre las sucesivas olas
literarias europeas vinieron a mezclarse, los jóvenes
leían a los parnasianos —y años después a los decadentes— sin soltar de la mano a Víctor Hugo. Rubén
Darío ha admitido que la amistad con el salvadoreño
Gavidia, desde 1882, lo acercó a Hugo y a los modelos
parnasianos. De esta época es su estudio de invenciones poéticas francesas. Lee e imita a Gautier, Coppée
y Mendès. Iluminadas con estos focos, adquieren un
brillo precursor muchas de sus composiciones centro-
americanas. A mediados de 1886 Rubén Darío llegó a
Chile y se sintió deslumbrado porque Valparaíso y Santiago eran las primeras ciudades importantes que veía,
prósperas y con ciertas pretensiones europeas. Los
poetas de la primera y aun de la segunda generación
romántica no habían tenido una experiencia real, inmediata, del lujo: Rubén Darío y sus coetáneos la tendrán. En Chile continuó informándose sobre las primicias literarias francesas. Pero a pesar de sus preferencias
por la poesía parnasiana escribió en la manera tradicional *Abrojos*, *Rimas* y *Canto épico* (1887). Simultá-
neamente escribió *Azul...* (1888) donde innovó más
en los cuentos y prosas poemáticas que en los versos.
Saltó a un alto nivel de prosa; en cambio, caminó len-
tamente hacia los versos exquisitos que admiraba de
lejos. Y mientras caminaba miraba a uno y otro lado,
eligiendo amigos. Sintiéndose rodeado y viendo a todo
el grupo en marcha, lanzó una segunda edición de

Azul. . . (1890), aumentada con versos y prosas. Una comparación entre ambas ediciones prueba los adelantos del no-conformismo de Darío. Sus versos, ahora, están señalados por los principios de pureza artística que antes sólo se atrevió a expresar en prosa. Parece haber comprendido que su papel era adelantarse a otros en la modernización del verso español; y, sin renunciar a sus viejas maneras, ya no se distrajo. Sólo le faltaba tantear el ambiente de España. Partió para allí en 1892. En dos meses echó un vistazo sobre la España literaria y confirmó que la reforma era necesaria. Al llegar en 1893 a Buenos Aires, Rubén Darío se encontró con una inquietud literaria parnasiana y decadente. Más talentoso que los poetas jóvenes de Buenos Aires ya iniciados en el parnaso francés, Darío se dejó rodear y pronto es aclamado cabecilla. Fue entonces cuando decidió explicarse con cánones teóricos: de 1896 son sus artículos *Los raros*, las "palabras preliminares" de *Prosas profanas* y "Los colores del estandarte". Rubén Darío había observado desde sus años de Centroamérica que nuevos poetas estaban haciéndose oír. Ahora sospechó que esas voces americanas se alzaban sobre el coro de poetas de España; y empezó a sentir el orgullo de una generación americana independiente: "los jóvenes han encendido la revolución actual". Pero esa revolución no tenía nombre. Poco a poco fue insinuándose el de "modernismo". Rimbaud había dicho: "Il faut être absolument moderne." La palabra "moderno" venía del latín; aun la palabra "modernismo" se había usado. Pero ahora "modernos", "modernistas" andan por el aire de América y de España mezclados con "parnasianos", "simbolistas", "decadentes", "estetas", "nuevos", "reformistas", "ultrarreformistas". . . Darío se decide por la palabra "modernismo" y la convierte en el nombre del movimiento juvenil y del aporte de América a la revolución artística en lengua española. Uno de los méritos más altos de Rubén Darío es el de haber incitado a cada poeta a abordar sus propios proble-

mas formales y a resolverlos artísticamente. No estaba
solo. Pero Darío resaltó entre todos, no sólo por la
mayor fuerza de su genio, sino también porque de
pronto se propuso un programa. Buscó invenciones en
la literatura de su tiempo; y hasta las rebuscó en la vieja poesía española. Tuvo conciencia del oficio de poetizar; y sistemáticamente se puso a perfeccionar todos
los procedimientos no trillados. Este afán de perfección verbal es lo permanente en su obra. Por eso, en
último análisis, es esa voluntad de estilo lo que define
su "modernismo", fundición y aleación de todos los
"ismos" de la época. En 1896, al publicar *Prosas profanas*, debió de sentir sobre sí toda la responsabilidad
del nuevo movimiento. Martí, Gutiérrez Nájera, Casal,
Silva, todos acababan de morir prematuramente. Otros,
de más edad que él, que marchaban hacia el mismo
sitio por caminos separados (Díaz Mirón, Leopoldo
Díaz), se desviaron para juntársele. Pero los coetáneos
o los más jóvenes lo rodearon (Lugones, Nervo) y se
formó así la llamada "segunda generación modernista". Rubén Darío sabía lo que esperaban de él; y se
puso a alterar la poética de la lengua española. *Prosas
profanas* sonaron escandalosas desde el título. Con un
perfecto sentido musical Darío ensayó toda clase de
tipos de verso y de ritmos. En su reforma predomina-
ba la versificación regular (después de 1920 es cuando
se desata el torrente de versos amétricos en América);
y hasta tuvo la timidez de no atreverse a "las peligrosas
tentaciones del versolibrismo". Pero sus invenciones y
restauraciones —combinaciones métricas, cambios de
acentuación, rimas interiores, inesperados choques y
dislocaciones de sonidos, esquemas libres, asimetría de
estrofas, asonancias, consonancias y disonancias en juegos rápidos, prosa rítmica, audaces quebrantamientos
de la unidad sonoro-semántica del verso, etc.— modu-
laron deliciosamente la prosodia de nuestra lengua.
Gran parte de tanto alarde técnico se inspiraba en las
tendencias francesas hacia el verso libre. El mismo

Darío ha confesado algunas dudas en sus procedimientos de versificación. Pero leyendo las fuentes señaladas por él o por sus críticos uno admira su autonomía. *Prosas profanas* no es una mera colección de poemas: es un poemario con alma, con gesto, con rostro. París —un París ideal— fue el boquete por donde Darío se escapaba de América. Y al otro lado disfrutaba —arte por el arte— de un nuevo mundo de objetos. La Francia de Banville y de Verlaine, la Francia del siglo XVIII, la Francia de la mitología y los orientalismos, la Francia rococó. Y hasta en las evocaciones del campo argentino y del campo español hay un espejo deformante, fabricado en París. En Rubén Darío el sentimiento aristocrático, desdeñoso para la realidad de su tiempo, se objetiva en una poesía exótica, cosmopolita, reminiscente de arte y nostálgica de épocas históricas. Algunas composiciones perciben más lo exótico, otras lo cosmopolita, otras los bienes ya realizados en artes plásticas o musicales, otras el prestigio de Grecia, Roma, la Edad Media, la Francia del siglo XVIII; pero en cada una de ellas resuenan las demás. Y esta unidad se nos muestra con distintos temples sentimentales: *1)* El tono frívolo. La elegancia, los juegos, las "risas y desvíos", las danzas son manifestaciones de un culto al arte puro; pero ese esteticismo que considera el arte como superior a la vida implica una voluntad seria, difícil y casi religiosa de expresión honrada. La frivolidad se ha convertido en un austero ideal poético. *2)* El tono hedonista. Fiestas, vinos, paseos, besos, flirt, contemplación de formas bellas y de movimientos gráciles, todo indica que Darío, en un acto mental deliberado, ha instituido el placer como fin de la vida. *3)* El tono erótico. De todas sus experiencias de placer, la experiencia erótica fue la más poderosa, orgánica, profunda, permanente. *4)* El tono reflexivo. Aunque las poesías de *Prosas profanas* resbalan por una cultura esteticista, el poeta suele asomarse a su interior y pensar en qué es la vida. Este tono reflexivo de sus poesías irá agudizándose con los años. Cuando años después surgió en España una nueva generación (se llama del "98") Rubén Darío supo que todos, en frío o con fervor, admiraban su maestría. Unos acompasan sus pasos a los pasos de él (Salvador Rueda); otros no se suman a la procesión, pero la miran pasar con respeto (Antonio Machado) o a regañadientes (Unamuno); están los entusiastas (Villaespesa, Valle Inclán); y no faltan los más jóvenes, que llevarán el estandarte hasta una poesía de puras esencias (Juan Ramón Jiménez). Seguro de su importancia, en América y en España, Darío abre los ojos hacia dentro, ahonda su poesía. Había en él un virtuoso que, para lucirse, prefería ofrecer novedad y no originalidad; y también un intuitivo capaz de poetizar sus visiones directas. El virtuosismo de *Prosas profanas* fue imitado porque se podía imitar; eran temas y procedimientos lo bastante intelectuales para que sirvieran de estímulo a una escuela. Su mester tuvo secuaces. Pero, después de *Prosas profanas,* Darío escribió poesías de timbre emocional que ya no se pueden desarrollar como ejercicios retóricos porque brotan de una manera peculiar de padecer el mundo. El Rubén Darío de los *Cantos de vida y esperanza* (1905) es el mismo que el de las *Prosas*. Ante todo, la misma prestancia aristocrática. Pero en los *Cantos* presenciamos la crisis del esteticismo de *Prosas.* Bajan las luces de las lámparas preciosas, encendidas en Francia; y suben las llamas de un fuego interior. No hay rompimiento con el pasado, sino un cambio en la escala de valores. Es como un comienzo de Otoño. Es todavía evidente la evasión aristocrática de la realidad que vimos en *Prosas*. Otra dirección en los *Cantos* es la vuelta a la preocupación social. Reaparecen —pero con las virtudes de un estilo soberbio— las actitudes de Darío anteriores a *Azul. . .* : la política, el amor a España, la conciencia de la América española, el recelo a los Estados Unidos, normas morales. La tercera dirección del libro la más intacta, es la que va hacia un saber de la vida: el poeta se inclina reflexivo sobre su propia existencia y pregunta qué es el arte, qué es el placer, qué es el amor, qué es el tiempo, qué es la vida, qué es la muerte, qué es la religión.

El arte es una aventura en lo absoluto: es casi un modo místico de conocimiento. Y el artista, un héroe, un semidiós doliente en su soledad.

El placer tiene un pregusto a muerte.

El amor duele porque, visto a la luz de una filosofía de la vida, huye mientras gozamos la carne y, persiguiéndolo, envejecemos y morimos.

El tiempo nos desdobla, y contemplamos la imagen de nuestra propia vida como si, desde la barca, le estuviéramos diciendo adiós.

La vida es un amargo misterio de fracaso y sinsentido. Está perdido quien lo interroga: el querer saber qué somos y por qué vivimos nos angustia en vano.

La muerte quizá sea la única respuesta al secreto de la vida: vivimos en medio del camino de la muerte.

La religión es estremecimiento ante algo terrible que nos abruma con su poder. No da paz ni consuelo ni seguridad. Es solamente una luz, más allá de esta borrasca en que agonizamos, a la que no sabemos cómo llegar.

Cantos de vida y esperanza, el mejor libro de Rubén Darío. Después escribirá poesías aún mejores pero no libros que, en tanto libros, lo superen: *El canto errante* (1907), *Poema del otoño y otros poemas* (1910), *Canto a la Argentina y otros poemas* (1914). Muchas de las poesías que quedaron dispersas en los periódicos, o en libros ajenos, o inéditas, merecían haber ascendido al Olimpo de los libros organizados por el mismo Darío. Las hay excelentes. Rubén Darío dejó la poesía diferente de como la había encontrado: en esto, como Garcilaso, Fray Luis de León, San Juan de la Cruz, Lope, Góngora y Bécquer. Sus cambios formales fueron inmediatamente apreciados. Pero no sólo fue un maestro del ritmo. Con incomparable elegancia poétizó el gozo de vivir y el terror de la muerte. La transformación de la prosa castellana que llevó a cabo Rubén Darío fue gemela a la del verso, aunque menos genial. Ya hemos hablado de los cuentos y poemas en prosa de *Azul...* Rubén Darío los superó con otros cuentos, con otros poemas en prosa, coleccionados en varios libros póstumos. Y sobre todo en su prosa no narrativa y no deliberadamente poemática es donde está lo más viviente de su calidad de prosista: *Los raros* (1896), *Peregrinaciones* (1901), *La caravana pasa* (1902), *Tierras solares* (1904). Prosa fragmentaria, ocasional y sin embargo enérgicamente victoriosa sobre el lugar común.

Centroamérica

Nicaragua. Aunque de aquí salió Darío, no hubo en este país un grupo granado que promoviera las tendencias modernistas. SANTIAGO ARGÜELLO (1872-1942) fue el único poeta mencionable: *Ojo y alma*, 1908. Era alambicado, con afición a lo esotérico, aunque a veces poetizó el campo patrio y escribió cantos civiles. Hizo teatro y dejó, en prosa, páginas útiles para la historia del modernismo. Ajenos a la influencia de Darío se mantuvieron JUAN DE DIOS VANEGAS (1873) y ANTONIO MEDRANO (1881-1928); y más aún SALVADOR SACASA S. (1881-1937). En la primera promoción de poetas que vieron el esplendor de Rubén Darío —aunque no participaron de él— vamos a aupar a JOSÉ ÁNGEL SALGADO (1884-1908), JOSÉ TEODORO OLIVARES (1880-1942) y SOLÓN ARGÜELLO (1880-1920).

El Salvador. En realidad no hubo grupos modernistas de tomo y lomo en ninguno de los países centroamericanos. Mencionamos ya a FRANCISCO GAVIDIA (1864-1955), quien fue maestro de Darío: con él se introduce en el modernismo la nueva acentuación del alejandrino y la adaptación al castellano del hexámetro griego. De sus lecturas francesas, de sus traducciones, de "El idilio de la selva" (1882) y de sus *Versos* (1884) sale la incitación a reformar la métrica. Su tónica, sin embargo, fue romántica, tanto en su poesía como en sus dramas en verso. ALBERTO MASFERRER (1867-1932) fue una personalidad interesante, pero, a pesar de sus poesías y poemas en prosa, se destacó más en la prosa de ideas.

Guatemala. Las poesías modernistas de MÁXIMO SOTO HALL (1871-1944) son menos recordadas que sus novelas.

Costa Rica. Apenas si podemos nombrar genuinos modernistas (no lo fue LISÍMACO CHAVARRÍA, 1878-1913), con la excepción de ROBERTO BRENES MESÉN (1874-1947), la personalidad más combatiente de su país, por la inquietud que comunicó a su ambiente. Había comenzado como positivista, pero acabó como teósofo. Y, en su docena de libros de versos —a partir de *En el silencio*, 1907—, fue dando a su lirismo una carga cada vez mayor de intuiciones de tipo filosófico. Escribió prosa poética (además de novela, de ensayos literarios y filosóficos y de tratados didácticos).

Honduras. JUAN RAMÓN MOLINA (1875-1908) fue de los que nacieron a la poesía bajo el signo de Rubén Darío. Sus temas, aun sus palabras, eran las del repertorio modernista. Era un torturado —su pesimismo lo llevará al suicidio—, y comunicó a sus poesías un tono personal, inconfundible. Su lirismo fue variado en sus tonos: opulento en "Pesca de sirenas", elocuente en "El águila", descriptivo en "Canto al Río Grande", elegiaco en "A una muerta", angustiado en "Madre Melancolía". Aunque buscaba tesoneramente la perfección de la forma, no era un mero artífice. Leyó mucho —literatura, filosofía, aun ciencias— y su visión de la vida fue compleja. Era un egotista, un amargado, hastiado de la vida. Al escribir en prosa se esforzaba en lograr un estilo pulcro y elegante, por muy sórdida que fuera la realidad que describiera, como se puede ver en el cuento "El chele". También hondureños son Luis Andrés Zúñiga (1878), autor teatral, fabulista y poeta de vena pesimista; Julián López Pineda (1882-1958), J. J. Reina (1876-1919) y Augusto C. Coello (1884-1941).

Panamá. En este país (unido a Colombia de 1823 a 1903, y después república independiente) la presencia de Darío en 1892 dio ánimo a un grupo juvenil: Darío Herrera (1870-1914), a quien veremos entre los prosistas, León A. Soto (1874-1902), Adolfo García (1872-1900), Simón Rivas (1868-1915), Guillermo Andreve (1879-1940) y otros.

Argentina: Lugones y Carriego

Al salir de la América Central, pues, Rubén Darío la dejó desierta. Por el contrario, al ir a Buenos Aires, se vio rodeado por una muchedumbre modernista. La Argentina ofrece una situación diferente a la de las naciones hermanas. Allí hubo una generación bien enterada de las novedades europeas antes que llegara Darío: la hemos visto en capítulos anteriores. Y cuando otros países empiecen a hacerse modernistas, de la Argentina —centro de intenso modernismo— saldrá la primera generación de escritores que se purifican en una sencillez nueva: los veremos en el capítulo próximo. En Buenos Aires tuvo Darío su gran escuela, y aun muchos de los que no concurrían a ella estaban atentos a lo que allí se hacía. Hasta se dieron casos de poetas de más edad, que habían comenzado independientes de Darío y lo admiraron y emularon. (No sólo en la Argentina: ya mencionamos antes el caso del mexicano Díaz Mirón.) Uno de estos casos fue, como se recordará, el de Leopoldo Díaz. Entre los poetas argentinos de esta generación que rodearon a Darío en Buenos Aires y formaron un grupo modernista habría que mencionar a Eugenio Díaz Romero (1877-1927), Diego Fernández Espiro (1870-1912), Carlos Ortiz (1870-1910), Martín Goycoechea Menéndez

(1877-1906), Pedro J. Naón y otros que por desta-
carse en otros géneros (como Enrique Larreta) aparecerán más adelante. Pero, naturalmente, el poeta fue
Leopoldo Lugones (1874-1938), que trajo a la poesía
de América aportes no menos valiosos que los de Rubén Darío. Fue, como Darío, un extraordinario gimnasta verbal. Exploró nuevos territorios. Y tanta fue
su fuerza combativa que aun sus credos combatían entre sí. Al principio, combate entre sus credos políticos
y sus credos estéticos. Después su fuerza combativa lo
llevó a otros dilemas, conflictos, apostasías. El anarquista de la primera hora acabó como fascista. Pero
aun en su versatilidad, que fue mucha, se reconoce el
fondo de su carácter. Tenía, para decirlo en sus propias palabras, "la flexible unidad de la corriente / que
como va corriendo, / va cambiando". Lugones reunió
todo. Más tarde la mano de poesía argentina se abre,
y los dedos indicarán rumbos diferentes a las sucesivas
generaciones. En algunos de esos rumbos se especializa-
rán, a veces ventajosamente, otros poetas menores; sólo
que, después de Lugones, no se volvió a dar otro poeta que, como él, apretara toda la poesía en un puño.
Queda como el más caudaloso y renovador; y su evalua-
ción es difícil porque cada época elige el Lugones que le
conviene. Sus *Montañas del oro* fueron demasiado difíciles para los imitadores, pero *Los crepúsculos del jardín*,
el *Lunario sentimental* y los *Romances de Río Seco* fueron tres talleres de aprendizaje para tres generaciones
sucesivas. Sin embargo, hay en Lugones algo no logrado.
Su intensidad vital, su riqueza de percepciones, su frescura de intuición poética —todo en grado excepcional—
cedieron a la vanidad, casi deportiva, de lucirse con palabras, formas y técnicas. Quería asombrar. Asombró
exagerando su virtuosismo. Él, que tanto había sentido
y vivido, prefirió que lo vieran en postura de atleta.
Las montañas de oro (1897), *Los crepúsculos del jardín* (1905) y *Lunario sentimental* (1909) fueron alar-
des. Desde *Odas seculares* (1910) parece que va a

encontrarse a sí mismo como poeta argentino; y, en efecto, lo que le sigue —*El libro fiel*, 1912; *El libro de los paisajes*, 1917; *Las horas doradas*, 1922; *Romancero*, 1924; *Poemas solariegos*, 1927; y *Romances de Río Seco*, 1938— dibuja la espiral de su talento, uno de los mayores de América. Veamos cómo esa espiral lírica va abriéndose, con curvas ascendentes y descendentes. El Lugones de *Las montañas del oro* estaba a la izquierda del modernismo. Al lado de esas sensaciones, metáforas e ideas revueltas en una tempestad de complicaciones sintácticas hasta el Rubén Darío de *Prosas profanas* debió de parecer entonces más sencillo. El lirismo era en ese libro menor a los espasmos retóricos. Lugones castigaba como un bárbaro los anárquicos caballos de la poesía —ya algo cansados de tanto correr, de Hugo a los últimos "raros"—. Con un pandemónium de bellas pero chocantes imágenes incitaba a la revolución de los estilos. Y reclamaba, además, el papel de pensador y de profeta. Lo que él conocía mejor era el cielo y la sierra de su provincia, pero un poeta canta lo que sus ojos espirituales eligen, no lo que los ojos físicos han mirado, y Lugones quiso orquestar lo que conocía menos: la literatura decadente, de parnasianos foráneos y locales. En *Los crepúsculos del jardín* aquella voz estentórea se hace meliflua. Lugones domina ahora el arte de asociar metáforas delicadamente. En dos o tres poemas se animó a trasladar al español el verso libre parisiense, pero en conjunto son metros de maestría clásica los que dominan. Versos magistrales, pero sin resonancia íntima. Frívola gracia, frío primor, aristocráticas maneras de pintar un paisaje, de refinar una forma. Pero ni siquiera el tema erótico convence como realmente vivido. Sus galanterías se quedan en la estampa decorativa: también en esto, inferior a Darío. Pasó de las inmensas montañas a los jardines de miniatura como quien cambia de instrumento para probar que es talentoso y también puede competir con Samain y Compañía. Su lirismo era cerebral, sus amores eran fingidos. Son poesías que cumplen con las convenciones del programa colorista, impresionista, del Modernismo. Eso sí, lo cumplen con excelencia (como en "El solterón"). La busca de artificios lo llevó años después a la selenografía: todo un libro dedicado a la luna, "especie de venganza con que sueño casi desde la niñez siempre que me veo acometido por la vida". Así creció el *Lunario sentimental,* vivero donde se han trasplantado desde la almáciga simbolista arbolillos de Moréas, Samain, Laforgue ¡sobre todo Laforgue! y, una vez recriados, se trasponen a toda la poesía nueva del continente. Es el libro de Lugones que más influencia ha tenido. Sus metáforas fueron reproducidas a veces facsimilarmente por poetas de América y de España. Originalidad rebuscada, acrobacia en los conceptos y en los ritmos, humorismo que con un rápido trazo anima caricaturescamente las cosas inanimadas, arte deshumanizado, como se le llamará después de la primera guerra mundial. Su "Himno a la luna" nació para las antologías. No se había visto en nuestra literatura una fiesta así, en que le salieran a la imaginación ojos tan portentosos. Cada metáfora, un ojo. Los jóvenes de la vanguardia de posguerra, que rechazaron el culto de Lugones a la rima, lo siguieron en este culto a la metáfora. Con estos caprichos, desenfados, proezas, inusitadas poetizaciones de lo prosaico, ingeniosidades, absurdeces, payasadas con palabras científicas, plebeyas e inventadas se cierra el ciclo virtuosista de la poesía de Lugones (si bien el *Lunario* permanece apartadizo, como libro único). Los lectores que siempre están pidiendo a un poeta sus credenciales (una lírica biográfica, una épica patriótica) dirán que el mejor Lugones es el del ciclo abierto por *Odas seculares* (y, si son nacionalistas, llegarán a decir que esas *Odas* son el mejor libro de Lugones). Se celebraba el centenario de la Revolución de Mayo, que inició la Independencia; y Lugones quiso rendir su homenaje a la Argentina. Forzó su estro y mucha página fracasó. Así y todo las *Odas seculares* son felices, optimistas y vitales. Lugones salió de su cámara interior, tan bien tapizada por los franceses, y jovialmente se asomó a los campos y poblaciones. Abandonó la pirotecnia del *Lunario* y se recostó en las tradiciones clásicas, de Virgilio a Andrés Bello. Atravesó, con flechas de luz, los objetos de la realidad argentina, aun los más ordinarios; y dio a su canto polifónico el dinamismo de narraciones incoadas, de esquemas de acción como el del comisario y la hija del gringo en "A los ganados y las mieses". La emoción de sentirse miembro de una gran familia, el recuerdo de las gestas heroicas, el amor a cada cosa, la esperanza, el desparramo de energía creadora agudizan su capacidad de observación. Entre el *preludium* de las *Odas seculares* y el *postludium* de los *Romances de Río Seco* están los interludios de cinco libros. En *El libro fiel* el amor y la naturaleza son los temas dominantes. Sobre todo el del amor, ahora amor verdadero. Sólo que Lugones, aunque hombre erótico, no era poeta erótico. Canta el matrimonio más que el amor, la brasa y la ceniza más que la llamarada. Va a lo adjetivo: la familia. Lo sustantivo hubiera sido la pareja enamorada. Lugones tenía cierta dureza. Le faltaba ternura, pasión. Sin embargo, "La blanca soledad", "El canto de la angustia" son de entonado lirismo personal. El tema de la naturaleza fue más patente en *El libro de los paisajes*. Su ortodoxia poética (ritmos y estrofas tradicionales y la supeditación de la poesía a la rima) lo hace monótono pero los chorros líricos, sinceros, cambiantes suben libremente. El "Salmo pluvial" bastaría para hacernos respetar su fuerza imaginativa; y conste que no es único. Las elegancias de parnasianos y simbolistas todavía le encantan; pero Lugones, sin dejar de ser elegante, se pone a mirar directamente el movimiento de los reinos naturales que su tierra le ofrece. En *Las horas doradas* el lirismo está entretejido con la reflexión: la hebra lírica es la más viva (véase "El infinito"). Pero aun ese original lirismo parece menos potente que su don descriptivo y épico. Las estampas (no faltan las del rococó ni las japonesas) corresponden a maneras modernistas del 1900, pero los pensamientos de dicha, dolor, moral, muerte, ansia y angustia son personales. Las composiciones del *Romancero* no son todas romances, pero en general se oye más la voz tradicional de España y América que la de Francia. Aparece lo popular, lo castizo, lo hondo y común del hombre. Lugones siente que su canto es eco del canto de los otros hombres. Este salirse de sí mismo y enderezar hacia la realidad de todos se acentúa en *Poemas solariegos*. Aquí la espiral empieza a subir (y culminará en los *Romances de Río Seco*). Lugones se quita los postizos, ahonda en su propia nostalgia, vuelve a las emociones de su adolescencia en Córdoba, limita su campo para gobernar mejor sus antiguos impulsos de evasión. Su austeridad, casi seca de tan telúrica, renuncia a cuanto no sea tradición, nacional o familiar. En una de sus mejores composiciones, "El canto", se define: "Porque no soy más que un eco / del canto natal que traigo aquí." En los *Romances de Río Seco* su voluntad de despersonalizarse, de que no se le distinga ni la voz ni el ademán, de sumirse en el pueblo anónimo, de despojarse de toda gala literaria y dar salida a su amor al país y a los temas colectivos —fe, amor, coraje, etc.— llega al extremo de lo posible. Un poco más y se iba de la poesía. Lugones presentía su agotamiento, su fracaso, y hay una nota de resentimiento en este curarse en salud: "Acaso alguno desdeñe / por lo criollo mis relatos. / Esto no es para extranjeros, / cajetillas ni pazguatos." Estos *Romances de Río Seco* han surgido sin embargo de una gran tensión interior. Tensión opuesta a la del *Lunario* (su otro gran libro), pero no menos ambiciosa. Su prosa no fue tan eximia como su poesía. Gran técnico de la prosa, no gran prosista. Su maestría en el uso de una lengua enriquecida a fuerza de estudio y reflexión no estaba acompañada por una maestría en las ideas. Por eso dejamos de lado —sin negar sus méritos— lo que no es literatura pura: ensayos biográficos, históricos, etnográficos, filosóficos, didácticos, políticos y filológicos. Lo que sí tenía era sensibilidad e imaginación, felices sobre todo en metáforas ópticas. Es decir, que al leer su prosa uno desea volver a sus versos. Aun en *La guerra gaucha* (1905) hay pirotecnia de poeta. Son veintidós relatos históricos de las luchas por la independencia, que introdujeron en la literatura argentina el norte montañés. Masas anónimas, no caudillos: a Güemes se le alude sólo al final. Puede que el modelo haya sido *La legende de l'aigle* de Georges d'Esparbès. Lo cierto es que, trabajando en la lengua con algo de la energía barroca de Quevedo, pero en medio del taller de la literatura moderna que había establecido el Modernismo (taller de preciosismo y también de naturalismo). Lugones creó un estilo brutal, rebuscado, denso al que, años después, Valle-Inclán llamará "esperpéntico". Lo descriptivo se monta sobre los hombros de la narración y la obliga con su peso a una marcha lenta. Eso sí: las descripciones —con gran riqueza de efectos impresionistas— tienen su propio movimiento de sensaciones. Cuando la acción de los episodios parece detenerse, lo que echa a correr es la sensibilidad y la imaginación del poeta encaramado sobre el narrador. Que nadie se equivoque: tenía talento de narrador, como lo probó en *Las fuerzas extrañas* (1906) y *Cuentos fatales* (1924). El primero son cuentos breves, algunos admirables como "La lluvia de fuego", "Los caballos de Abdera" e "Izur". Sus cuentos fantásticos se inspiran en un vago misticismo oriental, en mitos clásicos y en hechos seudocientíficos. En los *Cuentos fatales* también hay magia, superstición, truculencia, metamorfosis. No logró *El Ángel de la Sombra* (1926), novela de una pasión imposible, con personajes que más que vivir se mueven con los resortes de una fatalidad antinovelesca. Hasta su trágico fin —se suicidó—, buscó nuevas formas de expresión.

Lugones había marcado para la Argentina el auge modernista en 1905, con *Los crepúsculos del jardín*. Después, como se verá en el próximo capítulo, los poetas de la generación de Fernández Moreno serán menos desafiantes. Pero ya que Lugones nos ha traído a la Argentina rodeemos su nombre con otros de los que nacieron entre 1870 y 1885. Muchos fueron todavía románticos, preocupados por filosofías sociales o atentos a lo sentimental: RICARDO ROJAS (1882-1957), ERNESTO MARIO BARREDA (1883-1958), MARIO BRAVO (1882-1944) y, sobre todo, Carriego. En la reacción antipreciosista uno de los poetas argentinos que fueron más lejos es EVARISTO CARRIEGO (1883-1912), de tierna musa de arrabal, sentimental y trivial. Después de *Misas herejes* (1908) esa musa de Carriego abandonó sus alambicamientos, oscuridades, neologismos, decadentismos y cultivó una poesía con algo de tango, pero honda. *El alma del suburbio* (1913) fue el título del libro póstumo en que se recogieron las composiciones de esta época. Estas escenas familiares, de emoción sencilla, sincera, penetrante son las que más se recuerdan: "La costurerita que dio aquel mal paso", "La silla que ahora nadie ocupa", "Has vuelto". Era un criollo de esos barrios por los que la ciudad se pierde en despoblados y quintas. Carriego, por cantar a un mundo orillero, de obreros, gentes de avería y muchachas enamoradas, y por cantar con mucho sentimiento y aun con lágrimas, gustó a sus lectores y ha quedado en la memoria de su pueblo. También en la memoria de poetas más jóvenes, como Raúl González Tuñón y Nicolás Olivari. Ya completamente fuera del modernismo se colocó MIGUEL A. CAMINO (1877-1949). Con sus *Chacayaleras* (1921) inició una poesía regional (su región era Neuquén, en la cordillera del sur) en la que se oyen voces rústicas y se ven escenas de la vida popular. El tema de su poesía ha sido bien definido por el título que dio a la recopilación de su obra: *El paisaje, el hombre y su canción* (1938).

Bolivia: Jaimes Freyre

RICARDO JAIMES FREYRE (Bolivia; 1868-1933) fue amigo de Rubén Darío y de Leopoldo Lugones y participó con ellos en la condenación de la rutina poética y en el denunciamiento de nuevos filones. Su primer libro —*Castalia bárbara*, 1897— fue un laboratorio experimental de ritmos. El ritmo por el ritmo. Combinaba los versos con tal libertad que su nombre ha quedado asociado a la introducción del "verso libre" en lengua castellana. En verdad, introdujo sólo un ensayo de verso libre, tímido en comparación con el polimorfismo que vendrá después. Pero debemos oír con las orejas de los poetas finiseculares. Era como un extraño baile en que las palabras —que habían sido invitadas exclusivamente por la belleza de sus cuerpos sonoros— se tomaban del talle y giraban, zapateaban, interrumpían una figura para repetir su comienzo, una y otra vez... Música ideal no se oía: por lo menos el ánimo del lector no se dejaba penetrar por sentimientos vagos e insinuantes. Miraba, eso sí, la fiesta rítmica, porque los ritmos eran formas de palabras danzantes. Ante tal exageración de ritmos uno se distraía y dejaba escapar el sentido. Era la frialdad de los poetas parnasianos que fijaban sus estructuras con perfección impasible. Como los temas iniciales de *Castalia bárbara* eran de mitología escandinava, de paisajes nórdicos e invernales (los dramas líricos de Ricardo Wagner los habían difundido), el golpeteo de ritmos asombraba como cosa salvaje. Y, en efecto, "El canto del mal", "Voz extraña", "Aeternum vale", "Venus errante", "Las noches" fueron asombrosos. El adjetivo "bárbara" convenía a esa poesía: tenía exotismo geográfico y religioso como los *Poèmes barbares* de Leconte de Lisle; e injertos de versificación como las *Odi barbare* de Giosuè Carducci. En general este primer libro de Jaimes Freyre tenía un mínimo de impresiones inmediatas percibidas de la vida directamente. Aunque el

poeta nos dice que es "soñador y nostálgico y triste
hasta la muerte" ese modo de ser no llega por los ner-
vios de los versos: baja como una idea blanca, encendi-
da en una lámpara cerebral. En su segundo poemario
—Los sueños son vida, 1917— la libertad métrica es
aún mayor, pero el baile se apacigua y ahora podemos
captar el sentido de la fiesta. Hay un álbum de poesía
parnasiana, con el estilo colectivo del modernismo. En
"Tiempos idos. . ." Jaimes Freyre nos da la clave de la
transposición artística: "Yo te he visto en los lienzos
encantadores / donde se inmortalizan fiestas mundanas" / "tal vez en el Embarque para Citeres. . ." Es el
mismo lienzo de Watteau que había inspirado a Darío
algunas de las imágenes de "Era un aire suave". Más
íntima —"es ya tiempo de que suenen las orquestas
interiores"— es una de las mejores composiciones de
este libro: "Subliminar". Otros temas, preocupados
por el dolor universal de las masas, surgen ahora vigorosamente ("El clamor", v. gr.), y no falta la profecía,
en "Rusia" (1906): "La hoguera que consuma los
restos del pasado / saldrá de las entrañas del país de
la nieve. . ."

Bolivia dio a Jaimes Freyre y eso fue todo. Sólo a
comienzos del siglo xx entrará el modernismo en este
país. Entonces se harán visibles dos figuras sobresa-
lientes: Reynolds y Tamayo. Queda así formada la
trinidad de los grandes poetas bolivianos del modernismo. GREGORIO REYNOLDS (1882-1947) fue un sentimental ataviado con las prendas del modernismo. Expresó hondo lirismo en El cofre de Psiquis, Horas
turbias, Prismas, sin contar su ensayo épico Redención
y su poema escénico Quimeras. FRANZ TAMAYO (1880-
1956), que en Odas (1898) era más victorhuguesco
que rubendariano, se hizo después modernista y cultivó raros y a veces fascinantes juegos de sonidos. Estudiaba devotamente el clasicismo grecolatino y allí solía
inspirarse para sus tragedias líricas La Prometheida o
Las Oceánides (1917), Scopas (1939) y otras. Es autor

también de unos *Epigramas griegos* (1945). A veces sobresatura sus páginas de elementos librescos y pedantes. Otros modernistas: JUAN FRANCISCO BEDREGAL (1883-1944), romántico con asomos modernistas; MANUEL MARÍA PINTO (1871-1942), que vivió en la Argentina y apenas influyó en su país nativo; EDUARDO DÍEZ DE MEDINA (1881).

Uruguay: Herrera y Reissig

En Uruguay —otro país vecino de Argentina— el modernismo se manifestó antes en la prosa que en el verso, pero hubo también poetas notables. Si dejamos de lado a los estrafalarios —como ROBERTO DE LAS CARRERAS, 1875—, el núcleo de las poesía uruguaya en estos años es el de Vasseur, Frugoni, María Eugenia Vaz Ferreira y Herrera y Reissig. ÁLVARO ARMANDO VASSEUR (1878) y EMILIO FRUGONI (1880) dieron la nota combativa, optimista, confiada en una próxima justicia social. MARÍA EUGENIA VAZ FERREIRA (1875-1924) —*La isla de los cánticos*— fue una voz solitaria, grave de religiosidad, aunque capaz de cantar también en la escala alta de las imágenes agudas. Los diez años de producción poética de JULIO HERRERA Y REISSIG (1875-1910) son como un redondo espejo donde se refleja de pies a cabeza la figura del modernismo. No fue un gran poeta, pero escribía con la imaginación tan excitada por la literatura simbolista que su lenguaje tiene una rara cualidad antológica. Allí reencontraremos cementerios, drogas, satanismos, hastíos, exotismos, sinestesias, matices violáceos, idealizaciones del campo, mucha erótica y algo de magia. Es difícil señalar una fuente precisa: sin embargo, al leerlo, uno tiene la indefinible impresión de estar leyendo una época. No llegó al gran público, pero sus lectores fueron también poetas, en España, en toda Hispanoamérica, y por ese lado influyó en el curso de la lírica. Durante muchos años fue un hito en la poesía uruguaya. Aun hoy, cuando la poesía anda por otros caminos, y ya Herrera y Reissig no es un maestro, sus poemas son leídos con placer y admiración. Los ecos más reconocibles son los de los europeos Baudelaire, Verlaine, Mallarmé, Laforgue, Samain y los de los americanos Poe y Rubén Darío. Respiraba la poesía, se alimentaba de poesía, paseaba sobre la poesía. Así, sus versos daban voz a un estilo poético que era el aire, la sustancia y el ánimo de su vida. Como los simbolistas, se desinteresó de la realidad práctica y volvió sus ojos nocturnos hacia las zonas más irracionales de su ser. Buscó allí lo que, por sus lecturas, sabía que otros poetas habían encontrado. Su punto de partida estaba, pues, en un estilo colectivo; pero el punto de llegada era su propio cuerpo, y lo que descubrió fue una prodigiosa fuente de metáforas. No hay, en nuestra poesía, otro ejemplo así de ametralladora metafórica. Desde *Las pascuas del tiempo* (1900) pisó firme en el modernismo; y poco después ya había atravesado el salón y desde un rincón oscuro pero complicado de espejos llamaba la atención por su figura excéntrica. Fue más osado que Darío en sus imágenes, desaforadas y aun grotescas, con mitologías herméticas y alegorías casi expresionistas. Por eso, cuando diez años después de su muerte los jóvenes que empezaban a escribir poemas leyeron *Los maitines de la noche* (1902), *Los éxtasis de la montaña* (1904-1907) y la "Tertulia lunática" en *La Torre de las Esfinges* (1909) se deslumbraron ante ese apretado tesoro de imágenes y lo consideraron como precursor del propio culto a la metáfora a que se entregaban. Herrera y Reissig era un descontento, un desencantado del mundo en que había nacido, e imaginó otro mundo donde pudiera vivir mejor. Mundo mítico, alucinado, de puras imágenes, pero que parece real por su desorden y sus contradicciones. El conflicto entre la salud y la morbidez, la inocencia y el pecado, la dicha y el dolor da al estilo el movimiento oscilante entre palabras plebeyas y lujosas, entre formas de la cultura o del ensueño. El tono es también cambiante: irónico, misantrópico, agudo, trivial, juguetón, embelesado. Buscaba su equilibrio interior tratando de reconciliar en una expresión personal lo que veía con sus ojos de poeta, aun lo feo, lo vulgar, lo monótono.

Perú: Chocano y Eguren

A pesar de las tempranas innovaciones de González Prada —versos pulidos en talleres cosmopolitas, con facetas del Parnaso, con luces del simbolismo, con técnicas polirrítmicas—, Perú acogió el modernismo muy tarde. Pero los dos nombres que ofrece son de importancia: Chocano y Eguren. El viento se ha llevado casi toda la obra de JOSÉ SANTOS CHOCANO (Perú; 1875-1934) porque tenía la elocuencia de las palabras declamadas en la plaza pública. Estaba más cerca de Díaz Mirón que de Rubén Darío; y si se lo agrupa con Darío y otros modernistas es porque era un visual que había aprendido a pintar lo que veía con el lenguaje parnasiano. Lo que vio, sin embargo, fue diferente a la realidad de los modernistas. Chocano se dedicaba a cantar los exteriores de América: naturaleza, leyendas y episodios históricos, relatos con indios, temas de la acción política. Fue poeta menor, porque el paño de la poesía no está cortado a la medida de las cosas vistas sino del alma que ve. Se puso a la cabeza del movimiento modernista en Perú. Tenía, para ello, la egolatría de un caudillo y un verbo torrencial. Además, su dominio de las técnicas nuevas del verso servía en el fondo a temas fáciles y populares. Un poeta de la élite, pero en la calle. Es natural que lo aplaudieran. Sus libros más famosos —*Alma América, poemas indoespañoles*, 1906, y *¡Fiat Lux!*, 1908— fueron expresión de lo objetivo, visible, nacionalista de la poesía de esos años. Chocano seguía cantando cuando de pronto surgió un anti-Chocano (antiépico, antideclamatorio, antirrealista, antiobvio) que inauguró un nuevo

estilo poético: José María Eguren (Perú; 1882-1942).
Fue un "raro" en el sentido exquisito que la palabra
había cobrado desde *Los raros* de Rubén Darío; pero su
rareza no era ya la del modernismo, sino la que vino
después. Su primer poemario se llamaba *Simbólicas*
(1911): pero el título era ajeno al simbolismo que hicieron conocer los simbolistas. En *La canción de las
figuras* (1916) y en *Sombra* y *Rondinelas* (editadas
ambas en 1929, junto con una colección de las obras
primeras con el título *Poesías*) Eguren se hizo aún más
interior, como si entornara los ojos y, párpados adentro, estuviera mirando alucinantes fosforescencias. Su
poesía tiene la incoherencia del sueño y la pesadilla.
Las figuras aparecen y se desvanecen como fantasmas
en nubes de opio. Los colores increíbles —sangre ce-
leste, oros azulinos, noches purpúreas, barbas verdes—
brillan un instante y luego se matizan, se funden y
acaban por deshacerse en tinieblas. No hay acción, por
lo menos acción con sentido. Algo se mueve en esa
atmósfera deformante e irreal, pero no lo comprende-
mos. Es como si los hombres, sonámbulos, hubieran
atravesado no sabemos qué espejos mágicos y ahora se
deslizaran como bellas siluetas deshumanizadas. Y animales, plantas, astros, cosas, paisajes se entregan también a maravillosas metamorfosis. El poeta mezcla las
sensaciones en desordenadas impresiones, y sólo dos
clases de orden parece respetar: el orden de un vocabulario artístico muy elegido; el orden de esquemas
musicales fijos. Leonidas N. Yerovi (1881-1917) versificaba más que poetizaba las costumbres peruanas, sin
la fina conciencia estética de los modernistas, a la que
solía aludir irónicamente.

Colombia: Valencia

Pocos años después del suicidio de Silva apareció
en Colombia Guillermo Valencia (1873-1943) con
su único libro: *Ritos* (1898). Pocos años y, sin embar-

go, parece que la poesía hubiera recorrido largo trecho. No hay más que leer a Silva y, en seguida, los alejandrinos pareados que Valencia talló en "Leyendo a Silva" para medir la distancia. Silva adivinaba una estética de exquisitas rarezas; Valencia conoce esa estética como la palma de su mano. Lo que ha avanzado, pues, es la conciencia de lo que los poetas modernistas querían hacer. Ya Valencia había publicado *Ritos* cuando conoció personalmente a Darío en París; pero en *Ritos* hay huella de un conocimiento de Darío como poeta. Sin vacilaciones, sin penosos tanteos, armado de pies a cabeza en su primera jornada, Valencia se colocó en la vanguardia de los que estaban transformando la poesía. No iba a ser un adalid vociferante: era poeta parco, escaso, apretado como un metal, que dio su gran golpe y se retiró para siempre. Después no hará más que traducir (su *Catay*, 1928, son poemas antiguos de China). Con corazón de romántico, ojos de parnasiano y oído de simbolista Valencia ofreció un mundo poético diferente al de sus compañeros. Si tuviéramos que ponerle un solo rótulo sería el de parnasiano por más que sus preocupaciones sociales y su cerebralismo no fueran lo que esperamos de esa escuela de pura perfección formal. Entre sus mejores poesías: "Job", "San Antonio y el centauro", "Palemón el estilita", "Las dos cabezas". Tenía el don de la definición lírica; o sea, que con un mínimo de lengua conseguía reducir a sus límites la imagen que se le había formado en su fantasía. Las palabras son como esos gránulos de arena que, en uno de sus mejores poemas —"Los camellos"—, se ciñen a la forma de un camello ideal y lo visten. Escogía las palabras con tal economía que a veces la definición, aunque inteligente, no es inteligible. Parte de su oscuridad resultaba, pues, de concisión; otras zonas oscuras lo eran porque el poeta y sus símbolos se metían en una selva misteriosa. Su catolicismo no basta para descifrar el misterio. En "Cigüeñas blancas" es notable el atrevimiento de sus metáforas dibujadas en croquis como con tinta china. Ahí nos insinúa su estética, que parece consistir en crear problemas difíciles para resolverlos o, más aún, para quedarse frente a ellos, en absoluto silencio. A pesar de la perfección parnasiana de sus descripciones, Valencia no prescindía de sus emociones. En esto, más cerca de Leconte de Lisle que de Heredia. Enriquece cada verso con impresiones, y siempre quiere sentir más, como dice en su traducción del soneto de D'Annunzio: "¡Ah, quién pudiera darme otros nuevos sentidos!" ("Animal triste"). Aun su espíritu de protesta ante las desigualdades sociales se abrió camino hacia su poesía, y en "Anarkos" desafió la gazmoñería burguesa con la fuerza con que su espíritu de reforma poética desafiaba las academias. Lo curioso es que Valencia se llamó "conservador" en la política de Colombia. En un sentido fue conservador: y es que, mientras otros modernistas evolucionaban hacia expresiones vitales y llegaron aun a hacer piruetas juveniles en los años de la primera Guerra Mundial, Valencia prefirió cuidar la ortodoxia del Modernismo. Su maestría en la aristocrática y sobria selección de formas era parte de una ceremonia ritual. Hoy parece a los jóvenes demasiado elegante y frío, y se le lee menos. Sin embargo, Valencia y Silva son, de todos los que escribieron antes de 1900, la pareja de poetas colombianos más respetados. Escalones más abajo habría que colocar, en Colombia, a otros poetas de esta hornada. Parnasiano a la manera de Heredia fue Víctor Manuel Londoño (1876-1936). Ismael López, conocido por su seudónimo Cornelio Hispano (1880), parnasiano pero no impasible, como lo prueban sus *Elegías caucanas*. Y aun otro: Max Grillo (1868).

México: Nervo, Urbina, Tablada, González Martínez

México se convirtió, en estos años, en centro fontal de producción modernista. Los poetas aparecieron en la *Revista Azul* (1894-96), fundada por Gutiérrez Nájera y Carlos Díaz Dufoo (1861-1941), en la *Revista Moderna*, dirigida en 1898 por Amado Nervo y Jesús E. Valenzuela (1856-1911) y en el "Ateneo de la Juventud" (1909). Mencionemos algunos de ellos. Efrén Rebolledo (1877-1929) recorrió toda la temática modernista (erotismos, parnasismos y japonesismos) trabajando el verso con cuidadoso cincel. Rubén M. Campos (1876-1945), helenista a la manera de Leconte y de Heredia, se desvió más tarde hacia la prosa. Francisco Manuel de Olaguíbel (1874-1924), romántico en sus sentimientos y modernista en sus formas. María Enriqueta Camarillo de Pereyra (1875), sencilla, sentimental, a quien nos referiremos más adelante, entre los narradores. La lista podría seguir con Rafael López (1873-1943), Roberto Argüelles Bringas (1875-1915), Luis Castillo Ledón (1879-1944), Eduardo Colín (1880-1945), Manuel de la Parra (1878-1930), Ricardo Gómez Robelo (1883-1924), Alfonso Cravioto (1884-1955). Pero ya es hora, después de haber visto el panorama modernista, de destacar los poetas cardinales. Ante todo, a Amado Nervo (1870-1919).

Alguna vez la extensa obra de Amado Nervo —más de treinta volúmenes en que hay poesía, novela, cuentos, críticas, crónicas, poemas en prosa, ensayos y hasta una pieza teatral— cubrió la admiración de todo el mundo hispánico. Hoy la porción admirable de esa obra se ha encogido a un buen ramo de poesías y a una media docena de cuentos. Su poesía ha recorrido un camino de la opulencia a la sencillez, de lo sensual a lo religioso, del juego a la sobriedad. Nació su poesía en la edad de piedras preciosas, oropeles, exotismos, mórbidas sensaciones, exquisiteces, afectaciones satánicas, voluptuosidades, misterios y primores técnicos. Sus primeros poemarios —*Perlas negras*, 1898, *Poemas*, 1901, *Jardines interiores*, 1905— pertenecen al modernismo. Después —*En voz baja*, 1909— Nervo empieza a desnudarse; y en *Serenidad*, 1914 y *Elevación*, 1917

—"de hoy más, sea el silencio mi mejor poesía"— tanto se ha desnudado que nos parece disminuido. "Busco el tono discreto, el matiz medio, el colorido que no detona", confiesa ahora. Repárese en ese voluntarioso "busco". Es que en su sencillez hay mucho rebuscamiento y hasta cierta retórica; después de todo, pasada la primera época de los lujos verbales y de los temas artificiosos, el modernismo seguía una nueva consigna: aparentar candor y sinceridad. Se sacrificaba una estética con la esperanza de ganar la gracia de otra. Se ha dicho que más que cambio estético fue una crisis moral: después de diez años de amor a una mujer —Ana, la "Amada inmóvil", que murió en 1912— Nervo había atormentado su erotismo hasta hacerlo espiritista: necesitaba creer "que mi Anita vive aún en alguna forma y que me ama y me espera". Se volvió, pues, hacia la inmortalidad del alma y hacia Dios. Lo cierto es que Nervo siguió amando mujeres hasta su propia muerte. La vida del hombre no explica necesariamente el arte del poeta. Lo que importa, pues, es la transición estética, no los siete años de viudez más o menos desconsolada; y en esos años escribió algunas de sus mejores poesías. De publicación póstuma: *La amada inmóvil* y *El arquero divino*. El mejor Nervo es el lírico, que se expresa con conciencia artística eligiendo, de toda su experiencia personal, los instantes más bellos. Cuando entrega al lector una materia sentimental no estéticamente configurada, su tono, más confidencial que lírico, decae. Y cae aún más cuando cambia de tema y de estilo y abusa del lenguaje abstracto, conceptual, que él creía filosófico. De sus últimos años es el verso "Yo no sé nada de literatura" (*Serenidad*) y el programa de escribir "sin literatura" (*Elevación*). Entonces se ofreció caritativamente a consolar, predicar y aun catequizar con sus nociones de elevación y renunciamiento. Las gentes agradecieron sus buenos sentimientos; los lectores más exigentes lamentaron la impureza lírica de su pureza moral. En la prosa reco-

rrió el mismo camino de simplificación desde "los períodos extensos, los giros pomposos, el léxico fértil"
—como él mismo describía su propia manera— hasta
un estilo más nervioso y aforístico. Sin embargo, no
descolló como prosista. Se desempeña bien cuando su
conversación de narrador —porque era un artista del
conversar— dicta a la pluma su movimiento, no cuando quiere emular la prosa artística que admiraba (*Plenitud*, 1918). Tiene cuentos fantásticos en los que
juega con ciencias imaginarias al modo de las de H.
G. Wells, a quien leía, o con visiones metafísicas
(como las del "eterno retorno" de Nietzsche o de la
pitagórica transmigración de las almas), o con raras experiencias metapsíquicas, que sacaba de sí y también
de lecturas religiosas orientales, de magia espiritista
y de filosofías irracionales. Luis G. Urbina (1864-
1934) navega en esquife propio. ¿Modernista? Sí, en
su serenidad, en su elegancia, en su musical sugestivi-
dad. Pero la tristeza de su canto, el íntimo acento de
cuanto decía son todavía románticos. Urbina parece
cerrar el romanticismo mexicano. Por lo menos lo de-
pura y sólo retiene la ternura, la sincera confesión
de las penas. Es admirable la unidad interior de su
obra. Es como si hubiera acertado desde el primer libro y todos los siguientes fueran confirmaciones, desde
Versos (1890) hasta *Los últimos pájaros* (1924). Como
técnico del verso fue también admirable: sólo que esconde la técnica y parece que su música se desenvol-
viera sin ayuda de la palabra, directamente de su melancolía.

José Juan Tablada (1871-1945), nacido en el modernismo, pero inquieto por las promesas que entreveía en todos los horizontes poéticos, tentó nuevas
maneras, se renovó constantemente y hasta se fugó hacia japonismos (cultivó el *haikai*) y ultraísmos. Fue,
pues, el mudable, el aventurero, el que no se deja sorprender por las nuevas modas: las ve venir de lejos y
sale a su encuentro. ¿Cuál es su mejor libro?: *Li Po y*

otros poemas, El jarro de flores, La feria... Dependerá de cuál de los muchos Tabladas consideremos el mejor. Si no gran poeta, su presencia fue provechosa para los jóvenes que querían arriesgarse por otras sendas. Tablada ataba los cabos sueltos de la poesía —desde Gérard de Nerval, Aloysius Bertrand, Baudelaire y Gautier hasta Apollinaire y Max Jacob— y así, prendido a un largo hilo de muchos nudos, se orientó por el laberinto de la literatura del siglo xx. Sus versos eran técnicamente irreprochables. Sus imágenes tenían la virtud de sorprender porque Tablada sobrestimaba el valor de la sorpresa en el lenguaje literario: siempre estaba atento a las novedades y, en consecuencia, al desgaste de las modas que antes le habían seducido. Así se desprendió de los temas de la tristeza, de la impasibilidad parnasiana, de la bohemia estetizante cuando los vio en camino de hacerse cursis. Era un cosmopolita o, por lo menos, un escritor que se resistía a todo provincianismo. Era un espíritu original o, por lo menos, un escritor que se resistía a los gustos establecidos.

Por la edad ENRIQUE GONZÁLEZ MARTÍNEZ (1871-1952) pertenecía al grupo de poetas mexicanos formado por Nervo, Urbina y Tablada; o, fuera de México, al de Lugones, Valencia y Jaimes Freyre. En este sentido corresponde estudiarlo aquí. Sin embargo, es después de 1910 cuando González Martínez logra sus mejores libros y se convierte en uno de los dioses mayores de los cenáculos. Como Lugones, fue admirado y seguido aun por los jóvenes que, poco después de 1920, aparecieron rompiendo a pedradas las lámparas modernistas. Sus dos primeros libros —*Preludios*, 1903; *Lirismos*, 1909— eran ya nobles, serios, sinceros. Aunque el autor, retirado en su rincón provinciano, desconfiaba de la secta "modernista" que reinaba en la ciudad de México —y, en efecto, no fue sectario de nadie, ni siquiera de Rubén Darío—, sus versos respondían, como los de todos los poetas de su generación, al deseo ¡tan "modernista"! de castigar las formas hasta someterlas a los modelos artísticos que los parnasianos franceses recomendaban. Pero fue en los dos libros siguientes —*Silenter*, 1909, y *Los senderos ocultos*, 1911— donde González Martínez admiró a todos —y desde entonces no dejó de admirar— por la límpida serenidad con que se interrogaba. "Busca en todas las cosas un alma y un sentido / oculto; no te ciñas a la apariencia vana." Poesía lírica, personal; pero el poeta no nos canta los accidentes exteriores de su vida cotidiana, sino una autobiografía decantada, hecha puro espíritu, con la esencia de sus emociones y pensamientos. A fuerza de tanto contemplar y de tanto meterse dentro de sí para meditar en lo que ha contemplado, se acaba de tener envidia no ya a la música sino al silencio; sólo que la poesía, que es delicado cuerpo de sonidos, no puede ser silenciosa; entonces González Martínez se vuelve hacia esa porción de la poesía que está casi pegada al silencio: la exquisitez verbal. No la exquisitez estetizante, extrovertida, ornamental, sino la del recogimiento: "que todo deje en ti como una huella / misteriosa grabada intensamente..."; "que no sé yo si me difundo en todo / o todo me penetra y va conmigo". Uno de los poemas de *Los senderos ocultos*, el famoso soneto "Tuércele el cuello al cisne", indica cómo, en la escala de valores de González Martínez, se invertía la dirección de su exquisitez: no ya hacia el cisne de engañoso plumaje "que da su nota blanca al azul de la fuente; / él pasea su gracia no más, pero no siente / el alma de las cosas ni la voz del paisaje", sino hacia el sapiente buho: "él no tiene la gracia del cisne, mas su inquieta / pupila que se clava en la sombra interpreta / el misterioso libro del silencio nocturno". Algunos críticos observaron en este soneto ciertas intenciones de manifiesto estético; no faltaron otros que, seducidos por la imagen del primer verso —"Tuércele el cuello al cisne de engañoso plumaje"—, creyeron que ese cuello era en verdad el de Rubén

Darío. Lo cierto es que no sólo Rubén Darío había retorcido cuellos de cisne antes que González Martínez, sino que, desde *Cantos de vida y esperanza* (1905), nadie podía acusarlo de frivolidad y superficial esteticismo. En sus memorias —publicadas con los títulos de *El hombre del buho*, 1944, y *La apacible locura*, 1951— González Martínez ha aclarado, a quienes necesitaban de la aclaración, que no reaccionó contra Rubén Darío, sino contra ciertos tópicos "modernistas" usados por imitadores de Rubén Darío. En su próximo libro —*La muerte del cisne*, 1915— el soneto reapareció en primer término, con el título de "El símbolo": otra vez el equívoco de quienes supusieron que González Martínez había liquidado su pasado modernista y ahora se encaminaba hacia otro signo poético. No. En todos los libros que vengan —maduros, otoñales, invernales— González Martínez conservará su inicial tono de nobleza, de austeridad, de fidelidad a su estética. No es de los poetas que hacen piruetas cuando envejecen, para atraerse a los jóvenes. No hay en sus libros —el final: *El nuevo Narciso*, 1952— saltos sobre el vacío de una estética a otra, sino ascensión por dentro de su modo de ser hacia un arte cada vez más preocupado por los problemas últimos. La desesperanza, el sollozo, la duda y la sonrisa, el angustioso sentimiento de la vida, de la muerte y del tiempo, se depuran en una admirable serenidad.

Otros países

Hasta ahora hemos hecho desfilar a los países que dieron por lo menos un gran poeta modernista: Darío, Lugones, Jaimes Freyre, Herrera y Reissig, Santos Chocano, Valencia, Nervo... Otros países no tuvieron tanta suerte; pero como figuran también en el proceso modernista hispanoamericano veamos qué es lo que tienen que ofrecernos.

Antillas. Cuba: A pesar de ser Cuba cuna de Ju-

lián del Casal, no hubo notable movimiento modernista hasta ya entrado el siglo XX. Las hermanas JUANA
BORRERO (1877-1896), que sólo dejó un tomito de
Rimas (1895), y DULCE MARÍA BORRERO (1883-1945),
íntima, personal, pero no modernista. FRANCISCO JA-
VIER PICHARDO (1873-1941) se acercó al modernismo
por el lado de su admiración por los parnasianos. AU-
GUSTO DE ARMAS (1869-1893) se fue a París y acabó
por escribir versos en francés: sólo nos ha dejado unas
pocas composiciones en castellano. Otros nombres: FER-
NANDO DE ZAYAS (1876-1932), JUAN GUERRA NÚÑEZ
(1883-1943), JOSÉ MARÍA COLLANTES (1877-1943), JOSÉ
MANUEL CARBONELL (1880). Los hermanos CARLOS
PÍO UHRBACH (1872-1897) y FEDERICO UHRBACH
(1873-1931) publicaron en 1894 un tomo de poesías:
Gemelas. Sólo la sección "Flores de hielo" corresponde
a Carlos Pío. Federico continuó su producción poética,
de rica sensibilidad y preciso dominio de la expresión,
como se aprecia en su mejor libro, *Resurrección* (1916).
REGINO E. BOTI (1878) desborda el modernismo
—*Arabescos mentales*, 1913—, y se va por el cauce
versolibrista pero sin llegar a confluir con el que después de 1920 abren los jóvenes. *Santo Domingo*: Aquí
no veremos todavía poetas modernistas. Hubo, sí, poetas
que aprendieron del modernismo el arte de versificación rica, varia y compleja, como el erótico APOLINAR
PERDOMO (1882-1918). Nombres, claro, no faltan:
BIENVENIDO SALVADOR NOUEL (1874-1934), BARTOLO-
MÉ OLEGARIO PÉREZ (1873-1900), ANDREJULIO AYBAR
(1872). Pero, repetimos, a los modernistas los veremos
en el capítulo próximo. Sin embargo, por la edad,
debemos colocar aquí a un raro, un ultramodernista,
verboso, pomposo. Nos referimos a OTILIO VIGIL DÍAZ
(1880). Organizó el "Vedhrinismo", movimiento de
inquietudes poéticas que, en su afán innovador, fue
el antecedente inmediato del "postumismo" que estudiaremos en el capítulo próximo. Fue inventor de ritmos libres y sonoros sobre los que flotan imágenes

sorprendentes. *Puerto Rico*: El modernismo puertorriqueño apareció con un retraso de varios lustros, cuando
en otros países estaba ya desapareciendo. Y aun entonces (1911, 1914) el modernismo puertorriqueño quería
renovar el verso sin renunciar ni al lastre sentimental
romántico ni a los temas regionales. Fue, en verdad,
una moda efímera, que no dio ninguna figura central.
La más interesante fue la de LUIS LLORÉNS TORRES
(1878-1944). Sus relaciones con el modernismo no
fueron muy íntimas. Sus libros —*Al pie de la Alham-
bra, Visiones de mi musa, Sonetos sinfónicos, Voces de
la campana mayor, Alturas de América*— lo muestran
como poeta conservador, popular, orgulloso de su tradición hispánica, nacionalista en el amor a su isla, con
preferencia por temas históricos, civiles o criollos. Su
tono más personal fue el erótico. Aspiró a formular
nuevas teorías estéticas: *pancalismo* (todo es belleza),
panedismo (todo es verso). Esas teorías estéticas par-
tían de las del alemán Krause. Después de Gautier
Benítez, fue Lloréns Torres la próxima cumbre, en la
isla. Inició la renovación poética, y con nuevas maneras captó la naturaleza puertorriqueña y sus esencias
populares. En la boca de JOSÉ DE JESÚS ESTEVES (1881-
1918) el modernismo habla todavía románticamente:
sus temas son hispánicos, criollos.

Venezuela. También aquí el modernismo llegó tarde, y se manifestó más en la prosa. Apenas si pueden
mencionarse, como poetas modernistas, los nombres de
MANUEL PIMENTEL CORONEL (1863-1907), CARLOS
BORGES (1875-1932), GABRIEL MUÑOZ (1864-1908) y,
más inclinado hacia la tierra venezolana, el de FRAN-
CISCO LAZO MARTÍ (1864-1912).

Ecuador. Este país no fue muy hospitalario con
la poesía modernista. FRANCISCO FÁLQUEZ AMPUERO
(1877-1947) siguió por el camino abierto por César
Borja. Todavía es romántico, aunque su admiración por
los parnasianos, especialmente por el Heredia de *Les
Trophées,* le hizo esculpir versos y estrofas. ALFONSO

Moscoso (1879-1952) parece acercarse al modernismo, en cuadros casi parnasianos, pero su métrica es todavía tradicional. Luis Cordero Dávila (1876-1932) celebró a Rubén Darío, pero no fue de sus seguidores: a pesar de sus elegancias y de sus versos bruñidos, había en él una pompa oratoria no modernista. Luis F. Veloz (1884), de ingenio rápido y epigramático, andaba por los costados del terreno que pisaban Silva y Valencia, pero abandonó prematuramente la poesía. Manuel María Sánchez (1882-1935), primero civil, circunstancial y declamatorio, después se tornó más elegiaco e íntimo. Otro: Emilio Gallegos del Campo (1875?-1914). En realidad, sólo en la próxima generación aparecerán frutos modernistas.

Chile. La república chilena, tan importante en la historia del modernismo —allí publicó Darío *Azul*. . .—, no produjo ningún gran poeta, pero sí poetas menores: Francisco Contreras (1880-1932), Manuel Magallanes Moure (1878-1924), el elegiaco Carlos R. Mondaca (1881-1928). Y varios versificadores: Antonio Bórquez Solar (1873-1938), Miguel Luis Rocuant (1877), el tribunicio Víctor Domingo Silva (1882).

Paraguay. No tuvo modernistas porque, en verdad, no tuvo literatura. El modernismo llegará muy tarde: los únicos nombres que aquí podrían intercalarse son los de Francisco Luis Barreiro (1872-1929) y, sobre todo, Alejandro Guanes (1872-1925). Su póstuma colección de poesías se titula *De paso por la vida*. Guanes cantó a la patria, al hogar, a la muerte. Versos de tono menor, a veces de factura parnasiana: los más memorables, los de "Las leyendas". Era teósofo, y sus ideas filosófico-religiosas se reflejan en sus poemas. Él y Fariña Núñez —a quien veremos más adelante— son los que progresan hacia el modernismo.

Poetas no modernistas

Antes de pasar a la prosa hagamos una visita de cortesía a los que vivían en las afueras del modernismo.

Entre los no modernistas había, como hemos visto, poetas que estaban por debajo del estilo, retrasados con respecto a su tiempo. Pero a veces su opacidad o su rezago —disvalores desde el punto de vista estético— se convirtieron, por la fuerza de las circunstancias, en valores civiles. En Puerto Rico, por ejemplo, hubo quienes temieron que, después de 1898, el perfil hispánico de la cultura criolla fuera deshecho por el asalto de la civilización anglonorteamericana. Se sintió la urgencia de reforzar la obra de los escritores afincados en la realidad puertorriqueña, sea que adoptaran las palabras populares (Alonso, Vassallo) o que trataran los temas criollos con el lenguaje culto (Tapia). Surgieron, pues, poetas que, patrióticamente, exaltaban lo tradicional hispánico y puertorriqueño. VIRGILIO DÁVILA (1869-1943), en versos cultos, dio expresión al "jibarismo" del campo (*Aromas del terruño*, 1916) y de la zona urbana (*Pueblito de antes*, 1917).

En Centroamérica, AZARÍAS H. PALLAIS (Nicaragua; 1886-1954), DEMETRIO FÁBREGA (Panamá; 1881-1932). En Venezuela, ANDRÉS MATA (1870-1931). En Colombia, cuando uno empieza a sentirse fastidiado por la sonoridad declamatoria o la musicalidad dulzona de la poesía de estos años, se agradece a LUIS CARLOS LÓPEZ (1883-1950) sus versos elementales, esquemáticos, de reacción criollista contra la pompa internacional. López —*De mi villorrio*, 1908; *Los hongos de la Riba*, 1909; *Por el atajo*, 1928— es a veces burdo en sus burlas a tipos y costumbres de la vida provincial, pero capaz de fina ironía y aun de hacer sonreír, líricamente, a un sentimentalismo que se avergüenza y esconde la cara. En Chile CARLOS PEZOA VÉLIZ (1879-1908) escribió cuadros costumbristas en prosa y versos amatorios y de protesta social. Para los críticos formalistas hay demasiada deformidad en su sentimentalismo o en su realismo; los sociólogos, en cambio, le agradecen que, con alma plebeya, haya reflejado en las letras los sufrimientos de las clases bajas: el roto, el huaso, el vagabundo, el rebelde, el obrero. Otros poetas chilenos, no modernistas o escasamente modernistas fueron DIEGO DUBLÉ URRUTIA (1877), JORGE GONZÁLEZ BASTÍAS (1879-1950) y SAMUEL A. LILLO (1870). En Paraguay, IGNACIO A. PANE (1880-1920).

B. PRINCIPALMENTE PROSA

Aunque hasta ahora hemos hecho girar a los escritores de este período con la poesía como eje, fueron también, en muchos casos, excelentes prosistas. Del mismo modo fueron también poetas los prosistas que pasamos a estudiar. Con frecuencia hacían prosa con la misma tensión lírica con que hacían versos. Puede verse toda una gama de la poesía a la prosa poética, de aquí a la prosa artísticamente labrada. Aun los realistas y naturalistas, aun los narradores de temas regionales y folklóricos, fueron sensibles al nuevo arte de la prosa. Pero, claro está, el realismo fue ya un corte, un límite entre dos actitudes orgullosas. Por un lado el orgullo con que los modernistas organizaban versos y prosas en un mundo estético, subjetivo; por otro lado se organizaban cuentos y novelas poniendo el orgullo en la descripción objetiva. Los realistas no tenían menos vocación literaria. Algunas tendencias aparentemente opuestas al esteticismo, como las del naturalismo, eran también modernidades y surgían de la atención a las modas, de la misma voluntad de renovación del arte.

1. NOVELA Y CUENTO

a) *Narradores estetizantes*

La prosa modernista se vio en aprietos cuando tuvo que novelar, por el conflicto íntimo que hay entre el cuidado de la enjoyada frase bonita y el cuidado del desenvolvimiento real de la acción. Es difícil el equilibrio, y cuidar una virtud generalmente supone descuidar la otra. El "poema en prosa" fue uno de los ritos más fervorosos del modernismo. Hubo quienes se mutilaron, celebrándolo, y hoy nos da lástima el leerlos. Era un miniaturismo lírico que, cuando estaba al servicio de una visión profunda, contribuyó a dignificar la prosa castellana, pero cuando se quedó en palabrería fue epidemia pueril. Para una historia de la prosa artística, en lo que tuvo de buen y mal gusto, habría que recordar a: Arturo Ambrogi (El Salvador; 1875-1936), autor de *Bibelots*; Rafael Ángel Troyo (Costa Rica; 1875-1910), autor de *Terracotas, Ortos, Topacios*; Alejandro Fernández García (Venezuela; 1879-1939), autor de *Oro de alquimia* y *Búcaros en flor*; Américo Lugo (Santo Domingo; 1870-1952), autor de *Heliotropo*. Algunos de estos poetas de la prosa escribieron también cuentos y novelas. Artísticos, por supuesto.

i) *México*

Casi no hubo país hispanoamericano donde no se jardineara el cuento y la novela. Los mismos jardines que uno estaba acostumbrado a ver en los versos se vieron también en la prosa. La poetisa María Enriqueta Camarillo de Pereyra (México; 1875) escribió cuentos y novelas. *Jirón de mundo* (1918) es novela rosa, lacrimosa. No tiene color local: más bien tiene color temporal, sólo que es del siglo xix, con algo de la novelística sentimental, romántica, burguesa, femenina, del tipo de *Jane Eyre* de Charlotte Brontë. Teresa, expósita en un convento, consigue un puesto de institutriz en una casa rica para cuidar de una niña enfermiza. El padre de la niña, el doctor Santiesteban, viudo, triste, también muy enfermo, es un dechado de perfecciones. Tiene un hijo bueno, que se enamora de Teresa, y una hija mala, que la odiará. Teresa ha mantenido relaciones epistolares con un amigo desconocido. Inevitablemente ese amigo desconocido resulta ser Santiesteban. Cuando se reconocen, la hija mala, Laura, los insulta a gritos. El doctor muere allí mismo, de un ataque al corazón, y Teresa se refugia en el convento, para siempre. Dentro de su género, la novela está bien escrita —con prosa que suele hacerse poemática— y la acción interesa. Pero flota junto con otras novelas parecidas, en todo el mundo. ANTONIO MÉDIZ BOLIO (1884-1957), poeta y dramaturgo, su mejor libro es *La tierra del faisán y del venado*, donde elabora leyendas de los mayas.

ii) *Centroamérica*

Guatemala. Los orífices de la prosa —y eso de "orífices" no siempre es un elogio, pues los hubo de mal gusto— doraron aun las páginas de los periódicos. El primer nombre que acude en este punto es el de ENRIQUE GÓMEZ CARRILLO (Guatemala; 1873-1927). Educó su gusto en Europa, adonde fue por primera vez en 1889. Pero había tantas tendencias literarias, artísticas y filosóficas que, más que un gusto, lo que educó fue una extraordinaria destreza para referirse a todas ellas. A pesar de la humildad de su oficio —comentar creaciones ajenas—, su prosa fue de las más ágiles de su tiempo. Su información de toda la literatura europea contemporánea era fabulosa. Era un impresionista: impresiones, más que de la vida, de la vida literaria. Gracias a ello nos ha dejado una bien escrita chismografía. No fue crítico ni siquiera de lo que admiraba. Algunos de los escritores que conoció —Loti, por ejemplo— le dieron ganas de llevar aún más lejos su curiosidad intelectual. Viajó mucho, y de los viajes le nacían libros. *La Rusia actual, El Japón heroico y galante, La sonrisa de la Esfinge* [Egipto], *La Grecia eterna, Jerusalén y la Tierra santa, De Marsella a Tokio, Vistas de Europa,*

El encanto de Buenos Aires, etc. Estas tierras eran provincias de su alma afrancesada (y, claro, de sus estancias en Francia salieron sus mejores crónicas). Era un cronista de genio. En parte porque percibió que la "crónica" era un género literario valioso y se dedicó a él con la fuerza de una vocación lírica. Puso al servicio de temas ocasionales una lengua magníficamente orquestada. Parece frívolo: en realidad es porque de tan comprensivo parece estar en la superficie de todo. Escribió novelas. La que él prefería era *El evangelio del amor* (1922). Está hecha con papilla de muchos libros, viejos (la Biblia, *La leyenda áurea* de Jacopo da Voragine) y nuevos (*Thäis* de France, *La tentation de Saint-Antoine* de Flaubert, *Aphrodite* de Louys). Transcurre en el primer cuarto del siglo xiv, en Bizancio. Teófilo, asceta, se tortura las carnes para conseguir la pureza religiosa, hasta que oye que Jesús quiere que ame a una mujer. La encuentra, y descubre que lo que Jesús quiere es que se ame plenamente; y vuelve a vivir junto a los anacoretas, pero ahora para predicarles "el evangelio del amor". Lo matan a pedradas. Es novela modernista, de estilo precioso. El tema es común en el esteticismo. Por lo mismo que el esteticismo era hedonista se planteó el problema de lo contrario: el ascetismo. Se gustaba del contraste entre la sensualidad y el renunciamiento a la carne, entre el fauno y el ángel —como diría Rubén Darío—. De los gozadores de la vida, aun en las formas más degradantes, se pasaba, por el mecanismo de los opuestos, a los torturadores de la carne. Gómez Carrillo exalta la vida, la sensualidad, el amor; y hasta se atreve a meterse con la teología y a interpretar libremente textos de los Evangelios, de los Padres de la Iglesia y de las vidas de santos. Su novela interesa como variación sobre un tema de época, pero carece de movimiento, de realidad vital, de hondura psicológica. Está demasiado rellenada con frases convencionales y con pasajes librescos. Gómez Carrillo tocó en otros libros el tema religioso. Él se decía cristiano, pero su novela está, naturalmente, fuera de toda iglesia cristiana. Uno de sus libros más sabrosos es *Treinta años de mi vida*, en tres volúmenes.

Honduras. Froilán Turcios (1875-1943) se inició como poeta modernista: véase su antología *Flores de almendro*. Sobresalió, sin embargo, con sus *Cuentos crueles* (Villiers de l'Isle Adam los había escrito con el mismo título). En los títulos de sus dos novelas hay resonancias a lo Poe: *Annabel Lee* y *El Vampiro*. También escribió narraciones de ambiente tropical. Tuvo gran influencia en la vida literaria nacional.

Costa Rica. Escribieron, al margen del costumbrismo, los afrancesados Alejandro Alvarado Quirós (1876-1945) y Rafael Ángel Troyo (1875-1910), este último miniaturista de la escuela modernista, autor de prosas artísticas en *Terracotas, Ortos, Topacios, Corazón joven*. María Fernández de Tinoco (1877) llevó sus aficiones arqueológicas a dos novelas —*Zulai, Yonta*— que imaginan el origen y la lucha de las razas indígenas americanas.

Panamá. Darío Herrera (1870-1914) había sido, antes de desterrarse en 1898, el iniciador del modernismo en su país, en verso y prosa. Salió del verso parnasiano y fue a sentar plaza de cuentista, también parnasiano en su afán por la perfección verbal. *Horas lejanas* (1903), aunque son cuentos de ambiente americano, tienen tal refinada y sabia elegancia espiritual que no parecían escritos en América. La obsesión por la palabra única, justa, preciosa provenía más bien de Flaubert. Otro narrador panameño, Guillermo Andreve (1879-1940), se distinguió más por sus servicios como promotor de la obra ajena: es autor de una novela de espiritistas, *Una punta del velo* (1929).

iii) *Antillas*

MANUEL FLORENTINO CESTERO (Santo Domingo; 1879-1926) hizo cuentos con prosa de arte modernista, que rezumaba hasta en los títulos: *Cuentos a Lila*, y una novela, *El canto del cisne*.

iv) *Venezuela*

En Venezuela —país de novelistas— la dirección artística está representada por Coll, Domínici, Urbaneja Achelpohl y Díaz Rodríguez. Los tres primeros lanzaron en 1894 su revista *Cosmópolis*, respiradero de "todas las escuelas literarias de todos los países". PEDRO EMILIO COLL (1872-1947) escribió muy poco —de lo mejor, *Palabras*, 1896; *El castillo de Elsinor*, 1901; *La escondida senda*, 1927— pero sus crónicas y cuentos dejan adivinar una "mente hospitalaria", como él mismo decía, un espíritu finísimo, escéptico, risueño, pesimista. No le interesaba la narración. Era más bien un contemplativo y un glosador de sus contemplaciones. Dejó, sin embargo, algunos cuentos que muestran su comprensión de los pobres de espíritu —"El diente roto"—, su curiosidad por voluptuosidades baudelairianas —"Opoponax"— y aun sus ejercicios de naturalismo con pluma de modernista —"Borracho criollo"—. Como César Zumeta, Coll era capaz, pero infértil. PEDRO CÉSAR DOMÍNICI (1872-1954) escribió novelas amaneradas —con las maneras voluptuosas y artificiosas de Pierre Louys o de D'Annunzio— que se rehusaban a ser americanas hasta en el tema: *Dyonysos*, por ejemplo, nos habla de erotismos alejandrinos. Otras novelas —*El triunfo del ideal*, *La tristeza voluptuosa*— rehusan el contacto con la vida ¡demasiado vulgar! y prefieren el contacto con las frases de una literatura de cámara cerrada. En el prólogo a *El cóndor* (1925) el autor dice que muchos años después de su novela griega *Dyonysos* decidió intentar la "novela americana", cuya acción se desarrollara en nuestra tierra. *El cóndor* es novela un poco indianista, un poco histórica, un poco poemática: en todo caso, muy poco novela. Cuenta las hazañas guerreras de Angol, el flechero de una de las tribus más remotas del Imperio incaico. (Son los tiempos de la "riña" entre Atahualpa y Huáscar y de la conquista española del Perú.) De los amores entre Angol y Guacolda nacen dos hijas mellizas. Uno de los conquistadores tendrá amores, a su vez, con una de las hijas de Angol, y de allí nacerá el primer mestizo en el Perú; muertos Huáscar y Atahualpa, continúa la lucha Angol, hasta que lo matan. Hay simpatía por la causa indígena, pero la novela es totalmente falsa. El exceso de literatura —de literatura "modernista", si es que queremos calumniar al modernismo— echa a perder el desenvolvimiento de la acción. LUIS MANUEL URBANEJA ACHELPOHL (1874-1937) es, de los tres, el que más se beneficia de la tierra en que vive. Como los demás, está impregnado de modernismo, pero él da una dirección criollista, nativista a su arte verbal. Su modernismo, dicho sea de paso, incluía modos naturalistas. Se parece más a esos pintores que fueron al impresionismo por deseo de verdad, de fidelidad al modelo. Comoquiera que sea sus novelas —*En este país*, 1916; *La casa de las cuatro pencas*, 1937— y sobre todo sus excelentes cuentos supieron desprenderse del lastre estético de su generación y ganaron en vuelo, en altura. Fue uno de los que supieron ver, artísticamente, sí, pero con sinceridad, la vida y el paisaje de las aldeas, montañas y llanuras venezolanas. Suele interrumpir la acción para pasmarse ante la naturaleza. Primero, la nota bucólica; después, por las lindas veredas del modernismo, avanzó hacia un realismo a lo Zola o a lo Bourget. Con cuentos como "Ovejón" puede decirse que Urbaneja Achelphol abre la historia del cuento venezolano. El mayor de esos venezolanos, y uno de los mayores novelistas de toda esta época hispanoamericana, fue MANUEL DÍAZ RODRÍGUEZ (1871-1927). Caso ejemplar de prosa que discretamente, mesuradamente, se desliza entre los escollos del preciosismo que no sabe novelar y el naturalismo que novela sin saber escribir. Sus primeros libros —*Confidencias de Psiquis* y *Sensaciones de viaje*, ambos de 1896, *De mis romerías*, 1898, *Cuentos de color*, 1899— se solazan en la civilización europea: había vivido en Francia, en Italia, y su óptica era la de Barrès, la de D'Annunzio. Sus *Cuentos de color* prefieren contar mitos y leyendas ("azul", "verde"), alegorías y parábolas sobre sus ideas artísticas ("áureo", "rojo pálido"), reflexiones sobre el amor ("azul pálido", "rojo"). Significativamente, Venezuela aparece en los tres cuentos sin color: "blanco", "gris" y "negro". Todo es matiz, son, perfume, caricia, evocación, y aun el dolor humano está fraseado con gusto un poco parnasiano, un poco simbolista. En sus cuentos no hay héroes: atmósferas impresionísticas son los personajes móviles. En su segundo grupo de obras —*Ídolos rotos*, 1901; *Sangre patricia*, 1902— Díaz Rodríguez choca con la realidad venezolana y la repudia estéticamente. Su ideal de hombre era el "distinguido" de Nietzsche; pero sus personajes no luchan. Son pesimistas, derrotistas, inadaptados que van al destierro o al suicidio. En *Ídolos rotos* muestra, en contraste con las sórdidas y bárbaras masas venezolanas, la figura aristocrática de Alberto Soria, el escultor. Quería regenerar su país con su culto estético: la chusma rompe y veja las estatuas. Pero Díaz Rodríguez persiste en creer que el arte desinteresado, orgulloso en la elaboración de bellas formas, puede salvar por lo menos la libertad de las almas intensas; y escribe otra novela esteticista, *Sangre patricia*. Su marco novelesco es mínimo: presentar el debilitamiento social del patriciado criollo. Lo que vale es la descripción de las almas. Y esta descripción no es de psicólogo sino de escritor simbolista. Curioso, porque el tema se hubiera prestado a la novela psicológica. Después de todo es la novela de una neurastenia. La metaforería insiste más en impresiones estéticas que en obser-

vaciones psicológicas. El ambiente es también esteticista: cuadros de Boticelli, poesía de Swedenborg, música
de Schumann y de Wagner, discusiones sobre Nietzsche, afirmación de lo sobrenatural sobre la realidad de
los cientificistas, buceos en lo subconsciente, las drogas, el tema de la catedral sumergida... No es accidental que la novela comience con la descripción de
la partida de un trasatlántico y que el desarraigado Tulio Arcos no llegue a pisar la orilla de Venezuela. En
los últimos años de su vida —*Peregrina o el pozo encantado*, 1922, que incluía otros relatos— Díaz Rodríguez intentó la narración criolla, en que sus ideales
artísticos trabajaron, y bien, en la tierra y sus hombres.
Es como si, desilusionado, se refugiara en la vida campesina, en la emoción directa del paisaje. Así y con
todo, siguió empujando la materia narrativa para atro-
quelarla en frases espectaculares. En otras palabras,
que el espectáculo de estas últimas obras está en la
frase de Díaz Rodríguez más que en Venezuela. Y con
tanto ardor empujaba que no sólo la descripción quedó
cuajada de metáforas, sino que aun a la acción misma
le dio increíbles espasmos dramáticos: por ejemplo,
cuando en "Égloga de verano" Justa decapita a Gua-
characo con un solo hachazo y la cabeza, "tendida en
el esfuerzo por entrar cuando fue cortada a cercén,
brincó, y tal vez en un movimiento convulsivo se asió
con los dientes a la sábana del catre. Así la encontraron todavía, colgando de la sábana..."

v) *Colombia*

Muchas novelas se escribieron para los colegas, no
para el lector común. La relativa popularidad de que
gozaron las novelas de JOSÉ MARÍA VARGAS VILA (Colombia; 1860-1933) fue excepcional, acaso porque las
exquisiteces literarias (prosa rítmica; disloques ortográ-
ficos; vocabulario y sintaxis artificiales; arrebatos ego-
látricos) de *Ibis, Aura o las violetas, Flor de fango, La*

simiente —escribió más de veinte novelas— estaban
al servicio de un mórbido mal gusto. Otro colombiano,
José María Rivas Groot (1863-1923), sí escribió
buenas novelillas artísticas. *Resurrección,* por ejemplo,
que difícilmente será gustada por las gentes pero que
ofrece al estudioso el placer de ir reconociendo, uno
por uno, los componentes del refinado mundo cultural
europeo "en la aurora del siglo xx", como dice el autor.
Varios personajes-artistas están enamorados de una mujer que tiene la belleza del misterio y de la muerte.
Discuten el parnaso, el simbolismo y el prerrafaelismo
en literatura, el impresionismo en pintura, a Wagner en
música. Se niega el positivismo de las ciencias naturales y, en cambio, se exalta un catolicismo embellecido
por la imaginación artística. Se cultiva lo irracional:
neurastenias, sensaciones raras, sueños, presentimientos
de lo sobrenatural y, coronando todo eso, el aspecto
estético de la religión católica. (Su hermano Evaristo
Rivas Groot, 1864-1923, escribió también cuentos modernistas, aunque más realistas.)

vi) *Ecuador*

Estudiaremos la *Égloga trágica* de Gonzalo Zaldum-
bide en el próximo capítulo.

vii) *Perú*

Clemente Palma (Perú; 1872) escribió relatos
fantásticos, macabros, irreverentes: *Cuentos malévolos*
(1904); *Historietas malignas* (1925). Su última novela
—XYZ, 1934— es seudocientífica: cuenta la invención
de un procedimiento para proyectar imágenes de las
películas cinematográficas sobre un protoplasma y de
ese modo crear vidas que repiten exactamente las de las
actrices de Hollywood.

viii) *Bolivia*

Aunque Arguedas cabe aquí, entre los narradores estetizantes, lo hemos puesto más adelante.

ix) *Chile*

Augusto Geomine Thomson, más conocido como AUGUSTO D'HALMAR (Chile; 1882-1950), comenzó como naturalista con *Juana Lucero* (1902), novela cruda, dura, sobre el caer y el rodar y el prostituirse y el morir de una mujer liviana. Después cambió de estética. Se fue desviando hacia motivos y modos cada vez menos realistas, cada vez más poéticos. Sus novelas cortas, sus cuentos, suelen perseguir con esfuerzo un ideal de prosa de bellas formas. No acaban de poseerla. Y, en esa persecución, novelas y cuentos— generalmente adictos a las reminiscencias personales— se olvidan de los intereses de la narración. Novela con trama —aunque trama simple— fue la *Pasión y muerte del cura Deusto* (1924). Transcurre en Sevilla, en 1913. Una Sevilla de turista. Una Sevilla pagana aun en sus fiestas religiosas. Y nos cuenta tres años de amistad equívoca, escabrosa, entre un cura vasco y un adolescente. El análisis psicológico es menos fino que la pintura de una atmósfera mórbida, "decadente", tal como gustaba a los modernistas. La vida eclesiástica no es austera: rodean al cura toreros, trapecistas de circo, pintores, tonadilleras, poetas. El mismo Deusto es músico; su amado Pedro Miguel, cantor y bailarín. Más esteticismo que psicologismo, más oscarwildismo que proustianismo en la descripción de ese amor que, "llegado al límite", no puede prolongarse. Ya se ve que D'Halmar escribió narraciones que tan pronto reflejaban las cosas más inmediatas como las fantasías más artificiosas. Esa fluctuación entre el naturalismo y el imaginismo era muy de su época: también Barrios nos dará por un lado *Un perdido* y por otro *El hermano asno;* y Prado, *Un juez rural* y *Alsino.* Pero si a D'Halmar, autor de *Juana Lucero,* lo situamos en esta sección de prosa estetizante es porque su ascendiente sobre otros escritores se debió precisamente a sus prosas aéreas, que invitaban a sutiles lucubraciones.

x) *Paraguay*

RAFAEL BARRETT (1877-1910) es el escritor de más compleja prosa, capaz de panfletos exasperados —*El terror argentino, Lo que son los yerbales*— y de cuentos armoniosos —*Cuentos breves, Diálogos y conversaciones*—.

xi) *Uruguay*

El gran narrador de temas anormales —con curiosa aleación de esteticismo y naturalismo— fue HORACIO QUIROGA (Uruguay; último día de 1878-1937). Si bien escribió ocasionalmente versos y prosas artísticas (*Los arrecifes de coral,* 1901), novelas (*Historia de un amor turbio,* 1908, y *Pasado amor,* 1929), novelín (*Los perseguidos,* 1905), drama (*Las sacrificadas,* 1920), Horacio Quiroga sobresalió en el cuento corto. Publicó varias colecciones: *El crimen del otro* (1904), *Cuentos de amor, de locura y de muerte* (1917), *Cuentos de la selva* (1918), *El salvaje* (1920), *Anaconda* (1921), *El desierto* (1924), *La gallina degollada y otros cuentos* (1925), *Los desterrados* (1926) y *Más allá* (1935). A estos títulos podrían agregarse cuentos dispersos en periódicos, reunidos ya en varias ediciones póstumas. Un estudio cronológico de sus cuentos, uno por uno, acaso nos permitiera agruparlos en un primer período de aprendizaje técnico, un período de plenitud y el período final, cuando Quiroga se retiró del arte, con las fuerzas menguadas. Pero sus libros no pueden clasificarse por etapas. Por lo general, recogen cuentos escritos en años muy distantes. Así, la fecha del volumen no dice nada sobre la fecha de la composición de su contenido. Quiroga seleccionaba los cuentos de cada libro, con un criterio temático, no cronológico. Nunca logró un libro de perfecta unidad (el más unitario fue *Los desterrados*), pero al menos se lo proponía. Por otra parte, Quiroga solía retocar y aun refundir sus cuentos al llevarlos de la revista al libro. Quizá sus mejores cuentos aparecieron entre 1907 ("El almohadón de plumas") y 1928 ("El hijo"). Se ha observado que, en los últimos años, Quiroga pareció desviarse del cuento al periodismo: artículos, crónicas, comentarios. Sin embargo, escribió cuentos hasta el último instante, si bien no tan buenos como los de la serie que culmina en "El hijo". La acción de gran parte de sus cuentos transcurre en medio de la naturaleza bárbara; a veces sus protagonistas son animales; y, si son hombres, suelen aparecer deshechos por las fuerzas naturales. Se ha dicho, por lo tanto, que Quiroga es típico de un aspecto de la literatura hispanoamericana: la geografía y la zoología como más significativas que la historia y la antropología. Pero ni la selva ni las víboras escriben cuentos: es un hombre quien los escribe sobre ellas, y siempre será la visión de ese hombre, no las cosas, lo significativo en literatura. Y este hombre Quiroga, para quien la naturaleza era un tema literario, no tenía nada de primitivo. Era autor de compleja espiritualidad, refinado en su cultura, con una mórbida organización nerviosa. Había comenzado como modernista; y nunca rompió con esa iniciación. Su prosa se hizo cada vez más desmañada; su técnica narrativa, cada vez más realista. Pero permaneció fiel a su estética de la primera hora: expresar percepciones delicuescentes, oscuras, raras, personales. Tenía una teoría de lo que debía ser el cuento: véanse el "Decálogo del perfecto cuentista", "La retórica del cuento", "Ante el tribunal", etc. Y aunque no hubiera citado sus maestros uno reconocería las influencias que recibió. Pero los citó: "Cree en un maestro —Poe, Maupassant, Kipling, Chejov—

como en Dios mismo", dijo. Y pudo haber mencionado otros porque leyó mucho. No, no era un primitivo; y aun su visión de la selva era la de un ojo
excepcionalmente educado. Los tonos de sus cuentos
son variados: no falta el humorístico. Sin embargo, una
buena antología se inclinaría hacia sus cuentos crueles,
en los que se describe la enfermedad, la muerte, el
fracaso, la alucinación, el miedo a lo sobrenatural,
el alcoholismo. No le conocemos ningún cuento perfecto: en general escribía demasiado rápidamente y
cometía fallas, no sólo de estilo, sino de técnica narrativa. Pero la suma de sus cuentos revela un cuentista
de primera fila en nuestra literatura. Recuérdese el
esquema dinámico de emociones en "La gallina degollada", "A la deriva", "El hijo", "El desierto", "El
hombre muerto" y diez más.

xii) *Argentina*

En la prosa modernista de la Argentina se retienen
hoy los nombres de Estrada y Larreta. Ángel de Estrada (1872-1923) fue un aristocrático y solitario vagabundo por países de verdad, de ensueño, de arte, de
historia. Sus cuadros novelescos —el mejor, *Redención*,
1905— brillan más como cuadros que como novelas.
Sus héroes son fantasmas que se escapan del autor y
no viven sino fantasmalmente, ansiosos de belleza, replegados en los museos, en la literatura o en las historias del arte. Acaso sus más poemáticas páginas sean
sus crónicas, como *El color y la piedra* y *Formas y espíritus*. Enrique Larreta (1873) es el mayor novelista
que ha dado la Argentina dentro del estilo elegante de
los modernistas. *La gloria de don Ramiro* (1908), novela histórica sobre la época de Felipe II (con un viaje
final del protagonista a América que liga los dos mundos hispánicos), fue una magistral coordinación de
esfuerzo evocativo del pasado y del esfuerzo evocativo
de percepciones sensoriales. Su estilo impresionístico

—el convertir las sensaciones en objetos de arte— fue excepcional en toda nuestra literatura. *Zogoibi* (1926) trajo un nuevo valor: estilizar preciosamente una aventura trágica en la llanura argentina. Todo ocurre en pocos meses: de principios del verano en 1913 a principios del invierno en 1914. Federico de Ahumada —a quien, como a Boabdil, último rey de Granada, llaman "Zogoibi", o sea, el desventuradillo— y la dulce y pura Lucía se aman idílicamente. Las tías de Lucía se oponen a ese noviazgo porque Federico es ateo. Federico cae entonces en los brazos de Zita, una extranjera misteriosa y sensual, casada con el industrial norteamericano Mr. Wilburns. Federico lucha entre el amor y la lujuria; y una noche en el campo, cuando se despide definitivamente de Zita, ve un bulto, cree que es un enemigo, le clava el puñal y descubre que acaba de asesinar a Lucía, vestida con prendas de gaucho. Federico se suicida y su cuerpo cae al lado del de su amada. La novela está contada en tercera persona, por un autor que enhebra, con el hilo simple de su relato, acontecimientos que ocurren en distintos sitios y, además, conoce perfectamente por fuera y por dentro a sus personajes. Sólo que ese autor no es un realista, sino un impresionista que va anotando exquisitas intuiciones artísticas. *Zogoibi* es novela bien construida: el final trágico, por ejemplo, está preparado hábilmente con nudos en la trama, detalles sugeridores, coincidencias y agorerías. Las imágenes de la prosa —ricas en sensibilidad y también en cultura, por las frecuentes alusiones a las artes plásticas, la música, la literatura, etc.— no desentonan porque Larreta ha poblado sus "estancias" con argentinos refinados o con extranjeros de las clases altas. Sus personajes son "decadentes" que acaban de volver de París o se han educado en la cultura europea: no faltan una condesa y un opiómano. El mismo Federico se siente héroe de novela francesa y en verdad lo que ha hecho es desempeñar el papel que leyó en sus libros. El europeísmo y aun el esnobismo de los personajes de *Zogoibi* no falsifican la novela. Eran rasgos de la oligarquía criolla y Larreta estaba escribiendo desde ese punto de vista aristocrático. No hay superimposición de dos ambientes sociales reñidos: la novela tiene unidad de visión. La oligarquía imitaba Europa, pero tenía los pies en estas tierras y las gobernaba: por eso, cuando Larreta y sus personajes oyen hablar a los peones o arrojan una mirada sobre las costumbres rurales y las rebeldías del incipiente movimiento obrero documentan sin ningún esfuerzo una vida real que conocían muy bien. Las metáforas funden esa doble experiencia de la oligarquía bonaerense: el manerismo literario y el conocimiento inmediato de la naturaleza: "era un rancho a la vez triste y risueño, torcido todo hacia un lado, a semejanza del gaucho que habla con el patrón". *Zogoibi* muestra el proceso mental de algunos personajes y, como toda novela psicológica, obliga al lector a participar vivamente en el curso del tiempo interior; pero hay otro tiempo también evocado, el de una vida criolla y patricia anterior a la primera Guerra Mundial. Las últimas novelas de Larreta: *Orillas del Ebro* (1949), *Gerardo* o *La torre de las damas* (1953), *En la pampa* (1955), *El Gerardo* (1956), primera y segunda parte. Cuentos y novelas sobre realidades anormales, sea que la anormalidad estuviera en las circunstancias o en las mentes de los personajes, se habían escrito en la época romántica. Ahora, al cultivar esa anormalidad, los autores no disimularon que les gustaba representar el papel estético de raros, de decadentes, de neurópatas. ATILIO CHIAPPORI (Argentina; 1880) se alejaba a la sutil frontera donde lo morboso es a la vez arte y horror: *Borderland* (1907) se llama su primer libro de cuentos. Fue también el primer libro de cuentos de ese tipo que se produjo en Argentina. Chiappori había estudiado, científicamente, los trastornos mentales. Sabía trazarlos con lenguaje técnico. No cayó en el naturalismo, "experimental y cientificista". Usó, en cambio, de su penetración psicológica para hacer literatura modernista. Sus personajes suelen ser literatos, artistas; en todo caso, víctimas de sus raras percepciones, maniáticos de la introspección, enfermos a quienes la aberración les parece aristocrática. El mismo Chiappori escribe en una atmósfera cargada de fantasmas literarios: D'Annunzio, Poe, Barbey d'Aurevilly. Los cuentos explican las perturbaciones como casos clínicos o las describen como aventuras misteriosas en lo desconocido. Ya no los leemos con el mismo gusto de los "decadentes". Ni "La corbata azul" —uno de los mejores— se salva. Pero tuvieron el mérito de iniciar un rico género. Después Chiappori publicó una novela —*La eterna angustia*, 1908— y otros cuentos —*La isla de las rosas rojas*, 1925— donde aquella nota morbosa se oye asordinada.

No faltó, en este grupo especializado en lo anormal, el que pisó el borde de la locura: MACEDONIO FERNÁNDEZ (1874-1952). Por la edad pertenece a este capítulo; por la fascinación que ejerció sobre los jóvenes que lo oyeron (en la generación de Borges, Girondo, Marechal, González Lanuza) y sobre los jóvenes que ya no pudieron oírlo pero lo leyeron con la boca abierta (en la generación del 40), pertenece a los capítulos próximos; y por sus pocos aciertos literarios —aunque los tuvo en su genial verborrea de "escritor oral"— no pertenece a ningún capítulo de esta historia. Pero lo ponemos porque lo conocimos y, en efecto, el hombre era original. Su libro (disparatado) fue *No toda es Vigilia la de los Ojos Abiertos* (1928), filosofía cuyo punto de partida era el idealismo absoluto. Los demás libros que se publicaron después fueron páginas viejas arrancadas, contra su voluntad, por amigos jaraneros: *Papeles de Recienvenido* (1930), *Una novela que comienza* (1941), *Continuación de la Nada* (1945), *Poemas* (1953). El mejor Macedonio es el de la carta a Borges, magia verbal que se publicó en *Proa*. El resto es ilegible digresión, a menos que se busque, entre las ruinas de esa prosa (de esa razón) toda rota por dentro, larvas de un solipsismo sorprendente, ingenioso y aun poético. Nos dio una visión humorística del Universo. Un Universo que, después de las operaciones a que lo sometía la imaginación y la sofística de Macedonio, queda en ridículo, junto con todos los hombres que lo habitamos. Sin embargo, hay en él un aspecto serio, y es el de ilustrar con su vida, con sus escritos, con sus conversaciones, la desintegración de las letras contemporáneas. En primer lugar, la desintegración de los géneros literarios; después, la desintegración del escritor mismo, que acaba por desaparecer en la nada. Macedonio apenas escribió y nunca se preocupó ni de organizar sus pensamientos ni de organizar sus páginas. Por eso, al leerlo, tenemos la sensación de estar espiando el alma de un hombre en el instante en que va a escribir. Es decir, que sólo asistimos a los primeros pujos de una difícil gestación. Pero esos pujos, precisamente, son los que interesan a los lectores de hoy, acostumbrados a que la literatura pueda ser también espontánea, desarticulada, elemental, arbitraria, caprichosa y confusa.

b) *Narradores realistas*

El naturalismo, con su psiquiatría, sus monstruosas flores de sordidez y su extraña estética de fealdad, entraba a veces en la literatura poética del modernismo. Pero seguía su propio cauce, hacia una descripción objetiva de la realidad. Por su parte, los escritores modernistas solían bajar los ojos a las costumbres y paisajes de su región, entreteniéndose en una especie de criollismo y hasta de indianismo. Sería demasiado esquemático el dividir la prosa narrativa en una mitad modernista, donde lo que cuenta es el sujeto-contemplador, y otra mitad realista, donde lo que cuenta es el objeto-contemplado. Pero, levemente, nos apoyaremos ahora hacia este último lado. Bajaremos de México a la Argentina.

i) *México*

El cuadro de la novela realista mexicana está apretado de figuras. Preferimos analizar una sola: la de Azuela. Pero como la importancia de éste reside en ser el fundador de la novela de la Revolución, quisiéramos, como curiosidad, mencionar antes a HERIBERTO FRÍAS (1870-1925), quien, en su *Tomóchic* (1894), nos dio la crónica de una rebelión de indios contra Porfirio Díaz, con simpatía hacia los rebeldes.

MARIANO AZUELA (1873-1952). Su primera etapa de novelista, desde *María Luisa* (1907), culminó con *Los de abajo* (1916), su sexta novela. Quienes la juzgaron desde un mirador político, no literario, creyeron que *Los de abajo* era una obra antirrevolucionaria. En efecto, a primera vista la novela no parece acompañar a la Revolución, sino criticar los episodios brutales que van desde el asesinato de Madero hasta la derrota de los villistas en la batalla de Celaya. Los guerrilleros que rodean a Demetrio Macías no se han lanzado a la Revolución por principios, sino que han sido empujados por motivos y peripecias personales. El mismo Demetrio Macías que los acaudilla no tiene conciencia política. Cuando al final su mujer le pregunta por qué siguen peleando, Demetrio "toma distraído una piedrecita y la arroja al fondo del cañón. Se mantiene pensativo viendo el desfiladero, y dice: —Mira esa piedra cómo ya no se pára". Inercia, no ideales. La animalidad que los mueve es fiera en el "güero" Margarito. Tampoco Luis Cervantes, el intelectualoide que quiere suministrarle a Demetrio una ideología, se ha hecho revolucionario por convicción: es un resentido, un oportunista, un charlatán. Solís es el único revolucionario auténtico, y dentro de la novela revela el secreto de Azuela como ciudadano y como novelista. Solís está desilusionado, no de la Revolución, sino de sus fallas. Ese desencanto lo lleva a contemplar la Revolución a la distancia, como una realidad objetiva; y en ese distan-

ciamiento estético la ve "hermosa aun en su barbarie".
Azuela también es un revolucionario decepcionado: le
hiere la falta de sentido de la lucha. Pero siente su belleza trágica y, si bien la juzga con sentido moral, la
describe artísticamente. La Revolución como objeto de
contemplación: de aquí nace el realismo de Azuela.
Pintará más las circunstancias que los hombres. *Los de
abajo* ofrece una acción continua: cuando el novelista
salta un episodio lo vuelve a recuperar en una evocación retrospectiva. La acción se cierra en perfecta
circunferencia: en sus últimos capítulos Demetrio y sus
hombres morirán en el mismo sitio, aunque en posición inversa, donde comenzaron su lucha, en los capítulos primeros. Pero en esa acción lineal no hay propósito de mostrar la maduración psicológica de los
caracteres. El objeto, repetimos, no es la psicología de
los personajes sino reproducir una faz de la Revolución. Los personajes y sus vicisitudes son fragmentos en
la composición de un cuadro. La objetividad de Azuela
es de tipo naturalista: las circunstancias son determi-
nantes; los hombres, sin libertad, sin fines, son como
animales. Y, con técnica naturalista, Azuela presenta
hombres y animales hacinados, fundidos en una misma
masa. En 1916 ya el realismo y el naturalismo habían
triunfado en la novela de todo el mundo. No era necesario —como en el período de Stendhal y Balzac a los
Goncourt y Zola— probar que el tratamiento literario
de la realidad más sórdida podía alcanzar seria dignidad de arte. Azuela no tenía que empujar una enorme
masa de detalles. Usó, pues, y con eficacia, vigorosos
esquemas novelísticos, prosa rápida, entrecortada y sugestiva, diálogos dialectales, contrastes entre las iniquidades humanas y la belleza del paisaje, recursos impresionistas. Su impresionismo fue el visual de los realistas, no el sinestésico de los "modernistas". Azuela dijo
que sólo escribía para desahogarse y que todos sus temas
eran reales. Su fuerza parece, es cierto, venir de los
hechos, no del arte. Sin embargo, lo artístico de Azuela

está en dejarse atravesar por los hechos, en darnos la
ilusión de estar viendo lo que el autor vio. Sobriedad,
desnudez, capacidad de síntesis, imaginación para cifrar
en una metáfora de poderosa violencia iluminadora
toda una situación social o todo un conflicto psicológico.
En su segunda etapa, de 1916 a 1932, Azuela decidió
experimentar con algunos trucos de la literatura de
última hora. "Abandoné mi manera habitual, que consiste en expresarme con claridad y concisión" —ha ex-
plicado en unas páginas autobiográficas—; y retorció
frases y propuso rompecabezas en *La Malhora*, *El des-
quite* y *La Luciérnaga*. Eran los años del "estriden-
tismo" de posguerra, al que definiremos en el próximo
capítulo. Imágenes "dadá", objetos "futuristas", hermetismo de símbolos engarabitados, estilo antilógico,
expresionismo, monólogos oscuros... Azuela se conta-
gió. Unas pocas ronchas sobre la piel. Recobró la
salud y volvió a lo suyo, que era la crónica, la crítica
sociales. La tercera etapa va desde *Pedro Moreno el
insurgente* (1933) hasta *Sendas perdidas* (1949), novela sobre la clase obrera de la ciudad. Escribió también
cuentos, teatro. Pero sus novelas son su contribución
de más fuste a la literatura. Allí está el México de Porfirio Díaz, el México de la Revolución, el México que
surgió de la Revolución. Pero como novelista acertó
más en el negativo registro de errores, crímenes, corrup-
telas, traiciones. Comprendió menos los esfuerzos de
regeneración nacional. En suma: enriqueció la novelística hispanoamericana con dos obras, por lo menos, *Los
de abajo* y *La Luciérnaga*. Sus novelas póstumas —*La
maldición* y *Esa sangre*— siguieron denunciando las lacras sociales que quedaron a pesar de la Revolución
o que salieron a causa de la Revolución; novelas cru-
das, satírica la primera, amarga la otra, nacidas ambas
del fondo de moralista que había en Azuela.

ii) *Centroamérica*

El Salvador. José María Peralta Lagos (1873-1944) fue narrador costumbrista y festivo.

Costa Rica. El esteticismo (Alejandro Alvarado Quirós, Rafael Ángel Troyo) y el realismo (Magón, Jenaro Cardona) surgieron de la nada, como primeros brotes de expresión nacional en un pueblo que había vivido siglos sin literatura. Hablamos ya de Magón. Pero el creador de la novela realista fue Joaquín García Monge (1881-1958). En *El Moto*, 1900 —su primera novela; más, la primera novela significativa en las letras costarricenses— urdió amores contrariados entre campesinos en un bastidor costumbrista donde vemos las alegrías y sufrimientos del pueblo. También de 1900 es su novela *Las hijas del campo*, con vistazos a la ciudad y sus problemas. De 1917 son sus cuentos de *La mala sombra y otros sucesos*, tal vez su obra mejor por la reproducción —a veces naturalista— de las costumbres y de la lengua campesinas.

Panamá. Salomón Ponce Aguilera (1868-1945), entre el realismo español y el naturalismo francés, dejó una colección de estampas de las costumbres campesinas: *De la gleba*, 1914.

iii) *Antillas*

En las Antillas podríamos mencionar al hilo una docena de narradores. Nos detendremos sólo en quienes no se excedieron en su cuota de desaciertos.

Cuba. Ante todo, Jesús Castellanos (1879-1912). Publicó, con el título *La conjura* (1909), varios relatos. El primero propone una tesis: hay una "conjura" social para destruir a los individuos superiores, nobles, idealistas, en este caso simbolizados por el médico Augusto Román. Este médico vive en La Habana con una enfermera del hospital, muchacha voluptuosa, de sensualidad animal. Él quiere una cátedra, quiere con-

sagrarse a la investigación científica. Las convenciones
sociales le exigen que abandone a su querida. Augusto,
por bondad, se niega a hacerlo. No gana ni la cátedra
ni el puesto de director del hospital. Pierde también
la oportunidad de casarse con una chica rica. Cuando
ve que su querida es una prostituta, decide hacerse
cínico y entregarse a las convenciones sociales... Muy
superior a *La conjura* es *La heroína*. Aquí no hay
tesis que eche a perder el relato. Con una prosa más
cuidadosa, en la que relampaguean buenas imágenes, y
con un vivaz y continuo ritmo narrativo, Castellanos
ha retratado un episodio íntimo en la vida de la burguesía acomodada cubana. El tono irónico es lo mejor
de la noveleta. De filiación naturalista fueron Carrión
y Loveira, ambos notables. MIGUEL DE CARRIÓN (1875-
1929), con actitud que quería ser de psicólogo cientificista, diseca la personalidad de una mujer en *Las
honradas* (1918). CARLOS LOVEIRA (1882-1928), anar-
co-sindicalista en sus luchas obreras, en literatura aprendió lo que pudo en Zola y diagnosticó en varias novelas
las enfermedades sociales: *Los inmorales* (1919), *Generales y doctores* (1920), *Los ciegos* (1923), *La última
lección* (1924) y, la mejor, *Juan Criollo* (1928). Documentó así los últimos años de la colonia y los primeros de la república, pero su capacidad de observación
fue contrarrestada por su incapacidad para componer
relatos bien estructurados con personajes bien vistos.
En él la materia social monta más que la creación
psicológica. Otros: ARTURO MONTORI (1878-1932), de
escenas costumbristas, y LUIS RODRÍGUEZ EMBIL (1880-
1954), que todavía hace novela histórica.

Santo Domingo. TULIO MANUEL CESTERO (Santo
Domingo; 1877-1954) aprendió a escribir en la escuela
modernista y lo hizo tan bien que pudo haberse quedado en miniaturista primoroso. Y, en efecto, su preciosismo (influido por el de D'Annunzio) se expresó
en varios libros. Pero afortunadamente cultivó el relato,
y fue del análisis psicológico (*Sangre de primavera*,

1908) a la descripción de la vida dominicana (*Ciudad romántica*, 1911). Su novela *La sangre* (1915) es lo mejor que escribió y, sin duda, una de las buenas novelas de este período. La subtituló "una vida bajo la tiranía". La vida es la de un quijotesco maestro y periodista, Antonio Portocarrero; la tiranía, la de Ulises Heureaux, que fue asesinado en 1899. La acción novelesca transcurre de 1899 a 1905, en el período caótico de las revoluciones que siguieron al asesinato de Heureaux. La "vida bajo la tiranía" se refiere, pues, a los capítulos en que Portocarrero, en la cárcel, evoca su infancia y adolescencia. Hay, pues, dos dimensiones temporales: la inspección del presente y la retrospección del pasado. Y es en el presente, de 1899 a 1905, cuando el carácter de Portocarrero cobra relieves. Esta deliberada estructura de la novela facilita el análisis psicológico. En muchas otras novelas hispanoamericanas se ha presentado este tipo de héroe intelectual y político que fracasa porque no sabe o no quiere pactar con la realidad. Pero Cestero, aunque simpatiza con su héroe, lo humaniza, lo cala y lo describe con sus sombras y luces. Nos da, pues, un doble cuadro: exterior, de Santo Domingo, e interior, de un inadaptado. La prosa muestra también la preocupación constructiva de Cestero: troquela las frases en moldes clásicos (clásicos del siglo XVII) y en moldes modernos (del "modernismo" de principios del siglo XX). Naturalismo y esteticismo trajinan juntos. MANUEL DE JESÚS TRONCOSO DE LA CONCHA (1878-1955) fue el más fértil y espontáneo de los coleccionistas de tradiciones y anécdotas de la vida nacional: *Narraciones dominicanas* (1946). RAFAEL DAMIRÓN (1882-1956), poeta, dramaturgo, costumbrista, novelista en una serie de reconstrucciones de los conflictos de la historia política contemporánea, desde *Del cesarismo* (1911) hasta *La cacica* (1944). Esta última es un estudio psicológico de una mujer fuerte y maligna. HAIM LÓPEZ PENHA (1878), *Renacimiento* (1942): novela sobre las costumbres de la ciudad contemporánea. ARTURO FREITES ROQUE (1874-1914), en *Lo inexorable* (1911) satirizó los enredos políticos.

Puerto Rico. Entre Matías González García, de quien ya hablamos, y MIGUEL MELÉNDEZ MUÑOZ (1884), se formó un grupo de cuentistas y novelistas atentos a las costumbres populares y a los problemas sociales de la isla. Uno de ellos: ANA ROQUÉ DE DUPREY (1883-1933).

iv) *Venezuela*

Hablamos ya de la corriente artística de la narrativa venezolana. En la otra corriente, la realista, hay que situar a RUFINO BLANCO FOMBONA (1874-1944). Sus primeros versos salieron del alambique modernista; pero de ese estilo sólo la exaltación de las personalidades violentas le convenía, pues era eso, un violento. Él decía sentirse "más cerca de los románticos, aun cuando no me alejo nunca de la verdad que ven mis ojos". Reprochó a los modernistas su blandura, su exotismo, su espíritu de imitación, su ceguera para las cosas de América. Él, es cierto, se preocupó por América más que otros modernistas, en su labor de historiador, panfletario político y crítico; pero su obra de pura creación literaria no resultó tan buena como su programa de un arte americano original había prometido. Su verdadero mérito está en los *Cuentos americanos* (1904) —aumentados en la edición titulada *Dramas mínimos*, 1920— y en las novelas *El hombre de hierro* (1907), *El hombre de oro* (1915), *La mitra en la mano* (1927), etc. Desgraciadamente aun aquí sólo mostró la garra con que se escriben novelas, no las novelas que se logran con esa garra. Dejó caricaturas, no personajes. Su pasión política, sus propósitos satíricos, su orgullo en ser instintivo y bárbaro, sus recursos periodísticos aplicados al arte echaron a perder su visión creadora. Si se le llama "realista" es por contraste con el preciosismo de otros narradores. En realidad,

Blanco Fombona se desahogaba demasiado para narrar con objetividad. Estaba obsesionado por la estupidez, la maldad y la sordidez de las gentes —aunque él mismo no fue hombre moralmente ejemplar— y cuando no deformaba la realidad con sus diatribas la empobrecía con el sexo. *El hombre de oro*, por ejemplo, no es buena novela. El título alude a Irurtia, avaro y usurero que llega a ser Ministro de Hacienda de Venezuela. Tiene páginas ágiles (sarcásticas), pero la novela, en su conjunto, no es ágil. El defecto peor es su inverosimilitud. Si fuera una farsa eso no importaría, puesto que la farsa se basa en una situación forzada. Pero es farsa a medias. Por otro lado intenta, sin conseguirlo, ser novela con análisis psicológicos de Irurtia, Rosaura, Olga, Andrés. El lector se siente insatisfecho porque ni el tono de farsa ni el tono de novela psicológica son puros. Hay en Blanco Fombona un conflicto entre su visión psicológica de los hombres y su visión juzgadora (moral-sociológica) de los hombres. Está mejor dotado para lo último, porque su talento era polémico, agresivo, reformador. Pero no acertó en la elección de su género narrativo. En el prólogo a *Dramas mínimos* confesó su filosofía (o su malhumor): "He descubierto siempre y en todas partes cosa igual: un fondo idéntico de estupidez, de maldad y de dolor." Desgraciadamente, sus "dramas mínimos" ni siquiera expresan bien esa misantropía, pues al componerlos la materia se le afloja en las manos. Quería informar al lector de lo que había visto, oído o vivido, no sorprenderlo con situaciones y desenlaces nuevos. En los últimos años intentó renovar su técnica narrativa. *El secreto de la felicidad* (1935) es esquema de novela, más que novela. Y con esquemas políticos. Y con una prosa esquemática. Pero tiene rasgos novedosos en la historia técnica del género. En fin, que Blanco Fombona, si bien no escribió ningún libro realmente poderoso, dejó una obra de conjunto lo bastante considerable para que nos interesemos por su personalidad humana y, en este sentido, gustemos el diario de su vida, de 1906 a 1914, que publicó en 1933 con el título de *Camino de imperfección*; diario que va desplegando un anecdotario erótico, político y literario siempre vanidoso y a veces brillante.

v) *Colombia*

En Colombia la novela de ambiente nacional o regional apenas si recibió incentivos del modernismo. Había nacido realista y siguió siendo realista. Emilio Cuervo Márquez (1873-1937), aunque escribió *Phinées* (1913), novela sobre los tiempos de Cristo (como el *Quo Vadis?* de Sienkiewicz), dejó narraciones colombianas de más significación. Clímaco Soto Borda (1870-1919) describió el ambiente social de su época aun con toques naturalistas: *Diana cazadora*. Pero el narrador de más enjundia fue Francisco Gómez Escobar, que firmaba Efe Gómez (1873-1938). Se distinguió en el cuento y en la novela corta: *Mi gente* (1936), *Almas rudas* (póstuma) son títulos que declaran el tema de su literatura, que es pintar —y fue quien mejor lo hizo en su país— la vida de los campesinos. El naturalismo lingüístico de muchos de los escritores regionalistas de esta generación fue un vicio. No siempre. Hay por lo menos una obrita maestra en ese género: "El machete" de Julio Posada (1881), relato en primera persona de un campesino que, buscando trabajo, llega a una finca. Cuenta —y la ortografía de su cuento es fonética— cómo consiguió trabajo, cómo se enamoró de la muchacha, cómo se hizo amigo del negro, cómo el negro le enseñó a jugar el machete, cómo el negro estaba enamorado de la misma muchacha y cómo pelearon negro y peón. Para extremar el naturalismo lingüístico Posada editó el relato no con tipos de imprenta, sino con las planchas manuscritas.

vi) *Ecuador*

Luis A. Martínez (1869-1909), a quien ya citamos por su novela A *la costa*, Eduardo Mera (1871-1913) y Manuel J. Calle (1866), con su *Carlota*, son antecedentes del realismo ecuatoriano que estudiaremos más adelante.

vii) *Perú*

El más vigoroso de los narradores realistas fue Enrique López Albujar (1872). Más que cuentos fueron los suyos apuntes de la vida serrana, con honda comprensión para el alma indígena y un espíritu de protesta y reforma contra las injusticias: *Cuentos andinos* (1920), *Nuevos cuentos andinos* (1937). También tiene novela: *Matalaché*, de crítica social y documentación de la vida de los negros esclavos en las grandes haciendas. Angélica Palma (1883-1935), hermana de Clemente, hija de Ricardo, escribió novelas de tono menor, con vena realista a la española.

viii) *Bolivia*

Alcides Arguedas (1879-1946) se ensayó con una novela indígena —*Wata-Wara*, 1904, después reelaborada en *Raza de bronce*— y con una novela de la ciudad —*Vida criolla*, 1905—, pero se incorporó a la serie de grandes novelistas hispanoamericanos con un solo libro: *Raza de bronce* (1919). Esta novela, dividida en dos partes, se desarrolla en un tiempo continuo. Su acción, sin embargo, está rota en episodios sueltos: viajes, aventuras, cuadros de costumbres, escenas de rudo trabajo, luchas con la naturaleza, vicios, enfermedades, muertes, apuntes etnográficos con ceremonias paganas y cristianas, desfile de múltiples personajes, reflexiones y discursos. La trama se hace más firme cuando cuenta los amores de Agustín y Maruja, sus sufrimientos, los

abusos que los terratenientes criollos y sus servidores
mestizos hacen de los indios; y se entreteje con hilos
de fuego y de sangre cuando el brutal Pantoja mata a
Maruja y entonces Agustín y los suyos se vengan. En
verdad, no hay caracterización: la comunidad indígena
es la protagonista. La primera parte comienza con andares de novela pastoril y promesas de idilio; pero pronto
la novela tuerce hacia una realidad abominable, y ya la
segunda parte, después de uns páginas de historia y
sociología, es una indignada denuncia de la crueldad
con que los "blancos" —incluyendo al cura— se ensa-
ñan con los indios. Arguedas narra desde fuera, en tercera persona. Interviene constantemente con juicios
moralizadores y políticos: a veces pone sus pensamientos en boca de un poeta modernista lector de Gorki
—Suárez—, quien compara la miseria indígena con la
de los mujiks rusos. Menos convincente, artísticamente,
es la oratoria en boca de los indios. La prosa, siempre
cuidada, suele hacerse poemática, sobre todo en los bellísimos paisajes. Esos poemas en prosa no desentonan
en el sombrío cuadro: el modernismo de Arguedas es lo
bastante amplio para acoger procedimientos naturalistas.
JAIME MENDOZA (1874) —"el Gorki boliviano", como lo
llamó Rubén Darío— cosió en un álbum escenas sueltas de la dolorosa vida minera: *En las tierras de Potosí*
(1911). Y DEMETRIO CANELAS (1881), en *Aguas es-
tancadas* (1911), hizo vivir a sus personajes en diálogos
bien oídos y reproducidos. En contraste con ambos, el
boliviano ABEL ALARCÓN (1881) prefirió la novela histórica, de la época incásica (*En la corte de Yáhuar-
Huácac*, 1915) o de la época colonial (*Era una vez*,
1935).

ix) *Chile*

JOAQUÍN DÍAZ GARCÉS (1877-1921), conocido por
su seudónimo "Ángel Pino", fue cuentista con preferencia por el aspecto humorístico de las costumbres de

campesinos, obreros, guerreros y bandidos: su novela *La voz del torrente*, aunque desaliñada, tiene vida. JANUARIO ESPINOSA (1882-1946) fue el novelista de la clase media, si bien su mejor obra, *Cecilia*, transcurre en el campo. GUILLERMO LABARCA HUBERTSON (1883-1954) sigue siendo leído, gracias a los cuentos de *Mirando al océano* (1911). OLEGARIO LAZO BAEZA (1878) se especializó en *Cuentos militares*, más interesado en la psicología que en las situaciones externas; escribió una novela, *El postrer galope*. TOMÁS GATICA MARTÍNEZ (1883-1943) noveló el "gran mundo", con intención de crítica social. Otros: VÍCTOR DOMINGO SILVA (1882), TANCREDO PINOCHET (1880).

x) *Paraguay* y xi) *Uruguay*

A la narrativa de estos países la veremos más adelante.

xii) *Argentina*

De los realistas argentinos de estos años ni ALBERTO GHIRALDO (1874-1946) ni MANUEL UGARTE (1878-1951) fueron típicos. Ambos estaban literariamente en deuda con el modernismo; y cuando se acercaban a la realidad era más como políticos que como escritores. De los otros elegiremos, como representativo, a MANUEL GÁLVEZ (1882). El tanto escribir con los ojos puestos en el éxito editorial ha rebajado su calidad de escritor, que era alta en las novelas realistas *La maestra normal* (1914), *La sombra del convento* (1917) y *Nacha Regules* (1918). Preferimos *El mal metafísico* (1916). Ha sorprendido, en el Buenos Aires de principios de siglo, la vida literaria. Sus retratos son tan parecidos a sus modelos que uno los reconoce: son nada menos que Almafuerte, Ingenieros, Florencio Sánchez, Ghiraldo, Gerchunoff, David Peña y muchísimos más. Novelas sobre la bohemia literaria ya las había: lo novedoso de Gálvez fue describir los círculos "modernistas" con una técnica no modernista. De aquí cierta disonancia: su protagonista Carlos Riga representa una concepción romántico-simbolista de poeta con vocación casi religiosa, soñador, desdeñoso de la masa, inadaptado, enfermo, deshecho por la incomprensión social de un país joven y materialista; pero Gálvez, que simpatiza con ese "mal metafísico" de una pura contemplación estética, describe desganadamente. Disonancia, pues, entre el ideal aristocrático de Riga y el ideal de novela democrática de Gálvez. Entre 1914 y 1938 —fechas de *La maestra normal* y *Hombres en soledad*, respectivamente— publicó diecisiete novelas. Después de diez años de vagar por la historia y las memorias, volvió a su oficio de novelista: novelas de la época rosista (un ciclo de cinco novelas) y de la vida contemporánea, incluyendo los últimos días de Perón (*Tránsito Guzmán*, 1956). Quienes se interesen en el tema del personaje autónomo y por la forma del desdoblamiento interior del relato (con ilustres antecedentes españoles: Galdós, Unamuno, etc.) acaso se diviertan con *Las dos vidas del pobre Napoleón* (1954). A medida que Gálvez insistió en su catolicismo su arte fue también achabacanándose. En sus mejores novelas sabe sobreponerse a su defecto mayor: el tejer el relato con episodios, detalles y digresiones inútiles; pero no repuja bien los relieves de sus personajes. Otros: el regionalista Eduardo Acevedo Díaz hijo (1882), autor de *Ramón Hazaña*; Mateo Booz (1881-1943), Carlos Alberto Leumann (1883).

2. Teatro

Y ahora pasemos al teatro. Ante todo, el teatro rioplatense. El drama rústico que, según ya vimos, saltó con el *Juan Moreira* de Gutiérrez-Podestá del picadero de circo al escenario de teatro, atrajo a nuevos autores, y pronto el tema inicial —la valentía gaucha frente a la autoridad policial— formó con otros una trenza de tientos criollos. Buenos Aires, ahora, es un activo centro teatral. Compañías españolas, francesas, italianas traen un repertorio internacional. Y así el teatro rioplatense empieza a ennoblecerse con propósitos de arte. La dirección gauchesca continúa (ELÍAS REGULES, OROSMÁN MORATORIO, VÍCTOR PÉREZ PETIT) y adquiere cierto valor literario con *Calandria* (1896) de MARTINIANO LEGUIZAMÓN y *Jesús Nazareno* (1902) de ENRIQUE GARCÍA VELLOSO (1881-1938). Ni *Calandria* ni *Jesús Nazareno* calcan la fórmula del gaucho sanguinario: el primero se redime por el trabajo, el segundo es un héroe con "mensaje", a la manera de los dramones de Echegaray. Otro desvío fue el que llevó desde el drama gauchesco en campo abierto, bárbaro y de acción violenta, al drama de la vida doméstica de los campesinos. MARTÍN CORONADO (1850-1919) lo realizó en verso con *La piedra del escándalo* (1902) y segunda parte *La chacra de don Lorenzo* (1918). NICOLÁS GRANADA (1840-1915), en prosa, dio un nuevo desvío al tema rural: en *¡Al campo!* (1902) mostró un matrimonio de hacendados instalados en Buenos Aires y sólo en el tercer acto apareció la pampa. Granada cultivo también el drama histórico (*Atahualpa*, 1897), género en el que sobresalió DAVID PEÑA (1865-1928) con *Facundo* (1906) y muchos más. El sainete, que a la postre resultaría la preferencia más incontenible del público rioplatense, levantó cabeza gracias a CARLOS MAURICIO PACHECO (m. 1924) y ALBERTO NOVIÓN (1881-1937). La comedia de la clase media de Buenos Aires surgió casi perfecta de manos de GREGORIO DE LAFERRÈRE (1867-1913), de vivo sentido cómico, certero en la caricatura de la gente de medio pelo, hábil diseñador de tipos populares. Su primera pieza, *Jettatore...!* (1940), fue elemental: buscaba la risa con la exhibición de una manía. *Locos de verano* (1905) tuvo más complejidad. No una manía, sino muchas, una por cada personaje; y cada personaje, aislado de los demás, ensimismado, cómicamente hermético. En *Bajo la garra* (1906) su tema fue los estragos de la calumnia. Desgraciadamente Laferrère saltó bruscamente de los actos satíricos al acto final, de intensidad dramática. Su mejor obra fue *Las de Barranco* (1908), comedia de la pobreza vergonzante, bien observada, bien concebida, bien estructurada, con una doña María y una Carmen —entre otros personajes también vivos— que son creaciones. Con el ejemplo de teatro serio que las compañías extranjeras ofrecían al público de Buenos Aires hubo quienes se orientaron hacia el teatro de conflictos, problemas y tesis: EMILIO BERISSO (1878-1922). En otro lugar hablamos de Payró porque fue, esencialmente, un narrador, no un dramaturgo, a pesar de que su *Canción trágica* (1902) fue una de las piedras sillares del teatro rioplatense, con Sánchez y Laferrère. Tenemos que detenernos en Sánchez, el más grande de los autores teatrales de Hispanoamérica en esta generación. FLORENCIO SÁNCHEZ (Uruguay; 1875-1910) había visto el mejor teatro de su época: sobre todo el de las compañías italianas —Novelli, Zacconi, Eleonora Duse, etc.— que llevaban al Río de la Plata el repertorio dramático de Ibsen, Björnson, Sudermann, Bracco, Giacosa, Hauptmann, Tolstoi... Aunque no fue estudioso, leyó autores de "ideas avanzadas", por lo general anarquistas y socialistas que influyeron en su concepción de la vida social. Sus preferencias literarias eran las del realismo de los novelistas rusos. Su ambiente, el de la bohemia periodística y el de la pobreza de los oficios y barrios humildes. El primer estreno —*M'hijo el dotor*, 1903— fue un fruto agraz, pero de árbol vigoroso. Realidad rural como la de tantas otras piezas de esos años, sólo que más colorida, fresca y animada, con un carácter vivo —el viejo criollo don Olegario— y una intención seria: presentarnos, en diálogos intensos, un conflicto de almas, de estimativas, de concepciones de la vida, de generaciones, de costumbres campesinas y urbanas, que acaban por hacer crisis cuando Julio, el hijo "dotor", seduce a Jesusa y debe responder de su acción ante don Olegario. Su próxima obra rural, más ambiciosa y lograda, fue *La Gringa* (1904). El diálogo, de gran fuerza realista, evocaba el rancho criollo, la pulpería, la chacra del gringo, las costumbres de la pampa; pero ese diálogo estaba al servicio de una alegoría: los italianos invadiendo las tierras del gaucho y el nacimiento de una promisoria raza italocriolla. El gaucho Cantalicio y y su hijo Próspero por un lado; el italiano Nicola y su hija Victoria, por otro. Pero los hijos Próspero y Victoria resuelven el conflicto con el amor y el riego de sangre en una nueva criatura racial. En este esquema abstracto hay símbolos menores: el ombú, por ejemplo, abatido como el poder del criollo puro. Y situaciones ya tratadas en el teatro de esos años: el resentimiento nacionalista de los criollos contra los gringos. Pero todo el drama se dirige a la exaltación de la nueva raza argentina. Florencio Sánchez ha respetado los puntos de vista de criollos y gringos, igualmente legítimos. Cantalicio —jugador, haragán, bebedor, pendenciero, imprevisor, informal— y Nicola —tacaño, desconfiado— se salvan en el hijo que Próspero le ha hecho a Victoria. Así como Próspero y Victoria unen el mundo criollo y el gringo por abajo, por el instinto, Horacio los une por arriba, por la cultura universitaria. Horacio es el progresista, el hombre ejemplar, comprensivo, bueno, superior y dramáticamente vacío, como todos los "razonadores" del drama del siglo XIX. Acaso sus burlas al romanticismo de Victoria y su visión de lo criollo como feo sea lo más personal de su carácter. La construcción de *La Gringa* es floja. El drama se realiza ante nuestros ojos: el espectador ve cómo comienzan los amores de Próspero y Victoria y las dificultades de Cantalicio; pero la presentación no sacude al espectador porque el esquema es previsible como un teorema geométrico. Florencio Sánchez cerró su trilogía campesina con *Barranca abajo* (1905), la tragedia más sombría de nuestro teatro. No ofrece una tesis: en todo caso, un problema, el del despojo de la tierra de las viejas familias criollas por una oligarquía armada con todas las argucias de la ley y con la autoridad policial. Pero, aquí, Sánchez ha querido dramatizar, no un tema social, sino el fracaso de un hombre. La familia de don Zoilo se derrumba bajo los golpes de la mala suerte, la enfermedad, la sordidez, la zancadilla de los leguleyos y la carcoma de las pasiones bajas. Es una obra maestra que gana sobre la escena porque es teatro, no literatura. Aunque realista por el diálogo, veraz en sus imágenes campesinas y en sus detalles costumbrista, está artísticamente compuesta, en tres actos *in crescendo* que comienzan y terminan con deliberados efectos. Como nunca, dominó aquí Sánchez su arte escénico. En la primera escena están las cuatro mujeres: la esposa, la hermana y las dos hijas de don Zoilo. Se interrumpe el diálogo con la aparición de don Zoilo que cruza la escena, silencioso como un fantasma, y ahora —ya no está Robustiana, la hija buena— hablan las tres mujeres que han de precipitar su caída. En seguida, se suma al coro Martiniana, descendiente literario de la Celestina, otra de las fatalidades. Como un coro trágico, la conversación inicial de las mujeres explica el desastre pasado —el método retrospectivo de Ibsen— y la crisis que, fatídicamente, vamos a presenciar. Los símbolos están bien elegidos: cuando Zoilo va a ahorcarse, el lazo se enreda en un nido de hornero, forcejea en vano para voltearlo y exclama: "Las cosas de Dios... ¡Se deshace más fácilmente el nido de un hombre que el nido de un pájaro!" Las intensas pausas en el diálogo calan más hondo que las palabras mismas. Este dramaturgo que tanto y tan bien había oído el hablar de las gentes humildes sabía el valor del silencio. Con admirable economía verbal contrasta el deseo animal del estanciero Juan Luis por Prudencia ("¡Vení, prenda!") con la piedad con que Aniceto propone casamiento a la tísica Robustiana. A veces unas pocas y

simples palabras desatan la emoción, como cuando
don Zoilo, en la escena v del acto III, dice a Aniceto:
"¿Quedó juerte la cruz?", única alusión a la muerte
de su hija, que acaba de ser sepultada. Y la muerte de
la hija se ha anunciado con un detalle escénico igualmente sencillo: al levantarse el telón del tercer acto
aparece, junto a la puerta del rancho, la cama de hierro donde murió la tísica. La han sacado para que se
limpie al sol. La preparación del suicidio de don Zoilo
es de sobria y segura eficacia, desde que se levanta el
telón de ese acto y, sobre el fondo de miseria, frente
a la cama de hierro de la muerta, don Zoilo está ence-
rando el lazo y silbando despacito. Ese silbido es la
melodía de la muerte: silbará hasta el momento final.
Don Zoilo es todo un carácter, con algo de viejo Lear.
Un aliento de poesía, solemne y universal, envuelve
Barranca abajo. El tema del derrumbamiento del hogar pasó del campo a la ciudad en dos de sus mejores
dramas: *En familia* y *Los muertos*, ambos de 1905. En
la veintena de piezas teatrales que produjo hay también
sainetes, comedias de ambiente suburbano y obras de
tesis (*Los derechos de la salud*, 1907, *Nuestros hijos*,
1907). Con Sánchez triunfó el realismo; y él saboreó
triunfo tras triunfo, que no lo sacaron de pobre pero
le dieron la embriaguez de la gloria literaria. Otros
comediógrafos y dramaturgos rioplatenses: PEDRO E.
PICO (1882-1945), CÉSAR IGLESIAS PAZ (1881-1922),
JOSÉ LEÓN PAGANO (1875), JULIO SÁNCHEZ GARDEL
(1879-1937).

En ninguna parte de Hispanoamérica hubo otro
dramaturgo como Florencio Sánchez. México ofrece,
sin embargo, figuras interesantes. MARCELINO DÁVALOS
(1871-1923), autor de dramas con temas naturalistas,
como el de la transmisión hereditaria del alcoholismo
—*Guadalupe*, 1903— o de asuntos sociales —*Así pasan...*, 1908—. Y, más escritor, más culto, JOSÉ
JOAQUÍN GAMBOA (1878-1931), que después de varias
piezas, desde *Soledad* (1899) hasta *El día del juicio*

(1908), se retiró del teatro para volver a él, muchos años más tarde, con obras aún más robustas: el drama social *El diablo tiene frío*, el drama de clase alta *Los Revillagigedos*, la comedia *Si la juventud supiera* y la que parece ser su pieza maestra: *El caballero, la muerte y el diablo* (1931). En *El mismo caso* (1929) Gamboa ensayó novedades ingeniosas. Dividió el escenario en tres partes —la "comedia", "el drama", "la farsa"— y en cada una presentó el mismo tema con desenlaces diferentes.

Otras figuras de teatro: los más fecundos en Costa Rica fueron EDUARDO CALSAMIGLIA (1880-1918) y JOSÉ FABIO GARNIER (1884). En Chile, VÍCTOR DOMINGO SILVA (1882).

3. *Ensayo*

El interés filosófico se generalizó gracias al positivismo, y ya hemos visto en este sentido la labor de Varona, Hostos y otros. Ahora veremos cómo surgieron los refutadores del Positivismo. Sin embargo, ese movimiento filosófico —importado de Europa pero bien asentado en las necesidades sociales de nuestros países— siguió dominando en todas partes por algún tiempo. Spencer y Stuart Mill eran las fuentes más frecuentadas; un poco menos, Comte. El Positivismo nos hizo respetar las ciencias, desligó la psicología de la metafísica, promovió la sociología, dio solidez experimental a los estudios, sistematizó las observaciones, aplaudió el razonamiento claro, invitó al progreso, afirmó una moral autónoma, practicó el liberalismo... Muy tarde, cuando ya estaba agotado en Europa, el Positivismo se encarnó en uno de los pensadores de más talento en esta genración: JOSÉ INGENIEROS (Argentina; 1877-1925). Es más importante en una historia de las ideas filosóficas que en una historia de la literatura, pero tiene títulos a que se le estudie también aquí, por su influencia en grupos literarios y por el aderezo —a veces modernista— de su prosa. Fue el más robusto exponente de una filosofía fundada en la ciencia. Cientificista más que positivista, pues admitía una metafísica, si bien como transitoria hipótesis corregida incesantemente por los progresos del conocimiento empírico. A pesar de que para él la biología estaba en la base de la psicología, y de que sobre ésta se constituían todas las disciplinas culturales, José Ingenieros levantó una ética inspiradora. Es que en el fondo del positivismo, aun después de haber caducado como teoría, había una honrada voluntad de estudio, de mejoramiento, de justicia, de verdad, de fe en la racionalidad del hombre.

Positivistas eran en nuestra América los animadores de valiosos movimientos liberales y socialistas. Por el contrario, muchos de sus adversarios se aprovechaban de la polémica antipositivista para negar las conquistas del libre examen y aun la historia liberal y laica de nuestros países; en nombre de un espiritualismo que apenas rasguñado descubría bajo el barniz el antiguo color dogmático, esos sedicentes antipositivistas en realidad estaban preparando la reacción católica absolutista que, en efecto, habría de amagar después. Algunas de las primeras reacciones que, dentro del campo de la filosofía, hubo contra el positivismo ya han sido mencionadas: Deústua, Korn. Pero, fuera del campo de la filosofía, otros habían reaccionado antes. El modernismo espiritualizó la prosa de ideas; y hasta puede decirse que inició un movimiento filosófico espiritualista.

Como ya dijimos, en la segunda mitad del siglo XIX las ciencias naturales se habían impuesto como el modelo de todo conocimiento, pero en los últimos años hubo recias polémicas y el determinismo fue cediendo. Su base era la sistematización científica: la epistemología le arrancó esa base. Así como los libros del positivismo europeo llegaron tardíamente a América, también fue tardía la llegada de los libros europeos antipositivistas. En América lo que había dominado era más bien un positivismo en acción, difuso, surgido de las necesidades prácticas de nuestra vida social. El positivismo clásico que se conocía era el de Comte y Spencer, con algo de Stuart Mill y mucha lectura de Renan y Taine.

Los intentos de una nueva gnoseología positivista en Europa —Avenarius, Mach, Vaihinger— aquí no tuvieron eco; las ideas de Nietzsche y de William James entrarían más tarde. Nada extraño, pues, que la primera señal de la crisis del positivismo apareciera en las letras hispanoamericanas antes que en nuestras cátedras de filosofía. La estética del modernismo implicaba un repudio a la teoría mecánica de la vida. El arte era un refugio, una fe, una liberación donde nada se repetía, donde nada era explicable con la lógica del físico. Alejandro Korn —ya nos hemos referido a su filosofía idealista de la libertad creadora— ha contado que la lectura de *Azul*... de Darío lo condujo, de noticia en noticia, a una nueva corriente filosófica que ponía el acento en el espíritu.

José Enrique Rodó

El pensador que mejor fundió la literatura del modernismo con el espiritualismo fue José ENRIQUE RODÓ (Uruguay; 1871-1917). Su cultura de adolescencia y juventud fue la de un humanista: clásicos griegos, romanos y modernos (Platón, Marco Aurelio, Montaigne, Renan). Este humanismo le dio inquietud, afán de exaltación espiritual; de modo que al recibir las influencias de los positivistas del siglo XIX no extremó el naturalismo implícito en ellos. Comte y Spencer abajo, más arriba Taine, Renan y Guyau, fueron sus lecturas positivistas. Pero de ellos aprovechó materiales sólo para cimentar su concepción del espíritu: el remate de su edificio tenía una bandera que flameaba a los vientos antipositivistas de Main de Biran, Renouvier, Boutroux y Bergson. Su antipositivismo no fue polémico, sin embargo. Siempre respetó el conocimiento experimental y razonado de la realidad, sólo que lo corrigió con un idealismo activo. El idealismo de Rodó no fue ni metafísico ni gnoseológico, sino axiológico. Es decir, que veía al hombre levantándose de la naturaleza y esforzándose hacia ciertos ideales, hacia los valores de bien, verdad, justicia y belleza. Y estos ideales y valores derivaban de la vida dinámica y creadora. Real era el mundo, real era el hombre, reales los ideales humanos. Rodó creía en la razón, pero como función de la vida. La razón no vital —decía— falsifica el conocimiento de la realidad: sólo la razón vital nos revela el sentido del mundo. No era, pues, un irracionalista, aunque admitía —sobre todo en la creación artística— la intuición: intuición que para Rodó era "el oculto poder constructivo de la naturaleza, que obra en el alma sin injerencia de la reflexión". Su concepción del mundo armonizaba la compleja unidad interior del hombre con la compleja unidad exterior del universo; y en el fondo de esa armonía sentía la fuerza de un poderoso amor a la forma. El universo tenía para él un propósito. Es injusta la omisión de Rodó en las historias y antologías de nuestras ideas, preparadas por profesores de filosofía. Lean el ensayo —"Rumbos nuevos", en *El mirador de Próspero*— que dedicó en 1910 a *Idola Fori* de Carlos Arturo Torres y descubrirán uno de los más tempraneros y lúcidos análisis que se hayan escrito en lengua española sobre la crisis del positivismo. Su primera obra importante fue *Ariel* (1900). Después de la guerra de 1898 entre los Estados Unidos y España tuvo Rodó recelos del imperialismo norteamericano. Preocupado por el crecimiento de los Estados Unidos a costa de la América española pero sin limitarse al tema político, Rodó escribió *Ariel*, que le valió un prestigio internacional y le dio ascendiente extraordinario en la formación moral de la juventud. Desgraciadamente algunos lectores redujeron

Ariel a esquemas que desvirtúan su intención: Ariel *versus* Calibán simbolizaría, para esos lectores, la América hispana *versus* la América sajona, el espíritu *versus* la técnica, etc. Reducido el libro a tales esquemas no parece ser una incitación al esfuerzo, antes bien, una cátedra de conformismo. Si nuestros países, atrasados, ignorantes, desnutridos, sometidos al capital extranjero, desiertos, rutinarios, tradicionalistas, anárquicos tienen a pesar de todo una espiritualidad superior a los Estados Unidos deberíamos darnos por satisfechos... Nada de esto es *Ariel*. Desde el punto de vista de la incitación al trabajo *Ariel* continúa la serie de otros libros solidarizados con los Estados Unidos: los de Sarmiento, por ejemplo. El tema de los Estados Unidos es sólo un accidente, una ilustración de una tesis sobre el espíritu. Tan distante de la intención de Rodó ha sido oponer las dos Américas y lanzar un manifiesto de tipo político, que *Ariel* no fue una obra antimperialista. Sólo alude al imperialismo moral no tanto ejercido por los Estados Unidos como creado por la imitación de la América española. Se le criticó precisamente haber descuidado el problema del imperialismo económico, diferente en esto de Manuel Ugarte, Blanco-Fombona, Alfredo L. Palacios. Pero Rodó no se propuso ese problema. Estados Unidos es un ejemplo, no el tema de su ensayo. Lo que él quería era oponer el espíritu a la concupiscencia. Ensayo moral, idealista, que anticipa su obra maestra: *Motivos de Proteo* (escrita de 1904 a 1907; publicada en 1909). También aquí Rodó se propone describir el alma en su esencial unidad y señalar los peligros de mutilarla con especializaciones excluyentes. ¿Qué intuición tenía Rodó de la conciencia? ¿Cuál era su metafísica del espíritu? Ante todo se advierte un desvío (más aún: una reacción) contra la filosofía asociacionista, atomista, mecanicista, explicativa que había dominado durante el positivismo. Rodó, con o sin influencia de Bergson, afirma la temporalidad de la vida psíquica. Participamos, dice, del proceso universal; pero, además, tenemos un tiempo propio. De esta doble temporalidad de nuestra vida arranca su ética del devenir: "Hija de la necesidad es esta transformación continua; pero servirá de marco en que se destaque la energía racional y libre." Si no tomamos la iniciativa de nuestros propios cambios, la personalidad se nos desvanece en el mundo material. Nuestra personalidad es programática, prospectiva, teleológica. Su sentido se nos revela en la vocación. Y sigue Rodó el admirable paseo por su tema. El aspecto de los *Motivos* es fragmentario. La variedad de formas usadas —la parábola, el poema en prosa, el análisis, la especulación teórica, la anécdota— contribuye también a ese aspecto de mosaico. Hay, sin embargo, una dialéctica. La perspectiva de *Motivos de Proteo*, tan amplia, tan abierta, da unidad aun a las páginas que quedaron dispersas y fueron posteriormente recogidas (*El camino de Paros*, 1918; *Nuevos motivos de Proteo*, 1927; y *Los últimos motivos de Proteo*, 1932). Además su pensamiento iba completándose en sus ensayos sobre tema no aparentemente filosófico: por ejemplo los admirables de *El mirador de Próspero*, 1913. Era un pensador; era también un artista. Su prosa se benefició de ambos talentos. Las frases se yuxtaponen, se coordinan, se subordinan en arquitectura digna, serena, noble, esmerada. Todo es armonioso y bello. Prosa fría, sí, con la frialdad del mármol —o, mejor, con la frialdad de las formas parnasianas—, pero perfecta. Era muy imaginativo, aunque su imaginación admitía la disciplina. Nadie, en el período modernista, ha descrito mejor que él el proceso de la creación literaria. Lo hizo a propósito de otros escritores (pues fue agudo crítico literario) pero también nos habló de su propia pasión por la belleza del estilo en "La gesta de la forma" (en *El mirador de Próspero*) y en "Una sola fuerza en el fondo del Universo" (en *Los últimos motivos de Proteo*). En una lista de los diez mayores escritores de América el nombre de Rodó es imprescindible.

Otros ensayistas

Uruguay dio, además de Rodó, otro gran refutador de las falacias del positivismo, éste ya filósofo de escuela: CARLOS VAZ FERREIRA (1873-1958). Una de las mentalidades más originales y analíticas de América, Vaz ha recorrido todos los temas —la gnoseología, la lógica, la ética, la estética, la pedagogía, la política— y en cada caso supo fundir la teoría con la vida. Rigurosa indagación de las raíces de los problemas, pero tal como existen en la realidad. Su iniciación de pensador fue el positivismo —más próximo a Stuart Mill que a Comte o a Spencer—, pero no le satisfacía el aparente rigor de los sistemas y prefirió la expresión fragmentaria, como la de su admirable *Fermentario* (1938).

El positivismo mexicano tuvo sólida consistencia doctrinaria y prevaleció desde 1860 hasta principios del siglo xx, que es cuando el Ateneo de la Juventud se abandera con William James, Boutroux, Bergson y le declara la guerra. En ese Ateneo se oían las voces de José Vasconcelos, Antonio Caso y Pedro Henríquez Ureña. JOSÉ VASCONCELOS (1881-1959) ha escrito cuentos —*La cita*, 1945—, teatro —*Prometeo vencedor*, 1920; *Los robachicos*, 1946— memorias —*Ulises criollo*, 1935; *La tormenta*, 1936; *El proconsulado*, 1939; *El desastre*, 1946; *La flama*, póstumo—. Bastarían para su fama. Sobresalió, sin embargo, como pensador, en una serie de macizos volúmenes. *Todología*, 1952, es la refundición de su sistema filosófico. La figura filosófica que más influyó en el punto de partida de su filosofar fue Schopenhauer. Su posterior conversión al catolicismo no cegó esa fuente, que siguió alimentándolo. Vasconcelos es un irracionalista. La vida humana es para él acción. También el mundo es producto de un principio activo que va logrando cambios cualitativos, desde la materia hasta el espíritu. Pero el hombre organiza su vida en una conducta ética. Sólo que esta Ética se transfigura en Estética porque, al actuar, el hombre crea emocionalmente su propia personalidad. Vasconcelos quiere poseer la realidad misma del mundo, en sus entes individuales y singulares; y su órgano de posesión es la Estética y la Mística. Antonio Caso (1883-1946) tomó, como punto de partida, la existencia humana en lo más peculiar de ella: la vida, básicamente biológica y sujeta al principio egoísta de la economía —"máximo de provecho con mínimo de esfuerzo"—, en el hombre es capaz de entusiasmo y se enaltece en el arte desinteresado y en la caridad abnegada. El sacrificio caritativo nos abre a la vista un orden sobrenatural: por el camino de la acción moral llegamos a la metafísica o a la religión. Su filosofía cristiana de la existencia no se afilia a iglesia alguna. A Pedro Henríquez Ureña nos referiremos en el capítulo inicial del segundo tomo de esta *Historia*.

Ricardo Rojas (Argentina; 1882-1951), poeta, cuentista, dramaturgo, ensayista, historiador, etc., es una de las personalidades de la cultura argentina: esto significa que a su persona se le da más importancia que a sus libros. En 1923 reunió sus *Poesías*, en general románticas y tardíamente visitadas por el modernismo. Sus cuentos de *El país de la selva* describen mitos y costumbres. En el teatro ha estrenado *La casa colonial, Elelín, La Salamandra*. Su obra más monumental, sin embargo, es la de ensayista, crítico e historiador de la literatura. Mencionemos todavía a los paraguayos Manuel Gondra (1871-1927) y Juan E. O'Leary (1879); y al puertorriqueño Nemesio R. Canales (1878-1923), el de los *Paliques* (1913).

ÍNDICE DE AUTORES

ÍNDICE GENERAL

Marco Histórico: *Carlos IV y Fernando VII.*
Tendencias Culturales: *Neoclasicismo.*

Ideas religiosas, filosóficas y políticas: Fray Servando
Teresa de Mier, 167. *El periodismo,* 172. *El teatro,*
172. *Prosa imaginativa:* Acosta Enríquez, 174. *Poe-*
sía: Navarrete. Rubalcava, Zequeira y Arango, Terralla y Landa, 177. *En el umbral de la Independencia,*
179.

SEGUNDA PARTE: CIEN AÑOS
DE REPÚBLICA

Marco Histórico: *Guerras de Independencia.*
Tendencias Culturales: *El Neoclasicismo y las*
primeras noticias del Romanticismo.

El liberalismo neoclásico, 183. *La novela:* Lizardi,
185. *Prosa suelta,* 190. *La poesía,* 190. *La poesía*
neoclásica: Olmedo, 190. Andrés Bello, 193. *Más*
poetas neoclásicos: Cruz Varela, 198. *La poesía po-*
pular: Hidalgo, Melgar, 201. *El prerromanticismo,*
203.

Marco Histórico: *La anarquía.*
Tendencias Culturales: *El Romanticismo.*

A las puertas del romanticismo: Heredia y otros,
207. *El romanticismo,* 217. *El romanticismo argen-*
tino: Echeverría y otros, 221. Domingo Faustino
Sarmiento, 228. *La novela histórica en Argentina:*
López, 233. *Paréntesis sobre el tema del pirata,* 235.
Otros románticos argentinos: Ascasubi, Mármol,
236. *Uruguay y Chile,* 240. *Bolivia,* 242. *México*
y Cuba: la Avellaneda y otros, 242. *Venezuela y*
Colombia: José Eusebio Caro, 248. *Otros países,* 250.
La segunda generación romántica, 251. *Verso:* Gutiérrez González, G. Blest Gana, Guido y Spano y
otros, 251. *Prosa:* Riva Palacio, Mera, Alberto Blest
Gana, Mansilla y otros, 255.

Este libro se terminó de imprimir el día 9 de enero de 1961 en los talleres de Gráfica Panamericana, S. de R. L., Parroquia 911, México 12, D. F. Se tiraron 10 000 ejemplares y en su composición se utilizaron tipos Electra de 9:10, 8:9 y 7:8 puntos. La edición estuvo al cuidado del autor y de *Alí Chumacero.*

BREVIARIOS PUBLICADOS

ARTE

LITERATURA

HISTORIA

PSICOLOGÍA Y CIENCIAS SOCIALES

RELIGIÓN Y FILOSOFÍA